KB085834

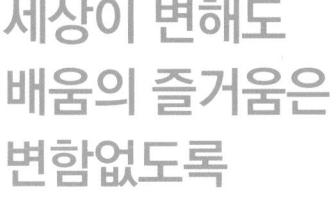

세상이 변해도
배움의 즐거움은
변함없도록

시대는 빠르게 변해도
배움의 즐거움은
변함없어야 하기에

어제의 비상은
남다른 교재부터
결이 다른 콘텐츠
전에 없던 교육 플랫폼까지

변함없는 혁신으로
교육 문화 환경의 새로운 전형을
실현해왔습니다.

비상은 오늘, 다시 한번
새로운 교육 문화 환경을 실현하기 위한
또 하나의 혁신을 시작합니다.

오늘의 내가 어제의 나를 초월하고
오늘의 교육이 어제의 교육을 초월하여
배움의 즐거움을 지속하는 혁신,

바로, 메타인지 기반 완전 학습을.

상상을 실현하는 교육 문화 기업 비상

메타인지 기반 완전 학습

초월을 뜻하는 meta와 생각을 뜻하는 인지가 결합한 메타인지는
자신이 알고 모르는 것을 스스로 구분하고 학습계획을 세우도록 하는
궁극의 학습 능력입니다. 비상의 메타인지 기반 완전 학습 시스템은
잠들어 있는 메타인지를 깨워 공부를 100% 내 것으로 만들도록 합니다.

한끝

진도 교재

초등
국어 6·2

구성과 특징

진도 교재

교과서 학습

준비

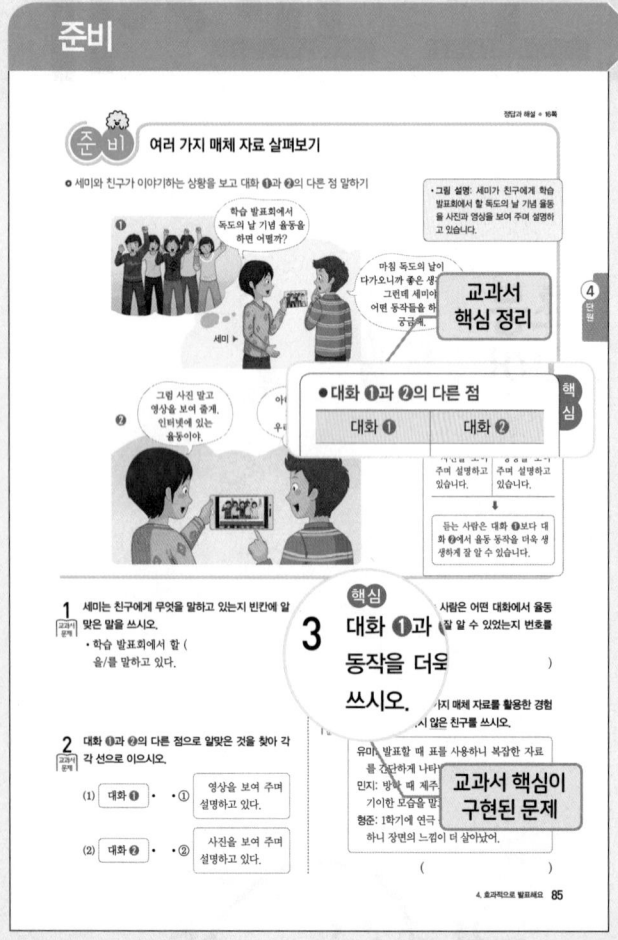

준비에서 앞으로 학습할 단원 목표와 내용을 쉽게 이해할 수 있습니다.

기본

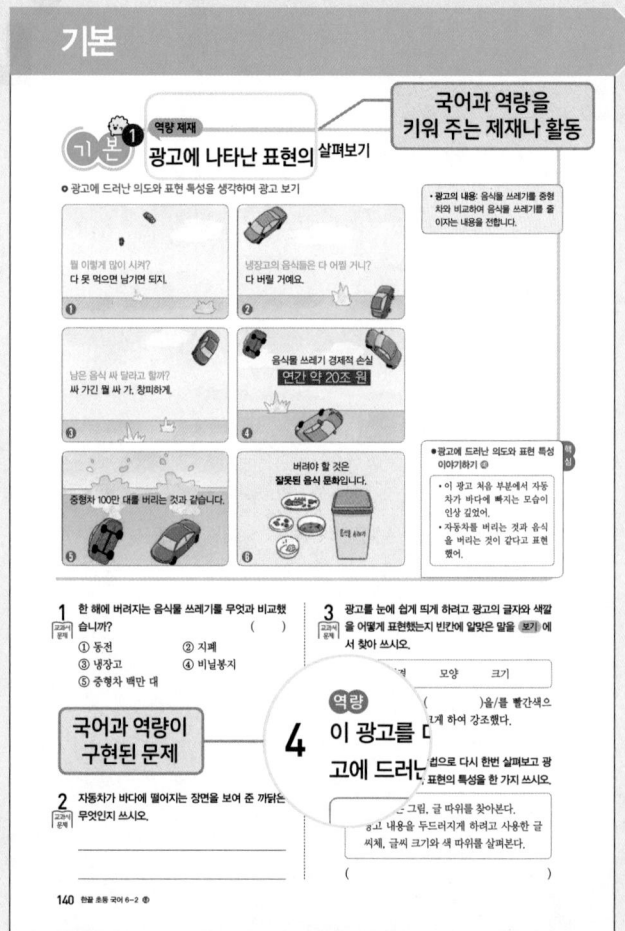

기본에서 핵심 개념과 관련된 다양한 형태의 문제를 통해 기본적인 학습 내용을 충분히 익힐 수 있습니다.

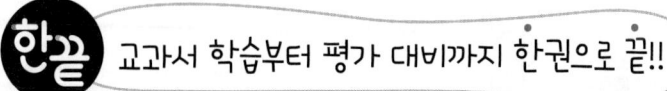 교과서 학습부터 평가 대비까지 한권으로 끝!!

단원 마무리

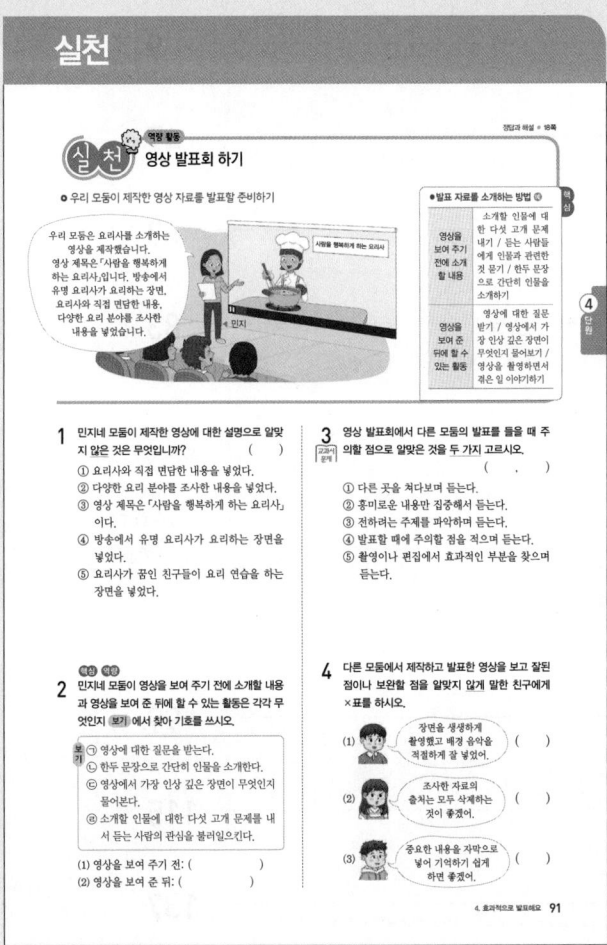

실천에서는 **기본**에서 학습한 내용을 실천할 수 있는
다양한 활동 문제를 구성하였습니다.

- **단원 마무리**
  단원에서 배운 내용을 빈 곳을 채우며 정리합니다.

- **단원 평가**
  꼭 나오는 핵심 문제로 단원에서 배운 내용을
  확인합니다.

- **서술형 평가**
  답을 글로 쓰는 서술형 문제로 단원에서 배운
  내용을 다시 한번 확인합니다.

평가 교재

- **단원 평가 대비**
  · 단원 평가 2회
  · 서술형 평가
  · 수행 평가

- **중간·기말 평가 대비**
  · 중간 평가
  · 기말 평가(중간 이후)
  · 기말 평가(전 범위)

차례

6-2 가

6-2 나

독서 단원

책을 읽고
생각을 넓혀요

이 단원은 '한 학기 한 권 읽기'를
실천하는 단원입니다.
독서 단원은 한 학기 동안
언제든지 공부할 수 있습니다.
학교 수업 순서에 맞추어 활용하세요.

독서 활동	[독서 준비] 읽을 책을 정하고 책을 읽는 목적 확인하기	[독서] 다른 작품과 관련짓거나 질문하며 책 읽기	[독서 후] 책 내용을 간추리고 생각 나누기

1 읽을 책 정하기

✚ **자신이 하고 싶은 일 이야기하기**

예

> 나는 가난한 나라의 어린이들을 돕고 싶어. 그래서 인권을 보호하는 인권 운동가가 될 거야.

✚ **자신이 하고 싶은 일과 그 까닭 쓰기**

✚ **꿈을 이루기 위한 인생 계획 세워 보기**

- 시기별로 꿈을 이루기 위해 할 수 있는 일들을 생각해 봅니다.

✚ **누구와 읽을지 정하기**

- 반 전체 / 모둠 / 혼자

✚ **자신이 하고 싶은 일과 관련한 책을 찾는 방법 알아보기**

관심 분야에서 일하는 사람이 쓴 책 살펴보기	꿈을 이루기 위한 과정이 나와 있는 책 찾아보기
예 내 꿈은 기계 공학자야. 기계 공학자가 쓴 책들을 먼저 살펴보면 좋을 것 같아.	예 기계 공학자가 되는 방법이 나온 책을 찾아볼래.
관심 분야의 지식을 다룬 책 찾아보기	관심 분야의 훌륭한 인물을 다룬 책 찾아보기
예 나는 여러 기술과 환경에 관심이 많아. 환경 오염을 해결하는 기술이 나온 책을 찾아서 읽어 볼 거야.	예 훌륭한 기계 공학자에는 누가 있는지 찾아보고, 그분들의 삶을 다룬 책을 읽어 볼래.

✚ **책을 고르는 다양한 기준 알아보기**

> 책 분량이 너무 많으면 다 읽기 힘들어. 책 분량이 내가 읽기에 알맞은지 따져 볼 거야.

> 책 내용이 내가 이해할 수 있는 수준인지 따져 볼 거야.

✚ **기준에 따라 책을 정하고 그 까닭 정리하기**

정한 책	그 까닭
예 『로봇 일레븐』	예 작가가 아들과 함께 로봇을 만드는 것을 흥미롭게 나타냈기 때문이다.

✚ **정한 책에서 알고 싶은 내용 생각해 보기**

책에서 알고 싶은 내용
예 로봇을 만드는 목적이 궁금하다.

2 책을 읽는 목적 확인하기

✚ **정한 책을 어떤 목적으로 읽을 수 있는지 생각해 보기**

> 나는 국제올림픽위원회와 같은 국제기구에 들어가서 일하고 싶어. 이 책을 읽고 어떤 일을 하는 곳인지 자세히 알고 싶어.

> 나는 우리나라를 대표하는 체조 선수가 되고 싶어. 이 책에서 올림픽에 출전한 체조 선수들이 꿈을 향해 도전한 이야기를 읽고 배우고 싶어.

> 나는 국제 경기 심판으로 일하고 싶어. 심판으로 활동하려면 경기 규칙을 잘 알아야 해. 이 책을 읽고 올림픽 종목별 경기 규칙을 알아보고 싶어.

> 나는 올림픽이 세계 평화에 어떻게 기여했는지 알아보고 싶어. 올림픽 역사를 자세히 살펴 가며 이 책을 읽고 싶어.

✚ **자신이 정한 책을 읽는 목적 확인하기** 예

> 우리 역사상 가장 훌륭한 학자의 삶을 다룬 책에서 공부하는 방법을 알고 싶어.

> 나는 역사가가 되고 싶어. 조선 시대에도 역사를 기록하는 사람이 있었는지 자세히 알고 싶어.

- 책이 자신이 관심 있는 내용을 담고 있는지 살펴봅니다.
- 책에 나온 인물들의 삶에서 무엇을 배울 수 있는지 살펴봅니다.
- 책 내용이 자신의 꿈과 어떤 관련이 있는지 생각해 봅니다.

 **독서** 다른 작품과 관련짓거나 질문하며 책 읽기

1 다음과 같은 점을 생각하며 자신이 정한 책을 꼼꼼히 읽기

책을 읽을 때 생각할 점

다른 책 또는 작품과 관련지어 읽기
읽은 책과 관련 있는 다른 책 또는 작품을 더 찾아 읽어요.

내용을 짐작하며 읽기
생략된 내용이 무엇인지 짐작하며 읽어요.

꼼꼼히 따져 가며 읽기
자신의 생각과 같은 점과 다른 점은 무엇인지 비교하며 읽어요.

책의 구조를 생각하며 읽기
책의 제목이나 표지, 차례, 그림 따위가 어떻게 이루어졌는지 살펴보며 읽어요.

질문하며 읽기
책 내용에서 궁금한 점을 생각하며 읽어요.

2 책을 읽으면서 '다른 책 또는 작품과 관련지어 읽기'나 '질문하며 읽기'가 어려울 때 참고 ① 이나 참고 ② 살펴보기

참고 ① 다른 책 또는 작품과 관련지어 읽기
① 주제가 비슷한 책을 찾아봅니다.
② 같은 작가의 다른 작품을 찾아 읽을 수 있습니다.
③ 다른 매체로 만들어진 작품을 볼 수도 있습니다.

참고 ② 질문하며 읽기
① 독서할 때 질문하며 읽어야 하는 까닭을 생각합니다.

 스스로 질문하며 책을 읽으면 책을 더 깊이 있게 이해할 수 있고 생각을 키울 수 있어요.

② 질문의 종류를 알아봅니다.

- 책에서 바로 답을 찾을 수 있는 질문
- 책 내용으로 미루어 생각했을 때 답을 찾을 수 있는 질문
- 책 내용을 비판하거나 감상하기 위한 질문

③ 자신이 정한 책을 읽고 질문을 만들어 봅니다.

독서 후 책 내용을 간추리고 생각 나누기

1 책 내용 간추리기

✛ 다음 방법 가운데에서 하나를 골라 책 내용 정리하기

방법 ① 핵심어와 주요 내용을 연결 지어 정리하기
① 장별로 핵심어와 주요 내용을 떠올립니다.
② 장별로 핵심어와 주요 내용을 연결해 전체 내용을 정리합니다.

방법 ② 글의 종류에 따라 핵심 질문과 답으로 내용 정리하기

설명하는 글	주장하는 글	이야기 글
설명하는 대상과 주요 설명 내용은 무엇인가?	주장의 내용과 근거는 무엇인가?	중심 사건은 무엇이며, 그 사건으로 무엇을 말하고자 하는가?

방법 ③ 책의 구조에 따라 내용 정리하기
① 책의 표지, 차례, 그림 따위를 살펴봅니다.
② 책의 머리말이나 띠지, 서평도 책 내용을 간략하게 파악하는 데 도움이 됩니다.

2 생각 나누기

✛ 독서 토의 하기
① 다음과 같은 점을 생각하며 토의 주제를 정합니다.

- 많은 사람이 관심 있는 주제
- 중요한 정보를 제공하는 주제

② 토의할 때 자신이 말할 내용을 준비합니다.
③ 토의 절차를 알아봅니다.
　→ 토의 주제 발표하기 → 역할 정하기 → 각자 발표하기
　　→ 묻고 답하기 → 토의 내용 정리하기
④ 자신이 읽은 책과 관련해 토의할 때 지켜야 할 점을 의논해 정리합니다.
⑤ 토의할 때 지켜야 할 점을 생각하며 토의합니다.
⑥ 토의하면서 새롭게 안 내용을 정리합니다.

✛ 다음 활동 가운데에서 하나를 선택하기

선택 ① 책을 추천하는 글 쓰기
① 책을 추천하는 글을 살펴봅니다.
② 책을 추천하는 글을 쓸 때 고려할 점을 이야기합니다.
③ 자신이 읽은 책을 추천하는 글을 씁니다.

선택 ② 책 광고 만들기
① 책 광고를 만들 준비를 합니다.
② 책의 특징이 잘 드러나는 책 광고를 만듭니다.
③ 친구가 만든 책 광고를 보고 칭찬 한마디를 씁니다.

정리하기

독서 활동 돌아보기

✿ 책을 읽은 과정을 떠올리며 자신의 독서 과정을 점검하여 잘한 만큼 ☆표에 색칠해 봅니다.

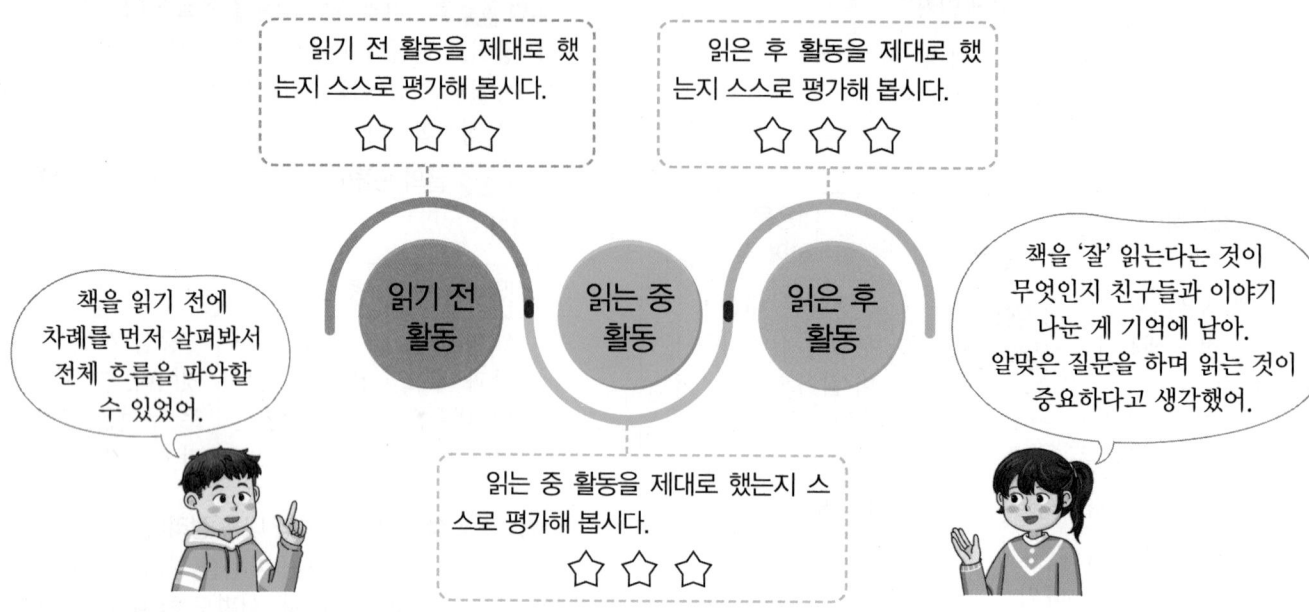

읽기 전 활동을 제대로 했는지 스스로 평가해 봅시다.
☆ ☆ ☆

읽은 후 활동을 제대로 했는지 스스로 평가해 봅시다.
☆ ☆ ☆

책을 읽기 전에 차례를 먼저 살펴봐서 전체 흐름을 파악할 수 있었어.

읽기 전 활동

읽는 중 활동

읽은 후 활동

책을 '잘' 읽는다는 것이 무엇인지 친구들과 이야기 나눈 게 기억에 남아. 알맞은 질문을 하며 읽는 것이 중요하다고 생각했어.

읽는 중 활동을 제대로 했는지 스스로 평가해 봅시다.
☆ ☆ ☆

✿ 자신의 책 읽기 과정을 평가하는 글을 써 봅니다.

- 책을 고르고 읽는 과정에서 자신이 겪은 경험을 떠올려 봅시다.
- 책을 읽으며 느낀 점과 깨달은 점을 정리해 봅시다.
- 책을 읽고 변화된 자신의 모습을 쓰고, 더 나은 책 읽기를 하려면 어떻게 해야 하는지를 써 봅시다.

더 찾아 읽기

✿ 자신의 진로와 관련한 책 제목과 글쓴이를 쓰고, 책을 읽은 뒤에 그 책에서 새롭게 안 내용이나 인상 깊은 내용을 씁니다.

번호	책 제목	글쓴이	새롭게 안 내용이나 인상 깊은 내용
예 1	예 『미래의 직업』	예 봄봄 스토리	예 우리 생활 곳곳에 로봇이 쓰이게 된다는 점
예 2	예 『패션이 팔랑팔랑』	예 마이클 콕스	예 가발을 만들기 위해 눈썹까지 신경을 써야 한다는 점

독서 습관 기르기

✿ 바람직한 독서 습관을 기르려고 할 때 노력해야 할 점을 써 봅니다.

날마다 독서하는 시간을 정해 규칙적으로 책을 읽는다.

도서관에 자주 간다.

책과 관련한 행사에 참여한다.

1 작품 속 인물과 나

무엇을 배울까요?

 준비
- 작품 속 인물의 삶 살펴보기

 기본
- 작품을 읽고 인물이 추구하는 삶 파악하기
- 인물의 삶과 자신의 삶을 관련지어 말하기
- 인물의 삶과 자신의 삶을 비교하며 작품을 읽고 자신의 생각 쓰기

실천
- 자신이 꿈꾸는 삶을 작품으로 표현하기

1 작품 속 인물과 나

1 작품 속 인물의 삶 살펴보기

① 인물의 말과 행동에서 시대적 배경을 파악해 봅니다.
② 시대적 배경을 알 수 있는 부분을 더 찾아보고 인물이 처한 상황을 살펴봅니다.
③ 인물의 말과 행동에서 삶의 태도를 알 수 있는 부분을 찾아봅니다.
④ 인물의 삶과 관련 있는 가치를 찾아봅니다.

2 인물이 추구하는 삶을 파악하는 방법

① 인물이 처한 상황을 알아봅니다.
② 인물이 처한 상황에서 한 말이나 행동을 찾아봅니다.
③ 인물의 말이나 행동에서 관련 있는 삶의 가치를 찾아봅니다.

3 인물의 삶과 자신의 삶을 관련지어 말하기

① 인물이 중요하게 여기는 삶의 가치를 찾아 내가 중요하게 여기는 삶의 가치와 비교합니다.
② 인물이 덜 중요하게 여기는 삶의 가치에 대해 내 생각과 비교해 봅니다.

4 인물의 삶과 자신의 삶을 비교하며 작품을 읽고 자신의 생각 쓰기

① 인물이 처한 상황에서 한 말이나 행동에서 그가 추구하는 삶이 무엇인지 생각해 봅니다.
② 만약 인물과 같은 상황이라면 자신은 어떻게 할지, 또는 자신의 삶과 비슷한 점이나 다른 점은 무엇인지 생각해 보며 인물의 삶과 자신의 삶을 비교해 봅니다.
③ 인물이 추구하는 삶과 자신의 삶을 비교하며 자신의 생각을 씁니다.

5 자신이 꿈꾸는 삶을 작품으로 표현하는 방법

① 자신이 꿈꾸는 삶에 비추어 현재 자신의 모습을 되돌아보고 미래를 계획해 봅니다.
　　　　　　　　　　　┌→ 시, 멋 글씨, 명함, 그림 등
② 자신이 꿈꾸는 삶의 모습을 다양한 작품으로 표현할 준비를 합니다.
③ 자신이 꿈꾸는 삶의 모습을 작품으로 표현해 봅니다.

핵 심 개 념 문 제

정답과 해설 ● 2쪽

1 작품 속 인물의 삶을 살펴볼 때에는 인물의 ☐과/와 행동에서 시대적 배경을 파악해야 합니다.

2 인물이 추구하는 삶을 파악할 때 살펴보아야 할 것이 <u>아닌</u> 것의 기호를 쓰시오.

> ㉠ 인물의 말
> ㉡ 인물의 행동
> ㉢ 인물의 나이
> ㉣ 인물이 처한 상황

(　　　　　　　)

3 인물의 삶과 자신의 삶을 관련지어 말할 때 인물이 덜 중요하게 여기는 가치는 생각하지 않아도 됩니다.

(　 ○ , × 　)

4 인물의 삶과 자신의 삶을 비교할 때에는 인물의 삶과 자신의 삶의 비슷한 점이나 ☐☐ 점을 생각해 보아야 합니다.

5 자신이 꿈꾸는 삶을 작품으로 표현할 때에는 시로만 표현해야 합니다.

(　 ○ , × 　)

준비 작품 속 인물의 삶 살펴보기

○ 윤희순의 삶을 살펴보며 글 읽기

윤희순 윤희순은 의병장으로 여성들의 독립운동 참여를 촉구하는 「안사람 의병가」를 지어 널리 알렸다. 일제가 나라를 강점하자 1911년에 가족과 함께 중국으로 망명해 독립운동을 했다.

노학당 기념비 중국으로 망명한 윤희순은 독립운동가를 양성하는 학교인 노학당을 세웠다. 이 학교 졸업생 50여 명은 항일 독립운동가로 활동했다. 2002년에 노학당을 기념하려고 중국 랴오닝성에 노학당 기념비가 세워졌다.

(양성하는: 가르쳐서 유능한 사람을 길러 내는)

의병장 윤희순

정종숙

앞부분 이야기 항일 의병 운동의 자금을 지원하려고 ㉠숯을 구워서 팔던 윤희순은 독립운동에 남녀 구분이 없음을 알리려고 「안사람 의병가」를 만든다. 어느 날 윤희순은 숯 굽는 일을 도와주는 옆집 처녀 담비가 「안사람 의병가」를 흥얼거리는 것을 듣고, 사람들에게 그 노래를 가르쳐 주라고 담비에게 부탁한다.

• **글의 내용:** 일제 강점기에 윤희순이 「안사람 의병가」를 지어 사람들에게 널리 알리고, 여성들과 함께 안사람 의병대를 만들었습니다.

❶ 그날부터 담비는 윤희순이 시키는 대로 동에 번쩍 서에 번쩍 쏘다니며 마을 아낙네들을 만났다. 빨래터든 물레방앗간이든 아낙네들이 모이는 곳이라면 어디든 달려가서 노래를 가르쳤다.

"노래란 것이 참 신기해." / "그러게 말이야."

"나도 노래를 부르다 보면 뭔가 해야겠다는 생각이 들어."

담비가 마을 아낙네들한테 「안사람 의병가」를 가르친 보람은 생각보다 크게 나타났다. 노래 하나가 사람들의 마음을 한 덩어리로 모았을 뿐만 아니라 전에 없던 용기마저 불끈 솟아나게 했던 것이다.

중심 내용 담비는 윤희순이 시키는 대로 마을 아낙네들에게 노래를 가르쳤다.

●윤희순의 말이나 행동을 보고 삶의 태도 파악하기 ① (핵심)

말이나 행동	삶의 태도
항일 의병 운동의 자금을 지원하려고 숯을 구워서 팔았다.	어떻게든 의병을 돕고 싶은 마음이 컸다.

망명해 혁명 또는 정치적인 이유로 박해를 받고 있거나 박해를 받을 위험이 있는 사람이 이를 피하기 위하여 외국으로 몸을 옮겨.

쏘다니며 아무 데나 마구 분주하게 돌아다니며.
예 동생은 이곳저곳을 쏘다니며 시간을 보냈습니다.

1 윤희순에 대한 설명으로 알맞지 않은 것은 무엇입니까? ( )

① 의병장이다.
② 중국에서 온 독립운동가이다.
③ 「안사람 의병가」를 지어 널리 알렸다.
④ 독립운동가를 양성하는 학교인 노학당을 세웠다.
⑤ 항일 의병 운동의 자금을 지원하려고 숯을 구워서 팔았다.

2 윤희순이 만든 「안사람 의병가」는 어떤 내용인지 쓰시오.

( )

3 (교과서 문제) 윤희순이 만든 「안사람 의병가」가 사람들에게 끼친 영향으로 알맞은 것에 모두 ○표를 하시오.

(1) 노래를 만들겠다는 사람들이 생겼다. ( )
(2) 사람들의 마음을 한 덩어리로 모았다. ( )
(3) 전에 없던 용기마저 불끈 솟아나게 했다. ( )

(핵심)
4 ㉠에서 알 수 있는 윤희순이 처한 상황으로 알맞은 것은 무엇입니까? ( )

① 돈을 많이 빌리게 되었다.
② 가족들과 헤어지게 되었다.
③ 많은 사람들에게 도움을 받았다.
④ 의병 운동에 자금이 많이 부족했다.
⑤ 옆집 처녀 담비에게 일하는 법을 배웠다.

❷ "자, 이럴 때 나서시면 될 것 같아요."

담비가 윤희순한테 드디어 직접 나설 때가 왔다고 알려 왔다.

"여러분, 우리가 누구입니까?"

5　마을 아낙네들의 눈길이 모두 윤희순에게 쏠렸다.

"여태껏 우리 여자들은 집안을 돌보는 데 온 힘을 다해 왔습니다. 하지만 이제 왜놈들이 이 나라를 집어삼키려는 마당에 우리가 가만히 집 안에만 틀어박혀 있을 순 없는 노릇입니다. 그러니

10　우리도 사내들처럼 다 함께 의병 운동에 나서야 할 것입니다."

그때 누군가가 말꼬리를 걸고 나섰다.

㉠"아니, 조정 대신이란 놈들이 나라를 팔아먹으려 드는데 우리 같은 여자들이 나선다고 뭐가 달

15　라지겠소? 자칫 괜한 목숨만 버릴 뿐이오."

그 말이 떨어지기가 무섭게 여기저기서 술렁거렸다.

기껏 뜨겁게 달아오른 열기가 금세 차갑게 식을 판
힘이나 정도가 미치는 데까지
이었다.

"그럼 나라를 빼앗기고 왜놈들 종으로 살자는 것입니까?"

윤희순이 다시 마음을 가다듬고 큰 소리로 부르짖　5
자 마을 아낙네들의 눈길이 또다시 윤희순에게 쏠렸다. 윤희순은 그 틈을 안 놓치고 곧장 말을 이었다.

"여기 계신 분들 가운데 자식을 왜놈의 종으로 살게 내버려 두고 싶은 사람은 한 분도 없을 것입니다. 그러니 우리 여자들도 사내들을 도와 왜놈들　10
을 몰아내는 데 한몫을 해야 하지 않겠습니까?"

핵심

●윤희순의 말이나 행동을 보고 삶의 태도 파악하기 ②

말이나 행동	삶의 태도
"그럼 나라를 빼앗기고 왜놈들 종으로 살자는 것입니까?"	여자와 남자의 역할이 다르다고 생각하던 때인데, 여자임에도 의병 운동에 적극적으로 나섰다.

조정(朝 아침 조, 廷 조정 정) 임금이 나라의 정치를 신하들과 의논하거나 집행하는 곳. 또는 그런 기구.

술렁거렸다 자꾸 어수선하게 소란이 일었다.
　㉠ 어머니의 파업 선언으로 온 가족이 술렁거렸다.

---

5 윤희순은 마을 아낙네들에게 무엇을 하자고 하였습니까? (　　)

① 숯을 굽자고 하였다.
② 노래를 만들자고 하였다.
③ 집안을 잘 돌보자고 하였다.
④ 의병 운동을 하자고 하였다.
⑤ 노래를 함께 부르자고 하였다.

6 5번 문제의 답과 같은 말을 할 때 윤희순의 마음은 어떠하였을지 쓰시오.

(　　　　　　　　　)

7 ㉠의 말에서 알 수 있는 시대적 배경으로 알맞은
교과서 문제 것을 두 가지 고르시오. (　　,　　)

① 남녀 차별이 있던 시대이다.
② 을사늑약이 강제로 체결된 뒤이다.
③ 조정 대신들이 왕을 바꾸던 시대이다.
④ 여자들도 정치에 나설 수 있던 시대이다.
⑤ 조정 대신들이 의병 활동을 하던 시대이다.

핵심

8 ㉠의 말을 듣고 윤희순이 한 말로, 윤희순의 삶의 태도를 알 수 있는 부분으로 알맞은 것에 ○표를 하시오.

(1) "여러분, 우리가 누구입니까?" (　　)
(2) "그럼 나라를 빼앗기고 왜놈들 종으로 살자는 것입니까?" (　　)
(3) "우리 여자들은 집안을 돌보는 데 온 힘을 다해 왔습니다." (　　)

거침없이 내뱉는 윤희순의 말에 여기저기서 고개를 끄덕였다. 그 틈에 누군가 구성진 목소리로 노래를 불렀다.

아무리 왜놈들이 포악하고 강성한들
5 우리도 뭉쳐지면 왜놈 잡기 쉬울세라

담비였다. 둘레에 빙 둘러섰던 마을 아낙네들은 기다렸다는 듯이 노래를 따라 불렀다. 노래는 흩어졌던 마음을 다시 하나로 모았다. 마침내 윤희순은 마을 아낙네들을 끌어모아 안사람 의병대를 만들
10 었다. / "의병을 도와 나라를 구합시다!"

중심 내용 윤희순이 마을 아낙네들과 함께 안사람 의병대를 만들었다.

❸ 맨 먼저 안사람 의병대는 집집마다 찾아다니며 모금을 했다.

"왜놈들이 우리나라를 집어삼키려 합니다. 의병을 도와주십시오."

안사람 의병대의 눈물 어린 하소연은 많은 사람의 마음을 움직였다. 어떤 사람은 무기를 만들 수 있는 놋쇠와 구리를 내놓았고, 어떤 사람은 가진 돈을 몽땅 내놓기도 했다.

"우린 고구마밖에 없는데 괜찮다면 이거라도 내놓 5 겠네." / ㉠살림살이가 어려운 사람들도 의병을 돕겠다고 발 벗고 나섰다. 안사람 의병대가 밤낮없이 애쓴 덕분에 춘천 의병 부대는 날로 힘이 세졌다. 덩달아 의병들의 사기도 부쩍 드높아졌다.

중심 내용 안사람 의병대의 활동으로 사람들이 의병을 돕겠다고 나섰다.

● 윤희순의 말이나 행동을 보고 삶의 태도 파악하기 ③

말이나 행동	삶의 태도
다른 나라가 침략했다고 해서 포기하거나 좌절하지 않고 침략 세력을 물리치려고 의병 운동을 한다.	자신의 생명이 위험할 수 있음에도 나라를 위해 힘을 바쳐 애썼다.

구성진 천연스럽고 구수하며 멋진.
　예 형철이의 구성진 입담에 친구들 모두 크게 웃었습니다.

하소연 억울한 일이나 잘못된 일, 딱한 사정 따위를 말함.
　예 제 잘못이 아니라 억울하였지만 하소연할 곳이 없었습니다.

9 윤희순이 만든 안사람 의병대가 한 일은 무엇입니까? (　　)

교과서
문제

① 의병대를 찾아가 노래를 불렀다.
② 의병들에게 음식을 만들어 주었다.
③ 집집마다 찾아다니며 모금을 했다.
④ 윤희순과 함께 숯을 구워서 팔았다.
⑤ 독립운동가에게 노래를 가르쳐 주었다.

10 안사람 의병대가 애쓴 덕분에 일어난 결과는 무엇인지 빈칸에 알맞은 말을 쓰시오.

• 춘천 의병 부대는 날로 힘이 세졌고, 덩달아 의병들의 (　　　　　)도 부쩍 드높아졌다.

11 ㉠에서 알 수 있는 시대적 배경으로 알맞은 것을 두 가지 고르시오. (　　,　　)

교과서
문제

① 우리나라가 다른 나라를 침략했다.
② 다른 나라의 경제적 도움을 받았다.
③ 독립운동을 방해하는 세력이 생겼다.
④ 우리나라 사람들의 경제 상황이 어려웠다.
⑤ 우리나라 사람들의 위기 극복 의지가 대단했다.

핵심　논술형

12 윤희순이 삶에서 추구한 가치와 관련 있는 낱말을 보기 에서 고르고 그렇게 생각한 까닭을 쓰시오.

보기	도전　열정　용기　정의　봉사　존중

○ 인물이 추구하는 삶을 생각하며 글 읽기

추사 김정희 조선 시대의 뛰어난 서예가, 문인화가이
자 학자이다. 독창적인 추사체를 완성하고 수많은 후학을
　　　　　　　　　　　　　　학문에서의 후배
길러 냈다. 서예뿐만 아니라 그림, 시, 산문에 이르기까지
예술가로서 최고의 경지에 올랐다.

5 **소치 허련** 추사 김정희의 제자로 글, 그림, 글씨에 모
두 능했다. 진도에서 태어났고 제대로 된 미술 교육을 받
지 못하다가 김정희를 만나며 재능을 꽃피웠다. 스승인 김
정희가 제주도로 유배되자 세 번이나 찾아간 일화가 유명
하다.

구멍 난 벼루

배유안

10 **앞부분 이야기** 해남의 초의 선사에게 학문을 배우던
젊은 허련은 추사 선생에게 그림을 배우려고 한양으로 찾
아간다. 그러나 한양의 월성위궁(추사 선생의 집)에서 만
난 추사 선생은 허련의 그림을 보고 견문이 부족하다고

• 글의 내용: 추사 김정희의 제자가 되기 위해 노력하는 허련을 통해 인
물들이 추구하는 삶을 파악할 수 있습니다.

혹평한다. 허련은 당황스럽고 부끄러웠지만, 계속 사랑채
　　　　　　집의 안채와 떨어진, 바깥주인이 거처하며 손님을 접대하는 곳
에 머물며 청나라에서 온 서책들을 보고 견문을 넓힌다.
그러던 어느 날, 추사 선생의 문하생들이 허련의 그림을
칭찬하면서 허련을 추사 선생의 제자라고 칭하자, 추사
선생은 누가 자신의 제자냐며 호통친다. 허련은 포기하지 5
않고 추사 선생을 다시 찾아가 제자로 받아 달라고 간곡
하게 부탁한다.

❶ 다음 날 이른 아침, 허련은 사랑채 마당을 쓸어
놓고 우물로 갔다. 하루의 첫 물을 길어 연적을 채
　　　　　　　　　　　　벼루에 먹을 갈 때 쓰는 물을 담아 두는 그릇
워 놓고 아침 차를 우렸다. 이른 아침의 서재가 차 10
향으로 은은해졌다. 추사 선생은 무심한 척 허련
이 우려 놓은 차를 마셨다.

"어르신 옆에서 붓의 세상을 열어 보고 싶습니
다."

"붓의 세상?" 15

견문(見 볼 **견**, 聞 들을 **문**) 보거나 듣거나 하여 깨달아 얻은 지식.
例 삼촌은 견문을 넓히겠다며 외국으로 갔습니다.

문하생(門 문 **문**, 下 아래 **하**, 生 날 **생**) 가르침을 받는 스승 아래에서
배우는 제자.

---

1 언제, 어디에서 일어난 일인지 쓰시오.

(1) 언제: (　　　　　　　　　　)
(2) 어디에서: (　　　　　　　　　)

2 추사 김정희의 집에서는 어떤 일이 일어났습니까?
　　　　　　　　　　　　　　　　(　　　)

① 추사 김정희가 허련을 내쫓았다.
② 허련이 추사 김정희에게 그림을 팔았다.
③ 허련이 추사 김정희와 그림 대결을 했다.
④ 추사 김정희의 제자들이 허련을 데리고 왔다.
⑤ 허련이 추사 김정희의 제자가 되려고 찾아왔다.

3 추사 김정희는 한양으로 찾아온 허련의 그림을 보
고 어떻게 평가했습니까?　　　　　　(　　　)

① 매우 뛰어나다고 칭찬했다.
② 견문이 부족하다고 혹평했다.
③ 문하생들보다는 낮다고 하였다.
④ 유명한 그림과 비슷하다고 하였다.
⑤ 연습하면 더 잘 그릴 것이라고 하였다.

4 추사 김정희의 문하생들이 허련의 그림을 칭찬하
며 추사 김정희의 제자라고 칭하자 추사 김정희는
어떻게 반응했는지 쓰시오.

(　　　　　　　　　　　　　　)

허련은 벌떡 일어나 큰절을 올렸다. 추사 선생은 미간에 주름을 세우고 허련을 바라보았다.

"저는 해남을 떠나올 때 이미 스승을 찾았습니다. 초의 선사의 편지 내용이 어떤 것이었든 이제 상관이 없습니다. 어르신께서 제 그림의 부족함을 일깨워 주셨으니 그것을 채우는 것도 어르신께로부터 배우고 싶습니다."

추사 선생은 못마땅한 표정으로 허련을 쏘아보았다. 애당초 흔쾌한 대답을 기대하지 않은 터였다. 허련은 개의치 않고 고개를 깊이 숙였다. 추사 선생이 심드렁하게 말했다. / "그러시게. 자네는 자네의 스승을 찾게. 나는 내 제자를 찾을 터이니."

대단히 아리송한 말이었다. 짧게 흘린 웃음소리도 아리송하긴 마찬가지였다. 제자를 찾겠다는 말이 제자가 될 만한지 두고 보겠다는 뜻인지, 자네는 내가 찾는 제자가 아니라는 뜻인지. 허련은 무슨

기쁘고 유쾌한 (개의치 위)

뜻인지 묻지 못했다. 답이 두려웠다.

"한 잔 더 주게."

추사 선생이 차를 청했다. 순간, 허련은 앞쪽이 답일 가능성이 더 크다고 생각하며 얼른 찻잔을 채웠다. 그렇게 생각하기로 마음먹었다. 추사 선생의 말이 '그만 떠나게'만 아니면 된 거 아닌가?

허련도 차 한 잔을 따라 마셨다. 향긋한 차가 매끄럽게 목구멍을 타고 흘러내렸다.

'꼭 어르신의 제자가 될 것입니다.' / (중략)

> 중심 내용 허련이 추사 김정희에게 그림을 배우려고 한양으로 찾아왔지만, 추사 김정희는 허련을 제자로 받아주지 않았다.

● 허련이 처한 상황과 그 상황에서 허련이 한 말이나 행동 ①

처한 상황	말이나 행동
추사 김정희가 제자로 받아 주지 않은 상황	월성위궁을 떠나지 않고 추사 김정희의 시중을 들었다. / 포기하지 않고 꼭 어르신의 제자가 될 것이라고 다짐했다. / 제자가 될 만한지 두고 보겠다는 뜻으로 받아들이고 월성위궁에 남기로 했다.

개의(介 끼일 개, 意 뜻 의)치 어떤 일 따위를 마음에 두고 생각하거나 신경을 쓰지.

아리송한 그런 것 같기도 하고 그렇지 않은 것 같기도 하여 분간하기 어려운.

---

5 허련이 추사 김정희에게 그림을 배우려는 까닭은 무엇입니까? ( )

① 추사 김정희와 친해서
② 추사 김정희가 잘 가르쳐서
③ 추사 김정희의 문하생들이 추천해서
④ 추사 김정희가 문하생이 가장 많아서
⑤ 추사 김정희가 자신의 부족함을 일깨워 주어서

6 허련이 추사 김정희에게 그림을 배우고 싶다고 말하자 추사 김정희가 어떤 말을 하였는지 찾아 쓰시오.
( )

7 6번 문제의 답과 같은 말을 들은 허련의 마음은 어떠하였겠습니까? ( )

① 기뻤을 것이다.   ② 신났을 것이다.
③ 행복했을 것이다.   ④ 우쭐했을 것이다.
⑤ 당황했을 것이다.

> 핵심

8 추사 김정희가 제자로 받아 주지 않은 상황에서 허련이 한 행동을 두 가지 고르시오.
(,)

① 고향으로 내려가기로 마음먹었다.
② 꼭 어르신의 제자가 될 것이라고 다짐했다.
③ 추사 김정희에게 차를 주며 다시 한 번 부탁했다.
④ 추사 김정희의 그림과 자신의 그림을 비교했다.
⑤ 제자가 될 만한지 두고 보겠다는 뜻으로 받아들이고 월성위궁에 남았다.

❷ 허련은 월성위궁을 떠날 생각은 완전히 접고 아예 추사 선생의 자잘한 시중을 맡아 했다. 새벽에 일어나 마당을 쓸고, 서재를 활짝 열어 신선한 공기를 넣었다. 그러면 허련의 새 하루도 시작되었
5 다. 사랑채를 청소하고 추사 선생의 붓을 씻어 말리고 먹을 갈았다. 얼마 안 가서 하인이 아예 허련에게 일을 미루어 버렸다. 추사 선생도 언제부턴가 허련이 월성위궁에 머무는 걸 당연하게 여겼다.

추사 선생의 독서량과 연습량은 실로 엄청났다.
10 부지런하고 열성적인 것으로는 누구에게 뒤져 본 적이 없던 허련이지만 잠깐의 시간도 허투루 쓰지 않는 추사 선생의 근면함에는 혀를 내둘렀다. 추사 선생은 획 하나, 글자 하나를 수십 번, 수백 번 연습하는 연습 벌레였다. 누구나 알아주는 대가가 되
15 고서도 끊임없이 뭇 명필들의 서체를 감상하고 연구하며 자기만의 서체를 만들어 나갔다. 스승의 문 안에는 배울 게 많았다. 허련은 우러르는 마음이 절로 생겼다.

추사 선생은 무심한 듯이 책이나 화첩을 허련에게 건네주기도 했다. 허련은 그것을 _{그림을 모아 엮은 책} 황송하게 받아 5 꼼꼼히 읽고 살폈다. 그러면 그것이 그때 자신에게 꼭 필요한 것임을 알 수 있었다. 그러나 그뿐, 추사 선생은 손님 누구에게도 허련을 제자라고 소개하지는 않았다. 허련은 혼자 있는 시간은 한 시각도 아껴서 책을 읽고, 화첩을 보고, 그림을 그렸다. 10

중심 내용 월성위궁에 남은 허련은 추사 김정희를 본받으며 책을 읽고, 화첩을 보고, 그림을 그렸다.

❸ 여러 날 공들여 바위틈에 자란 나무를 그렸는데 꽤 마음에 들었다. 마당에서 종이를 들고 그림을 말리고 있는데 뒤에서 추사 선생의 목소리가 들렸다.

시중 옆에 있으면서 여러 가지 심부름을 하는 일.
허투루 아무렇게나 되는대로.
　예 우리 가족은 여행 기간 중 허투루 보내는 시간이 없었습니다.

명필(名 이름 명, 筆 붓 필) 글씨 잘 쓰기로 이름난 사람.
　예 한석봉은 명필로 이름을 날렸습니다.
황송하게 분에 넘쳐 고맙고도 송구하게.

---

9 허련이 월성위궁에서 한 일이 아닌 것은 무엇입니까? (　　　)

① 사랑채를 청소했다.
② 새벽에 일어나 마당을 쓸었다.
③ 추사 김정희의 붓으로 그림을 그렸다.
④ 추사 김정희의 자잘한 시중을 맡아 했다.
⑤ 서재를 활짝 열어 신선한 공기를 넣었다.

11 허련은 추사 김정희의 모습을 보며 추사 김정희에게 어떤 마음을 가졌습니까? (　　　)

① 분한 마음
② 우러르는 마음
③ 시기하는 마음
④ 안타까운 마음
⑤ 걱정하는 마음

10 허련이 본 추사 김정희의 모습으로 알맞지 않은 것은 무엇입니까? (　　　)

① 연습량이 엄청났다.
② 독서량이 엄청났다.
③ 시간을 허투루 쓰지 않았다.
④ 명필들의 서체를 따라 그렸다.
⑤ 자기만의 서체를 만들어 나갔다.

논술형
12 추사 김정희가 허련에게 월성위궁의 허드렛일을 하게 한 일이 옳은 행동인지 아닌지, 그 까닭과 함께 쓰시오.

_____

_____

"그 나무는 자네의 나무인가?" / "예?"

"자네의 정신이 거기 있는가?" / "……."

"나무와 바위 말고 뭐가 있는가?"

'뭐가 있나'라니? 허련이 미처 질문의 뜻을 생각

5 하기도 전에 추사 선생은 돌아서 가 버렸다.

허련은 하릴없이 그림을 내려다보았다. 공들인
붓질이었다. 그러나 기법만 있고 이야기가 없었다.
추사 선생의 그림처럼 그리는 사람의 이상이나 소
망같은 것이 없었다. 허련은 맥이 빠졌다. 나무나

10 바위가 아무리 진짜 같아도, 붓질이 아무리 펄펄 살
아 있어도 눈에 보이는 것만으로는 안 되는 거였다.
정신이라는 것은 붓끝의 교묘함에서 나오는 게 아니
었다. 그건 그리는 사람의 마음속에 있는 것이 손을
타고 붓을 지나서 나오는 것이라고 말할 수밖에 없

15 었다. 며칠 동안 허련은 절망감으로 괴로웠다.

'내 내면을 깊고 그윽한 무엇으로 채우지 않고서
는 제대로 된 그림을 그릴 수 없겠구나.'

허련은 그림보다 책을 더 많이 읽었다. 그리는
시간보다 생각하는 시간이 더 많아졌다.

'나는 나무에 어떤 의식을 넣어 내 나무로 그릴
것인가? 어떻게 내 바위를 그릴 것인가?'

'이 모란은 내 모란인가, 아닌가?'

'나는 어떤 마음으로 새가 되어 날고 있는가?'

허련은 자신에게 더 많은 것을 물었다. 사물을
보고 앉아서 깊이 생각하다 보면 사물과 마음이 통
하는 듯했다. 그림은 사물과 자신과의 소통이 우
선되어야 하는 것이었다.

중심 내용 허련은 자신의 그림에 정신이 없다는 말을 듣고 내면을 채우기 위
해 책을 읽고 생각을 많이 했다.

● **허련이 처한 상황과 그 상황에서 허련이 한 말이나 행동 ②**

처한 상황	말이나 행동
자신의 그림에 정신이 없다는 말을 들은 상황	내면을 깊고 그윽한 무엇으로 채우려고 그림보다 책을 더 많이 읽고 그리는 시간보다 생각하는 시간이 많아졌다.

기법(技 재주 기, 法 법 법) 기교를 나타내는 방법.
예 이 도자기는 새로운 기법으로 만든 것입니다.

교묘(巧 공교할 교, 妙 묘할 묘)함 솜씨나 재주 따위가 재치 있게 약삭
빠르고 묘함.

---

13 추사 김정희는 허련의 그림에 무엇이 있는지 물어
보았습니까? ( )

① 정성 ② 정신 ③ 노력
④ 상상 ⑤ 인내

15 14번 문제의 답이 없는 자신의 그림을 본 허련의
마음은 어떠하였습니까? ( )

① 기뻤다. ② 괴로웠다.
③ 즐거웠다. ④ 무덤덤했다.
⑤ 자랑스러웠다.

핵심

14 허련의 그림에는 없지만 추사 김정희의 그림에는
있는 것을 두 가지 골라 기호를 쓰시오.

┌─────────────────────────┐
│ ㉠ 그리는 사람의 이름 │
│ ㉡ 그리는 사람의 소망 │
│ ㉢ 그리는 사람의 이상 │
│ ㉣ 그리는 사람의 나이 │
└─────────────────────────┘

( )

16 다음과 같은 상황에서 허련이 한 행동은 무엇인지
빈칸에 알맞은 말을 각각 쓰시오.

┌─────────────────────────┐
│ 자신의 그림에 정신이 없다는 말을 들은 상황 │
└─────────────────────────┘

• (1)( )을/를 깊고 그윽한 무엇
으로 채우려고 그림보다 (2)( )
을/를 더 많이 읽고 그리는 시간보다
(3)( )하는 시간이 많아졌다.

④ 월성위궁에서 종이를 먹으로 채우면서 계절이 휙휙 지나갔다. 먹을 가는 시간은 마음을 닦는 시간이기도 했다. 먹물이 까맣게 벼루를 채우는 동안 마음은 차분히 가라앉고 내면 깊은 곳에서 그림에 대한 열정만 오롯이 솟아올랐다.
모자람이 없이 온전하게

학문이 날로 깊어졌고 그림 보는 안목도 높아졌다. 허련은 기쁨과 뿌듯함에 종일 쉬지 않아도 힘든 줄 몰랐다. 마음먹은 대로 안 되어 괴로울 때가 더 많았지만 그 괴로움조차도 기꺼웠다. 자신의 그림을 볼 줄 아는 안목이 없어 괴로워할 줄도 몰랐
마음속으로 은근히 기뻤다
던 시절을 생각하면 지금의 괴로움은 오히려 이제 눈이 뜨였음을 보여 주는 증거였다.

아주 가끔이지만 추사 선생이 허련의 그림을 보고 고개를 끄덕이기도 했고, 비판을 하기도 했다. 호된 악평을 들어도 허련은 행복하고 황홀했다.

어느 날, 추사 선생이 물었다.

"자네는 종요라는 사람을 아는가?"

"예, 해서체의 대가로 알고 있습니다."

"그는 잠을 잘 때도 이불에다 손가락으로 글씨를 써 대서 ㉠이불이 너덜너덜해졌다고 하더군."

"예. 그만큼 연습을 해야 대가가 되는군요."

"뭐든 미친 듯이 하지 않고서는 큰 성취를 얻을 수 없네."

허련은 깊이 알아듣고 고개를 숙였다.

"㉡붓을 천 개쯤은 뭉뚝하게 만들어 봐야 그림이 뭔가를 알게 될 걸세."

추사 선생이 흘리듯 말하고는 돌아서 갔다. 허련은 몽당붓을 들고 물끄러미 보았다. 이제 겨우 한 걸음을 더 뗀 것 같았다.

'천 개 넘어 붓이 닳으면⋯⋯.'

허련은 쓰고 또 썼다. 그리고 또 그렸다.

중심내용 학문이 날로 깊어지고 그림 보는 안목도 높아진 허련은 추사 김정희의 말을 듣고 글을 열심히 쓰고, 그림 역시 열심히 그렸다.

안목(眼 눈 안, 目 눈 목) 사물을 보고 분별하는 견식.
예 어머니는 미술품을 보시는 안목이 대단하십니다.

성취(成 이룰 성, 就 이룰 취) 목적한 바를 이룸.
예 열심히 노력하면 더 큰 성취를 얻을 수 있습니다.

---

17 허련은 먹을 가는 시간이 어떤 시간이라고 하였습니까? ( )

① 낭비하는 시간
② 마음을 닦는 시간
③ 욕심을 채우는 시간
④ 하루 계획을 세우는 시간
⑤ 주변 사람을 돌아보는 시간

서술형
18 먹을 가는 동안 허련의 마음은 어떠했는지 쓰시오.

_____

_____

19 ㉠의 까닭은 무엇인지 쓰시오.

( )

20 ㉡이 뜻하는 것으로 알맞은 것은 무엇입니까? ( )

① 좋은 붓을 찾아야 한다.
② 짧은 붓으로 그려야 한다.
③ 붓을 넉넉하게 사야 한다.
④ 연습을 열심히 해야 한다.
⑤ 여러 개의 붓을 사용해 그려야 한다.

❺ 추사 선생이 행장을 꾸렸다. 멀리 문경에서 비석 하
나가 발견되었다는 소식을 듣고서였다. 벌써 여러 번
째였다. 추사 선생은 종이와 먹을 들고 방 안에 앉아서
쓰기만 하는 사람이 아니었다. 깨진 비석 한 조각이 발
견되었다는 말을 들으면 그냥 넘어가지 않았다. 멀다
않고 찾아가 거기에 쓰인 글씨를 탁본해 왔다. 그러고
는 옛 책들을 뒤지며 그 서체를 연구했다. 젊은 날에도
부친의 부임지에 다니러 가서는 그 지방의 산을 헤매
며 비석들을 탐색했다고 들었다. 비석에는 수백 년 전
의 다양한 서체가 쓰여 있기 때문이었다.

서둘러 떠나는 추사 선생의 발걸음이 청년의 걸
음보다 힘차고 가벼웠다. 기대감으로 환하게 빛나
는 얼굴 표정 또한 청년 이상이었다.

'이번엔 또 어떤 걸 찾아 오실까?'

돌아오면 아마 또 며칠간 서재에 틀어박혀 나오지
않을 게 분명했다.

허련은 추사 선생이 없는 동안 서재에서 추사 선
생의 글씨와 그림들을 다시 살폈다. 전에는 안 보이

던 게 보였다. 추사 선생은 풍경을 그려도 단순히
실제 모습을 그리는 게 아니었다.

마음속에 꿈꾸는 이상과 의지, 세상에 대한 생각
들을 그림에 담아냈다. 성근 나무 숲 아래 띠풀로
지붕을 엮은 고적한 정자와 조용히 흐르는 강물을
그리고, 그 뒤로 먼 산을 은은하게 그리면 놀랍게
도 그 속에서 세상을 떠나 자연 속에 묻혀 살고자
하는 선비의 소망이 읽혔다. 낮은 언덕에 몇 그루
의 고목과 그 옆에 허물어질 듯 서 있는 작은 집을
보고 있으면 세속이 한없이 작아지고 우주의 섭리
가 온 세상에 내려와 앉은 듯했다.

그림을 그렸는데 시가 읽히고, 글씨를 썼는데 세상
이 그려졌다. 어느 획에서, 어느 나뭇잎에서, 아니면
어느 산자락에서 그게 나오는지 알 수가 없었다. 붓질
이 산자락을 흐르며 힘을 더 주고 덜 준 흔적만으로도
뭔가를 이야기하고 있었다. 허련은 탄식을 했다.

중심 내용 허련은 추사 김정희의 글씨와 그림들을 보며 추사 김정희의 실력
에 탄식을 했다.

탁본(拓 박을 탁, 本 근본 본)해 비석, 기와, 기물 따위에 새겨진 글
씨나 무늬를 종이에 그대로 떠내.

세속(世 세대 세, 俗 풍속 속) 사람이 살고 있는 모든 사회를 통틀어 이
르는 말. 예 조선 시대에 세속을 떠나 중이 된 왕자들도 있었습니다.

21 추사 김정희가 행장을 꾸린 까닭은 무엇입니까?
( )
① 문경에 명필들이 모인다고 해서
② 문경에서 추사 김정희를 초대해서
③ 문경에서 비석 하나가 발견되었다고 해서
④ 문경에 좋은 종이와 붓이 들어왔다고 해서
⑤ 문경에서 그림 그리는 대회가 열린다고 해서

22 행장을 꾸려 서둘러 떠나는 추사 김정희의 마음은
어떠할지 쓰시오.
( )

23 추사 김정희가 없는 동안 허련이 한 일은 무엇입니
까? ( )
① 추사 김정희의 서재를 정리했다.
② 추사 김정희의 붓을 손질하였다.
③ 추사 김정희의 그림을 따라 그렸다.
④ 추사 김정희에게 가기 위해 행장을 꾸렸다.
⑤ 추사 김정희의 글씨와 그림들을 다시 살폈다.

24 추사 김정희의 그림에 담겨 있는 것이 아닌 것에 ×
표를 하시오.
(1) 세상에 대한 생각 ( )
(2) 추사 김정희의 고민과 불만 ( )
(3) 마음속에 꿈꾸는 이상과 의지 ( )

6 허련은 화첩에서 배운 필법을 바탕으로 연구와 실험을 해 가며 나름의 붓질법을 만들어 나갔다. 수십 개의 붓이 뭉뚝해졌다. 점차 허련만의 그림이 나왔다.

5 날로 부드러워지는 봄 산을 그리느라 열중해 있는데 문득 뒤에서 인기척이 들렸다. 고개를 드니 추사 선생이었다. 허련이 일어나려 하자 추사 선생이 말렸다.

"그냥 계속하게."

10 허련은 진하게 간 먹을 마른 붓에 듬뿍 찍어 종이에 닿을 듯 말 듯 가볍게 긋다가 슬쩍 눌러 긋다가 하며 산의 능선을 표현했다. 바위는 짙고 마른 먹으로 그려 거칠고 투박한 느낌을 물씬 냈다. 나무
_{산등성이를 따라 죽 이어진 선}
껍질 또한 물기 없는 붓으로 건조하게 찍어 까끌까
15 끌한 질감을 살렸다. / "으음."

추사 선생이 신음을 내뱉었다. 허련이 돌아보니 추사 선생이 체면도 잊고 옆에 쪼그리고 앉아 그림

을 뚫어지게 보고 있었다. 입술 사이로 탄식이 새어 나왔다.

"하아, 건조하기는 마치 가을바람과 같고, 부드럽고 윤택하기는 마치 봄비와 같구나. 줄기는 힘이 있고 잎은 생명력이 넘쳐." 5

허련은 추사 선생의 칭찬에 으쓱했다.

"먹이 몹시 진하구나."

"예. 물기 없이 마른 붓을 썼습니다."

"진한 먹에 마른 붓이라…… 뚜렷하면서도 깊은 분위기를 내는구나." 10

"달을 그리거나 경계를 표현할 때에도 이런 붓질을 사용합니다."

●허련이 처한 상황과 그 상황에서 허련이 한 말이나 행동 ③

처한 상황	말이나 행동
자신의 그림에 정신이 없다는 말을 들은 상황	붓 수십 자루가 몽당붓이 되도록 끊임없이 연습했다.

인기척 사람이 있음을 알 수 있게 하는 소리나 기색.
예 아무도 없는 줄 알았는데 인기척에 깜짝 놀랐습니다.

투박한 생김새가 볼품없이 둔하고 튼튼하기만 한.
예 반갑다는 인사에 투박한 손을 내밀어 악수를 청했습니다.

25 그림을 잘 그리기 위해 허련이 한 행동을 두 가지 고르시오. (,)

① 나름의 붓질법을 만들어 나갔다.
② 좋은 종이와 붓을 구하러 돌아다녔다.
③ 추사 김정희의 그림과 비슷하게 그렸다.
④ 화첩에 있는 그림을 그대로 따라 그렸다.
⑤ 수십 개의 붓이 뭉뚝해지도록 연습을 했다.

핵심

26 25번 문제의 답과 같은 행동을 통해 알 수 있는 허련이 추구하는 삶과 관련 있는 가치를 두 가지 고르시오. (,)

① 감사   ② 열정
③ 용서   ④ 친절
⑤ 끈기

27 허련이 그린 그림에 대한 설명으로 알맞지 않은 것은 무엇입니까? ( )

① 잎은 축 늘어져 있었다.
② 바위는 투박한 느낌을 냈다.
③ 뚜렷하면서도 깊은 분위기를 냈다.
④ 건조하기는 마치 가을바람과 같았다.
⑤ 부드럽고 윤택하기는 마치 봄비와 같았다.

28 허련이 으쓱한 까닭은 무엇인지 쓰시오.
( )

"이런 붓질법을 어디서 배웠느냐?"

"그냥, 제가 본 느낌들을 표현해 내기 위해 이렇게 저렇게 해 보다가……."

추사 선생의 눈이 살짝 커졌다.

5 "계속해 보아라." / 허련이 붓을 들어 이번엔 잎 달린 작은 나무 몇 그루를 그렸다.

추사 선생이 고개를 끄덕이더니 붓을 들었다. 허련이 종이 한 장을 깔아 사방을 눌러 추사 선생이 그릴 수 있도록 마련했다. 추사 선생은 먹을 찍어 조심

10 조심 붓질을 했다. 힘 조절에 신경을 쓰느라 손등에 핏줄이 섰다. 추사 선생은 수없이 내리그어 종이 한 장을 다 채웠다. 허련이 다시 새 종이를 깔았다.

추사 선생이 이번엔 가로로 선을 그었다. 가는 선 굵은 선을 번갈아 그리다가 사선으로 짧은 선들

15 을 무수히 그었다. 둥근 선으로 한 장을 또 채웠다.

추사 선생이 돌아보며 싱긋 웃었다.

"이게 바로 초묵법이구나."

"초묵법요?"

"마르고 건조한데 윤기가 있어 보이는 붓질. 오랫동안 풀지 못한 것을 오늘 자네한테 배우는구나."
(반질반질하고 매끄러운 기운)

추사 선생의 얼굴에 환희가 차올랐다. 초묵법. 5

허련은 자기가 먹을 쓴 방법이 그것인 줄 몰랐다. 추사 선생이 기뻐하는 것을 보고 그저 어리둥절할 뿐이었다. 그 뒤로 추사 선생은 산수화를 그릴 때에 이런 붓질법을 즐겨 사용했다.

> 중심 내용 허련은 끊임없이 연습하여 자신만의 붓질법인 초묵법을 만들었다.

● 허련이 추구하는 삶 파악하기 예

허련이 추구하는 삶과 관련 있는 가치
희망, 배려, 끈기, 성실, 정직, 열정, 도전, 용기 등

↓

허련이 추구하는 삶
끈기와 열정을 가지고 끊임없이 꿈을 향해 노력하는 삶

사선(斜 비낄 사, 線 줄 선) 비스듬하게 비껴 그은 줄.
예 놀이를 하기 위해 땅바닥에 사선으로 선을 그었습니다.

어리둥절할 무슨 영문인지 잘 몰라서 얼떨떨할.
예 별것도 아닌 일에 칭찬을 받아 어리둥절할 뿐이었습니다.

---

29 허련이 추사 김정희를 보고 배우면서 연습한 끝에 만들어 낸 붓질법(기법)은 무엇인지 쓰시오.

( )

핵심
30 이 글에서 알 수 있는 허련이 추구하는 삶을 모두 고르시오. (, ,)

① 용기 있게 자신의 목표에 도전하는 삶

② 다른 사람이 이루어 놓은 것을 쉽게 배우는 삶

③ 자신의 꿈을 위해 다른 사람의 일은 신경 쓰지 않는 삶

④ 끈기와 열정을 가지고 끊임없이 꿈을 향해 노력하는 삶

⑤ 성실과 정직을 바탕으로 하여 자신을 속이지 않고 최선을 다하는 삶

31 이 글에서 알 수 있는 추사 김정희가 추구하는 삶에 대한 자신의 의견을 바르게 말한 친구는 누구인지 쓰시오.

> 현수: 이미 뛰어난 그림 실력이 있음에도 제자인 허련에게서 배우는 '겸손'함이 있는 추사 김정희는 좋은 선생님 같아.
> 민선: 허련에게 그림을 가르쳐 주지는 않고 허련이 힘들게 완성한 초묵법을 사용하는 추사 김정희는 양심이 없는 것 같아.

( )

논술형
32 허련이 추구하는 삶에 대한 자신의 의견을 쓰시오.

_____

_____

○ 인물이 추구하는 삶의 가치가 무엇인지 생각하며 글 읽기

• 글의 종류: 이야기
• 글의 내용: 소방관 아버지를 둔 경민이가 하루 동안 겪은 일을 쓴 글로, 인물들이 추구하는 삶의 가치가 잘 드러납니다.

마지막 숨바꼭질

• 글: 백승자 • 그림: 신동옥

① "이쪽이야, 이쪽! 빨리빨리!"

아버지의 잠꼬대가 오늘따라 유난스러웠다. 전에도 가쁜 숨을 몰아쉬며 손짓까지 섞어 잠꼬대를 하시는 바람에 어머니와 경민이가 깜빡 속은 적이 있었다.

5 목이 마르다고 손사랫짓까지 하시기에 마실 물을 가지고 와 보니 드르렁거리며 코를 골고 계셨던 것이다.

"아버지는 오늘 꿈속에서도 불을 끄시나……?"

경민이는 아버지가 깨지 않게 어깨를 슬며시 밀어 숨을 편안히 쉬도록 했다. / "끄응……."

10 지난달에 소방 호스에 부딪힌 왼쪽 어깨가 아직도 아픈지 돌아눕는 아버지의 입에서 앓는 소리가 새어 나왔다. / "후유……."

이번에는 경민이가 한숨을 내쉬었다. 모처럼 아버지와 함께 맞은 일요일인데, 아침 밥상을 물리고

잠깐만 쉬겠다던 아버지가 한나절이 다 지나도록 잠에 취하신 탓이다.

잠든 아버지 곁에 엎드려 동화책을 읽고 있지만 경민이 머릿속은 온통 다른 생각뿐이었다.

"경민아, 엄마랑 둘이 바람 쐬러 나갈까?" 5

어머니는 경민이 마음을 언제나 꿰뚫고 계시니까 지금 ⊙경민이가 원하는 것도 훤히 아실 터였다.

아니, 이번에는 경민이가 먼저 어머니의 마음을 읽었는지도 모르겠다. 늘 고단하신 아버지의 낮잠
〔몸이 지쳐서 느른하신〕
을 위해 자리를 피해 주자는 게 어머니의 마음일 10 테니까 말이다.

어머니와 경민이는 살그머니 집을 나섰다.

"쉬는 날이면 놀아 주지도 않고 낮잠만 주무시는 아버지가 야속하고 밉니?"

"아니에요. 전 아무래도 괜찮다니까요!" 15

잠꼬대 잠을 자면서 자기도 모르게 중얼거리는 헛소리.
⑩ 동생은 작은 목소리로 잠꼬대를 하였습니다.

손사랫짓 손을 펴서 함부로 휘젓는 짓.
⑩ 누나는 과자를 먹지 않았다며 손사랫짓을 하였습니다.

---

1 경민이가 낮잠만 주무시는 아버지를 보고 한숨을 내쉰 까닭은 무엇입니까? ( )

① 알아들을 수 없는 잠꼬대를 하셔서
② 코를 고는 소리가 너무 시끄러워서
③ 편찮으신데도 병원에 가시지 않아서
④ 주무실 때에도 불을 끄는 꿈을 꾸셔서
⑤ 잠깐만 쉬겠다던 아버지가 한나절이 다 지나도록 주무시고 계셔서

2 낮잠만 주무시는 아버지를 보는 경민이의 마음은 어떠했을지 쓰시오.

( )

3 ⊙'경민이가 원하는 것'은 무엇일지 짐작하여 쓰시오.

( )

4 〔교과서 문제〕 이 글에 나온 다음 내용으로 보아, 아버지의 직업은 무엇일지 짐작하여 쓰시오.

• "아버지는 오늘 꿈속에서도 불을 끄시나……?"
• 지난달에 소방 호스에 부딪힌 왼쪽 어깨가 아직도 아픈지 돌아눕는 아버지의 입에서 앓는 소리가 새어 나왔다.

( )

대답은 그렇게 했지만 아무래도 경민이의 대답에는 뽀로통한 기색이 담겨 있었다.

아들의 손을 끌어 길가의 벤치에 앉힌 어머니는 경민이의 어깨를 끌어안았다.

중심내용 모처럼 아버지와 함께하는 일요일인데도 잠만 주무시는 아버지에게 경민이는 서운함을 느꼈다.

5 ❷ 너는 잘 몰랐을 테지만, 아버지는 어제 두 차례나 화재 현장에 출동하셨다가 새벽녘에나 집에 들어오셨단다.

얼마나 힘들었던지 집에 와서도 영 마음이 가라앉지 않는다며, 여간해서 말을 안 하시는 화재 현 10 장의 이야기를 하시더구나. 예고도 없이 닥치는 일, 사납게 일렁이는 불 속에 갇힌 사람을 구해 내는 일이 얼마나 위험하고 힘든지는 너도 알잖아.

특히 어제는 재래시장의 낡은 건물에서 불이 났대. 신고를 받은 소방관들이 출동했을 때, 시장 골 15 목은 이미 구경하는 사람들로 메워져 있었단다.

문틈으로 나오는 검은 연기와 매캐한 냄새, 사람들의 비명…….

소방관 세 명이 들기에도 벅찰 정도로 소방 호스는 쉴 새 없이 강한 물줄기를 뿜어내고, 네 아버지를 비롯한 두 팀의 구조대가 그 속을 파고들었 5 단다.

'무엇보다 먼저 사람의 목숨을 구한다!'

소방관들은 눈길이 마주칠 때마다 말 없는 약속을 확인하고 힘을 내곤 한다지. 그래서 한순간에 온몸을 집어삼킬 듯한 불길을 이리저리 피해 가며 10 연기에 질식한 사람을 업고 나올 때는 죽음조차 두
숨통이 막히거나 산소가 부족하여 숨이 쉬어지지 아니한
렵지 않을 만큼 다급하단다.

●아버지가 처한 상황에서 한 말이나 행동 ①

처한 상황	말이나 행동
화재 현장에 출동한 상황	불이 난 재래시장의 낡은 건물 속으로 뛰어들었다.

핵심

뽀로통한 못마땅하여 얼굴에 성난 빛이 나타나 있는.
㉠ 간식을 빼앗긴 현우가 <u>뽀로통한</u> 표정을 지었습니다.

벅찰 감당하기가 어려울.
㉠ 아이가 혼자 들기에는 벅찰 무게였습니다.

---

5 어머니가 경민이에게 들려주신 이야기로 알맞은 것에 ○표를 하시오.

(1) 소방관이 될 수 있는 방법 ( )
(2) 아버지가 왼쪽 어깨를 다치신 까닭 ( )
(3) 어제 화재 현장에서 아버지에게 있었던 일
( )

6 아버지가 하시는 일에 대한 설명으로 알맞지 <u>않은</u> 것은 어느 것입니까? ( )

① 예고도 없이 닥치는 일이다.
② 무거운 소방 호스를 다루어야 한다.
③ 불 속에 갇힌 사람을 구해 내는 일을 한다.
④ 가족들에게 자신이 하는 일을 말할 수 없다.
⑤ 한순간에 온몸을 집어삼킬 듯한 불길 속에서 일을 해야 한다.

7 소방관들이 눈길을 마주칠 때마다 하는 약속은 무엇인지 빈칸에 알맞은 말을 쓰시오.
교과서 문제

• 무엇보다 먼저 사람의 ( )을/를 구한다!

핵심

8 화재 현장에 출동한 아버지가 하신 행동은 무엇입니까? ( )

① 불이 난 재래시장을 사람들과 구경했다.
② 업혀 나온 사람들을 진찰하고 치료했다.
③ 불이 난 상황에 대해 사람들에게 설명했다.
④ 사람들이 불이 난 건물을 구경하는 것을 막았다.
⑤ 불이 난 재래시장의 낡은 건물 속으로 뛰어들었다.

어제도 네 아버지는 건물에 갇혀 울부짖는 두 사람을 업어 내왔단다. 온몸이 땀으로 범벅이 된 몸으로 또 한 번 들어가려는 순간, 시뻘건 불길이 혀를 날름거리며 건물의 입구를 막아 버린 거야.

_{감정이 격하여 마구 울면서 큰 소리를 내는}

5 "위험해, 더는 도저히 안 되겠어!"

소방관들은 구조를 중단하고 온몸이 오그라드는 듯한 열기 속에서 빠져나오기 시작했대.

"먼저 나가. 내가 한 번만 더……."

그때 말릴 새도 없이 깨진 창문 사이로 뛰어 들어

10 간 한 사람의 구조 대원이 있었단다.

너도 한번 생각해 보렴. 소방관에게도 지켜야 할 소중한 목숨이 있고, 우리처럼 애타게 기도하며 기다리는 가족이 있을 거 아니겠니?

15 아, 어쩌면 그렇게 짧고도 기막힌 순간이 또 있을까?

네 아버지가 빠져나오고 뒤를 돌아보았을 때, 불

길에 무너지는 커다란 기둥이 그 구조 대원의 몸을 휩싸 안고 바닥으로 꺼져 버렸단다.

자기 목숨보다 남의 목숨을 먼저 생각한 용감한 소방관 아저씨의 최후…….

그 이야기를 하시면서 아버지는 정말 뜨거운 눈 5 물을 쏟으셨단다.

"만약에 빠져나오는 차례가 나와 바뀌었더라면 그가 살고 나는 지금 이 자리에 없는 거야……."

그 말 끝에 나도 얼마나 울었는지 몰라. 마치 ㉠네 아버지가 다시 태어난 것처럼 반갑고 고맙더라니 10 까!

중심 내용 어머니는 어제 있었던 화재 현장에서 아버지가 어려움을 겪고 무사히 돌아온 것을 이야기해 주셨다.

●아버지가 처한 상황에서 한 말이나 행동 ② **핵심**

처한 상황	말이나 행동
눈앞에서 동료를 잃은 일을 이야기하는 상황	뜨거운 눈물을 쏟았다. / "만약에 빠져나오는 차례가 나와 바뀌었더라면 그가 살고 나는 지금 이 자리에 없는 거야……."

범벅 질척질척한 것이 몸에 잔뜩 묻은 상태를 비유적으로 이르는 말.
예 어머니가 눈물로 범벅이 된 동생의 얼굴을 닦아 주셨습니다.

애타게 몹시 답답하거나 안타까워 속이 끓는 듯하게.
예 눈도 못 뜬 강아지가 어미를 애타게 찾고 있습니다.

---

9 소방관들이 더 이상의 구조를 중단하고 온몸이 오그라드는 듯한 열기 속에서 빠져나올 때 어떤 일이 생겼습니까? ( )

① 소방관들의 가족이 찾아왔다.
② 건물 안에서 사람의 소리가 들렸다.
③ 한 구조 대원이 사람을 업고 나왔다.
④ 시뻘건 불길 안에 질식한 사람이 있었다.
⑤ 한 번 더 사람을 구하겠다고 뛰어 들어간 구조 대원이 있었다.

10 아버지가 어제 화재 현장 이야기를 하시면서 눈물을 흘리신 까닭은 무엇이었을지 쓰시오.

( )

11 어머니가 ㉠과 같이 생각하신 까닭은 무엇입니까? ( )

① 아버지가 경민이와 놀아 줘서
② 아버지가 우시는 걸 처음 봐서
③ 아버지가 오랜만에 집에 들어와서
④ 아버지가 사고 현장을 이야기해 줘서
⑤ 아버지가 사고를 당하지 않고 돌아와서

핵심

12 동료를 잃고 뜨거운 눈물을 쏟으며 안타까워하는 아버지의 삶과 관련 있는 가치를 보기 에서 골라 두 가지 쓰시오.

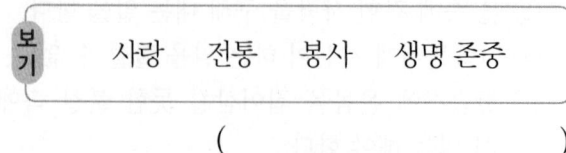

보기	사랑 전통 봉사 생명 존중

( )

❸ 어머니의 이야기에 경민이 마음이 한결 풀렸다. 덕분에 집에 돌아오는 발걸음도 햇살처럼 가벼웠다.

아버지를 위한 특별한 장보기를 마치고 집에 돌아오니, 아버지는 언제 잠꼬대까지 하며 낮잠을 잤느냐는 듯 환한 웃음으로 경민이를 맞으셨다.

"허허, 미안하다. 아빠가 우리 아들과의 약속도 못 지킬 만큼 곯아떨어졌었구나!"
　　　　몹시 기운이 없어 나른해 정신을 잃고 잤구나.
그사이 아버지는 내려앉은 경민이의 책상 서랍도 말짱하게 고쳐 놓으시고, 이제 막 현관문의 헐렁해진 손잡이를 고치시는 중이었다.

"아버지, 일은 그만하시고 이리 와서 앉으세요. 빨리요!" / 경민이는 어머니와 찡긋 눈 맞춤을 하고는 거실에 멋진 생일상을 차리기 시작했다.

"옳지, 요 녀석이 엄마를 졸라서 맛있는 케이크까지 사 왔구나."

아버지는 여느 때보다도 기분 좋은 표정이셨다.

세 식구가 단출하게 둘러앉아서 케이크에 촛불을 켰다. 큰 초 네 개와 작은 초 두 개에서 무지갯빛 환한 불이 살아났다. 고개를 갸웃하신 건 역시 아버지였다.

"어? 이게 누구 나이만큼 촛불을 켠 거냐?"

경민이는 대답 대신 예쁘게 포장해 온 선물을 아버지께 내밀었다.

㉠"아버지, 생신을 축하합니다. 그리고 위험 속에서 살아나 주셔서 고맙고, 또 사랑합니다!"

어쩐지 쑥스러워서 마지막에 혀를 날름 내밀기는 했지만, 늘 개구쟁이 노릇만 하던 경민이로서는 제법 의젓한 인사말이었다. 눈이 휘둥그레진 아버지께 어머니가 다가앉으며 말했다.

"경민이에게 당신이 어제 화재 현장에서 고생하신 얘기를 들려주었어요. 그랬더니 글쎄, 우리 아버지가 다시 태어나신 거나 마찬가지라고 저렇게 야단이랍니다."

경민이는 아버지의 잔과 자기의 콜라 잔을 부딪치며 힘차게 "브라보!"를 외쳤다. / "우리 아들, 고맙고 기특하구나. 이 아빠가 막 눈물이 날 것 같아."

한결　전에 비하여서 한층 더.
예 숙제를 하니 마음이 한결 편해졌습니다.

단출하게　식구나 구성원이 많지 않아서 홀가분하게.
예 아버지가 출장을 가셔서 어머니와 단출하게 밥을 먹었습니다.

---

13 어머니의 이야기를 듣고 경민이가 한 일은 무엇입니까? 　　　　　(　　)

① 생일상을 차렸다.
② 아버지 옆에 함께 누웠다.
③ 아버지에게 잘못을 빌었다.
④ 어머니와 케이크를 만들었다.
⑤ 아버지와 책상 서랍을 고쳤다.

14 아버지가 케이크에 꽂힌 촛불 개수를 보시고 고개를 갸웃하신 까닭은 무엇인지 쓰시오.
(　　　　　　　　　　　　)

논술형
15 경민이가 아버지의 생신도 아닌데 ㉠과 같이 말한 까닭은 무엇인지 쓰시오.

_____

_____

16 아버지는 ㉠의 말을 한 경민이를 어떻게 생각하셨는지 두 가지 고르시오. 　(　 , 　)

① 고맙다.　　　　② 창피하다.
③ 기특하다.　　　④ 부끄럽다.
⑤ 원망스럽다.

화재 현장에 갈 때마다 얼마나 많은 위기를 맞았던가!

화재 진압을 마치고 나서 동료들끼리 늘 하는 말
이 "우리는 오늘도 다시 태어났다."였는데…….

강압적인 힘으로 억눌러 진정시킴.

5 이렇게 사랑하고 이해하는 가족이 있기에, 남들이 다 위험하다지만 그만큼 큰 자부심을 얻는다고 큰소리를 칠 수 있는 것이었다.

중심내용 어머니의 이야기를 듣고 마음이 풀린 경민이는 어머니와 함께 케이크도 사고 아버지의 생일상을 차렸다.

❹ 그 자리에서 아버지는 경민이에게 자기가 처음으로 소방관이 되고자 결심한 어린 시절의 사건 하
10 나를 들려주었다. / 아, 그러니까 이 아빠가 꼭 너만 한 나이 때의 일이구나. / 그해 여름, 아마 장마가 막 시작될 무렵이었을 거야.

그날은 부모님이 먼 친척 집에 가셔서 두 살 아래의 동생과 나 둘이서만 하룻밤을 지내야 했단다.

15 어머니가 해 놓으신 저녁밥을 일찌감치 먹고 난 우리는 뭔가 재미있는 일을 찾기 시작했지.

숨바꼭질, 예나 지금이나 그보다 더 재미있는 놀이가 있을까? / 그날따라 정전이 되어 우린 마루에 촛불 하나를 켠 상태였어. 우리는 서로서로 술래를 해 가며 이불장이고 장이고 다 헤집고 숨어들었지. 내가 술래가 되어 마루의 기둥에서 오십까지 5 세기로 했을 때, 갑자기 동생을 놀리고 싶은 생각이 드는 게 아니겠니?

그래서 동생을 찾아다니지 않고 오히려 술래인 내가 마당의 장독 뒤에 숨어 버렸지.

이미 날은 어둡고 으스스한 기분을 꾹꾹 참으며, 10 시간이 얼마나 지났을까……!

문득 번갯불처럼 환한 기운에 나는 소스라쳐 뛰어나왔지. 아, 그 순간의 놀라움이란!

우리 집 안방이 온통 불바다가 되어 버린 거야.
"불이야! 불이야! 누가 좀 도와주세요!" 15

나는 뜨거운 불기운을 피해 달아나며 정말 목이 터지도록 소리쳤단다.

자부심 자기 자신 또는 자기와 관련되어 있는 것에 대하여 스스로 그 가치나 능력을 믿고 당당히 여기는 마음.

정전(停 머무를 정. 電 번개 전) 오던 전기가 끊어짐.
예 정전이 되자 도시 전체가 어둠 속으로 사라졌습니다.

---

17 아버지가 경민이에게 들려주신 이야기는 무엇입니까? ( )

① 어제 화재 현장에서 일어난 사건
② 경민이가 어린 시절에 겪은 사건
③ 소방관을 하면서 기억에 남는 사건
④ 어린 시절에 소방관을 처음 본 사건
⑤ 처음으로 소방관이 되고자 결심한 어린 시절의 사건

18 아버지가 동생과 둘이서만 하룻밤을 지내야 했던 날, 아버지는 동생과 어떤 놀이를 했는지 찾아 쓰시오.

( )

19 술래가 된 아버지가 동생을 찾지 않은 까닭은 무엇입니까? ( )

① 동생에게 화가 나서
② 동생이 너무 잘 숨어서
③ 동생이 찾지 말라고 해서
④ 집안이 엉망이 되어서 치우느라고
⑤ 동생을 놀리고 싶은 생각이 들어서

20 아버지와 동생이 놀다가 일어난 일로 알맞은 것에 ○표를 하시오.

(1) 집에 불이 났다. ( )
(2) 부모님이 돌아오셨다. ( )
(3) 안방에서 환한 불이 켜졌다. ( )

아아, 어둠 속 메아리밖에 돌아오지 않던 그때의 막막함이란…….

산골 마을이라 집들이 띄엄띄엄 있는 데다가 우리 집은 산모퉁이를 돌아 앉은 외딴집이었거든.

5 ㉠"경수야! 어디 있니? 빨리 나와야지…….”

어린 마음에도 동생을 찾아야 한다는 마음 하나로 불꽃이 널름거리는 방문 앞까지 몇 번이나 다가갔다가 물러 나왔는지 모른다.

지금부터 삼십여 년 전이니 전화는커녕 불자동차는 장난감으로조차 본 적이 없는 시절이었단다.

10 공포의 시간이 얼마나 지났을까.
두렵고 무서움.

후둑후둑 빗방울이 떨어지기 시작할 때 언덕 너머 사시는 아저씨 두 분이 손전등을 비추며 쇠스랑과 낫을 가지고 달려오셨어. 나의 애타는 목소리가 들린 게

15 아니라, 벌건 불기운이 노을처럼 비쳐 보였다는 거야.

꼭 전쟁을 겪은 것 같던 하룻밤이 어떻게 지났는지 몰라. / 사람들은 웅성웅성 달려왔지만, 나는 놀라고 지친 끝이라 불이고 동생이고 잊은 채 헛간 구석에서 죽음같이 깊은 잠을 잤단다.

5 "아이고, 내 강아지야! 어떻게 이런 일이 다 있단 말이냐……!"

불타 버린 옷장 안에서 발견된 동생을 끌어안고 몇 번이나 혼절하시는 어머니, 핏발 선 눈빛으로 하늘만 보시는 아버지…….

10 동생은 위험하게도 촛불을 들고 안방 옷장 안으로 숨었던 거야. 씩씩한 사람으로 자라서 어려운 사람을 다 구하겠다던 녀석이 그렇게 어리석은 짓을 할 줄이야!

그렇게 동생이 하늘나라로 간 뒤부터 내 가슴속에는 확실한 꿈 하나가 자리 잡았단다.

15

막막함 아주 넓거나 멀어 아득함.
예 산길을 넘어가야 하는 막막함에 기운이 빠졌습니다.

쇠스랑 땅을 파헤쳐 고르거나 거름, 풀 무덤 따위를 쳐내는 데 쓰는 갈퀴 모양의 농기구.

---

21 ㉠의 말에서 짐작할 수 있는 아버지의 마음으로 알맞지 **않은** 것은 어느 것입니까? ( )

① 걱정됨.　　② 두려움.
③ 서운함.　　④ 막막함.
⑤ 다급함.

23 언덕 너머에 사시는 아저씨 두 분은 어떻게 해서 아버지 집에 오실 수 있었습니까? ( )

① 아버지의 애타는 목소리를 듣고
② 아버지의 도움 요청 전화를 받고
③ 아버지가 불길에 뛰어드는 모습을 보고
④ 아버지 집에서 나는 벌건 불기운을 보고
⑤ 아버지 이웃집에 사는 사람의 연락을 받고

핵심 **논술형**
22 집에 불이 난 상황에서 아버지는 어떤 행동을 하셨는지 쓰시오.

_____

_____

24 집에 불이 난 까닭은 무엇인지 쓰시오.
( )

반드시 내 동생 경수를 삼켜 버린 불길과 싸워 이기겠다는 결심이었지. 나중에서야 불길은 싸울 대상이 아니라 잘 다스려야 이긴다는 걸 알게 되었지만 말이다. / 불이라는 말만 들어도 가슴이 미어진다는 부모님의 반대를 무릅쓰고 나는 기어이 소방관의 꿈을 이루어 냈단다. 그리고 늘 기도하는 마음으로 맡은 일을 하지.

빨간 불자동차에 올라타고 다급한 사이렌을 울리며 화재 현장에 나갈 때마다, 나는 어린 시절 무서운 불길 속에서 구해 내지 못한 동생의 목소리를 떠올린단다. 그리고 주먹을 불끈 쥐며 두려움을 잊곤 하지. 동생과 나의 마지막 숨바꼭질처럼 소중한 추억을 영원히 잊지 않기 위해서 말이다.

> **중심 내용** 아버지는 숨바꼭질을 하다가 불이 나서 동생을 잃었고, 동생을 삼켜 버린 불길과 싸워 이기고자 소방관이 되었다고 하셨다.

❺ 아득한 그리움을 섞은 아버지의 긴 이야기가 끝났을 때는 어느덧 해 질 무렵이었다. 창밖 멀리 보이는 서쪽 하늘에 주홍색 노을이 물들어 있었다.

"어이쿠, 빨갛기도 해라! 난 저렇게 붉은 노을만 봐도 어디서 불이 났나 싶어 가슴이 철렁한다니까!"

아버지는 자기도 모르게 축축해진 눈가를 훔치며 애써 웃음을 보이셨다. 경민이는 얼른 아버지의 허리를 끌어안고 얼굴을 비볐다.

"우주의 전사보다 훨씬 더 멋진 우리 아버지! 아버지가 정말 자랑스러워요."

경민이는 오늘 하루 사이에 어쩐지 마음이 성큼 자란 것 같았다.

> **중심 내용** 아버지의 이야기를 들은 경민이는 아버지가 정말 자랑스럽게 느껴졌다.

●아버지가 처한 상황에서 한 말이나 행동 ③

처한 상황	말이나 행동
화재로 동생을 잃은 상황	동생을 삼켜 버린 불길과 싸워 이기겠다는 결심을 했다. / 부모님의 반대를 무릅쓰고 소방관이 되었다. / 화재 현장에 나갈 때마다 동생과의 추억을 떠올린다.

핵심

무릅쓰고 힘들고 어려운 일을 참고 견디고.
　예 소방관이 위험을 <u>무릅쓰고</u> 불길 속으로 뛰어들었습니다.

철렁한다니까 어떤 일에 놀라 가슴이 설렌다니까.
　예 아기가 아장아장 걸을 때마다 가슴이 <u>철렁한다니까</u>.

---

25 아버지와 아버지의 부모님이 불을 대하는 태도는 어떠한지 각각 선으로 이으시오.

(1) [아버지] •　　• ㉠ 불길과 싸워 이기겠다.

(2) [아버지의 부모님] •　　• ㉡ 불이라는 말만 들어도 가슴이 미어진다.

26 (교과서 문제) 이 글의 제목이 「마지막 숨바꼭질」인 까닭은 무엇이겠는지 쓰시오.

• 동생과 마지막 숨바꼭질을 하던 아버지의 추억이 아버지를 (　　　　　　)이/가 되게 했기 때문이다.

27 (교과서 문제) 아버지가 추구하는 삶으로 알맞은 것에 ○표를 하시오.

(1) 생명을 존중하고 다른 사람을 위해 자신을 희생해 봉사하는 삶을 추구한다. (　　)

(2) 가족과 자신의 안전을 위해 힘든 일은 피하고 쉬운 일만 하는 삶을 추구한다. (　　)

핵심 **논술형**

28 이 글의 인물이나 내용과 관련 있는 자신의 경험을 떠올려 쓰시오.

_____

_____

역량 제재

기본 ❸ 인물의 삶과 자신의 삶을 비교하며 작품을 읽고 자신의 생각 쓰기

○ 인물이 추구하는 다양한 삶의 가치나 꿈을 생각하며 글 읽기

이모의 꿈꾸는 집

· 글: 정옥 · 그림: 정지윤

· 글의 종류: 이야기
· 글의 내용: 진진이 이모의 꿈꾸는 집 캠프에 가서 겪은 일을 쓴 글로, 등장인물들의 말과 행동을 통해 각각의 인물이 추구하는 삶을 알 수 있습니다.

앞부분 이야기 진진은 엄마의 권유로 이모의 '꿈꾸는 집'이라는 괴상한 캠프에 참가한다. 동물도 사물도 말을 하는 엉뚱한 곳에서 진진이 어리둥절해하고 있을 무렵, 또래 친구 상수리를 만난다. 피아니스트가 되는 게 꿈이며 어렸을 때부터 피아노를 쳐 온 상수리는 갑자기 피아노 소리가 나지 않아 고민하고, 이모와 진진은 상수리의 고민을 듣게 된다.

❶ "근데 너 혹시 걔를 한동안 혼자 내버려 뒀니?"

"아니요. 제가 피아노 연습을 얼마나 열심히 하는데요. 컴퓨터 게임을 할 시간도, 친구들이랑 축구할 시간도, 만화책을 볼 시간도 없이 오로지 피아노 연습만 하는걸요."

"그렇게 아무것도 안 하고 피아노만 치면 재미있니?"

"아니요, 당연히 힘들죠. 정말 어떨 땐 너무 힘들어서 다 그만두고 싶어질 때도 있어요. 그래도 꾹 참고 연습해요. 열심히 연습해야 훌륭한 피아니스트가 될 수 있잖아요."

이모는 고개를 끄덕거리며 크게 한숨을 내쉬었다.

"쳇, 그게 문제였군. 우울해질 만하군."
근심스럽거나 답답하여 활기가 없어질

"예?"

"훌륭한 피아니스트가 되는 게 네 꿈이라고? 근데 네 피아노의 꿈도 훌륭한 피아니스트와 연주하는 거라던? 아마 아닐걸?"

이모는 먼지떨이를 놓아두고 뒷벽에 걸린 대바구니 두 개를 내렸다. 먼지가 보얗게 쌓인 바구니를 대충 털어, 진진과 상수리에게 각각 하나씩 나눠 줬다.

괴상(怪 기이할 괴, 常 항상 상)한 보통과 달리 괴이하고 이상한. 예 어젯밤 꿈에 괴상한 꿈을 꿔서 깜짝 놀랐습니다.

한숨 근심이나 설움이 있을 때, 또는 긴장하였다가 안도할 때 길게 몰아서 내쉬는 숨.

---

1 상수리의 꿈은 무엇인지 쓰시오.

( )

2 상수리의 고민은 무엇입니까? ( )

① 피아노가 사라진 것
② 피아노 소리가 나지 않는 것
③ 피아노 실력이 늘지 않는 것
④ 피아노 연습을 할 시간이 없는 것
⑤ 이모가 피아노를 못 치게 하는 것

핵심 **논술형**

3 훌륭한 피아니스트가 되는 게 꿈인 상황에서 상수리가 한 행동은 무엇인지 쓰시오.

_____

_____

4 이모가 생각한 피아노의 기분으로 알맞은 것은 무엇입니까? ( )

① 설렌다.   ② 기쁘다.
③ 무섭다.   ④ 지루하다.
⑤ 우울하다.

"자, 여기다가 피아노 건반 따서 담아 와."

"왜요?"

"우울할 땐 그저 깨끗한 물에 목욕하고, 따뜻한 햇빛을 듬뿍 쏘이는 게 최고야. 데리고 와서 물로 깨끗하게 목욕시켜 준 다음 널어 줘. 그러면 개네들도 기분이 좀 나아질 거야."

(중략)

중심 내용 피아노 소리가 나지 않아 힘들어하는 상수리에게 이모는 피아노 건반을 씻어 오라고 했다.

❷ 상수리는 피아노 덮개를 열고 하얀 건반을 하나씩 똑똑 따 냈다. 건반은 사과나무에서 사과 꼭지가 떨어지듯이 똑똑 떨어졌다. 진진도 검은 건반을 따서 담았다.

㉠"나는 정말 열심히 했는데. 내가 뭘 잘못한 걸까? 정말 꿈을 이루기 위해 최선을 다했는데."

상수리의 혼잣말에 진진은 마음이 아팠다. 건반을 모두 다 따 담고 나서, 상수리는 피아노 덮개를 가만히 덮어 주었다.

"가자."

상수리가 먼저 방문을 나갔다. 진진은 뒤따라 나가며 다시 한번 방 안을 휙 둘러보았다. 그러고는 악기들에게 주먹을 불끈 쥐어 보이며 눈을 흘겼다.
눈동자를 옆으로 굴리어 못마땅하게 노려봤다.

"까불지 마."

진진과 상수리는 바구니를 들고 우물가로 갔다. 상수리가 먼저 하얀 건반들을 대야에 쏟았다. 진진이 물을 퍼 올려 들이붓자 하얀 건반들에서 거무튀튀한 때가 불어 오르기 시작했다.

둘은 우물가에 쪼그리고 앉아서 손가락으로 건반을 하나씩 씻었다. 까만 때가 돌돌 말려 일어났다.

듬뿍 매우 많거나 넉넉한 모양.
예 선생님이 정이 듬뿍 담긴 목소리로 칭찬해 주셨습니다.

대야 물을 담아서 무엇을 씻을 때 쓰는 둥글넓적한 그릇.
예 장난감을 대야에 넣고 물로 깨끗이 씻었습니다.

---

5 이모는 진진과 상수리에게 무엇을 따 오라고 하였는지 쓰시오.

( )

6 이모는 5번 문제에서 답한 것을 어떻게 하라고 하였습니까? ( )

① 목욕시켜 주라고 하였다.
② 사과나무에 널라고 하였다.
③ 물에 담가 놓으라고 하였다.
④ 새로 칠을 해 주라고 하였다.
⑤ 바람을 쐬게 해 주라고 하였다.

7 ㉠과 같은 상수리의 혼잣말을 들은 진진의 마음은 어떠하였습니까? ( )

① 행복하다.
② 고소하다.
③ 창피하다.
④ 약이 오른다.
⑤ 마음이 아프다.

핵심
8 ㉠을 통해 알 수 있는 상수리가 추구하는 삶과 관련 있는 낱말을 골라 쓰시오.

| 용기 | 성실 | 좌절 | 실패 |

( )

"에구구, 더러워. 애는 도대체 얼마 만에 목욕을 하는 거야?"

퐁은 구정물이 튈까 봐 멀찌감치 물러나서 지켜보았다.
└▸ 두레박

5 상수리는 정성스럽게 건반을 하나하나 닦아 냈다. 진진도 뽀드득뽀드득 힘껏 문질렀다. 시간이 흐를수록 대야의 물이 시커멓게 변했다. 상수리는 더러워진 물을 버리고 새로 깨끗한 물을 받아 헹구었다. 물속에 잠긴 건반들이 눈이 부시

10 도록 하얗게 반짝였다. 두 아이의 이마에는 어느새 땀이 송골송골 맺혔다.

진진은 허리를 펴고, 어깨를 주물럭거리며 상수리에게 물었다.

"조금 쉬었다 할까?"

㉠"아냐, 난 괜찮아. 힘들지? 넌 저기 그늘에 가서 좀 쉬어."

상수리는 흰 건반들을 바구니에 담아 물기를 빼면서 대답했다.

"아니야, 나도 괜찮아."

진진은 검은 건반들을 대야에 쏟아부었다. 검은 건반들에서 검은 물이 조금씩 배어 나왔다. 건반을 10 문지르는 아이들의 손에도 검은 물이 스몄다.

검은 건반까지 모두 다 깨끗하게 씻은 뒤, 상수리는 바지랑대를 내려 빨랫줄을 눈언저리까지 낮
└▸ 빨랫줄을 받치는 긴 막대기
췄다.

뽀드득뽀드득 단단하고 질기거나 반드러운 물건을 자꾸 야무지게 문지르거나 비빌 때 잇따라 나는 소리. 또는 그 모양.
예 아버지가 설거지하는 소리가 뽀드득뽀드득 들렸습니다.

송골송골 땀이나 소름, 물방울 따위가 살갗이나 표면에 잘게 많이 돋아나 있는 모양.
예 의자를 고치는 아버지의 이마에 땀이 송골송골 맺혔습니다.

---

9 퐁이 멀찌감치 물러나서 상수리와 진진을 지켜본 까닭은 무엇입니까? (   )

① 구정물이 튈까 봐
② 상수리가 무서워서
③ 자신도 목욕시킬까 봐
④ 건반 닦는 것을 도우라고 할까 봐
⑤ 진진이 멀찌감치 물러나라고 해서

11 ㉠을 통해 알 수 있는 상수리의 성격은 어떠합니까? (   )

① 배려심이 있다.
② 잘난 척을 한다.
③ 이해심이 부족하다.
④ 자기중심적으로 생각한다.
⑤ 다른 사람을 잘 믿지 않는다.

10 상수리는 피아노 건반을 어떤 마음으로 닦았습니까?

(   ) 마음

12 검은 건반까지 모두 다 깨끗하게 씻은 뒤, 상수리가 한 일은 무엇인지 쓰시오.

(   )

"바구니 좀 들어 줘, 내가 집게로 집을게."

진진은 흰 건반이 담긴 바구니를 들고 왔다. 상수리는 아직도 물기가 흥건한 건반을 하나하나 집어서 널었다. 하얀 건반들은 양말들처럼 나란히 줄을 맞춰서 매달렸다.

하얀 건반을 다 매달고 나서 진진은 검은 건반을 든 바구니도 들고 왔다. 상수리는 검은 건반도 빨래집게로 꼭꼭 집어서 매달았다. 빨랫줄에는 하얀 건반과 검은 건반이 나란히 걸렸다. / "다 됐다."

"이제 얘 기분이 좀 좋아질까?"

상수리는 이마에 솟은 땀을 팔로 닦으며 걱정스러운 표정으로 건반들을 쳐다봤다.

두 아이는 마루에 가서 나란히 앉았다. 진진은 허리와 어깨와 허벅지를 토닥거렸다. 상수리는 마루에 누워 몸을 쭉 폈다.

뒤뜰에서 초리가 날아왔다.
└→새

"퐁, 나 물 좀 줘."

곧이어 어기가 뒤따라 뛰어왔다.
└→거위

"초리, 정말 암만해도 이해가 안 돼. 그러니까 날개를 한 번 휘젓는 데 몇 초가 걸린단 소리야?"

초리는 물을 한 모금 마시더니 갑갑하다는 듯 앙잘앙잘 앙알거렸다.

"어이구, 이해 따윌 해서 뭣 하게? 날개가 알아서 하게끔 내버려 두라잖아."

어기는 다시 긴 목을 빼며 물었다.

"내버려 뒤?"

"어떻게 하면 날 수 있을까, 그딴 생각 하지 말라고!"

"생각하고 또 해도 못 나는데, 생각하지 않고 어떻게 날아?"

초리는 까만 날개로 어기의 흰 날개를 툭툭 쳤다. 말이 점점 빨라졌다.

흥건한 물 따위가 푹 잠기거나 고일 정도로 많은.
예 드라마를 보는 언니의 얼굴에 흥건한 눈물 자국이 있었습니다.

앙잘앙잘 작은 소리로 원망스럽게 종알종알 군소리를 자꾸 내는 모양.
예 오빠에게 과자를 뺏긴 동생은 앙잘앙잘 앙알거렸습니다.

---

13 상수리는 빨랫줄에 걸린 건반들을 어떤 표정으로 쳐다보았습니까? ( )

① 화난 표정
② 기쁜 표정
③ 억울한 표정
④ 뿌듯한 표정
⑤ 걱정스러운 표정

14 13번 문제에서 답한 표정으로 피아노 건반들을 보는 상수리에게 해 줄 말을 알맞게 말한 친구는 누구인지 쓰시오.

> 희진: 깨끗하게 씻었으니 피아노 건반들의 기분도 좋아질 거야.
> 명규: 피아노 건반에 물이 묻어서 앞으로 피아노에서 소리가 나지 않을 거야.

( )

핵심
15 어기가 처한 상황으로 알맞은 것은 무엇입니까? ( )

① 목이 마른데 물을 마실 수 없는 상황
② 초리의 질문에 대답을 해야 하는 상황
③ 하늘을 날고 싶은데 날지 못하는 상황
④ 혼자 있고 싶은데 초리가 따라오는 상황
⑤ 초리가 물을 마시지 못하게 해야 하는 상황

16 15번 문제의 답과 같은 상황에서 어기는 누구에게 도움을 청했는지 쓰시오.

( )

"궁금해하지 말라니까. 그냥 날아. 날개에게 모든 걸 맡겨."

"그러니까 그게 무슨 뜻인지……."

"아, 몰라, 몰라. 네 멋대로 해."

5 초리는 물을 다 마시고 다시 포르르 날아올라 동백나무 위에 앉았다. / (중략)
작은 새 따위가 갑자기 날아갈 때 나는 소리

중심 내용 상수리와 진진이 피아노 건반을 씻고 있을 때 어기와 초리가 왔으며, 어기는 초리에게 나는 방법을 물어봤다.

❸ 진진이 어기의 하얀 깃을 어루만지며 물었다.

"어기, 힘들지? 그래도 기운 내."

어기는 고개를 가로저으며 씩씩하게 되물었다.

10 "하나도 안 힘들어. 꿈꾸는 게 왜 힘드니?"

"그래도 날마다 그렇게 열심히 연습했는데, 못 날면 속상하잖아."

㉠"아니, 속상하지 않아. 난 늘 즐거워. 만약 꿈꾸는 동안 즐겁지 않다면 그게 무슨 꿈이니?"

15 어기는 물을 다 마시고 날개를 푸드덕푸드덕 힘차게 털어 냈다.

㉡"자, 쉬었으니 또 신나게 날아오르러 가 볼까?"

바람이 불었다. 동백나무 이파리가 나붓나붓 흔들렸다. 바람은 상수리의 이마에 맺힌 땀을 훔치고, 진진의 머리칼도 살짝 띄워 주었다. 마루를 쓸 5 면서 다시 마당 가운데로 불어 가 이번에는 피아노 건반들을 흔들었다. / 도로롱 도로롱.

빨랫줄에 나란히 매달린 건반들이 아늘아늘 흔들리면서 가느다랗게 음악이 흘러나왔다. 진진은 귀 10 를 기울여 음악 소리를 들었다.

"들어 봐, 피아노 소리야."

● 어기가 추구하는 삶과 자신의 삶 비교하기 예

나는 어기와 같은 상황이었다면 하늘을 나는 연습을 포기했을지도 몰라. 초리는 하늘을 잘만 나는데 나는 아무리 연습해도 되지 않으니 속상하고 힘들 것 같기 때문이야.

핵심

나붓나붓 얇은 천이나 종이 따위가 나부끼어 자꾸 흔들리는 모양.
예 가을바람에 낙엽이 나붓나붓 흩날렸습니다.

아늘아늘 빠르고 가볍게 춤추듯이 잇따라 흔들리는 모양.
예 빨랫줄에 널린 빨래들이 바람에 아늘아늘 흔들렸습니다.

17 어기가 ㉠, ㉡과 같이 말한 까닭은 무엇인지 쓰시오.
교과서 문제 (   )

18 어기가 추구하는 삶으로 알맞은 것은 무엇입니까?
(   )

① 다양한 경험을 하는 삶
② 자신의 재능을 기부하는 삶
③ 다른 사람에게 봉사하며 사는 삶
④ 희망을 가지고 즐겁게 도전하는 삶
⑤ 자신을 희생하여 남들에게 행복을 주는 삶

역량 논술형

19 어기가 추구하는 삶과 자신의 삶을 비교해 쓰시오.

_____

_____

_____

20 바람이 불자 어떤 일이 일어났습니까?   (   )

① 음악 소리가 들렸다.
② 상수리가 피아노를 쳤다.
③ 어기가 나무 밑으로 떨어졌다.
④ 동백나무의 이파리가 떨어졌다.
⑤ 피아노 건반이 빨랫줄에서 떨어졌다.

"어, 이 곡은."

"나 이 곡 아는데. 음, 뭐더라? 제목이……."

"백구."

상수리는 잠시 눈을 감고 피아노 소리를 듣더니,
5 **나지막한** 목소리로 노래를 따라 불렀다.

"내가 아주 어릴 때였나, 우리 집에 살던 백구, 해마다 봄가을이면 귀여운 강아지 낳았지."

상수리의 노랫소리는 바람이 연주하는 피아노 소리와 어우러져 퍼져 나갔다. 노래는 오래오래 이
10 어지고 상수리의 눈빛도 아련해졌다. 진진도 후렴을 함께 불렀다.

"기인 다리에 새하얀 백구, 음 음."

바람이 잦아들고, 피아노 소리가 그쳤다.

"엄마가 늘 불러 주시던 노래야. 엄마는 내가 아기
15 였을 때 나를 옆에 앉히고 피아노를 치면서 이 노래를 불러 주셨어. 피아노를 배워서 내 손으로 처음 이 곡을 쳤을 때 얼마나 기뻤는지. 이렇게 아름다운 소리를 가진 게 있다니, 너무 신기해서."

지붕 위에 앉아 쉬고 있던 바람이 다시 날아 내려왔다. 피아노 건반들은 잘그랑잘그랑 빠르게 몸을 흔들었다. 「젓가락 행진곡」이다. 마루 위에 얹힌 상수리의 손이 달싹이며 건반을 짚는 흉내를 냈다. 가벼운 물건이 떠들렸다 가라앉았다 하며
진진도 어느새 고개와 발을 까딱까딱 놀리고 있었 5 다. 상수리의 뺨이 발그스름하게 물들어 갔다.

"2학년 때 내 짝꿍이, 실은 내 첫사랑이야. 하루는 걔가 우리 집에 놀러 왔는데, 그때 같이 이 곡을 연주했어. 늘 양 갈래로 **땋은** 머리를 빨간 방울로 묶고 다니던 애였는데, 정말 예뻤어." 10

이야기를 이어 가는 상수리의 입가에는 벙싯 웃음이 떠나지 않았다.

나지막한 소리가 꽤 낮은. ⓔ 친구들은 선생님에게 들킬까 봐 **나지막한** 목소리로 말하였습니다.

땋은 머리털이나 실 따위를 둘 이상의 가닥으로 갈라서 어긋나게 엮어 한 가닥으로 한.

---

21 바람 소리에 처음 들려온 곡의 제목은 무엇입니까?
( )

22 21번 문제에서 답한 곡을 상수리가 처음 쳤을 때 신기해한 까닭은 무엇입니까? ( )

① 엄마가 칭찬해 주셔서
② 연주가 생각보다 쉬워서
③ 피아노 소리가 아름다워서
④ 자신이 엄마보다 연주를 잘해서
⑤ 아기였을 때 들은 노래와 달라서

23 상수리가 「젓가락 행진곡」을 듣고 떠올린 기억으로 알맞은 것은 어느 것입니까? ( )

① 처음 학교에 갔던 기억
② 처음 피아노를 배울 때의 기억
③ 아기였을 때 어머니가 들려준 기억
④ 2학년 때 짝꿍과 함께 연주하던 기억
⑤ 피아노를 연주해서 처음 상을 탔던 기억

24 「젓가락 행진곡」을 듣고 떠올린 기억에 대해 상수리는 어떤 마음이 들었을지 쓰시오.
( )

바람의 손길이 조금씩 부드러워지면서, 곡목이 바뀌었다. 사부작사부작 떨리는 건반들은 「고향의 봄」을 연주하기 시작했다. 진진은 노래를 따라 불렀다.

5 "나의 살던 고향은 꽃 피는 산골, 복숭아꽃 살구꽃 아기 진달래. 울긋불긋 꽃 대궐 차린 동네, 그 속에서 놀던 때가 그립습니다."

그러나 상수리는 연주가 시작될 때부터 입을 꼭 다물고 담 너머 먼 산만 바라보았다.

10 "꽃동네 새 동네 나의 옛 고향, 파란 들 남쪽에서 바람이 불면, 냇가에 수양버들 춤추는 동네, 그 속에서 놀던 때가 그립습니다."

노래를 부르며 얼핏 쳐다본 상수리의 눈시울이 빨
지나는 결에 잠깐 나타나는 모양
갰다.

"왜 그래?" / 상수리는 고개를 숙이며 대답했다.

15 "작년에 돌아가신 할머니가 좋아하시던 노래야. 내가 할머니 댁에 가서 이 곡을 연주하면 정말 좋아하셨는데."

"그랬구나."

㉠"돌아가시기 전에 오랫동안 몸이 안 좋으실 때도, 난 피아노 학원 간다는 핑계로 한 번도 가질 않았어."

상수리의 눈에서 눈물이 툭 떨어진다. 진진은 괜히 5
멋쩍어 장독대 주위에 피어 있는 꽃들을 쳐다봤다.

'그러고 보니, 나도 할머니랑 할아버지한테 가 본 지가 꽤 됐네. 할머니 생신 때도 학원 가느라고 못 갔구나. 할머니가 전화해도 귀찮아서 안 받았는데.' 10

진진도 울컥했다. 상수리는 눈가를 쓱 닦아 내고 는 일어섰다.

"아마 내 피아노는 피아노 학원에서 치던 어려운 곡보다 이 곡들을 더 치고 싶었나 봐. 나는 모두 잊어버린 걸 아직도 기억하고 있었구나." 15

상수리는 마당으로 내려가 바지랑대를 내렸다.

"다 마른 것 같아."

눈시울 눈언저리의 속눈썹이 난 곳.
예 텔레비전을 보시는 할머니의 눈시울이 붉어졌습니다.

멋쩍어 어색하고 쑥스러워.
예 짝꿍에게 사과하는 것이 멋쩍어 먼 곳만 쳐다보았습니다.

---

25 「고향의 봄」을 듣는 상수리의 행동으로 알맞은 것은 무엇입니까? ( )

① 가사를 공책에 적었다.
② 연주에 맞춰 따라 불렀다.
③ 피아노 치는 시늉을 하였다.
④ 진진과 번갈아 가며 불렀다.
⑤ 담 너머 먼 산만 바라보았다.

26 상수리는 「고향의 봄」을 들으며 누구를 떠올렸는 지 쓰시오.

( )

27 「고향의 봄」을 듣던 상수리의 눈에서 눈물이 떨어진 까닭은 무엇입니까? ( )

① 연주가 슬퍼서
② 진진이 노래를 잘 불러서
③ 돌아가신 할머니가 생각나서
④ 자신이 가장 잘 치는 곡이어서
⑤ 따라 부르기에 어려운 곡이어서

28 ㉠과 같은 말을 듣고 할머니, 할아버지를 떠올린 진진의 마음은 어떠하였겠습니까? ( )

① 설렜다. ② 기뻤다.
③ 울컥했다. ④ 두려웠다.
⑤ 반가웠다.

진진은 바구니를 챙겨서 상수리 옆으로 다가갔다. 상수리는 건반들을 하나씩 걷어 담았다. 순식간에 뽀얗게, 까맣게 반들반들 윤이 나는 건반들이 바구니에 한가득 담겼다. 상수리는 바구니를 들여다보며 엷은 웃음을 지었다.

"예전엔 내 피아노와 함께 꿈꾸는 게 참 즐거웠는데, 어느 순간부터는 그게 너무 힘든 일이 되어 버렸어. 아마 꿈을 꾸는 것보다 꿈을 이루고 싶은 마음이 더 커서 그랬나 봐. 꿈을 이루어야만 행복해지는 줄 알았는데, 꿈은 이루기 위해 있는 게 아니구나. 왜 그걸 미처 몰랐을까?"

진진과 상수리는 바구니를 들고 노란 대문 집으로 갔다. 방으로 들어가 피아노 건반을 하나씩 맞춰 끼웠다. 깨끗하게 씻은 건반들을 다시 갖춘 피아노는 기분이 좋아 보였다.

상수리는 피아노 건반을 살포시 어루만졌다.

"피아노야, 넌 내가 훌륭한 피아니스트가 되길 바란 게 아니었지? ㉠넌 아마 내가 행복한 피아니스트가 되길 꿈꾸었을 거야. 근데 나는 그것도 모르고 너와 함께하는 시간이 지긋지긋해지도록 연습만 하는 게 최선인 줄 알았으니……. 그동안 네가 얼마나 힘들었을까? 미안해. 정말 미안해."

상수리는 피아노 의자를 당겨 앉았다. 그리고 건반 위에 두 손을 가만히 얹고, 지그시 누르며 작은 소리로 속삭였다.

슬며시 힘을 주는 모양

"손가락들아, 너희들도 정말 오랜만이지? 이렇게 즐거운 기분으로 피아노랑 노는 게. 너희들이 나보다 내 피아노의 기분을 먼저 알아차렸구나. 고마워."

● 상수리가 추구하는 삶과 자신의 삶 비교하기 예

> 상수리가 비록 꿈을 꾸는 즐거움을 잠시 잊기는 했지만, 꿈을 이루려고 계속 노력한 것은 배울 점이라고 생각해.

엷은 지나치게 드러냄이 없이 있는 듯 없는 듯 가만한.
예 선생님께서 학생들의 축하 인사에 엷은 미소를 지으셨습니다.

살포시 포근하게 살며시.
예 아버지께서 이불을 살포시 덮어주셨습니다.

---

29 깨끗하게 씻은 건반들을 다시 갖춘 피아노의 기분은 어떠하겠습니까? ( )

① 지겹다.　　② 난처하다.
③ 불쾌하다.　　④ 기분이 좋다.
⑤ 짜증이 난다.

30 상수리가 ㉠과 같이 말한 까닭은 무엇인지 빈칸에 공통으로 들어갈 알맞은 말을 쓰시오.

> • 자신이 열심히 노력해 왔지만 ( ) 을/를 이루는 데 급급한 나머지, ( ) 을/를 꾸는 즐거움을 잊어버렸다는 것을 깨닫게 되어서이다.

( )

31 상수리가 추구하는 삶은 무엇인지 쓰시오.
( )

32 상수리가 추구하는 삶과 자신의 삶을 비교해 알맞게 말한 친구는 누구인지 쓰시오.

> 미희: 상수리가 처음 자신이 생각하고 계획했던 것을 바꾸지 않고 뚝심 있게 밀고 나가는 것이 대단하다고 생각해.
> 영호: 상수리가 비록 꿈을 꾸는 즐거움을 잠시 잊기는 했지만, 꿈을 이루려고 계속 노력한 것은 배울 점이라고 생각해.

( )

상수리의 손가락을 따라 아주 **가녀린** 소리가 흘러나왔다. 지금껏 들어 본 그 어떤 피아노 소리보다 맑고 투명했다.

상수리는 바람이 연주한 곡들을 다시 연주했다. 상수리는 행복해 보였다. 오랜만에 친구의 행복한 웃음을 보는 피아노도 즐거워 보였다.

> **중심 내용** 빨랫줄에 걸린 피아노 건반이 바람에 흔들리면서 피아노 소리가 들려왔고, 상수리는 예전에 즐겁게 피아노를 연주하며 꿈꾸었던 기억을 떠올리며 다시 피아노를 연주했다.

> **중간 부분 이야기** 다시 피아노를 연주하게 된 상수리와 진진은 이모네 마당에서 음악회를 열고 모두 즐거운 시간을 보낸다. 다음 날, 상수리는 진진에게 빨리 꿈을 만나길 바란다는 편지를 남기고 떠난다. 풀이 죽은 진진은 풍을 만나 대화를 나눈다.

❹ "풍, 넌 나중에 뭐가 되고 싶니?"

"되고 싶은 거 없는데."

"되고 싶은 게 없어? 그럼 꿈이 없단 말이야?"

"꿈이야 있지. 근데 꿈이란 게 꼭 뭐가 되어야 하

는 거야? 뭐가 안 되면 어때? 그냥 하면 되지. 내 꿈은 춤추는 거지. 신나게 춤추는 것. 그게 내 꿈이야."

풍은 진진의 물음에 꼬박꼬박 대답하면서도 허리를 흔들며 춤을 췄다. 풍의 몸짓을 따라 물결이 찰랑찰랑 일었다. 진진은 그런 풍을 잠시 지켜보다 다시 물었다.

"넌 이미 충분히 즐겁게 춤추고 있잖아?"

㉠"오늘보다 내일은 더 즐겁게, 내일보다 모레는 더, 더 즐겁게. 모레보다 글피는 더, 더, 더 즐겁게, 글피보다 그글피는 더, 더, 더, 더 즐겁게. 내 꿈은 절대로 끝나지 않지."

풍은 진진을 올려다보며 **오페라**의 한 소절처럼 대답을 했다. 진진은 고개를 끄덕였다.

●풍이 추구하는 삶과 자신의 삶 비교하기 예

> 나도 풍처럼 내가 좋아하고 신나는 일을 하고 싶어.

가녀린 소리가 몹시 가늘고 힘이 없는.
예 가녀린 피리 소리가 더욱 슬프게 들렸습니다.

오페라 음악을 중심으로 한 종합 무대 예술.
예 어제 부모님과 함께 오페라를 보고 왔습니다.

33 자신이 만약 피아노라면 상수리에게 어떤 말을 해 주고 싶은지 쓰시오.

( )

34 풍의 꿈은 무엇입니까? ( )

① 날마다 노래를 부르는 것
② 날마다 신나게 춤추는 것
③ 날마다 사람들과 대화하는 것
④ 날마다 음악회를 구경하는 것
⑤ 날마다 새로운 친구를 만나는 것

35 풍이 ㉠과 같이 말한 까닭으로 알맞은 것에 ○표를 하시오.

(1) 현재를 즐겁게 사는 것을 중요하게 생각해서 ( )

(2) 미래를 위해서 현재의 고통을 참는 것을 중요하게 생각해서 ( )

핵심 논술형

36 풍이 추구하는 삶을 다음 낱말을 모두 사용하여 한 문장으로 쓰시오.

> 행복   열정

_____

_____

진진은 덩치가 마시다 남기고 간 물을 꼴깍꼴깍 마시고는, 동백나무 그늘로 갔다. 무릎을 끌어안고 앉으니 마루 뒷벽 가운데 높다랗게 걸려 있는 글씨가 눈에 들어왔다. / 꿈꾸는 집.

5 진진은 주머니에서 상수리의 편지를 꺼내어 다시 읽었다. / '내 꿈은 뭐지?'

이모가 자전거를 끌고 대문으로 들어서다가 동백나무 아래에 앉아 있는 진진을 보았다.

"뭐 하니?"

10 "아침부터 어디 갔다 오세요?"

이모는 자전거를 세우고 우물가로 가서 퐁을 우물 속으로 내렸다.

"자전거가 바람 쐬러 가자고 졸라 대서. 모두 나한테 어찌나 바라는 게 많은지. 정말 일일이 다 들어주려니까 몸이 열 개라도 모자라겠다. ㉠이

15 래서야 책 읽을 시간이 나겠니?"

"이모는 책 읽는 게 즐거워요?"

"그걸 말이라고 하니? 책 읽는 게 재미없다면 왜 읽겠니?"

"그래도 가끔 보면 재미없는 책도 있잖아요."

㉡"재미없으면 안 읽으면 되지." 5

"다른 사람들이 다 읽고 재미있다고 하는 책을 나만 재미없다고 안 읽으면 좀 그렇잖아요."

진진의 말에 이모는 혀를 끌끌 찼다.

"넌 다른 사람이 맛있다고 하는 요리는 맛없어도 먹니? 그런 게 어디 있어? 내가 재미없으면 10 없는 거지."

● 이모가 추구하는 삶과 자신의 삶 비교하기 예

> 나는 남들이 그렇다고 하면 실은 그렇지 않은데도 그렇다고 말하는 경우가 많았는데, 앞으로는 이모처럼 내가 정말 좋아하는 것을 찾아 용기 있게 지켜 나가야겠어.

핵심

졸라 다른 사람에게 차지고 끈덕지게 무엇을 자꾸 요구해.
예 동생이 느닷없이 장난감을 사 달라고 졸라 댔습니다.

끌끌 마음에 마땅찮아 혀를 차는 소리.
예 할아버지가 기가 막히다며 혀를 끌끌 차셨습니다.

37 진진의 고민은 무엇입니까? ( )
① 자신의 꿈을 모르는 것
② 주변 친구들이 떠나는 것
③ 이모의 심부름을 해야 하는 것
④ 맛없는 요리를 먹어야 하는 것
⑤ 꿈꾸는 집에서 나갈 수 없는 것

38 이모가 ㉠과 같이 말한 까닭은 무엇인지 빈칸에 알맞은 말을 쓰시오.
• 이모는 자신이 좋아하는 것을 하는 것을 중요하게 생각하고, 또 그것을 위해 ( ) 을/를 쪼개어 쓰기 때문이다.

39 이 글에서 알 수 있는 이모의 성격으로 알맞은 것은 무엇입니까? ( )
① 겁이 많다. ② 내성적이다.
③ 인정이 없다. ④ 우유부단하다.
⑤ 자신감이 있다.

역량 논술형
40 ㉡에서 알 수 있는 이모가 추구하는 삶과 자신의 삶을 비교해 쓰시오.

_____

_____

_____

이모는 퐁이 담아 올려 온 물을 받아서 꿀꺽꿀꺽 마셨다. 진진은 무릎을 안은 채, 이모를 빤히 쳐다봤다.

"왜? 내 얼굴에 뭐 묻었니?"

5 진진은 고개를 가로저으며 물었다.

"이모, 이모는 꿈이 뭐예요?"

이모는 퐁을 우물 속으로 던지고는 입을 삐죽거렸다.

"내 꿈? 나는 어른인데?"

"어른들도 꿈이 있잖아요. 꿈이 없는 사람이 어

10 디 있어요?"

이모는 성큼성큼 다가와 진진의 눈앞에 쪼그려 앉더니 진진을 빤히 쳐다봤다. 빨간 안경 속 이모의 눈은 콩알만큼 작아 보였다.

"흥, 이젠 그렇게 생각한다는 말이지? 너도 꽤

15 똑똑해졌구나."

그러고는 진진에게만 들리도록 조그맣게 속살거렸다. / "꿈꾸는 집, 이 집이 바로 내 꿈이야."

"이 집이 이모의 꿈이라고요?"

"그럼, 내 꿈은 이 세상 재미있는 책들을 모두 불러 모아서 함께 노는 거야. 낄낄대며 웃는 재 5 미, 콩닥콩닥 가슴 뛰는 재미, 두근두근 설레는 재미, 눈물 나게 가슴 아린 재미, 궁금한 것들을 알게 되는 재미, 생각하지도 못했던 것을 상상하 _{마음이 몹시 고통스러운} 는 재미…… 재미있는 책들만 올 수 있는 집, 꿈꾸는 아이들만 올 수 10 있는 집, 이 집이 내 꿈이야."

중심 내용 진진은 퐁과 대화하며 퐁이 행복한 꿈을 꾸며 살고 있음을 알게 되고, 이모의 꿈은 재미있는 책들과 꿈꾸는 아이들이 오는 집임을 알게 되었다.

삐죽거렸다 비웃거나 언짢거나 울려고 할 때 소리 없이 입을 내밀고 실룩거렸다. 예 짝꿍이 가소롭다는 듯이 입을 삐쭉거렸다.

속살거렸다 남이 알아듣지 못하도록 작은 목소리로 자질구레하게 자꾸 이야기하였다.

---

41 이 글에서 알 수 있는 이모의 꿈은 무엇인지 빈칸에 알맞은 말을 각각 쓰시오.

• 재미있는 (1)(　　　　　)들만 오고, 꿈꾸는
(2)(　　　　　)들만 올 수 있는 꿈꾸는 집

42 캠프를 마친 뒤 진진에게 어떤 변화가 있을지 알맞게 상상한 것에 ○표를 하시오.

(1) 이모의 꿈이 좋아 보여서 이모의 꿈과 같은 꿈을 꿀 것이다.　　　　　(　　)

(2) 꿈 때문에 즐겁고 행복했던 기억을 떠올리며 다시 꿈을 꿀 것을 다짐할 것이다.　(　　)

핵심 **논술형**

43 이 글의 인물 중 한 명을 골라, 인물이 추구하는 삶을 생각하며 자신의 생각이나 느낌을 담아 편지를 쓰시오.

 **역량 활동**

실천 자신이 꿈꾸는 삶을 작품으로 표현하기

○ 시에서 말하는 이가 추구하는 삶을 생각하며 시 읽기

떨어져도 튀는 공처럼

정현종

그래 살아 봐야지
너도 나도 공이 되어
떨어져도 튀는 공이 되어

살아 봐야지
쓰러지는 법이 없는 둥근
공처럼, 탄력의 나라의
왕자처럼

가볍게 떠올라야지
곧 움직일 준비 되어 있는 꼴
둥근 공이 되어

옳지 최선의 꼴
지금의 네 모습처럼
떨어져도 튀어 오르는 공
쓰러지는 법이 없는 공이 되어.

> • 글의 종류: 시
> • 글의 내용: 말하는 이는 떨어져도 튀어오르는 공이 되고 싶다고 하였습니다.

> ●자신이 꿈꾸는 삶의 모습을 다양한 작품으로 표현하기 예
>
> 나는 촛불처럼 타오르는 모습을 멋 글씨로 표현하고 싶어.
>
>

핵심

쓰러지는 힘이 빠지거나 외부의 힘에 의하여 서 있던 상태에서 바닥에 눕는 상태가 되는.

탄력 용수철처럼 튀거나 팽팽하게 버티는 힘.
예 아기의 피부는 곱고 탄력마저 느껴졌습니다.

---

1 시에서 말하는 이는 무엇처럼 살아 봐야겠다고 했는지 쓰시오.

( )

2 '떨어져도 튀는 공'은 어떤 삶의 모습이겠습니까?
( )

① 사람들을 이끌어 행복을 추구하는 삶의 모습
② 남들과 다른 차별적인 행동을 하는 삶의 모습
③ 물질적인 것에서 벗어나 자유롭게 사는 삶의 모습
④ 남들이 가지 않는 곳을 모험하는 도전적인 삶의 모습
⑤ 힘들어도 포기하거나 좌절하지 않고 다시 일어서서 도전하는 삶의 모습

3 이 시를 읽고 자신의 생각이나 느낌을 바르지 <u>않게</u> 말한 친구는 누구인지 쓰시오.

> 세혁: 나도 공처럼 쓰러지지 않아야겠다는 생각이 들었어.
> 라영: 떨어져도 다시 튀어 오르겠다는 말하는 이의 의지가 전해졌어.
> 용진: 언제나 자신의 의견만 고집하는 것이 옳지 않다는 것을 알게 됐어.

( )

역량 논술형

4 자신이 꿈꾸는 삶의 모습을 머릿속에 그려 보고 그 모습을 다른 대상에 빗대어 표현해 보시오.

_____

_____

단원 마무리

작품을 읽고 인물이 추구하는 삶 파악하기

예 「구멍 난 벼루」의 허련이 추구하는 삶

허련이 처한 상황	허련이 한 말이나 행동
추사 김정희가 제자로 받아 주지 않은 상황	• 월성위궁을 떠나지 않고 추사 김정희의 시중을 들었다. • 포기하지 않고 꼭 어르신의 제자가 될 것이라고 다짐했다.
자신의 그림에 정신이 없다는 말을 들은 상황	• 내면을 깊고 그윽한 무엇으로 채우려고 그림보다 책을 더 많이 읽고 그리는 시간보다 생각하는 시간이 많아졌다. • 붓 수십 자루가 몽당붓이 되도록 끊임없이 연습했다.

➡ | 허련이 추구하는 삶 | 끈기와 열정을 가지고 끊임없이 ❶ ⬜을/를 향해 노력하는 삶 |

인물의 삶과 자신의 삶을 관련지어 말하기

예 「마지막 숨바꼭질」의 아버지가 추구하는 삶과 관련 있는 자신의 경험 말하기

아버지가 처한 상황	아버지가 한 말이나 행동	아버지가 추구하는 삶
화재 현장에 출동한 상황	• 불이 난 재래시장의 낡은 건물 속으로 뛰어들었다. • 불이 난 건물에 갇힌 사람들을 업고 나왔다.	❷ ⬜⬜을/를 존중하고 다른 사람을 위해 자신을 희생해 봉사하는 삶

강아지를 괴롭히는 동생들에게 모든 생명은 소중하고 존중받아야 한다고 알려 준 적이 있어.

인물의 삶과 자신의 삶을 비교하며 작품을 읽고 자신의 생각 쓰기

예 「이모의 꿈꾸는 집」의 인물이 추구하는 삶과 자신의 삶을 비교해 말하기

상수리가 비록 꿈을 꾸는 즐거움을 잠시 잊기는 했지만, 꿈을 이루려고 계속 노력한 것은 배울 점이라고 생각해.

나도 풍처럼 내가 좋아하고 신나는 일을 하고 싶어.

나는 어기와 같은 상황이었다면 하늘을 나는 연습을 포기했을지도 몰라. 초리는 하늘을 잘만 나는데 나는 아무리 연습해도 되지 않으니 속상하고 힘들 것 같기 때문이야.

단원 평가

[1~3] 글을 읽고, 물음에 답하시오.

② "우리도 사내들처럼 다 함께 의병 운동에 나서야 할 것입니다."

그때 누군가가 말꼬리를 걸고 나섰다.

㉠"아니, 조정 대신이란 놈들이 나라를 팔아먹으려 드는데 우리 같은 여자들이 나선다고 뭐가 달라지겠소? 자칫 괜한 목숨만 버릴 뿐이오."

그 말이 떨어지기가 무섭게 여기저기서 술렁거렸다. 기껏 뜨겁게 달아오른 열기가 금세 차갑게 식을 판이었다.

"그럼 나라를 빼앗기고 왜놈들 종으로 살자는 것입니까?" / 윤희순이 다시 마음을 가다듬고 큰 소리로 부르짖자 마을 아낙네들의 눈길이 또다시 윤희순에게 쏠렸다.

④ 마침내 윤희순은 마을 아낙네들을 끌어모아 안사람 의병대를 만들었다.

"의병을 도와 나라를 구합시다!"

맨 먼저 안사람 의병대는 집집마다 찾아다니며 모금을 했다.

1 ㉠에서 알 수 있는 시대적 배경으로 알맞은 것을 두 가지 고르시오. (,)

① 남녀 차별이 있던 시대
② 을사늑약이 강제로 체결된 시대
③ 조정에서 대신들을 많이 뽑던 시대
④ 조정 대신들이 독립운동을 하던 시대
⑤ 여자들이 다른 나라로 많이 가던 시대

2 윤희순은 마을 아낙네들을 끌어모아 무엇을 만들었는지 쓰시오.

( )

논술형

3 윤희순이 삶에서 추구한 가치와 관련 있는 낱말을 정하여, 그렇게 생각한 까닭과 함께 쓰시오.

_____

_____

[4~7] 글을 읽고, 물음에 답하시오.

② 마당에서 종이를 들고 그림을 말리고 있는데 뒤에서 추사 선생의 목소리가 들렸다.

"그 나무는 자네의 나무인가?" / "예?"

"자네의 정신이 거기 있는가?" / "……."

"나무와 바위 말고 뭐가 있는가?"

'뭐가 있나'라니? 허련이 미처 질문의 뜻을 생각하기도 전에 추사 선생은 돌아서 가 버렸다.

④ '내 내면을 깊고 그윽한 무엇으로 채우지 않고서는 제대로 된 그림을 그릴 수 없겠구나.'

허련은 그림보다 책을 더 많이 읽었다. 그리는 시간보다 생각하는 시간이 더 많아졌다.

④ 허련은 화첩에서 배운 필법을 바탕으로 연구와 실험을 해 가며 나름의 붓질법을 만들어 나갔다. 수십 개의 붓이 뭉뚝해졌다. 점차 허련만의 그림이 나왔다.

4 글 ②에서 허련이 처한 상황을 쓰시오.

• 자신의 그림에 ( )이/가 없다는 말을 들은 상황

5 허련이 처한 상황에서 한 행동이 아닌 것에 ×표를 하시오.

(1) 책을 읽고 생각을 많이 했다. ( )
(2) 좋은 스승을 찾기 위해 길을 나섰다. ( )
(3) 붓 수십 자루가 몽당붓이 되도록 끊임없이 연습했다. ( )

6 허련이 한 말이나 행동에서 알 수 있는 허련이 추구하는 삶과 관련 있는 낱말이 아닌 것은 무엇입니까? ( )

① 끈기
② 성실
③ 열정
④ 도전
⑤ 좌절

7 허련이 추구하는 삶은 무엇인지 빈칸에 알맞은 말을 쓰시오.

• 끈기와 열정을 가지고 끊임없이 ( ) 을/를 향해 노력하는 삶

점수
／ 점

[8~10] 글을 읽고, 물음에 답하시오.

② 어제는 재래시장의 낡은 건물에서 불이 났대. 신고를 받은 소방관들이 출동했을 때, 시장 골목은 이미 구경하는 사람들로 메워져 있었단다.

④ 어제도 네 아버지는 건물에 갇혀 울부짖는 두 사람을 업어 내왔단다. 온몸이 땀으로 범벅이 된 몸으로 또 한 번 들어가려는 순간, 시뻘건 불길이 혀를 날름거리며 건물의 입구를 막아 버린 거야.

⑤ 네 아버지가 빠져나오고 뒤를 돌아보았을 때, 불길에 무너지는 커다란 기둥이 그 구조 대원의 몸을 휩싸 안고 바닥으로 꺼져 버렸단다.

자기 목숨보다 남의 목숨을 먼저 생각한 용감한 소방관 아저씨의 최후……

8 이 글에서 알 수 있는, 아버지에게 일어난 일은 무엇입니까? ( )

① 아버지가 동료와 싸웠던 일
② 아버지가 건물에 갇혔던 일
③ 아버지가 재래시장에서 장을 본 일
④ 아버지가 구조 대원에게 구조된 일
⑤ 아버지가 어제 화재 현장에서 사람을 구한 일

9 아버지가 처한 상황에서 아버지가 한 행동으로 알맞은 것에 <u>모두</u> ○표를 하시오.

(1) 불이 난 건물에 동료 구조 대원을 보냈다.
( )
(2) 불이 난 건물에 갇힌 사람들을 업고 나왔다.
( )
(3) 불이 난 재래시장의 낡은 건물 속으로 뛰어들었다. ( )

10 아버지가 추구하는 삶을 바르게 말한 친구는 누구인지 쓰시오.

> 인희: 아버지는 생명을 존중하고 다른 사람을 위해 자신을 희생해 봉사하는 삶을 추구해.
> 영균: 아버지는 인정이 많아서 가정 형편이 어려운 사람들을 보살펴 주는 삶을 추구해.

( )

[11~13] 글을 읽고, 물음에 답하시오.

② 상수리는 바구니를 들여다보며 엷은 웃음을 지었다.

"예전엔 내 피아노와 함께 꿈꾸는 게 참 즐거웠는데, 어느 순간부터는 그게 너무 힘든 일이 되어 버렸어. 아마 꿈을 꾸는 것보다 꿈을 이루고 싶은 마음이 더 커서 그랬나 봐. 꿈을 이루어야만 행복해지는 줄 알았는데, 꿈은 이루기 위해 있는 게 아니구나. 왜 그걸 미처 몰랐을까?"

④ 상수리는 피아노 건반을 살포시 어루만졌다.

"피아노야, 넌 내가 훌륭한 피아니스트가 되길 바란 게 아니었지? ㉠넌 아마 내가 행복한 피아니스트가 되길 꿈꾸었을 거야. 근데 나는 그것도 모르고 너와 함께하는 시간이 지긋지긋해지도록 연습만 하는 게 최선인 줄 알았으니……. 그동안 네가 얼마나 힘들었을까? 미안해. 정말 미안해."

11 상수리의 꿈은 무엇이었습니까? ( )

① 훌륭한 피아니스트
② 피아노를 고치는 사람
③ 피아노를 가르치는 사람
④ 피아노를 잘 만드는 사람
⑤ 피아노 건반을 만드는 사람

서술형

12 상수리가 ㉠과 같이 말한 까닭은 무엇인지 쓰시오.

_____

_____

13 상수리가 추구하는 삶은 무엇입니까? ( )

① 성실하게 노력하는 삶
② 춤과 노래를 즐기는 삶
③ 다양한 도전을 즐기는 삶
④ 다른 사람에게 도움을 주는 삶
⑤ 여러 곳을 여행하며 경험하는 삶

단원 평가

[14~16] 글을 읽고, 물음에 답하시오.

> "퐁, 넌 나중에 뭐가 되고 싶니?"
>
> "되고 싶은 거 없는데."
>
> "되고 싶은 게 없어? 그럼 꿈이 없단 말이야?"
>
> "꿈이야 있지. 근데 꿈이란 게 꼭 뭐가 되어야 하는 거야? 뭐가 안 되면 어때? 그냥 하면 되지. 내 꿈은 춤추는 거지. 신나게 춤추는 것. 그게 내 꿈이야."
>
> 퐁은 진진의 물음에 꼬박꼬박 대답하면서도 허리를 흔들며 춤을 췄다. 퐁의 몸짓을 따라 물결이 찰랑찰랑 일었다. 진진은 그런 퐁을 잠시 지켜보다 다시 물었다.
>
> "넌 이미 충분히 즐겁게 춤추고 있잖아?"
>
> "오늘보다 내일은 더 즐겁게, 내일보다 모레는 더, 더 즐겁게. 모레보다 글피는 더, 더, 더 즐겁게, 글피보다 그글피는 더, 더, 더, 더 즐겁게. 내 꿈은 절대로 끝나지 않지."

14 퐁의 꿈은 무엇인지 쓰시오.

(   )

15 퐁이 추구하는 삶은 무엇입니까? (   )

① 자신이 하는 일에서 최고가 되는 삶
② 다른 사람을 바른 길로 인도하는 삶
③ 이루지 못하더라도 열심히 도전하는 삶
④ 다른 사람을 위해 희생하고 봉사하는 삶
⑤ 자신이 하고 싶은 일을 행복하게 열정적으로 하는 삶

16 퐁이 추구하는 삶과 자신의 삶을 바르게 비교해서 말한 친구는 누구인지 쓰시오.

> 서은: 나도 퐁처럼 내가 좋아하고 신나는 일을 하고 싶어.
>
> 진규: 나도 퐁처럼 남들을 즐겁게 하고 웃음을 주는 일을 하고 싶어.

(   )

[17~19] 시를 읽고, 물음에 답하시오.

> 그래 살아 봐야지
> 너도 나도 공이 되어
> 떨어져도 튀는 공이 되어
>
> 살아 봐야지
> 쓰러지는 법이 없는 둥근
> 공처럼, 탄력의 나라의 / 왕자처럼
>
> 가볍게 떠올라야지
> 곧 움직일 준비 되어 있는 꼴
> 둥근 공이 되어
>
> 옳지 최선의 꼴 / 지금의 네 모습처럼
> 떨어져도 튀어 오르는 공
> 쓰러지는 법이 없는 공이 되어.

17 시에서 말하는 이는 무엇처럼 살아 봐야겠다고 하였습니까? (   )

① 공   ② 왕자   ③ 깃털
④ 공기   ⑤ 용수철

18 말하는 이가 추구하는 삶은 무엇인지 쓰시오.

(   )

논술형

19 이 시와 같이 자신이 꿈꾸는 삶의 모습을 빗댈 수 있는 대상을 정하여 그 까닭과 함께 쓰시오.

(1) 대상	
(2) 까닭	

20 인물이 추구하는 삶을 파악하는 방법을 생각하여 빈칸에 알맞은 말을 쓰시오.

• 인물이 처한 (   )에서 인물이 한 말과 행동, 그렇게 말하고 행동한 까닭을 생각해 본다.

서술형 평가

[1~2] 글을 읽고, 물음에 답하시오.

> ② 허련은 개의치 않고 고개를 깊이 숙였다. 추사 선생이 심드렁하게 말했다.
> "그러시게. 자네는 자네의 스승을 찾게. 나는 내 제자를 찾을 터이니."
> ④ 허련은 월성위궁을 떠날 생각은 완전히 접고 아예 추사 선생의 자잘한 시중을 맡아 했다.
> ⑤ 허련은 화첩에서 배운 필법을 바탕으로 연구와 실험을 해 가며 나름의 붓질법을 만들어 나갔다. 수십 개의 붓이 뭉뚝해졌다. 점차 허련만의 그림이 나왔다.

1 허련이 처한 상황에서 허련이 한 행동을 쓰시오.

_____

_____

2 허련이 추구하는 삶은 무엇인지 쓰시오.

_____

_____

3 다음 글을 읽고, 아버지의 삶과 관련 있는 가치를 나타내는 낱말과 그 까닭을 쓰시오.

> ② 어제도 네 아버지는 건물에 갇혀 울부짖는 두 사람을 업어 내왔단다. 온몸이 땀으로 범벅이 된 몸으로 또 한 번 들어가려는 순간, 시뻘건 불길이 혀를 날름거리며 건물의 입구를 막아 버린 거야.
> ④ 네 아버지가 빠져나오고 뒤를 돌아보았을 때, 불길에 무너지는 커다란 기둥이 그 구조 대원의 몸을 휩싸 안고 바닥으로 꺼져 버렸단다.
> ⑤ 그 이야기를 하시면서 아버지는 정말 뜨거운 눈물을 쏟으셨단다.

_____

_____

4 다음 글을 읽고, 어기가 추구하는 삶과 자신의 삶을 비교하여 어기에게 하고 싶은 말을 쓰시오.

> ② 어기는 다시 긴 목을 빼며 물었다.
> "내버려 둬?"
> "어떻게 하면 날 수 있을까, 그딴 생각 하지 말라고!" / "생각하고 또 해도 못 나는데, 생각하지 않고 어떻게 날아?"
> ④ 진진이 어기의 하얀 깃을 어루만지며 물었다. / "어기, 힘들지? 그래도 기운 내."
> 어기는 고개를 가로저으며 씩씩하게 되물었다.
> "하나도 안 힘들어. 꿈꾸는 게 왜 힘드니?"
> "그래도 날마다 그렇게 열심히 연습했는데, 못 날면 속상하잖아."
> "아니, 속상하지 않아. 난 늘 즐거워. 만약 꿈꾸는 동안 즐겁지 않다면 그게 무슨 꿈이니?"

_____

_____

5 다음 시의 말하는 이처럼, 자신이 꿈꾸는 삶의 모습을 어떤 대상에 빗대어 표현하고 싶은지 쓰시오.

> 그래 살아 봐야지 / 너도 나도 공이 되어
> 떨어져도 튀는 공이 되어
>
> 살아 봐야지 / 쓰러지는 법이 없는 둥근
> 공처럼, 탄력의 나라의 / 왕자처럼
>
> 가볍게 떠올라야지
> 곧 움직일 준비 되어 있는 꼴
> 둥근 공이 되어
>
> 옳지 최선의 꼴 / 지금의 네 모습처럼
> 떨어져도 튀어 오르는 공
> 쓰러지는 법이 없는 공이 되어.

_____

_____

● 다음 교과서 문장의 파란색 낱말 중에서 알맞은 것을 골라 인물들이 한 말을 완성하시오.

- 중국으로 망명한 윤희순은 독립운동가를 **양성하는** 학교인 노학당을 세웠다.
- 학문이 날로 깊어졌고 그림 보는 **안목**도 높아졌다.
- 세 식구가 **단출하게** 둘러앉아서 케이크에 촛불을 켰다.
- 동물도 사물도 말을 하는 **엉뚱한** 곳에서 진진이 어리둥절해하고 있을 무렵, 또래 친구 상수리를 만난다.

슈퍼 영웅 학교

이곳은 위기에 처한 사람들을 돕는 영웅들을 ❶_____ 학교이다.

아쉽게도 지금까지 지원자는 ❷_____ 너희 두 사람뿐이다.

저 ❹_____ 소리를 계속 들어야 한다니…….

나를 합격시킨 것을 보니 선생님은 사람 보는 ❸_____이 뛰어나신 것 같아.

정답 | ❶ 양성하는 ❷ 단출하게 ❸ 안목 ❹ 엉뚱한

2

관용 표현을 활용해요

무엇을 배울까요?

준비

• 관용 표현을 활용하면 좋은 점 알기

기본

• 여러 가지 관용 표현의 뜻 알기
• 이야기를 듣고 말하는 사람의 의도 파악하기
• 생각이 효과적으로 드러나는 표현을 활용해 말하기

실천

• 행복한 우리 반을 위한 약속 정하기

2 관용 표현을 활용해요

1 관용 표현을 활용하면 좋은 점

관용 표현	둘 이상의 낱말이 합쳐져 그 낱말의 원래 뜻과는 다른 새로운 뜻으로 굳어져 쓰이는 표현
관용 표현을 활용하면 좋은 점	• 전하고 싶은 말을 쉽게 표현할 수 있습니다. • 재미있는 표현이어서 듣는 사람의 관심을 불러일으킬 수 있습니다. • 하려는 말을 상대가 쉽게 알아들을 수 있습니다.

관용어: 두 낱말이 합쳐져 새로운 뜻이 된 것 예 발이 넓다

2 관용 표현의 뜻을 추론하는 방법

① 글 앞뒤에 있는 내용을 살펴봅니다.
② 표현에 쓰인 낱말이 평소에 어떤 뜻으로 쓰이는지 생각해 봅니다.
③ 그러한 표현을 쓴 의도를 생각해 봅니다.

3 이야기를 듣고 말하는 사람의 의도 파악하기

① 말하는 사람이 어떤 상황인지 생각합니다.
② 말하는 사람이 말한 내용을 차례대로 정리합니다.
③ 말하는 사람이 누구에게 무슨 말을 하려고 하는지 생각합니다.

4 생각이 효과적으로 드러나는 표현을 활용해 말하기

① 관용 표현을 활용해 자신의 생각을 말할 때에는 말하는 상황과 말할 내용을 확인해야 합니다.
② 관용 표현을 먼저 말한 뒤에 ┌→ 듣는 사람의 관심을 끌 수 있음. 그와 관련한 생각을 말하기도 하고, 생각을 먼저 말한 뒤에 그와 어울리는 관용 표현을 말하기도 합니다.
 생각을 효과적으로 전달할 수 있음.

5 관용 표현이 적절한지 평가하기

① 말하는 상황과 관용 표현이 어울리는지 생각합니다.
② 관용 표현이 말하는 내용을 적절하게 표현하는지 생각합니다.

---

1 둘 이상의 낱말이 합쳐져 그 낱말의 원래 뜻과는 다른 새로운 뜻으로 굳어져 쓰이는 표현을 ☐☐ 표현이라고 합니다.

2 관용 표현을 활용하면 전하고 싶은 말을 쉽게 표현할 수 있습니다.
(○ , ×)

3 관용 표현의 뜻을 추론하는 방법으로 알맞지 <u>않은</u> 것에 ×표를 하시오.
(1) 글 앞뒤에 있는 내용을 바꾸어 봅니다. ( )
(2) 그러한 표현을 쓴 의도를 생각해 봅니다. ( )
(3) 표현에 쓰인 낱말이 평소에 어떤 뜻으로 쓰이는지 생각해 봅니다.
( )

4 관용 표현을 활용하여 말을 할 때에는 반드시 관용 표현을 먼저 말한 뒤에 그와 관련한 생각을 말해야 합니다.
(○ , ×)

5 관용 표현이 적절한지 평가할 때에는 말하는 ☐☐과/와 관용 표현이 어울리는지 생각해야 합니다.

준비 관용 표현을 활용하면 좋은 점 알기

1 초록색으로 쓰인 표현의 뜻을 생각하며 대화 읽기

가 남자아이: 정민아, 내일이 벌써 개학이야. 정말 시간이 빠르지 않니?

정민: 내일이 개학이라고? ㉠눈이 번쩍 뜨인다! 해야 할 일이 아직도 많은데 큰일이네.

5 **나** 남자아이: 소진아, 제주도에 다녀왔다며? 재미있었어?

소진: 제주도에 다녀온 것 말이야? 아까 민진이에게만 말했는데 넌 어떻게 알았어? 정말

10 ㉡발 없는 말이 천 리 가는구나.

발 없는 말이 천 리 가는구나.

2 서로 다른 점을 생각하며 대화 읽기

너희는 네 명이 함께 그리는데도 문제가 전혀 없네.

너희는 역시 손발이 잘 맞아.

은수

영철

● 관용 표현을 활용하면 좋은 점

	관용 표현	뜻	좋은 점 예
1	눈이 번쩍 뜨인다	정신이 갑자기 든다.	전하고 싶은 말을 쉽게 표현할 수 있습니다.
2	손발이 맞다	함께 일을 하는 데에 마음이나 의견, 행동 방식 따위가 서로 맞다.	

번쩍 눈을 갑자기 아주 크게 뜨는 모양.
예 숙제를 안 했다는 것을 깨닫고 눈이 번쩍 뜨였습니다.

리(里 마을 리) 거리의 단위. 1리는 약 0.393킬로미터에 해당합니다.
예 할아버지께서는 십 리를 걸어서 학교에 다니셨다고 합니다.

---

1 다음은 ㉠, ㉡의 표현에 대한 설명입니다. 빈칸에 들어갈 알맞은 말은 무엇입니까? ( )

교과서 문제

> 둘 이상의 낱말이 합쳐져 그 낱말의 원래 뜻과는 다른 새로운 뜻으로 굳어져 쓰이는 표현을 □□ 표현이라고 한다.

① 관용 ② 대조 ③ 상식
④ 강조 ⑤ 반복

2 다음은 ㉠, ㉡ 가운데 어떤 표현의 뜻인지 각각 알맞은 기호를 쓰시오.

교과서 문제

(1) 정신이 갑자기 든다. ( )
(2) 말은 비록 발이 없지만 천 리 밖까지도 순식간에 퍼진다. ( )

3 (논술형) **2**의 은수와 영철이의 말 가운데에서 듣는 사람의 관심을 끌 수 있는 표현을 고르고, 그렇게 생각한 까닭을 쓰시오.

_____

_____

4 (핵심) 관용 표현을 활용하면 좋은 점을 세 가지 고르시오. (, ,)

① 상대의 기분을 파악할 수 있다.
② 상대의 장점을 파악할 수 있다.
③ 전하고 싶은 말을 쉽게 표현할 수 있다.
④ 하려는 말을 상대가 쉽게 알아들을 수 있다.
⑤ 재미있는 표현이어서 듣는 사람의 관심을 불러일으킬 수 있다.

○ 대화에 활용된 관용 표현의 뜻 알아보기

㉮

남매의 대화

동생: 오빠, 나도 이제 휴대 전화를 사 달라고 할 거야. ㉠쇠뿔도 단김에 빼라고 당장 구경해 보자.

오빠: 안 돼. 아직 부모님과 의논도 안 했잖아. 다음에 보자.

5 동생: 에이, 당장 어떤 걸로 할지 결정하고 싶었는데, 오빠 때문에 ㉡김이 식어 버렸잖아.
눈앞에 닥친 현재의 이 시간

㉯

지현이와 안나의 대화

지현: 안나야!

안나: 아이고, 깜짝이야! ㉢간 떨어질 뻔했잖니.

지현: 미안해. 문구점에 같이 가자! 내일 미술 시간에 필요한 준비물을 사야 하지? 일단 어떤 준비물이 있는지 확인해 보자. 난 색 도화지 두 장, 5 색종이 한 묶음, 딱풀을 사야겠다.

안나: 난 좀 넉넉하게 사야겠어. 색 도화지 열 장, 색종이 여덟 묶음, 딱풀이랑 물 풀이랑……

지현: 너 정말 [㉣   ].

● 대화 ㉮, ㉯에 쓰인 관용 표현의 뜻

핵심

쇠뿔도 단김에 빼라	어떤 일이든지 하려고 생각했으면 한창 열이 올랐을 때 망설이지 말고 곧 행동으로 옮겨야 한다.
김이 식다	재미나 의욕이 없어진다.
간 떨어지다	매우 놀라다.

쇠뿔 소의 뿔.
㉠ 목장에서 본 쇠뿔은 상당히 근사해 보였습니다.

넉넉하게 크기나 수량 따위가 기준에 차고도 남음이 있게.
㉠ 어머니께서 이웃들과 함께 먹을 음식을 넉넉하게 준비하셨습니다.

1 ㉮는 어떤 상황을 보여 주는 대화인지 빈칸에 알맞은 말을 쓰시오.
교과서 문제

• 동생이 오빠에게 (   )을/를 구경해 보자고 하는 상황

2 ㉮의 ㉠, ㉡의 뜻으로 알맞은 것을 각각 선으로 이으시오.
교과서 문제

(1) ㉠ •

• ① 재미나 의욕이 없어진다.

(2) ㉡ •

• ② 어떤 일이든지 하려고 생각했으면 한창 열이 올랐을 때 망설이지 말고 곧 행동으로 옮겨야 한다.

3 ㉯에서 ㉢의 뜻으로 알맞은 것은 무엇입니까? (   )
교과서 문제

① 매우 기쁘다.
② 매우 놀라다.
③ 매우 슬프다.
④ 매우 아쉽다.
⑤ 매우 화나다.

4 지현이가 안나에게 '양을 많이 준비한다.'는 뜻의 관용 표현을 활용하여 말한다면, ㉣에 들어갈 알맞은 관용 표현은 무엇입니까? (   )
교과서 문제

① 손이 크다
② 발이 넓다
③ 간이 크다
④ 귀가 밝다
⑤ 입이 달다

● 말하는 목적을 생각하며 말하기에 활용된 관용 표현의 뜻 알아보기

꿈을 펼치는 길

안녕하십니까? 저는 내일초등학교 2000년도 졸업생 김영선입니다. 저는 지금 3년째 경찰로 일하고 있습니다. 초등학교 6학년 때부터 경찰이 되고 싶다는 꿈을 꾸었고 결국 그 꿈을 이루었습니다.
5 오늘 저는 여러분께 꿈을 펼치는 몇 가지 방법을 말씀드리려고 이 자리에 섰습니다.

저는 얼마 전부터 오늘을 ㉠손꼽아 기다렸습니다. 아마 여러분은 학교를 졸업하면 ㉡천하를 얻은 듯 신나서 바로 멋진 어른이 될 수 있으리라 생각
10 할 것입니다. 하지만 자신의 꿈을 향해 달려가는 일은 결코 쉬운 일도, 마음대로 되는 일도 아니었습니다. 저는 여러분께 꿈을 펼치는 세 가지 방법을 말씀드리려고 합니다.

첫째, 자신의 진짜 꿈을 찾으려고 노력합시다. 한
15 때 의사를 주인공으로 한 드라마가 큰 인기를 얻자,

한때 어느 한 시기.
㉠ 노래를 잘해서 <u>한때</u> 가수를 꿈꿨던 적이 있습니다.

● **글의 특징**: 내일초등학교 졸업생이 내일초등학교 후배들에게 꿈을 펼치는 몇 가지 방법을 알맞은 관용 표현을 활용하여 말했습니다.

분위기에 휩쓸려 자신의 진로를 의사로 결정하는 사람이 많았습니다. 하지만 시간이 지나자 대부분은 자신이 정말 하고 싶은 일은 따로 있다는 사실을 깨닫고 후회했습니다. 저는 초등학생 때 꿈이 계속 바뀌었는데, 6학년 때 안전 교육을 해 주신 5 경찰을 직접 만나 여러 가지 이야기를 들으면서 경찰이 되고 싶다는 꿈을 키우기 시작했습니다. 경찰이라는 직업을 자세히 알아보고 제 능력과 흥미를 살펴보면서 제 진짜 꿈이 경찰이라는 확신이 들었습니다. 쉽게 미래를 결정하는 것보다 자신의 진 10 짜 꿈을 찾는 노력을 **꾸준히** 하는 것이 중요합니다.

● 「꿈을 펼치는 길」에 활용된 관용 표현과 뜻 ①

| 손꼽아 기다리다 | 기대에 차 있거나 안타까운 마음으로 날짜를 꼽으며 기다리다. |
| 천하를 얻은 듯 | 매우 기쁘고 만족스러움. |

꾸준히 한결같이 부지런하고 끈기가 있는 태도로.
㉠ 아버지와 함께 <u>꾸준히</u> 운동을 하니 몸이 건강해지는 것 같습니다.

5 말하는 사람이 후배들에게 알려 주려는 것은 무엇인지 쓰시오.
( )

6 한때 자신의 진로를 의사로 결정하는 사람이 많았던 까닭은 무엇입니까? ( )
① 부모들이 원하는 자녀의 직업 1순위여서
② 대부분 쉽게 의사 자격증을 딸 수 있어서
③ 방송에서 의사들의 숨은 선행을 알리면서
④ 의사를 주인공으로 한 드라마가 큰 인기를 얻어서
⑤ 사람들이 선호하는 직업에 대한 조사에서 1위에 올라서

7 말하는 사람이 경찰이 되려는 꿈을 키우게 된 계기는 무엇입니까? ( )
① 경찰 제복이 마음에 들어서
② 부모님께서 경찰이 되라고 하셔서
③ 경찰에게 여러 가지 도움을 받아서
④ 도둑을 잡는 경찰의 모습이 멋있어서
⑤ 경찰을 직접 만나 여러 가지 이야기를 들으면서

8 ㉠, ㉡의 뜻으로 알맞은 것을 골라 번호를 쓰시오.
① 매우 기쁘고 만족스러움.
② 기대에 차 있거나 안타까운 마음으로 날짜를 꼽으며 기다리다.
(1) ㉠: ( ) (2) ㉡: ( )

둘째, 자기 자신에게 자신감을 가집시다. 앞날에 대해 고민이 많고 꿈을 어떻게 이룰 것인지 걱정하고 계신가요? 만약 그렇다면 여러분은 꿈을 펼칠 준비가 된 것입니다. 꿈을 키워 나가는 일은 ㉠눈 깜짝할
5 사이에 이루어지지 않습니다. 저는 5학년 때까지 매우 허약한 체질이었지만, 경찰이 되려고 몇 년 동안 식습관을 바꾸고 체력을 길렀습니다. 당장은 실패하더라도 쉽게 포기하지 말고 꾸준히 노력해야 자신의 꿈을 찾을 수 있습니다. 그 과정에서 좌절하거나 힘

마음이나 기운이 꺾임.

10 들어하지 말고, 열심히 노력하는 자기 자신을 충분히 칭찬해 줍시다.

셋째, 구체적인 목표를 세웁시다. 여러분이 꿈을 결정한 뒤 구체적인 목표가 없다면 꿈을 이루려는 노력에 ㉡금이 가기 쉽습니다. 저는 경찰이 되려고
15 '하루 30분 운동, 한 분야 공부'처럼 쉬운 목표부터

시작해 운동하고 공부하는 시간과 양을 조금씩 늘려 나갔습니다. 초등학생 때 할 일, 중학생 때 할 일, 그리고 고등학생 때 할 일을 나누어 정하거나, 단계적으로 실천할 행동 목표를 정한다면 언젠가
5 는 꿈꾸던 인생의 ㉢막을 열 수 있을 것입니다.

여러분, ㉣"쇠뿔도 단김에 빼라."라는 말이 있습니다. 지금부터 제 조언을 벗 삼아 꿈을 찾아 떠나는 노력을 시작하시기 바랍니다. 자신만의 멋진 꿈을 향해 달려가는 후배들을 저도 응원하겠습니다.

● 「꿈을 펼치는 길」에 활용된 관용 표현과 뜻 ②

눈 깜짝할 사이	매우 짧은 순간.
금이 가다	서로의 사이가 벌어지거나 틀어지다.
막을 열다	무대의 공연이나 어떤 행사를 시작하다.
쇠뿔도 단김에 빼라	어떤 일이든지 하려고 생각했으면 한창 열이 올랐을 때 망설이지 말고 곧 행동으로 옮겨야 한다.

허약(虛 빌 허, 弱 약할 약)한 힘이나 기운이 없고 약한.
예 동생은 조금만 뛰어도 힘들어하는 허약한 체질입니다.

조언(助 도울 조, 言 말씀 언) 말로 거들거나 깨우쳐 주어서 도움. 또는 그 말. 예 진로를 정하기 위해 선생님을 찾아가 조언을 들었습니다.

9 이 글 전체에서 말하는 사람이 알려 준 꿈을 펼치는 방법을 세 가지 고르시오. (, ,)

① 구체적인 목표를 세운다.
② 선배들에게 도움을 받는다.
③ 자기 자신에게 자신감을 가진다.
④ 자신의 진짜 꿈을 찾기 위해 노력한다.
⑤ 친구들이 하고 싶어 하는 일을 그대로 따라 한다.

10 말하는 사람이 경찰이 되려고 정한 쉽고 구체적인 목표를 두 가지 고르시오. (,)

① 한 분야 공부
② 진로 상담 받기
③ 하루 30분 운동
④ 경찰서 방문하기
⑤ 부모님 말씀 잘 듣기

핵심
11 ㉠~㉣의 관용 표현과 뜻이 잘못 연결된 것의 번호를 쓰시오.

① ㉠ – 매우 짧은 순간.
② ㉡ – 서로의 사이가 벌어지거나 틀어지다.
③ ㉢ – 무대의 공연이나 어떤 행사를 시작하다.
④ ㉣ – 남의 말을 쉽게 받아들인다.

(   )

논술형
12 다음 관용 표현을 활용하여 자신의 꿈을 한 문장으로 쓰시오.

간이 크다: 겁이 없고 매우 대담하다.

_____

_____

기본 2 역량 제재
이야기를 듣고 말하는 사람의 의도 파악하기

○ 광고를 보고 관용 표현을 활용한 의도 생각해 보기

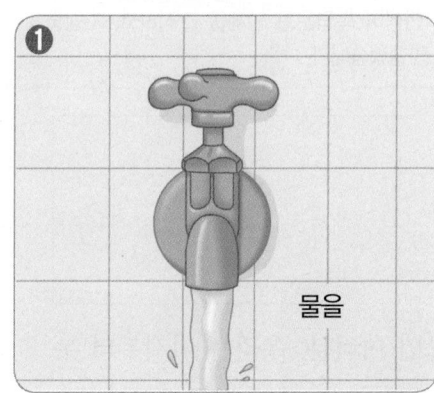

물을

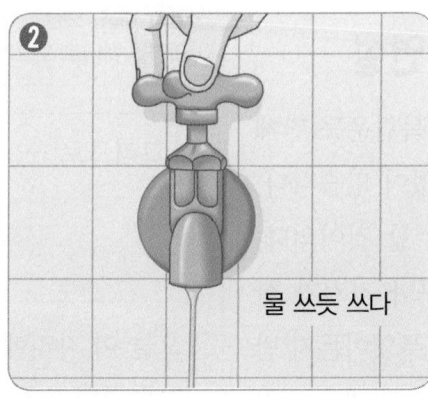

물 쓰듯 쓰다

"물 쓰듯 쓰다"라는 말,
이제는 바뀌어야 합니다.

• 광고 내용: 물이 콸콸 쏟아지는 수도 꼭지를 잠그며 물을 아껴 쓰자고 하였습니다.

● 광고의 의도 파악하기

광고에 활용된 관용 표현	물 쓰듯
관용 표현의 뜻	물건을 헤프게 쓰거나, 돈 따위를 흥청망청 낭비하다.
관용 표현을 활용한 까닭	우리가 평소 물을 아주 헤프게 쓴다는 점을 강조하기 위해서
광고에서 하고 싶은 말	물 쓰듯 쓴다는 것이 아주 헤프게 쓴다는 뜻으로 쓰이지 않도록 물을 아껴 쓰자.

핵심 2 단원

1 이 광고의 그림은 어떤 내용입니까? (   )
① 물로 손을 씻고 있다.
② 수돗물을 마시고 있다.
③ 수도의 꼭지를 고치고 있다.
④ 수도의 꼭지를 청소하고 있다.
⑤ 물이 콸콸 쏟아지는 수도의 꼭지를 잠그고 있다.

2 '물 쓰듯'이라는 관용 표현은 어떤 뜻이겠습니까?
(   )
① 행동이 거칠다.
② 자연스럽게 흐른다.
③ 차분하고 고요하다.
④ 물건을 헤프게 쓴다.
⑤ 아주 귀하게 여긴다.

3 이 광고에서 관용 표현을 활용한 까닭은 무엇이겠습니까? (   )
① 물이 깨끗하다는 것을 강조하려고
② 물을 많이 마셔야 한다는 것을 강조하려고
③ 물을 오염시키지 말자는 의견을 강조하려고
④ 전 세계에 물이 부족하다는 것을 강조하려고
⑤ 우리가 평소 물을 아주 헤프게 쓴다는 점을 강조하려고

핵심
4 이 광고에서 하고 싶은 말은 무엇입니까? (   )
① 물을 수출하자.
② 물을 아껴 쓰자.
③ 손을 깨끗이 씻자.
④ 청소를 깨끗이 하자.
⑤ 물을 오염시키지 말자.

○ 연설에 활용된 관용 표현의 뜻과 생략된 내용을 추론하며 글 읽기

도산 안창호 선생의 연설

오늘날 우리가 임시 정부를 위한 독립운동 단체를 조직하려면 준비할 것이 셀 수 없이 많습니다. 특히 사람이 많이 모이도록 힘써야 할 것이외다. 그러나 어려운 점이 있습니다. 누구나 자기가 한 5 가지 생각을 하면 다른 이의 생각을 무엇이든지 반대한다는 것입니다. 예를 들어 말하면 전쟁을 원하는 자가 대화를 원하는 자를 반대해 말하기를 "대화가 무엇이냐, 지금이 어느 때라고! 우리는 폭탄을 들고 나가야 한다."라고 떠듭니다. 또 대화를 원 10 하는 자는 말하기를 **공연히** 젊은 놈들이 ㉠애간장이 타서 당장 폭탄을 들고 나가면 우리 독립이 되는가?"라고 합니다. 우리가 서로 자기 생각만 옳은 줄 알고 그것만 해야 한다고 하는 것은 한 가지만 알고 두 가지는 모르는 까닭이외다.

• 글의 종류: 연설문
• 글의 내용: 도산 안창호 선생이 독립운동 단체를 조직하고, 사람들의 의견을 하나로 모으려고 연설했습니다.

> 그러므로 ……

오늘 이 자리에 모인 여러분, 우리는 이제부터 누구의 장단점을 말하지 말고 단결해 나갑시다. 모두 함께 독립운동을 할 **배포**를 기릅시다. 독립을 (많은 사람이 마음과 힘을 한데 뭉쳐) 달성하려고 ㉡하루에도 열두 번 노력합시다. 독립운동가가 될 만한 여러분, 독립운동 단체를 조직할 5 준비를 할 날이 오늘이외다. 그런즉 나와 여러분은 독립운동 단체가 실현되도록 각각의 의견을 버리고 모두의 한 목표를 이루려고 민족적 정신으로 ㉢어금니를 악물고 나갑시다. 그래서 독립운동의 ㉮깃발 아래 우리의 뜻을 모아야 하겠습니다. 10

공연히 아무 까닭이나 실속이 없게.
⑩ 동생이 공연히 고집을 부리다 어머니께 꾸중을 들었습니다.

배포 머리를 써서 일을 조리 있게 계획함. 또는 그런 속마음.
⑩ 형은 배포가 남달라서 친구들이 많이 따릅니다.

---

5 다음은 관용 표현 ㉠~㉢ 가운데에서 어떤 표현에 해당하는 뜻인지 각각 알맞은 기호를 쓰시오.
(교과서 문제)

(1) 매우 자주. ( )

(2) 몹시 초조하고 안타까워서 속을 많이 태우다. ( )

(3) 고통이나 분노 따위를 참으려고 이를 악물어 굳은 의지를 나타내다. ( )

(핵심)
6 연설에 활용된 ㉮'깃발 아래'를 어떤 뜻으로 활용했을지 알맞은 것에 ○표를 하시오.

• (하나 , 여러 개)의 목표를 품자.

(논술형)
7 도산 안창호 선생의 연설에서 내용이 생략되어 있는 '└그러므로 ……┘' 부분에 어떤 내용이 들어가야 할지 간단하게 쓰시오.

_____

_____

(역량)
8 도산 안창호 선생이 이와 같은 연설을 한 의도는 무엇일지 두 가지 고르시오. (,)

① 사람들의 의견을 하나로 모으려고
② 독립운동 단체의 지도자가 되려고
③ 자기 생각만 옳다는 것을 말하려고
④ 독립운동 단체의 지도자를 뽑으려고
⑤ 대화를 원하는 자들의 의견을 반대하려고

 **③ 생각이 효과적으로 드러나는 표현을 활용해 말하기**

○ 표현에 주의하며 친구들의 대화 살펴보기

• **그림 설명:** 친구들이 고운 말 쓰기에 대해 대화를 나누고 있습니다.

규영: 우리 반 친구들이 고운 말을 사용하면 좋겠습니다.

고운: "가는 말이 고와야 오는 말이 곱다."라는 말이 있습니다. 내가 남에게 말이나 행동을 좋게 해야 남도 나에게 좋게 한다는 뜻입니다. 우리 반 친구들도 고운 말을 사용하면 좋겠습니다.

혜선: 우리 반 친구들이 고운 말을 사용하면 좋겠습니다. 친구에게 나쁜 말을 했다가 자신도 나쁜 말을 들은 경험, 반대로 친구를 칭찬하고 자신도 칭찬을 들은 경험이 있을 것입니다. 가는 말이 고와야 오는 말이 곱습니다.

핵심

● **관용 표현을 활용해 자신의 생각 말하기 예**

상황	학급 회의에서 우리 반 친구들이 사용하면 좋은 말에 대해 의견을 말하는 상황
어울리는 관용 표현	가는 말이 고와야 오는 말이 곱다
하고 싶은 말	"가는 말이 고와야 오는 말이 곱다."라는 말이 있습니다. 남에게 좋은 말을 해야 자신도 좋은 말을 들을 수 있으므로 고운 말을 사용해야 합니다.

2 단원

1 친구들은 무엇에 대해 말하고 있습니까? ( )

① 인사를 잘하자.
② 어려운 친구를 돕자.
③ 고운 말을 사용하자.
④ 거짓말을 하지 말자.
⑤ 친구와 친하게 지내자.

2 [교과서 문제] 고운이처럼 말을 시작할 때 관용 표현을 활용하면 어떤 효과를 얻을 수 있습니까? ( )

① 듣는 사람의 관심을 끌 수 있다.
② 사람들에게 인기를 얻을 수 있다.
③ 듣는 사람에게 존경을 받을 수 있다.
④ 말할 내용을 어렵게 나타낼 수 있다.
⑤ 상대를 내 의견에 무조건 따르게 할 수 있다.

3 [교과서 문제] 혜선이처럼 말을 끝낼 때 관용 표현을 활용하면 어떤 효과를 얻을 수 있는지 빈칸에 알맞은 말을 **보기** 에서 골라 쓰시오.

보기	방해 전달 홍보

• 생각을 효과적으로 ( )할 수 있다.

핵심 **논술형**

4 다음 상황에 어울리는 관용 표현을 떠올려 보고, 관용 표현을 활용해 하고 싶은 말을 쓰시오.

상황	사회 수업 시간에 힘들게 준비한 모둠 과제를 발표하는 상황
(1) 어울리는 관용 표현	
(2) 하고 싶은 말	

역량 활동

행복한 우리 반을 위한 약속 정하기

1 다음은 모둠별로 '행복한 우리 반을 위한 약속'을 정하여 홍보할 준비를 하는 과정입니다. 홍보하는 순서에 맞게 기호를 쓰시오.

> ㉠ 홍보할 자료 만들기
> ㉡ 홍보할 방법 정하기
> ㉢ 홍보할 내용 정리하기
> ㉣ 여러 사람 앞에서 말할 때 주의할 점을 생각하며 홍보하기

㉢ ➡ (   ) ➡ (   ) ➡ (   )

2 '행복한 우리 반을 위한 약속'을 정하고 홍보할 내용을 정리할 때, 정리할 내용으로 알맞지 <u>않은</u> 것은 무엇입니까?   (   )

① 실천 방법
② 약속을 정한 까닭
③ 활용할 관용 표현
④ 홍보할 때 주의할 점
⑤ 행복한 우리 반을 위한 약속

3 '행복한 우리 반을 위한 약속'을 정한 뒤에, 정한 내용을 어떻게 홍보할지 생각하여 빈칸에 쓰시오.

(1) 홍보 자료	
(2) 홍보 방법	

4 여러 사람 앞에서 말할 때 주의할 점을 바르지 <u>않게</u> 말한 친구는 누구인지 쓰시오.

> 희정: 목소리의 크기나 높낮이, 말의 빠르기를 생각해야 해.
> 경민: 알맞은 표정과 몸짓으로 표현하면 말하려는 내용을 좀 더 정확하게 전할 수 있어.
> 승호: 말하다가 중요한 부분에서 잠깐 멈추면 듣는 사람의 집중력이 떨어지니 멈추면 안 돼.

(   )

역량 논술형

5 '행복한 우리 반을 위한 약속'을 다음과 같이 정하였습니다. 다음과 같은 약속을 홍보할 때 활용할 수 있는 관용 표현을 생각해 보고 홍보할 내용을 간단하게 쓰시오.

> 〈행복한 우리 반을 위한 약속〉
> 바르고 고운 말을 사용합시다.

_____

_____

6 모둠별로 '행복한 우리 반을 위한 약속'을 발표한 것을 평가하는 기준으로 알맞지 <u>않은</u> 것은 무엇입니까?   (   )

① 생각을 효과적으로 전했는가?
② 많은 양의 내용을 발표했는가?
③ 알맞은 관용 표현을 활용했는가?
④ 자신의 생각을 분명하게 말했는가?
⑤ 목소리의 크기와 말의 빠르기가 적절한가?

단원 마무리

여러 가지 관용
표현의 뜻 알기

예 「꿈을 펼치는 길」에 활용된 관용 표현의 뜻 알기

관용 표현	관용 표현의 뜻
손꼽아 기다리다	기대에 차 있거나 안타까운 마음으로 날짜를 꼽으며 기다리다.
천하를 얻은 듯	매우 기쁘고 만족스러움.
❶ ☐ 깜짝할 사이	매우 짧은 순간.
금이 가다	서로의 사이가 벌어지거나 틀어지다.
막을 열다	무대의 공연이나 어떤 행사를 시작하다.
❷ ☐☐도 단김에 빼라	어떤 일이든지 하려고 생각했으면 한창 열이 올랐을 때 망설이지 말고 곧 행동으로 옮겨야 한다.

이야기를 듣고
말하는 사람의
의도 파악하기

예 광고에서 관용 표현을 활용한 까닭과 광고에서 하고 싶은 말 파악하기

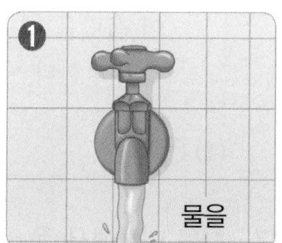
❶ 물을

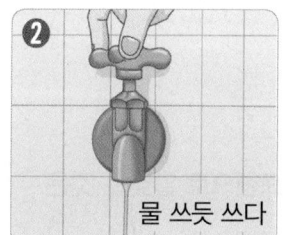
❷ 물 쓰듯 쓰다

❸ "물 쓰듯 쓰다"라는 말, 이제는 바뀌어야 합니다.

관용 표현을 활용한 까닭

우리가 평소 물을 아주 헤프게 쓴다는 점을 강조하기 위해서

⬇

광고에서 하고 싶은 말

물 쓰듯 쓴다는 것이 아주 헤프게 쓴다는 뜻으로 쓰이지 않도록 ❸ ☐을/를 아껴 쓰자.

생각이 효과적으로
드러나는 표현을
활용해 말하기

예 상황에 어울리는 관용 표현을 활용해 하고 싶은 말 하기

상황	어울리는 관용 표현	하고 싶은 말
학급 회의에서 학예회 발표 종목을 함께 정하는 상황	머리를 맞대다	우리의 재능을 잘 보여 줄 수 있는 종목을 머리를 맞대고 함께 정합시다.
전교 학생회 회장단 선거에서 후보자로 연설하는 상황	❹ ☐ 벗고 나서다	학생들이 즐거운 학교생활을 할 수 있도록 발 벗고 나서겠습니다.

1 다음 빈칸에 들어갈 알맞은 말을 쓰시오.

> 둘 이상의 낱말이 합쳐져 그 낱말의 원래 뜻과는 다른 새로운 뜻으로 굳어져 쓰이는 표현을 [   ](이)라고 한다.

(   )

[2~3] 대화를 읽고, 물음에 답하시오.

> 남자아이: 소진아, 제주도에 다녀왔다며? 재미있었어?
> 소진: 제주도에 다녀온 것 말이야? 아까 민진이에게만 말했는데 넌 어떻게 알았어? 정말 ㉠발 없는 말이 천 리 가는구나.

2 ㉠'발 없는 말이 천 리 가는구나.'는 어떤 뜻일지 쓰시오.

(   )

3 ㉠ 표현 대신에 쓸 수 있는 표현으로 알맞은 것은 무엇입니까? (   )

① 발이 넓다
② 손발을 맞추다
③ 세 살 적 버릇이 여든까지 간다
④ 사공이 많으면 배가 산으로 간다
⑤ 낮말은 새가 듣고 밤말은 쥐가 듣는다

4 관용 표현을 활용하면 좋은 점이 <u>아닌</u> 것에 ×표를 하시오.

(1) 상대의 마음을 알 수 있다. (   )
(2) 전하고 싶은 말을 쉽게 표현할 수 있다.
(   )
(3) 하려는 말을 상대가 쉽게 알아들을 수 있다.
(   )
(4) 재미있는 표현이어서 듣는 사람의 관심을 불러일으킬 수 있다. (   )

[5~6] 대화를 읽고, 물음에 답하시오.

> 동생: 오빠, 나도 이제 휴대 전화를 사 달라고 할 거야. ㉠쇠뿔도 단김에 빼라고 당장 구경해 보자.
> 오빠: 안 돼. 아직 부모님과 의논도 안 했잖아. 다음에 보자.
> 동생: 에이, 당장 어떤 걸로 할지 결정하고 싶었는데, 오빠 때문에 ㉡김이 식어 버렸잖아.

5 어떤 상황을 보여 주는 대화인지 쓰시오.
(   )

6 ㉠, ㉡의 뜻으로 알맞은 것을 [보기]에서 골라 각각 번호를 쓰시오.

> **보기**
> ① 정신이 갑자기 들다.
> ② 재미나 의욕이 없어진다.
> ③ 잔뜩 겁을 먹어서 기를 못 쓰다.
> ④ 어떤 일이든지 하려고 생각했으면 한창 열이 올랐을 때 망설이지 말고 곧 행동으로 옮겨야 한다.

(1) ㉠: (   )   (2) ㉡: (   )

7 다음 대화에서 ㉠, ㉡의 뜻으로 알맞은 것을 각각 선으로 이으시오.

> 지현: 안나야!
> 안나: 아이고, 깜짝이야! ㉠간 떨어질 뻔했잖니.
> 지현: 미안해. 문구점에 같이 가자! 내일 미술 시간에 필요한 준비물을 사야 하지? 일단 어떤 준비물이 있는지 확인해 보자. 난 색 도화지 두 장, 색종이 한 묶음, 딱풀을 사야겠다.
> 안나: 난 좀 넉넉하게 사야겠어. 색 도화지 열 장, 색종이 여덟 묶음, 딱풀이랑 물 풀이랑……
> 지현: 너 정말 ㉡손이 크구나.

(1) [㉠] •   • ① [매우 놀라다.]

(2) [㉡] •   • ② [양을 많이 준비한다.]

[8~10] 글을 읽고, 물음에 답하시오.

㉮ 오늘 저는 여러분께 꿈을 펼치는 몇 가지 방법을 말씀드리려고 이 자리에 섰습니다.

㉯ 자기 자신에게 자신감을 가집시다. 앞날에 대해 고민이 많고 꿈을 어떻게 이룰 것인지 걱정하고 계신가요? 만약 그렇다면 여러분은 꿈을 펼칠 준비가 된 것입니다. 꿈을 키워 나가는 일은 ㉠눈 깜짝할 사이에 이루어지지 않습니다. 저는 5학년 때까지 매우 허약한 체질이었지만, 경찰이 되려고 몇 년 동안 식습관을 바꾸고 체력을 길렀습니다.

㉰ 구체적인 목표를 세웁시다. 여러분이 꿈을 결정한 뒤 구체적인 목표가 없다면 꿈을 이루려는 노력에 ㉡금이 가기 쉽습니다.

㉱ 여러분, ㉢"쇠뿔도 단김에 빼라."라는 말이 있습니다. 지금부터 제 조언을 벗 삼아 꿈을 찾아 떠나는 노력을 시작하시기 바랍니다.

8 말하는 사람이 듣는 사람에게 알려 주려는 것은 무엇입니까? ( )

① 꿈을 펼치는 몇 가지 방법
② 인기를 얻는 몇 가지 방법
③ 능력을 키우는 몇 가지 방법
④ 멋진 어른이 되는 몇 가지 방법
⑤ 몸을 건강하게 하는 몇 가지 방법

9 다음은 ㉠, ㉡ 가운데 어떤 표현에 해당하는 뜻인지 각각 알맞은 기호를 쓰시오.

(1) 매우 짧은 순간. ( )
(2) 서로의 사이가 벌어지거나 틀어지다. ( )

논술형

10 ㉢을 활용해 간단한 문장을 만들어 쓰시오.

_____

_____

[11~13] 광고를 보고, 물음에 답하시오.

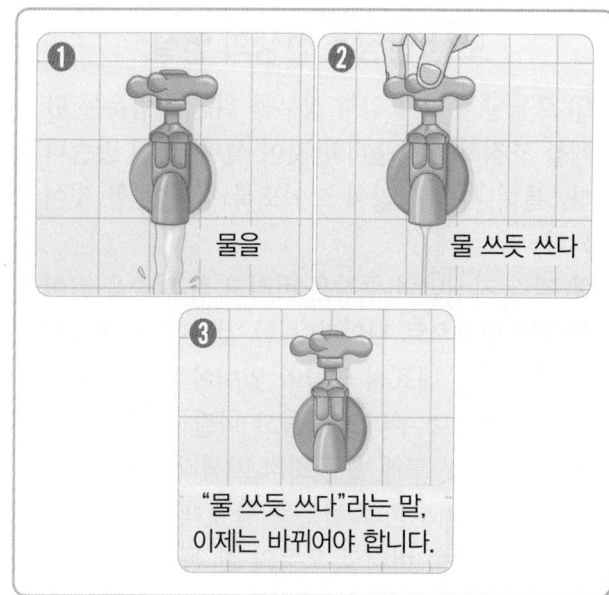

11 장면 ❷의 '물 쓰듯'의 뜻을 알맞게 말한 친구는 누구인지 쓰시오.

희진: '물건을 헤프게 쓰다.'는 뜻이야.
승철: '매우 기쁘고 만족스럽다.'는 뜻이야.
성진: '어떤 일에 적극적으로 나서다.'의 뜻이야.
나영: '일이 이미 잘못된 뒤에는 손을 써도 소용이 없다.'는 뜻이야.

( )

12 이 광고에서 하고 싶은 말로 알맞은 것에 ○표를 하시오.

(1) 물을 아껴 쓰자. ( )
(2) 환경을 보호하자. ( )
(3) 바른 표현을 사용하자. ( )

13 이 광고와 같이 관용 표현을 활용하는 까닭을 두 가지 고르시오. (,)

① 자신의 장점을 알릴 수 있다.
② 이야기에 흥미를 느끼게 한다.
③ 상대를 무조건 설득할 수 있다.
④ 여러 가지 의미를 전달할 수 있다.
⑤ 자신의 이야기를 귀 기울여 듣게 한다.

[14~16] 글을 읽고, 물음에 답하시오.

도산 안창호 선생의 연설

가 오늘날 우리가 임시 정부를 위한 독립운동 단체를 조직하려면 준비할 것이 셀 수 없이 많습니다. 특히 사람이 많이 모이도록 힘써야 할 것이외다.

나 각각 자신만의 주장은 버리고 전 민중을 끌어 통일한 방향으로 나아가야 할 것입니다. 이렇게 하려 함에는 대표적 인물이 있어야 하겠습니다. 나는 진정으로 우리를 붙들고 나갈 만한 대표자가 내일 올 듯 모레 올 듯하다고 생각합니다.

다 나와 여러분은 독립운동 단체가 실현되도록 각각의 의견을 버리고 모두의 한 목표를 이루려고 민족적 정신으로 어금니를 악물고 나갑시다. 그래서 독립운동의 ㉠깃발 아래 우리의 뜻을 모아야 하겠습니다.

14 안창호 선생을 비롯한 사람들이 조직하려는 것은 무엇인지 쓰시오.

( )

15 이 글에서 ㉠'깃발 아래'를 무슨 뜻으로 활용했겠습니까? ( )

① 용기를 내자.
② 사람들을 이끌자.
③ 행동으로 옮기자.
④ 여러 의견을 내자.
⑤ 하나의 목표를 품자.

16 안창호 선생이 연설한 의도는 무엇일지 빈칸에 각각 알맞은 말을 쓰시오.

(1) 사람들의 ( )을/를 하나로 모으려고 연설했다.

(2) 독립운동 단체의 ( )을/를 뽑으려고 연설했다.

[17~18] 대화를 읽고, 물음에 답하시오.

규영: 우리 반 친구들이 고운 말을 사용하면 좋겠습니다.

고운: "가는 말이 고와야 오는 말이 곱다."라는 말이 있습니다. 내가 남에게 말이나 행동을 좋게 해야 남도 나에게 좋게 한다는 뜻입니다. 우리 반 친구들도 고운 말을 사용하면 좋겠습니다.

혜선: 우리 반 친구들이 고운 말을 사용하면 좋겠습니다. 친구에게 나쁜 말을 했다가 자신도 나쁜 말을 들은 경험, 반대로 친구를 칭찬하고 자신도 칭찬을 들은 경험이 있을 것입니다. 가는 말이 고와야 오는 말이 곱습니다.

17 친구들은 무엇에 대해 말하고 있는지 쓰시오.

( )

논술형

18 고운이와 혜선이처럼 관용 표현을 활용하면 각각 어떤 효과를 얻을 수 있는지 쓰시오.

(1) 고운: ( )
(2) 혜선: ( )

19 '행복한 우리 반을 위한 약속'을 정한 후, 친구들 앞에서 말할 때 주의할 점이 아닌 것은 무엇입니까?

( )

① 목소리의 크기나 높낮이를 생각한다.
② 내용과 어울리는 알맞은 표정으로 말한다.
③ 말의 빠르기는 처음부터 끝까지 똑같이 한다.
④ 알맞은 몸짓으로 내용을 정확하게 전달한다.
⑤ 중요한 부분에서 잠깐 멈추어 듣는 사람을 집중하게 한다.

20 '행복한 우리 반을 위한 약속' 발표를 듣고 평가할 때 살펴볼 점으로 알맞은 것에 모두 ○표를 하시오.

(1) 표정과 몸짓이 적절한가? ( )
(2) 발표자의 성격이 어떠한가? ( )
(3) 생각을 효과적으로 전했는가? ( )

서술형 평가

1 다음 대화의 정민이처럼, ㉠과 같은 관용 표현을 활용하면 좋은 점은 무엇인지 쓰시오.

> 남자아이: 정민아, 내일이 벌써 개학이야. 정말 시간이 빠르지 않니?
> 정민: 내일이 개학이라고? ㉠눈이 번쩍 뜨인다! 해야 할 일이 아직도 많은데 큰일이네.

_____

_____

2 다음 대화에 사용된 관용 표현 ㉠, ㉡의 뜻은 무엇인지 쓰시오.

> 동생: 오빠, 나도 이제 휴대 전화를 사 달라고 할 거야. ㉠쇠뿔도 단김에 빼라고 당장 구경해 보자.
> 오빠: 안 돼. 아직 부모님과 의논도 안 했잖아. 다음에 보자.
> 동생: 에이, 당장 어떤 걸로 할지 결정하고 싶었는데, 오빠 때문에 ㉡김이 식어 버렸잖아.

(1) ㉠	
(2) ㉡	

3 다음 관용 표현을 활용하여 자신의 꿈을 한 문장으로 쓰시오.

> 눈에 띄다: 두드러지게 드러나다.

_____

_____

4 다음 ㉠은 어떤 뜻일지 쓰시오.

도산 안창호 선생의 연설

㉮ 전쟁을 원하는 자가 대화를 원하는 자를 반대해 말하기를 "대화가 무엇이냐, 지금이 어느 때라고! 우리는 폭탄을 들고 나가야 한다."라고 떠듭니다. 또 대화를 원하는 자는 말하기를 "공연히 젊은 놈들이 애간장이 타서 당장 폭탄을 들고 나가면 우리 독립이 되는가?"라고 합니다. 우리가 서로 자기 생각만 옳은 줄 알고 그것만 해야 한다고 하는 것은 ㉠한 가지만 알고 두 가지는 모르는 까닭이외다.

㉯ 독립운동가가 될 만한 여러분, 독립운동 단체를 조직할 준비를 할 날이 오늘이외다. 그런즉 나와 여러분은 독립운동 단체가 실현되도록 각각의 의견을 버리고 모두의 한 목표를 이루려고 민족적 정신으로 어금니를 악물고 나갑시다. 그래서 독립운동의 깃발 아래 우리의 뜻을 모아야 하겠습니다.

_____

_____

5 우리 반을 행복하게 하려면 우리가 해야 할 일을 떠올려 보고 알맞은 관용 표현을 활용해 하고 싶은 말을 쓰시오.

주제	우리 반을 행복하게 하려면 우리가 해야 할 일
(1) 활용할 관용 표현	
(2) 하고 싶은 말	

● 다음 교과서 문장의 파란색 낱말 중에서 알맞은 것을 골라 인물들이 한 말을 완성하시오.

- 난 좀 넉넉하게 사야겠어.
- 제 능력과 흥미를 살펴보면서 제 진짜 꿈이 경찰이라는 확신이 들었습니다.
- 저는 5학년 때까지 매우 허약한 체질이었지만, 경찰이 되려고 몇 년 동안 식습관을 바꾸고 체력을 길렀습니다.
- 지금부터 제 조언을 벗 삼아 꿈을 찾아 떠나는 노력을 시작하시기 바랍니다.

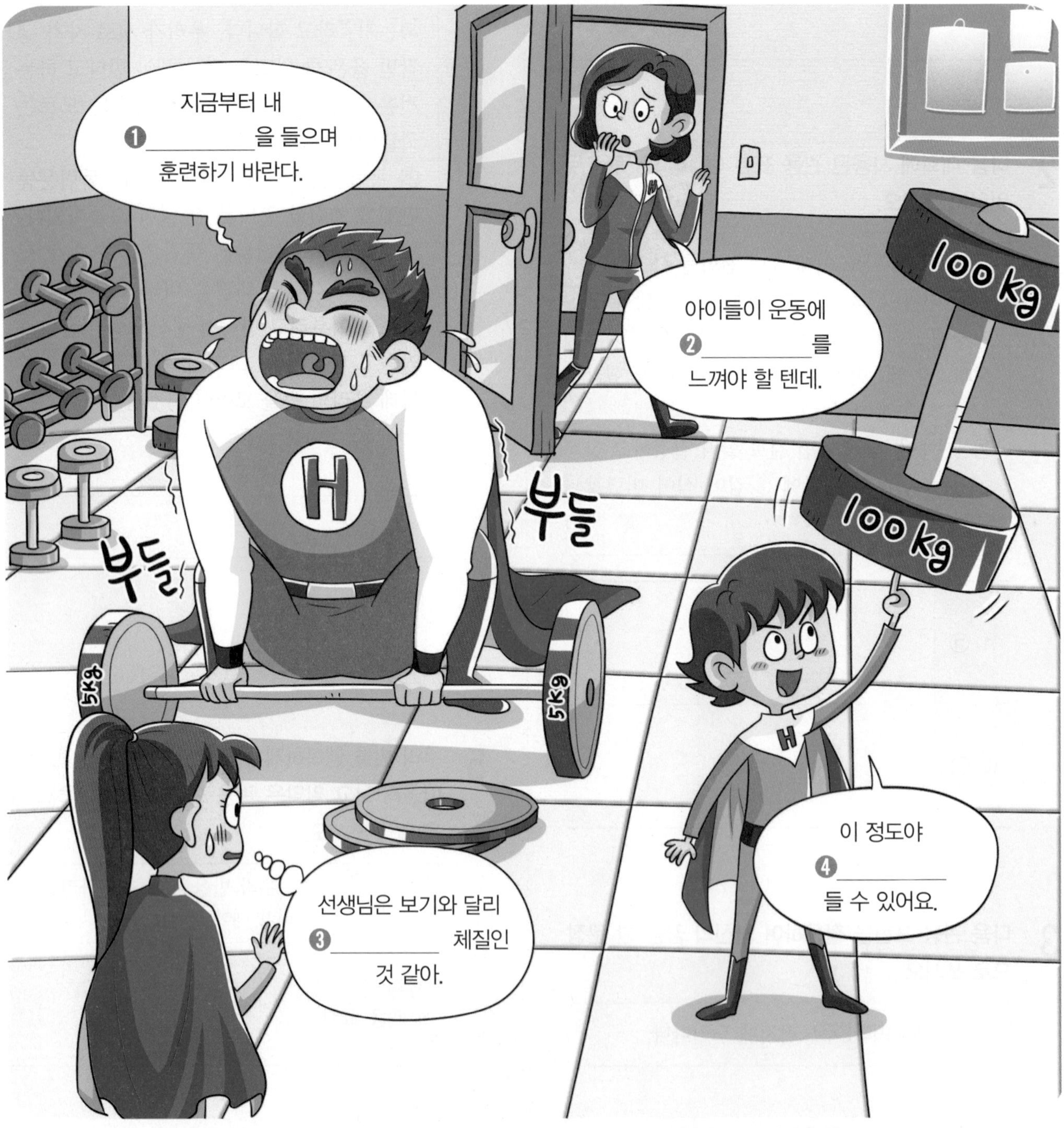

지금부터 내
❶_____을 들으며
훈련하기 바란다.

아이들이 운동에
❷_____를
느껴야 할 텐데.

이 정도야
❹_____
들 수 있어요.

선생님은 보기와 달리
❸_____ 체질인
것 같아.

정답 | ❶ 조언 ❷ 흥미 ❸ 허약한 ❹ 넉넉하게

3

타당한 근거로 글을 써요

무엇을 배울까요?

 준비

- 글을 읽고 주장 찾기

 기본

- 주장에 대한 근거가 적절한지 판단하며 글 읽기
- 논설문을 쓸 때 알맞은 자료를 활용하는 방법 알기
- 상황에 알맞은 자료를 활용해 논설문 쓰기

 실천

- 더 좋은 우리 동네를 만들기 위한 논설문 쓰기

3 타당한 근거로 글을 써요

1 주장에 대한 근거가 타당한지 판단하는 방법
① 근거가 주장과 관련 있는지, 근거가 주장을 뒷받침하는지 판단해 봅니다.
② 근거를 뒷받침하는 자료가 적절한지 판단해 봅니다.

2 자료가 근거를 잘 뒷받침하는지 판단하는 방법
① 자료가 근거의 내용과 관련 있는지 살펴봅니다.
② 자료의 출처가 분명한지 확인합니다.
③ 출처를 보고 믿을 수 있는 자료인지 살펴봅니다.
④ 수를 제시할 때에는 정확한 숫자를 사용했는지 살펴봅니다.
⑤ 최신 자료를 사용했는지 살펴봅니다.

3 논설문을 쓸 때 알맞은 자료를 활용하는 방법
① 문제 상황을 생각하며 자신의 주장과 근거를 정합니다.
② 자신의 주장과 근거를 뒷받침할 수 있는 자료를 수집할 계획을 세웁니다.
③ 자료 수집 계획에 따라 수집한 자료를 살펴보며 자료 수집 카드를 만들어 봅니다. 자료를 자료 수집 카드로 정리하면 자료를 한눈에 알아보기 쉽고, 자료의 적절성을 판단하기 좋으며, 출처가 있어 글을 쓸 때 신뢰성을 줄 수 있습니다.
④ 수집한 자료가 내용을 뒷받침하고 믿을 만한지 평가해 봅니다.
예 '숲을 보호하자'는 주장에 대한 근거를 뒷받침하려고 수집한 자료 살펴보기

주장	숲을 보호하자.
근거	숲은 지구 온난화를 막아 준다.

↓

내용	종류
○○ 신문 20○○년 ○○월 ○○일 **이산화 탄소 먹는 하마는 상수리나무** …… 개인이 배출한 이산화 탄소를 흡수하려면 평생 나무를 심어야 할지도 모른다. …… 많은 양의 이산화 탄소를 흡수하고 지구 온난화 예방에도 큰 역할을 하는 나무 심기에 관심을 가지자. (◇◇◇ 기자)	기사문
	출처
	『○○ 신문』, 20○○. ○○. ○○.
	알려 주는 것
	나무를 심으면 나무가 이산화 탄소를 흡수해 지구 온난화 예방에 도움이 된다.

4 상황에 알맞은 자료를 활용해 논설문 쓰기
① 문제 상황을 생각하며 자신의 주장을 정합니다.
② 주장을 뒷받침할 수 있는 적절한 근거를 생각해 봅니다.
③ 자료 수집 계획을 세우고 다양한 방법으로 자료를 수집해 봅니다.
④ 수집한 자료를 바탕으로 하여 논설문을 씁니다.
⑤ 자신이 쓴 글을 읽고 근거가 주장과 관련 있고 주장을 뒷받침하는지, 자료가 내용을 뒷받침하는지, 믿을 만한 자료를 활용했는지, 글에 사용한 표현이 적절한지 등을 평가해 봅니다.

핵 심 개 념 문 제
정답과 해설 ● 12쪽

1 주장에 대한 근거가 타당한지 판단할 때에는 근거가 ☐☐과/와 관련 있는지 판단해야 합니다.

2 자료가 근거를 잘 뒷받침하는지 판단하는 방법으로 알맞지 않은 것에 ×표를 하시오.
(1) 재미있는 자료를 사용했는지 살펴본다. ( )
(2) 자료가 근거의 내용과 관련 있는지 살펴본다. ( )
(3) 출처를 보고 믿을 수 있는 자료인지 살펴본다. ( )

3 논설문을 쓸 때 알맞은 자료를 활용하려면 수집한 자료가 내용을 뒷받침하고 믿을 만한지 평가해야 합니다.
(○ , ×)

4 논설문을 쓸 때 가장 먼저 해야 할 일의 기호를 쓰시오.

┌─────────────────┐
│ ㉠ 자료 수집 계획을 세우고 자료 수집하기
│ ㉡ 문제 상황을 생각하며 자신의 주장 정하기
│ ㉢ 수집한 자료를 바탕으로 하여 논설문 쓰기
│ ㉣ 주장을 뒷받침할 수 있는 적절한 근거 생각하기
└─────────────────┘

( )

준비 글을 읽고 주장 찾기

◎ 주장하는 내용이 무엇인지 생각하며 글 읽기

'그냥'이 아니라 '왜'

이어령

❶ 할아버지를 생각하면 긴 수염이 떠오르기도 하지? 정말 그렇게 수염을 길게 기른 할아버지 한 분이 마을 길을 걸어가고 있었단다. 그때 한 어린아이가 할아버지에게 다가왔어. 아이는 할아버지 가
5 슴팍까지 내려온 하얗고 긴 수염을 신기한 눈으로 바라보았대. 그러고는 이렇게 물었지.

"할아버지! 할아버지는 주무실 때 그 수염을 이불 안에 넣나요, 아니면 꺼내 놓나요?"

할아버지는 "예끼! 이 버릇없는 놈." 하고 소리치
10 려다가 문득 자기도 궁금해졌단다. 왜냐하면 수염을 기른 채 몇십 년 동안이나 살아왔지만, 그때까

• 글의 내용: 긴 수염 할아버지 이야기를 활용하여 '그냥'이라고 생각하지 말고 '왜' 또는 '어떻게'를 생각하자고 주장하고 있습니다.

지 한 번도 그런 궁금증을 지녀 본 적이 없었거든.

'허허, 그러고 보니 내가 정말 수염을 꺼내 놓고 잤나, 넣고 잤나?'

아무리 생각해 봐도 알쏭달쏭하기만 했지. 결국 할아버지는 난처한 얼굴을 하고는 아이에게 이렇게 5 말할 수밖에 없었단다.

"글쎄다. 허, 참. 이 녀석, 별걸 다 묻는구나. 정 궁금하다면 말이다, 오늘 밤에 한번 자 보고 내일 아침에 가르쳐 주마."

중심 내용 한 어린아이가 수염을 길게 기른 할아버지에게 수염을 이불 안에 넣고 자는지, 아니면 꺼내 놓고 자는지 여쭤보았고, 할아버지는 내일 아침에 가르쳐 주기로 했다.

가슴팍 가슴의 판판한 부분을 속되게 이르는 말.
예 동생은 엄마의 가슴팍에 얼굴을 묻고는 울어 댔습니다.
예끼 때릴 듯한 기세로 나무라거나 화가 났을 때 내는 소리. 주로 나이가 비슷한 사람이나 아랫사람에게 쓴다.

알쏭달쏭 그런 것 같기도 하고 그렇지 않은 것 같기도 하여 얼른 분간이 안 되는 모양.
예 민지는 머리를 가우뚱거리며 알쏭달쏭하다는 표정을 지었습니다.
난처한 이럴 수도 없고 저럴 수도 없어 처신하기 곤란한.

---

1 다음 만화에서 "그냥!"이라고만 대답하는 곰돌이를 보고 어떤 생각이 드는지 쓰시오.

교과서 문제

_____

_____

2 아이는 할아버지에게 무엇을 여쭈었는지 빈칸에 알맞은 말을 쓰시오.

• 주무실 때 (   )을/를 이불 안에 넣는지, 아니면 꺼내 놓는지 여쭈었다.

3 아이가 한 질문에 할아버지는 왜 바로 대답하지 못하셨습니까?   (   )

교과서 문제

① 아이의 버릇없는 태도에 당황했기 때문에
② 다른 사람과 이야기를 하고 있었기 때문에
③ 아이가 질문만 하고 서둘러 가 버렸기 때문에
④ 아이의 목소리가 너무 작아서 잘 안 들렸기 때문에
⑤ 수염을 기른 채 몇십 년 동안이나 살아왔지만, 그때까지 한 번도 그런 궁금증을 지녀 본 적이 없었기 때문에

❷ 할아버지는 집에 돌아오기 무섭게 이부자리를 펴고 누웠지. 우선 이불 속에 수염을 넣고 말이야. 그런데 너무 갑갑하고 거북해서 아무래도 수염을 밖에 내놓고 자야 할 것 같았어.

5 '옳지! 수염을 이불 밖으로 꺼내 놓고 잔 게 분명해!'

할아버지는 얼른 수염을 이불 밖으로 꺼내 놓고 눈을 감아 봤어. 그런데 불편한 건 마찬가지였어. 이불 밖으로 내놓은 수염 때문에 왠지 허전하고 썰

10 렁한 느낌이 들어서 마음이 편하지 않았던 거야. 아무리 자려고 해도 잠을 이룰 수가 없었지.

수염을 이불로 덮으니 갑갑하고, 이불 밖으로 꺼내 놓으면 허전하고……. 할아버지는 밤새도록 수염을 넣었다 꺼냈다 하느라고 한숨도 잘 수가 없었

단다. 물론 할아버지는 다음 날 아침에 가르쳐 주겠노라고 했던 아이와의 약속도 지키지 못했지.

이상한 일 아니니? 분명 그건 할아버지 자신의 수염이고, 할아버지는 몇십 년 동안 하루도 빼놓지 않고 잠을 잤는데 말이야. 그런데도 아이가 묻 5 기 전까지 그 수염을 어떻게 하고 잤는지 기억할 수가 없었던 거야.

그렇다고 다른 사람에게 물어볼 수도 없는 노릇이었어. 물어본다고 한들 누가 가르쳐 줄 수도 없는 문제잖아. 정말 답답하고 기막힌 일이었지. 그 10 뒤로 할아버지는 밤마다 수염 때문에 편안하게 잠을 잘 수가 없었대.

(중심내용) 할아버지는 밤새도록 수염을 넣었다 꺼냈다 하느라고 한숨도 잘 수가 없었고, 그 뒤로도 밤마다 수염 때문에 편안하게 잠을 잘 수가 없었다.

이부자리 이불과 요를 통틀어 이르는 말.
거북해서 몸이 무겁고 괴로워 움직임이 자연스럽지 못하거나 자유롭지 못해서.

썰렁한 있어야 할 것이 없어 어딘가 빈 듯한 느낌이 있는.
기막힌 어떠한 일이 놀랍거나 언짢아서 어이없는.
예 너무나 기막힌 일이라서 입을 다물지 못했습니다.

---

4 할아버지는 집으로 돌아오자마자 무엇을 하셨는지 쓰시오.

(   )

5 이불 속에 수염을 넣었을 때와 이불 밖으로 수염을 꺼내 놓았을 때 할아버지의 느낌은 각각 어떠했는지 선으로 이으시오.

| (1) | 이불 속에 수염을 넣었을 때 | • | • ① | 허전하고 썰렁하다. |
| (2) | 이불 밖으로 수염을 꺼내 놓았을 때 | • | • ② | 갑갑하고 거북하다. |

6 할아버지는 왜 밤새도록 한숨도 잘 수가 없었는지 쓰시오.

(   )

7 할아버지가 아이와 한 약속을 지키지 못한 까닭으로 알맞은 것을 두 가지 고르시오. (,   )

① 수염이 가짜 수염이어서
② 밤새 잠을 설치는 바람에 늦잠을 자서
③ 다른 사람에게 물어보았지만 전부 대답이 달라서
④ 자신의 수염이어서 다른 사람에게 물어볼 수도 없어서
⑤ 자신의 수염이지만 아이가 묻기 전까지 그 수염을 어떻게 하고 잤는지 기억할 수가 없어서

❸ 재미있는 이야기라고 웃어넘길 일이 아니야. 가만히 생각해 보렴, 혹시 너에게도 그런 수염이 있는지 말이야. 아이들한테 무슨 수염이 있냐고? 아니야, 그렇지 않아. 너도 누가 질문을 할 때 가끔 '그냥'
5 이라고 대답한 적이 있을 거야. 바로 그 '그냥'이라는 말이 너의 수염이란다. 아직도 잘 모르겠다고?

우리는 아무 생각 없이 '그냥' 지내는 날이 얼마나 많은지 몰라. 그냥 먹고, 그냥 자고, 그냥 노는 날 말이야. 어떤 때에는 봄이 와서 꽃이 피어도, 아
10 침이 되어 찬란한 태양이 떠올라도 아무 느낌 없이 그냥 흘깃 보고 지나쳐 버리기도 하지. 새들이 어떻게 짝을 지어 날아가고, 구름이 어떻게 모였다가 흩어지는지 몇 번이나 눈여겨보았니? 자신에게 또는 남들에게 궁금한 일을 몇 번이나 질문해 보았
15 니? 남들이 하니까 그냥 따라 하고, 어른들이 시키니까 그냥 했던 일은 없었니?

자기 안에 물음표가 없어서 아무것도 묻지 못하

는 사람은 건전지를 넣고 단추를 누르면 그냥 북을 쳐 대는 곰 인형과 별로 다를 것이 없어. 아무 생각 없이 모든 순간을 습관적으로 기계적으로 살아가는 사람은 이야기 속 할아버지와 똑같아. 자기 것이지만 자기 것이 아닌 수염을 달고 있으니까 말이야.
5 '그냥 수염'을 달고 있는 사람은 어느 날 누가 "왜?" 또는 "어떻게?" 하고 물으면 아무 대답도 하지 못해. 아무리 자기가 한 일을 뒤돌아보고 생각해 내려고 애써도 지나온 날들은 이미 멀리 사라져 버려서 흔적조차 찾을 길이 없기 때문이지. 어느 날엔가 너한테도
10 누군가가 물어 올지 몰라. 그때를 위해서라도 '그냥'이라는 대답이 아닌 무언가를 준비해야겠지?

> 중심 내용 | 어느 날엔가 우리에게 누군가가 "왜?" 또는 "어떻게?" 하고 물어 올 때를 위해서라도 '그냥'이라는 대답이 아닌 무언가를 준비해야 한다.

● 「'그냥'이 아니라 '왜'」에서 글쓴이가 주장하는 것 | 핵심 |

글쓴이의 주장	습관적으로 그냥 살지 말고 자기 안에 물음표를 가지고 살아가자. / '그냥'이라고 생각하지 말고 '왜' 또는 '어떻게'를 생각하자.

찬란한 빛이 번쩍거리거나 수많은 불빛이 빛나는 상태인. 또는 그 빛이 매우 밝고 강렬한.

흔적 어떤 현상이나 실체가 없어졌거나 지나간 뒤에 남은 자국이나 자취. 예 그 산길에는 사람이 지나간 흔적이 없었습니다.

8 우리에게 있는 '수염'은 무엇이라고 했는지 두 가지를 고르시오. (,)
교과서 문제
① 자기 안에 물음표를 가지는 것
② 남들에게 궁금한 일을 질문해 보는 것
③ 주변에서 일어나는 일을 눈여겨보는 것
④ 누가 질문을 할 때 '그냥'이라고 대답하는 것
⑤ 남들이 하니까 그냥 따라 하고, 어른들이 시키니까 그냥 했던 일

9 '그냥 수염'을 달지 않으려면 어떻게 해야 하는지 알맞은 것에 ○표를 하시오.
교과서 문제
(1) 남이 하는 행동을 완벽하게 따라 한다. ( )
(2) 모든 순간을 습관적이고 기계적으로 살아간다. ( )
(3) 어떤 행동이나 일을 할 때 '왜' 또는 '어떻게'를 생각한다. ( )

10 이 글에서 글쓴이가 주장하는 것은 무엇인지 빈칸에 알맞은 말을 쓰시오.
| 핵심 |
• (1)'( )'(이)라고 생각하지 말고
(2)'( )' 또는 '어떻게'를 생각하자.

11 친구들과 "왜?" 질문하기 놀이를 하려고 합니다. "그냥."이나 "몰라."와 같은 대답을 제외하고 다음 보기의 질문에 대한 답을 생각해 쓰시오.
서술형
교과서 문제

보기	공부는 왜 할까요?

_____

_____

기본 ① 주장에 대한 근거가 적절한지 판단하며 글 읽기

● 만화를 보고 공정 무역을 주제로 친구들과 이야기하기

• **글의 종류:** 만화
• **글의 내용:** 열심히 일하는 가난한 사람들을 도울 수 있는 방법은 공정하게 거래하는 것입니다.

1 오늘날, 옛날의 '상민'과 비슷한 상황에 처해 있는 사람들은 누구인지 찾아 ○표를 하시오.

(1) 일을 안 하고 돈을 버는 사람들 (　　)
(2) 아무리 열심히 일해도 가난을 벗어날 수 없는 사람들 (　　)

2 1번 문제에서 답한 사람들의 처지는 어떠한지 빈칸에 알맞은 말을 각각 쓰시오.

(1) 하루 종일 (　　　　　)을/를 만드는 아이의 임금이 고작 몇천 원이다.
(2) 아무리 열심히 일해도 자식을 (　　　)에 보내기도 어렵다.
(3) (　　　　　) 하나를 사려면 몇 달치 월급을 모아야 한다.

3 가난한 나라 사람들이 가난한 까닭은 무엇이라고 했습니까? (　　)

① 일자리가 부족하기 때문에
② 나라에서 세금을 많이 걷기 때문에
③ 가난한 나라는 거래가 금지되어 있기 때문에
④ 번 돈을 모으지 않고 전부 써 버리기 때문에
⑤ 일부 다국적 기업이 가난한 나라의 물건을 제값을 주지 않고 아주 싸게 사기 때문에

4 잘못된 경제 구조를 바로잡고 열심히 일하는 가난한 사람들을 돕기 위해 어떻게 해야 한다고 했는지 네 글자로 쓰시오.

• (　　　　　　　)을/를 한다.

● 근거가 알맞은지 생각하며 글 읽기

공정 무역 제품을 사용합시다

❶ '공정 무역 도시', '공정 무역 커피' 이런 말을 들어 본 적이 있나요? 2017년에 ○○광역시가 국내 최초로 '공정 무역 도시'로 공식 인정을 받았다는 신문 기사를 접할 수 있었습니다. 공정 무역이란 생산자의 노동에 정당한 대가를 지불해 생산자가 경제적 자립과 발전을 하도록 돕는 무역입니다. ○○광역시는 공정 무역 상품을 사용하고 공정 무역을 확산하려는 활동을 지원해 실질적인 변화를 만들어 내는 도시가 되었습니다. 우리도 공정 무역 제품을 사용해 이러한 변화에 동참해야 합니다.

❷ 공정 무역 제품을 사용해야 하는 까닭은 다음과 같습니다. 첫째, ㉠생산자에게 돌아갈 정당한 이익을 지켜 줍니다. 흔히 볼 수 있는 과일 가운데 하나인 바나나의 경우, 우리가 3천 원짜리 바나나 한 송이를 산다면 약 45원만이 생산자인 농민에게 이익

• 글의 종류: 논설문
• 글의 내용: '공정 무역 제품을 사용하자'는 주장과 주장에 대한 근거 네 가지를 제시했습니다.

으로 돌아갑니다. 그 까닭은 바나나 생산국에서 우리 손에 오기까지 바나나 농장 주인, 수출하는 회사, 수입하는 회사, 슈퍼마켓 등이 총수익의 98.5퍼센트를 가져가기 때문입니다. 공정 무역에서는 생산자 조합과 공정 무역 회사를 만들어 이러한 중간 유통 단계를 줄이고 실제로 바나나를 재배하는 생산자의 이익을 보장해 주었습니다.

일반 무역 유통 단계와 공정 무역 유통 단계

■ 출처: 전국사회교사모임(2017), 『사회 선생님이 들려주는 공정 무역 이야기』

자립(自 스스로 자, 立 설 립) 남에게 예속되거나 의지하지 아니하고 스스로 섬.

유통(流 흐를 유, 通 통할 통) 상품 따위가 생산자에서 소비자, 수요자에 도달하기까지 여러 단계에서 교환되고 분배되는 활동.

5 공정 무역이란 무엇인지 빈칸에 알맞은 말을 각각 쓰시오.
(교과서 문제)
• 생산자의 노동에 정당한 (1)(   )을/를 지불해 생산자가 경제적 (2)(   )과/와 발전을 하도록 돕는 무역

6 글쓴이의 주장은 무엇입니까? (   )
(교과서 문제)
① 바나나 농장을 보호하자.
② 공정 무역 도시를 홍보하자.
③ 공정 무역 제품을 사용하자.
④ 공정 무역 제품을 다양하게 개발하자.
⑤ 우리나라의 모든 도시를 공정 무역 도시로 지정하자.

7 공정 무역에서 중간 유통 단계를 줄이려는 까닭은 무엇입니까? (   )
(교과서 문제)
① 노동 시간을 줄이기 위해서
② 생산자의 이익을 보장하기 위해서
③ 물건을 더 빠르게 생산하기 위해서
④ 소비자에게 물건을 비싸게 팔기 위해서
⑤ 공정 무역 회사의 이윤을 늘리기 위해서

8 이 글에서 ㉠의 근거를 뒷받침하려고 어떤 자료를 활용했는지 살펴보고, 빈칸에 알맞은 내용을 쓰시오.
(교과서 문제)

내용	종류
	그림

❸ 둘째, 아이들을 위험에서 보호할 수 있습니다. 일부 다국적 기업들은 물건의 생산 비용을 낮추려고 임금이 상대적으로 낮은 어린이를 고용하기도 합니다. 예를 들어 우리가 좋아하는 초콜릿은 열대

5 과일인 카카오를 주재료로 해서 만듭니다. 카카오는 열대 지방에서만 자라는 식물로 아래의 ㉠「초콜릿 감옥」 동영상 자료에서처럼 그 지방 어린이들이 학교도 가지 못하고 카카오를 재배하고 수확하는 경우가 많습니다. 하지만 공정 무역은 "안전하고

10 노동력 착취 없는 노동 환경이 유지되어야 한다."라는 조건을 지켜야 하기 때문에 아이들의 노동력 착취를 막을 수 있습니다.

초콜릿 감옥

■출처: 한국교육방송공사, 2012.

❹ 셋째, 자연을 보호하고 생산자의 건강을 지키는 방법이 됩니다. 공정 무역에서는 지구 환경을 보호

15 하는 친환경 농사법을 권장합니다. 일반적으로 카카오나 바나나, 목화 같은 것은 재배할 때 많은 양을 싸고 빠르게 수확하려고 농약과 화학 비료를 사용합니다. 생산지에서는 농약 회사에서 권장하는 장갑과 마스크를 살 여유가 없기 때문에 해마다 가난한 나라의 농민 2만 명 이상이 작물 재배용 농약 5에 노출되어 여러 가지 질병을 앓고 있습니다. ㉡『인간의 얼굴을 한 시장 경제, 공정 무역』이라는 책에 따르면 바나나를 재배하는 대부분의 대농장은 원가를 절감하느라 위험한 농약을 대량으로 살포합니다. 대농장 가까이에 사는 노동자들의 음 10 식과 식수는 이 독극물로 오염됩니다. 한 코스타리카 농장을 대상으로 한 연구에서 남성 노동자 가운데 20퍼센트가 그런 화학 물질을 다룬 뒤 불임이 되었다고 합니다. 또 바나나를 채취해서 나르는 여성 노동자들은 백혈병에 걸릴 확률이 평균 발 15 병률보다 두 배나 높게 나타난다고 합니다. 하지만 공정 무역은 농민들이 농약과 화학 비료를 적게 쓰고 유기농으로 농사를 짓게 하여 이러한 문제를 해결하려고 노력하고 있습니다.

착취 생산 수단을 소유한 사람이 생산 수단을 갖지 않은 직접 생산자로부터 그 노동의 성과를 정당한 대가를 주지 않고 빼앗음.

발병률 인구수에 대한 새로 생긴 질병 수의 비율. 한 해에 새로 생긴 질병을 인구 1,000명을 기준하여 계산합니다.

---

9 글쓴이의 주장을 뒷받침하는 근거로 알맞은 것을 두 가지 고르시오. (　　,　　)

① 아이들의 일자리를 늘릴 수 있다.
② 물건의 생산 비용을 낮출 수 있다.
③ 아이들을 위험에서 보호할 수 있다.
④ 다국적 기업이 이익을 많이 남길 수 있다.
⑤ 자연을 보호하고 생산자의 건강을 지키는 방법이 된다.

10 공정 무역이 아이들의 노동력 착취를 막을 수 있는 까닭은 어떤 조건을 지켜야 하기 때문인지 쓰시오.
(　　　　　　　　　　　)

11 공정 무역에서 농민들에게 유기농으로 농사를 짓게 하여 해결하려는 문제는 무엇인지 빈칸에 알맞은 말을 쓰시오.

• (　　　　　　　)(으)로 인한 질병 문제

핵심
12 ㉠과 ㉡의 자료가 근거를 잘 뒷받침하는지 알맞게 판단한 친구에게 ○표를 하시오.

(1) 혜정: ㉠은 초콜릿을 만드는 과정을 자세하게 보여 주므로 근거를 잘 뒷받침해. (　　　)
(2) 현진: ㉡은 공정 무역에 대한 책으로 근거의 내용과 관련 있고 출처가 믿을 수 있는 자료여서 근거를 잘 뒷받침해. (　　　)

3 단원

핵심

❺ 넷째, 공정 무역 인증 표시는 국제기구가 생산지에서 공정 무역의 주요 원칙이 잘 지켜졌는지를 점검한 물건들에 붙일 수 있습니다. 국제공정무역기구의 조사원들은 농장과 관련 기관들을 찾아가서, 그들이 공정 무역의 규칙에 맞게 생산 활동을 하는지 평가합니다. 소비자들은 이 인증 표시를 보고 윤리적인 소비를 할 수 있습니다. 하지만 요즘은 공정 무역의 조건을 지키지 않고 공정 무역을 흉내 낸 인증 표시를 만들어 소비자들에게 혼란을 주는 기업들도 있습니다.

공정 무역 인증 표시

FAIRTRADE

■출처: 국제공정무역기구, 2018.

❻ 여러분은 달콤한 초콜릿을 살 때 무엇을 보고 고르나요? 겉으로 보기에는 모두 똑같아 보이지만 그 초콜릿이 우리 손에 들어오기까지의 과정은 제품에 따라 매우 다를 수 있습니다. 그것을 만들려고 노력한 사람들이 학교도 못 다니고 음식도 제대로 먹지 못한, 여러분보다 어린 동생들이라면 그

초콜릿을 정말 맛있게 먹을 수 있을까요? 가난한 나라에 일시적인 원조를 제공하는 데 그치지 않고 자립하도록 도와주는 방법이자 우리 환경을 보호할 수 있는 공정 무역 제품, 이제는 우리가 관심을 기울이고 사용할 때입니다.

● **근거의 타당성 판단하기** 예

주장	공정 무역 제품을 사용하자.
근거	• 근거 1: 생산자에게 돌아갈 정당한 이익을 지켜 준다. • 근거 2: 아이들을 위험에서 보호할 수 있다. • 근거 3: 자연을 보호하고 생산자의 건강을 지키는 방법이 된다. • 근거 4: 공정 무역 인증 표시는 국제기구가 생산지에서 공정 무역의 주요 원칙이 잘 지켜졌는지를 점검한 물건들에 붙일 수 있다.

근거 4는 공정 무역 제품을 사용해야 하는 까닭이 아니라 공정 무역 인증 표시에 대한 설명만 하고 있어서 주장을 직접적으로 뒷받침하지 못하기 때문에 타당하지 않아.

● **자료의 적절성 판단하기** 예

「초콜릿 감옥」 동영상은 공정 무역을 하지 않는 곳의 아이들이 위험하다는 것을 보여 주므로 근거 2를 잘 뒷받침해.

점검 낱낱이 검사함. 또는 그런 검사.
예 장마가 들기 전에 집안 구석구석을 점검합시다.

혼란 뒤죽박죽이 되어 어지럽고 질서가 없음.
원조(援 도울 원, 助 도울 조) 물품이나 돈 따위로 도와줌.

서술형

13 이 글의 내용을 논설문의 짜임에 맞게 정리할 때, 다음 빈칸에 알맞은 내용을 쓰시오.

서론	우리나라에도 공정 무역 도시가 생기는 변화에 동참해 우리도 공정 무역 제품을 사용하자.
본론	• 근거 1: 생산자에게 돌아갈 정당한 이익을 지켜 준다. • 근거 2: 아이들을 위험에서 보호할 수 있다. • 근거 3: 자연을 보호하고 생산자의 건강을 지키는 방법이 된다. • 근거 4: (1)
결론	(2)

핵심 역량

14 13번 문제에서 정리한 근거 1~4 중 타당하지 않다고 생각하는 것을 골라 그 까닭과 함께 쓰시오.

_____

_____

15 근거를 뒷받침하는 자료가 적절한지 판단하는 방법으로 알맞지 않은 것은 무엇입니까? (   )

① 믿을 수 있는 자료인지 살펴본다.
② 최신 자료를 사용했는지 살펴본다.
③ 한 가지 종류의 자료만 활용했는지 살펴본다.
④ 자료가 근거의 내용과 관련 있는지 살펴본다.
⑤ 수를 제시할 때에는 정확한 숫자를 제시했는지 살펴본다.

기본 2 논설문을 쓸 때 알맞은 자료를 활용하는 방법 알기

● 환경 사랑 동아리 친구들이 주장과 근거를 뒷받침하려고 만든 자료 수집 카드 살펴보기

• **자료 설명**: 환경 사랑 동아리 친구들이 '숲을 보호하자'는 주장에 대한 근거를 뒷받침하려고 수집한 자료를 자료 수집 카드로 정리했습니다.

자료 ❶	내용	종류
	○○ 신문 / 20○○년 ○○월 ○○일 **이산화 탄소 먹는 하마는 상수리나무** 국립산림과학원의 연구 결과 우리나라의 가정이나 기업에서 1인당 평생 배출하는 이산화 탄소는 약 12.7톤이다. 개인이 배출한 이산화 탄소를 흡수하려면 평생 나무를 심어야 할지도 모른다. 이산화 탄소를 특히 잘 흡수하는 것은 상수리나무이다. / 많은 양의 이산화 탄소를 흡수하고 지구 온난화 예방에도 큰 역할을 하는 나무 심기에 관심을 가지자. (◇◇◇ 기자)	기사문
		출처
		『○○ 신문』, 20○○. ○○. ○○.
		알려 주는 것
		나무를 심으면 나무가 이산화 탄소를 흡수해 지구 온난화 예방에 도움이 된다.

● '숲을 보호하자'는 주장에 대한 근거를 뒷받침하려고 수집한 자료 ①

근거
숲은 지구 온난화를 막아 준다.
↓
자료 ❶
예 나무를 심으면 나무가 이산화 탄소를 흡수해 지구 온난화 예방에 도움이 된다는 내용의 기사문
근거
숲이 미세 먼지를 잡아 주어 공기를 깨끗하게 해 준다.
↓
자료 ❷
예 숲이 미세 먼지를 잡아 준다는 내용의 뉴스 동영상

자료 ❷	내용	종류
	나무가 미세 먼지 흡수 **나무의 미세 먼지 흡수** 한 그루 미세 먼지 **35.7**그램 **흡수** [에스프레스 한 찬]	동영상
		출처
		KBS 뉴스
		알려 주는 것
		숲은 미세 먼지를 잡아 준다.

• 동영상 내용: 숲의 나무는 미세 먼지를 잘 붙잡아서 농도를 낮춰 줌으로써 공기 청정기 역할까지 하고 있다. 실제로 나무 한 그루가 흡수하는 미세 먼지는 일 년에 35.7그램이다.

1 다음은 환경 사랑 동아리 친구들이 논설문을 쓰려고 생각한 근거입니다. 근거로 보아 친구들의 주장은 무엇일지 빈칸에 알맞은 말을 쓰시오.
교과서 문제

> ① 숲은 미세 먼지를 잡아 주어 공기를 깨끗하게 해 준다.
> ② 숲은 홍수와 산사태를 막아 준다.
> ③ 숲은 지구 온난화를 막아 준다.
> ④ 숲은 소중한 자원을 제공해 준다.

• (　　　　　)을/를 보호하자.

2 1번 문제의 주장과 근거를 뒷받침할 자료를 조사하는 방법에는 어떤 것이 있을지 한 가지만 쓰시오.
(　　　　　　　　　　　)

3 수집한 자료를 자료 수집 카드로 정리할 때 들어갈 내용이 아닌 것은 어느 것입니까? (　　　)
① 자료 내용　　② 자료 종류
③ 자료 길이　　④ 자료 출처
⑤ 자료가 알려 주는 것

4 자료 ❶의 기사문과 ❷의 동영상에서 알려 주는 것은 무엇인지 알맞게 선으로 이으시오.

(1) ❶ •

(2) ❷ •

• ① 숲은 미세 먼지를 잡아 준다.

• ② 나무를 심으면 나무가 이산화 탄소를 흡수해 지구 온난화 예방에 도움이 된다.

자료 ❸	내용	종류
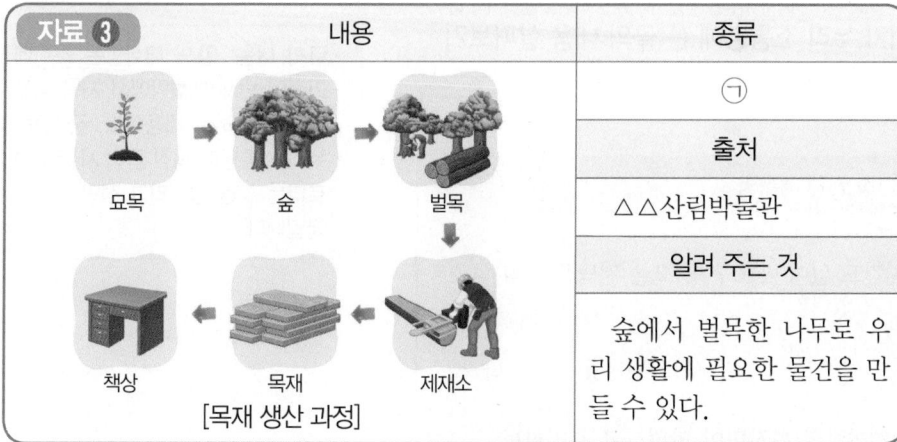 묘목 → 숲 → 벌목 책상 ← 목재 ← 제재소 [목재 생산 과정]		㉠
		출처
		△△산림박물관
		알려 주는 것
		숲에서 벌목한 나무로 우리 생활에 필요한 물건을 만들 수 있다.

자료 ❹	내용	종류
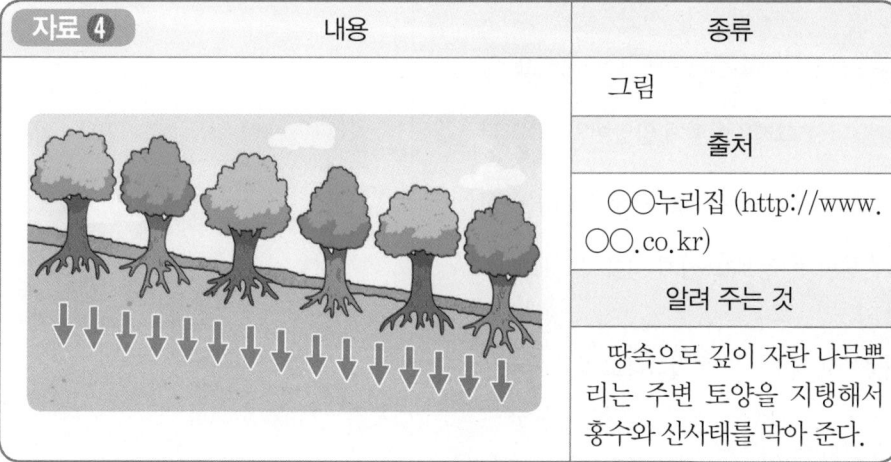		그림
		출처
		○○누리집 (http://www.○○.co.kr)
		알려 주는 것
		땅속으로 깊이 자란 나무뿌리는 주변 토양을 지탱해서 홍수와 산사태를 막아 준다.

● '숲을 보호하자'는 주장에 대한 근거를 뒷받침하려고 수집한 자료 ②

| 핵심 |
| 3 단원 |

근거
숲은 소중한 자원을 제공해 준다.
↓
자료 ❸
예 숲에서 벌목한 나무로 우리 생활에 필요한 물건을 만들 수 있다는 내용을 나타낸 그림

근거
숲은 홍수와 산사태를 막아 준다.
↓
자료 ❹
예 땅속으로 깊이 자란 나무뿌리는 주변 토양을 지탱해서 홍수와 산사태를 막아 준다는 내용을 나타낸 그림

5 ㉠에 들어갈, 자료 ❸의 종류는 무엇입니까? (　　　)

① 표　　　② 그림　　　③ 지도
④ 동영상　　⑤ 기사문

핵심

6 다음 근거 ①~④ 가운데에서 수집한 자료 ❶~❹와 관련 있는 내용을 찾아 각각 번호를 쓰시오.

> ① 숲은 미세 먼지를 잡아 주어 공기를 깨끗하게 해 준다.
> ② 숲은 홍수와 산사태를 막아 준다.
> ③ 숲은 지구 온난화를 막아 준다.
> ④ 숲은 소중한 자원을 제공해 준다.

	자료 ❶	자료 ❷
관련 있는 내용	③	(1)
	자료 ❸	자료 ❹
	(2)	(3)

논술형

7 다음 판단 기준을 바탕으로 하여, 수집한 자료 ❶~❹ 중 한 가지를 골라 평가하고 그렇게 생각한 까닭을 쓰시오.

> • 근거를 잘 뒷받침하는가?
> • 믿을 만한 자료인가?

_____

_____

8 논설문을 쓸 때 근거에 알맞은 자료를 활용하면 좋은 점을 두 가지 골라 ○표를 하시오.

(1) 설득력이 높아진다.　　　　　(　　)
(2) 글을 빨리 쓸 수 있다.　　　　(　　)
(3) 글의 타당성이 생긴다.　　　　(　　)

상황에 알맞은 자료를 활용해 논설문 쓰기

'소셜 네트워크 서비스[SNS]'를 우리말로 다듬은 말로, 온라인에서 자유롭게 글이나 사진 따위를 올리거나 나누는 것을 말함.

○ 「소희네 가족 단체 대화방」과 성민이가 누리 소통망에 쓴 글의 내용 살펴보기

> • 글의 내용: ㉮의 대화방은 소희네 가족이 단체 대화방에서 저녁 먹을 곳을 의논하는 내용이고, 글 ㉯는 누리 소통망에 퍼진 글이 사실과 다르다는 것을 알리려고 성민이가 쓴 글입니다.

㉮

소희네 가족 단체 대화방

엄마 | 오늘은 다들 얼굴 볼 시간도 없이 바쁘구나. 오늘 저녁은 외식하려고 하는데 먹고 싶은 거 있니?

짜장면요. | 나

엄마 | 이웃집 아주머니가 △△식당의 짜장면이 맛있다고 추천하던데 거기 갈래?

오빠 | 에이, 거기 식당 사장님은 불친절하고 음식 맛도 이상하대요.

그래? 어떻게 알았어? | 나

오빠 | 누리 소통망에서 그 가게를 이용한 손님이 쓴 글을 읽었지.

아빠 | 음식점을 직접 이용한 손님이 쓴 정보를 쉽게 얻을 수 있으니 참 편하구나.

엄마 | 이상하네. 그 식당은 깨끗하고 사장님도 친절하다고 동네에서 칭찬이 자자하던데.

㉠정말요? 누구 말을 믿어야 하지요? | 나

---

1 소희네 가족이 단체 대화방에서 저녁 먹을 곳을 정하는 까닭은 무엇입니까? ( )

① 식당을 급하게 예약해야 해서
② 음식 사진을 확인하기 위해서
③ 식사 장소를 투표하기 편리해서
④ 한곳에 모여 의논하기 어려워서
⑤ 아빠가 단체 대화방에서 정하라고 하셔서

2 소희 오빠는 △△식당에 대한 정보를 어떻게 알았는지 알맞은 것을 골라 번호를 쓰시오.

> ① 식당에 직접 가 보고 알았다.
> ② 이웃집 아주머니께 이야기를 듣고 알았다.
> ③ 누리 소통망에 손님이 쓴 글을 읽고 알았다.

( )

논술형

3 소희가 ㉠과 같이 말한 까닭은 무엇일지 쓰시오.

_____

_____

4 이 단체 대화방을 보고 짐작할 수 있는 누리 소통망의 장점에는 '장'을, 단점에는 '단'을 쓰시오.

(1) 잘못된 정보가 쉽게 퍼질 수 있다. ( )
(2) 다른 의견을 쉽게 제시할 수 있다. ( )
(3) 다른 사람이 쓴 정보를 쉽게 접할 수 있다.
( )

❹ 제발 저희 가게를 도와주세요

얼마 전, 누리 소통망에 퍼진 「△△식당 불매 운동」이라는 글을 보신 적이 있나요? 그 가게는 바로 저희 어머니께서 운영하시는 식당입니다. 하지만 누리 소통망에 실린 이야기는 사실과 다릅니다.

5 저도 기억합니다. 손님이 몰려들기 시작하는 토요일 점심시간에 한 손님께서 짜장면을 주문해서 드시고 계셨습니다. 그러다 곧 주문을 담당한 직원을 화난 표정으로 부르시더군요.

"여기 짜장면 맛이 왜 이래? 빨리 사장 나오라고 해!"

10 어머니께서 나오셔서 맛을 확인하고도 이상한 점을 발견하지 못해 갸우뚱하셨지만 손님께 짜장면을 새로 가져다드렸습니다. 하지만 손님께서는 새로 가져다드린 짜장면도 이상하다며 배상을 하라고 계속 소란을 피우셨습니다. 결국 저희는 음식값을 받지도 않고 연

15 신 죄송하다고 사과하며 손님을 보내 드렸습니다.

며칠 뒤, 친구에게 연락이 왔습니다. 걱정스러운 목소리로 "성민아, 인터넷 누리 소통망에 너희 가게 이야기가 있는데, 너도 한번 보는 게 좋을 것 같아."

라며 인터넷 글을 보내 주더군요. 그 글에는 며칠 전 있었던 일이 사실과는 다르게 적혀 있었습니다.

△△식당에서 짜장면을 먹었는데 맛이 이상한 짜장면을 그냥 먹으라고 하고 사과는커녕 자신을 밀치며 불친절하게 말했다는 겁니다. 사람들은 댓 5 글에 모두 저희 가게를 욕하며 불매 운동을 벌이고 있었습니다. 게다가 저를 아는 누군가가 제 이름과 다니는 학교까지 인터넷에 올리는 바람에 학교에도 소문이 났습니다. 그리고 그 사건 뒤 저희 가게에는 정말 손님이 뚝 끊겨 저희 가족은 힘든 나 10 날을 보내고 있습니다. / 인터넷에 떠도는 소문이 아닌 제 말을 믿어 주시고, 이 글을 널리 퍼뜨려 주세요. 저희 가게를 도와주세요.

● 누리 소통망 이용과 관련한 주장과 근거를 정하고 자료 수집하기 예

주장	누리 소통망을 올바르게 사용하자.	
근거	수집할 자료 내용	
잘못된 정보가 쉽게 퍼질 수 있다.	누리 소통망으로 잘못된 정보가 퍼진 사례 (인터넷 기사나 동영상)	
개인 정보가 유출되기 쉽다.	누리 소통망으로 개인 정보가 유출된 사례 (인터넷 기사)	

불매(不 아닐 불, 買 살 매) 상품 따위를 사지 아니함.
운영 조직이나 기구, 사업체 따위를 다스리거나 이끌어 나감.

배상 남의 권리를 침해한 사람이 그 손해를 물어 주는 일.
예 친구의 장난감을 잃어버려서 돈으로 배상했습니다.

5 손님이 쓴 글 때문에 생긴 일로 알맞은 것을 두 가지 골라 ○표를 하시오.

(1) 성민이네 가게에 손님이 끊겼다. (　　　)
(2) 성민이의 개인 정보가 유출되었다. (　　　)
(3) 사람들이 성민이네 가게 돕기 운동을 벌였다.
(　　　)

6 ㉮의 대화방과 글 ❹를 읽고 누리 소통망 이용과 관련한 논설문을 쓰려고 합니다. 다음 주장을 뒷받침할 수 있는 근거를 한 가지 더 쓰시오.

주장	누리 소통망을 올바르게 사용하자.
근거	• 잘못된 정보가 쉽게 퍼질 수 있다. •

7 6번 문제에서 답한 근거를 뒷받침할 자료에는 어떤 것이 있을지 쓰시오.

(　　　　　　　　　　　　　　　)

8 수집한 자료를 바탕으로 하여 논설문을 쓰는 방법으로 알맞지 않은 것의 기호를 쓰시오.

㉠ 주장이 드러나도록 제목을 붙인다.
㉡ 서론에는 문제 상황, 자신의 주장을 쓴다.
㉢ 본론에는 주장을 뒷받침하는 근거를 한 가지만 제시한다.
㉣ 결론에는 본론을 요약하고 주장을 다시 한 번 강조한다.

(　　　　　　　　　　　　)

실천 더 좋은 우리 동네를 만들기 위한 논설문 쓰기

역량 활동

○ 아파트 게시판에 붙은 공모 포스터를 읽고 우리 동네의 문제점 말하기

더 좋은 우리 동네 만들기

더 좋은 우리 동네를 만들려는 첫 번째 노력! 우리 동네의 문제점을 해결하는 내용으로 논설문을 써서 보내 주세요.

- 공모 주제: 더 좋은 우리 동네 만들기
- 참가 대상: 개인
- 제출 사항: 논설문 한 편
- 제출 방법: ① 우편
   ② ○○ 동네 누리집 게시판
- 심사 기준: ① 더 좋은 동네를 만들기 위해 실천할 수 있는 주장인가?
   ② 근거가 주장을 뒷받침하는가?
   ③ 자료가 내용을 뒷받침하는가?
   ④ 믿을 만한 자료를 활용했는가?
   ⑤ 사용한 표현이 적절한가?

○○구 ○○동장

● 더 좋은 우리 동네를 만들기 위한 논설문 쓰기

문제 상황 생각하기
예 아이들이 있는데도 길에서 담배를 피우는 사람들이 있다.

↓

주장과 근거 정하기	
주장	예 길거리에서 담배를 피우지 맙시다.
근거	예 간접흡연으로 다른 사람에게 피해를 줄 수 있습니다.

↓

자료 수집 계획을 세워 근거를 뒷받침할 자료 수집하기
예 길거리 간접흡연의 피해 사례(인터넷 기사)

↓

| 논설문 쓰기 |

↓

| 쓴 글을 평가하고 고쳐쓰기 |

---

1 이 공모 포스터의 목적은 무엇인지 빈칸에 알맞은 말을 각각 쓰시오.

- 더 좋은 우리 (1)(　　　　　)을/를 만들기 위해 (2)(　　　　　)을/를 공모하는 것이다.

2 내가 살고 있는 동네의 문제점을 생각하여 한 가지 쓰시오.

(　　　　　　　　　　　　　　　)

핵심 역량

3 2번 문제에서 답한 문제 상황을 생각하며 자신의 주장을 정하고, 주장을 뒷받침할 수 있는 근거를 한 가지 쓰시오.

(1) 주장	
(2) 근거	

4 근거를 뒷받침할 자료를 수집하는 방법으로 알맞지 않은 것은 어느 것입니까? (　　　)

① 면담하기
② 상상하기
③ 책 찾아보기
④ 설문 조사 하기
⑤ 인터넷 검색하기

5 내가 쓴 논설문을 평가할 때 살펴볼 점이 아닌 것은 무엇입니까? (　　　)

① 사용한 표현이 적절한가?
② 실천할 수 있는 주장인가?
③ 자료가 내용을 뒷받침하는가?
④ 주장을 근거보다 길게 썼는가?
⑤ 믿을 만한 자료를 활용했는가?

 **단원 마무리**

기본

주장에 대한
근거가 적절한지
판단하며 글 읽기

예 「공정 무역 제품을 사용합시다」에서 주장에 대한 근거가 타당한지 판단하기

❶ ▢▢	공정 무역 제품을 사용하자.
근거	• 근거 1: 생산자에게 돌아갈 정당한 ❷▢▢을/를 지켜 준다. • 근거 2: 아이들을 위험에서 보호할 수 있다. • 근거 3: 자연을 보호하고 생산자의 건강을 지키는 방법이 된다. • 근거 4: 공정 무역 인증 표시는 국제기구가 생산지에서 공정 무역의 주요 원칙이 잘 지켜졌는지를 점검한 물건들에 붙일 수 있다.

근거 1~3은 공정 무역 제품을 사용하자는 주장과 관련 있고, 주장을 잘 뒷받침하니까 타당하다고 생각해.

근거 4는 공정 무역 제품을 사용해야 하는 까닭이 아니라 공정 무역 인증 표시에 대한 설명만 하고 있어서 주장을 직접적으로 뒷받침하지 못하기 때문에 타당하지 않다고 생각해.

기본

상황에 알맞은
자료를 활용해
논설문 쓰기

예 누리 소통망의 장점과 단점을 고려하며 누리 소통망 이용과 관련한 논설문 쓰기

문제 상황에 대한 자신의 주장과 ❸▢▢ 정하기	주장	누리 소통망을 올바르게 사용하자.
	근거	• 근거 1: 잘못된 정보가 쉽게 퍼질 수 있다. • 근거 2: 개인 정보가 유출되기 쉽다. • 근거 3: 중독되어 시간을 낭비할 수 있다.

↓

자료 수집 계획을 세우고 자료 수집하기	근거	수집할 자료 내용
	1	누리 소통망으로 잘못된 ❹▢▢이/가 퍼진 사례(인터넷 기사나 동영상)
	2	누리 소통망으로 개인 정보가 유출된 사례(인터넷 기사)
	3	누리 소통망을 이용하는 시간(친구들 설문 조사)

↓

수집한 자료를 바탕으로 하여 논설문 쓰기	
제목	주장이 드러나도록 제목을 붙입니다. 읽는 사람의 흥미를 불러일으키면 좋습니다.
서론	문제 상황이나 주장의 동기, 자신의 주장을 씁니다. 흥미를 끄는 질문으로 시작해도 좋습니다.
본론	주장을 뒷받침하는 근거 두세 가지를 제시합니다. 구체적이고 사실적인 자료를 활용합니다.
❺▢▢	본론을 요약하고 주장을 다시 한번 강조합니다. 주장을 실천했을 때 나타날 긍정적 모습을 써도 좋습니다.

[1~3] 글을 읽고, 물음에 답하시오.

가 너도 누가 질문을 할 때 가끔 '그냥'이라고 대답한 적이 있을 거야. 바로 그 '그냥'이라는 말이 너의 수염이란다. 아직도 잘 모르겠다고?

우리는 아무 생각 없이 '그냥' 지내는 날이 얼마나 많은지 몰라. 그냥 먹고, 그냥 자고, 그냥 노는 날 말이야.

나 자신에게 또는 남들에게 궁금한 일을 몇 번이나 질문해 보았니? 남들이 하니까 그냥 따라 하고, 어른들이 시키니까 그냥 했던 일은 없었니?

다 '그냥 수염'을 달고 있는 사람은 어느 날 누가 "왜?" 또는 "어떻게?" 하고 물으면 아무 대답도 하지 못해. 아무리 자기가 한 일을 뒤돌아보고 생각해 내려고 애써도 지나온 날들은 이미 멀리 사라져 버려서 흔적조차 찾을 길이 없기 때문이지. 어느 날엔가 너한테도 누군가가 물어 올지 몰라. 그때를 위해서라도 '그냥'이라는 대답이 아닌 무언가를 준비해야겠지?

1 우리에게 있는 '수염'은 무엇이라고 했는지 빈칸에 알맞은 말을 쓰시오.

- 누가 질문을 할 때 깊은 생각 없이 '(   )'(이)라고 대답하는 것

2 1번 문제에서 답한 수염을 달지 않으려면 어떻게 해야 합니까? (   )

① 어른들이 시키는 대로 행동한다.
② 자기가 한 일을 뒤돌아보지 않는다.
③ 남들이 하는 일을 그대로 따라 한다.
④ 자신에게 궁금한 일을 질문하지 않는다.
⑤ 어떤 행동이나 일을 할 때 '왜' 또는 '어떻게'를 생각한다.

☆☆
3 글쓴이의 주장은 무엇인지 쓰시오.

(   )

[4~7] 글을 읽고, 물음에 답하시오.

가 공정 무역 제품을 사용해야 하는 까닭은 다음과 같습니다.

나 자연을 보호하고 생산자의 건강을 지키는 방법이 됩니다. 공정 무역에서는 지구 환경을 보호하는 친환경 농사법을 권장합니다. 일반적으로 카카오나 바나나, 목화 같은 것은 재배할 때 많은 양을 싸고 빠르게 수확하려고 농약과 화학 비료를 사용합니다. 생산지에서는 농약 회사에서 권장하는 장갑과 마스크를 살 여유가 없기 때문에 해마다 가난한 나라의 농민 2만 명 이상이 작물 재배용 농약에 노출되어 여러 가지 질병을 앓고 있습니다. 『인간의 얼굴을 한 시장 경제, 공정 무역』이라는 책에 따르면 바나나를 재배하는 대부분의 대농장은 원가를 절감하느라 위험한 농약을 대량으로 살포합니다. 대농장 가까이에 사는 노동자들의 음식과 식수는 이 독극물로 오염됩니다.

다 하지만 공정 무역은 농민들이 농약과 화학 비료를 적게 쓰고 유기농으로 농사를 짓게 하여 이러한 문제를 해결하려고 노력하고 있습니다.

4 이 글에서 주장하는 내용은 무엇인지 빈칸에 알맞은 말을 쓰시오.

- (   )을/를 사용하자.

5 이 글에 나타난 주장에 대한 근거로 알맞은 것은 무엇입니까? (   )

① 바나나의 원가를 절감할 수 있다.
② 노동자들에게 일자리를 제공할 수 있다.
③ 카카오를 재배할 때 빠르게 수확할 수 있다.
④ 화학 비료를 저렴한 가격에 구입할 수 있다.
⑤ 자연을 보호하고 생산자의 건강을 지키는 방법이 된다.

논술형
6 5번 문제에서 답한 근거가 타당한지 판단해 쓰시오.

_____

_____

점수

　　　/ 점

7 이 글에서 근거를 뒷받침하려고 활용한 자료는 무엇인지 찾아 쓰시오.

(　　　　　　　　　　　)

8 자료가 근거를 잘 뒷받침하는지 판단하는 방법으로 알맞지 <u>않은</u> 것을 골라 기호를 쓰시오.

┌─────────────────────────────┐
│ ㉠ 오래된 자료를 활용했는지 살펴본다. │
│ ㉡ 자료가 근거의 내용과 관련 있는지 살펴본다. │
│ ㉢ 출처를 보고 믿을 수 있는 자료인지 살펴본다. │
└─────────────────────────────┘

(　　　　　　　　　　　)

[9~10] 글을 읽고, 물음에 답하시오.

넷째, ㉠공정 무역 인증 표시는 국제기구가 생산지에서 공정 무역의 주요 원칙이 잘 지켜졌는지를 점검한 물건들에 붙일 수 있습니다. 국제

공정 무역 인증 표시

■ 출처: 국제공정무역기구, 2018.

공정무역기구의 조사원들은 농장과 관련 기관들을 찾아가서, 그들이 공정 무역의 규칙에 맞게 생산 활동을 하는지 평가합니다.

9 공정 무역 인증 표시는 어떤 물건들에 붙일 수 있다고 했는지 쓰시오.

(　　　　　　　　　　　)

10 근거 ㉠이 '공정 무역 제품을 사용하자.'는 주장에 대한 근거로 타당하지 <u>않은</u> 까닭을 바르게 말한 친구를 쓰시오.

┌─────────────────────────────┐
│ 유진: 출처가 없는 자료를 활용했기 때문이야. │
│ 지후: 공정 무역과 관련 없는 내용이기 때문이야. │
│ 수민: 공정 무역 인증 표시에 대한 설명만 하고 있어서 주장을 직접적으로 뒷받침하지 못하기 때문이야. │
└─────────────────────────────┘

(　　　　　　　　　　　)

[11~13] 다음을 보고, 물음에 답하시오.

주장	㉠
근거	① 숲은 미세 먼지를 잡아 주어 공기를 깨끗하게 해 준다. ② 숲은 홍수와 산사태를 막아 준다. ③ 숲은 지구 온난화를 막아 준다. ④ 숲은 소중한 자원을 제공해 준다.

11 근거 ①~④로 보아 ㉠에 들어갈 주장으로 알맞은 것은 어느 것입니까? (　　　)

① 숲을 보호하자.
② 숲에서 휴식을 취하자.
③ 숲의 자원을 개발하자.
④ 여름철 홍수에 대비하자.
⑤ 미세 먼지로 인한 질병을 예방하자.

12 근거 ①~④ 가운데에서 다음 자료와 관련 있는 내용은 무엇인지 빈칸에 알맞은 번호를 쓰시오.

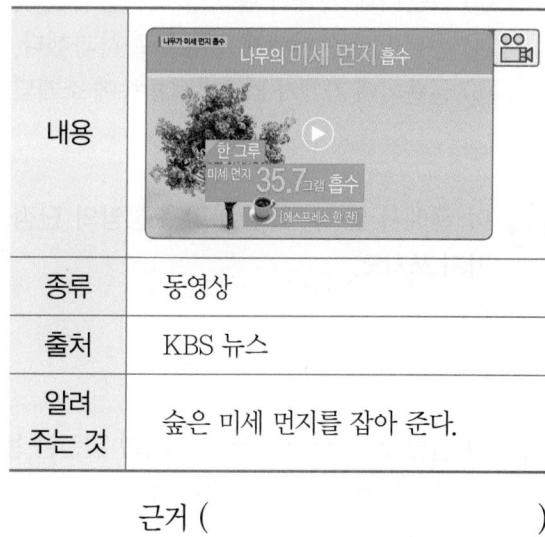

내용	나무의 미세 먼지 흡수
종류	동영상
출처	KBS 뉴스
알려 주는 것	숲은 미세 먼지를 잡아 준다.

근거 (　　　　　　　　　　　)

서술형
13 12번 문제의 자료가 믿을 만한지 판단해 쓰시오.

_____

_____

[14~16] 글을 읽고, 물음에 답하시오.

> ⑦ 얼마 전, 누리 소통망에 퍼진 「△△식당 불매 운동」이라는 글을 보신 적이 있나요? 그 가게는 바로 저희 어머니께서 운영하시는 식당입니다.
> ⑭ 그 글에는 며칠 전 있었던 일이 사실과는 다르게 적혀 있었습니다.
> ⑭ △△식당에서 짜장면을 먹었는데 맛이 이상한 짜장면을 그냥 먹으라고 하고 사과는커녕 자신을 밀치며 불친절하게 말했다는 겁니다. 사람들은 댓글에 모두 저희 가게를 욕하며 불매 운동을 벌이고 있었습니다. 게다가 저를 아는 누군가가 제 이름과 다니는 학교까지 인터넷에 올리는 바람에 학교에도 소문이 났습니다. 그리고 그 사건 뒤 저희 가게에는 정말 손님이 뚝 끊겨 저희 가족은 힘든 나날을 보내고 있습니다.

14 손님이 쓴 글 때문에 글쓴이에게 생긴 일로 알맞은 것을 두 가지 고르시오. (,)

① 글쓴이네 가게에 손님이 끊겼다.
② 글쓴이의 개인 정보가 유출되었다.
③ 글쓴이네 가게가 분식집으로 바뀌었다.
④ 손님이 글쓴이에게 진심으로 사과했다.
⑤ 글쓴이네 가게가 텔레비전 방송에 소개되었다.

15 이 글에서 알 수 있는 누리 소통망의 단점을 한 가지 쓰시오.

( )

16 이 글을 읽고 누리 소통망 이용과 관련한 논설문을 쓰려고 합니다. 다음 주장에 대한 근거를 뒷받침할 자료로 알맞은 것에 ○표를 하시오.

주장	누리 소통망을 올바르게 사용하자.
근거	개인 정보가 유출되기 쉽다.

(1) 누리 소통망에서 사용하는 줄임 말 ( )
(2) 청소년들이 스마트폰을 이용하는 시간( )
(3) 누리 소통망으로 개인 정보가 유출된 사례
( )

17 논설문을 쓰는 방법으로 알맞지 않은 것은 어느 것입니까? ( )

① 주장이 드러나도록 제목을 붙인다.
② 서론에는 문제 상황과 자신의 주장을 쓴다.
③ 본론에는 구체적이고 사실적인 자료를 활용해 근거를 제시한다.
④ 결론에는 '반드시', '절대로' 같은 단정적인 표현을 많이 써서 주장을 강조한다.
⑤ 자신만의 생각이나 감정에 치우치는 주관적인 표현, 의미가 분명하지 않은 모호한 표현을 쓰지 않는다.

18 다음 그림에 나타난 문제 상황을 해결하기 위해 우리가 실천할 수 있는 주장을 정해 쓰시오.

( )

19 친구들이 쓴 논설문을 읽고 평가할 때 살펴볼 내용이 아닌 것은 어느 것입니까? ( )

① 나와 주장이 같은가?
② 사용한 표현이 적절한가?
③ 근거가 주장을 뒷받침하는가?
④ 자료가 내용을 뒷받침하는가?
⑤ 믿을 만한 자료를 활용했는가?

20 논설문을 쓰는 차례에 맞게 기호를 쓰시오.

> ㉠ 고쳐쓰기
> ㉡ 논설문 쓰기
> ㉢ 근거 생각하기
> ㉣ 계획을 세워 자료 수집하기
> ㉤ 문제 상황을 생각하며 주장 정하기

( ) ➡ ( ) ➡ ( ) ➡ ( ) ➡ ( )

서술형 평가

[1~2] 글을 읽고, 물음에 답하시오.

> ㉠아이들을 위험에서 보호할 수 있습니다. 일부 다국적 기업들은 물건의 생산 비용을 낮추려고 임금이 상대적으로 낮은 어린이를 고용하기도 합니다. 예를 들어 우리가 좋아하는 초콜릿은 열대 과일인 카카오를 주재료로 해서 만듭니다. 카카오는 열대 지방에서만 자라는 식물로 아래의 「초콜릿 감옥」 동영상 자료에서처럼 그 지방 어린이들이 학교도 가지 못하고 카카오를 재배하고 수확하는 경우가 많습니다. 하지만 공정 무역은 "안전하고 노동력 착취 없는 노동 환경이 유지되어야 한다."라는 조건을 지켜야 하기 때문에 아이들의 노동력 착취를 막을 수 있습니다.
>
> **초콜릿 감옥**
>
>
>
> ■ 출처: 한국교육방송공사, 2012.

1 글쓴이의 주장이 다음과 같다면, ㉠의 근거가 타당한지 판단해 쓰시오.

> 공정 무역 제품을 사용하자.

_____

_____

_____

2 이 글에서 주장에 대한 근거를 뒷받침하려고 활용한 자료의 내용과 종류를 쓰시오.

(1) 내용	
(2) 종류	

3 논설문에서 근거를 뒷받침하는 자료가 적절한지 판단하는 방법을 한 가지 쓰시오.

_____

_____

4 다음 자료가 보기 의 내용을 뒷받침하고 믿을 만한지 판단하고 그렇게 생각한 까닭을 쓰시오.

보기	주장	숲을 보호하자.
	근거	숲은 소중한 자원을 제공해 준다.

내용	 [목재 생산 과정]
종류	그림
출처	△△산림박물관
알려 주는 것	숲에서 벌목한 나무로 우리 생활에 필요한 물건을 만들 수 있다.

(1) 판단 결과	
(2) 그렇게 생각한 까닭	

5 누리 소통망 이용과 관련한 논설문을 쓰려고 합니다. 자신의 주장을 정해 쓰고, 주장을 뒷받침할 수 있는 적절한 근거를 한 가지 쓰시오.

(1) 주장	
(2) 근거	

● 다음 교과서 문장의 파란색 낱말 중에서 알맞은 것을 골라 인물들이 한 말을 완성하시오.

> • 그런데 너무 갑갑하고 거북해서 아무래도 수염을 밖에 내놓고 자야 할 것 같았어.
> • 바나나를 재배하는 대부분의 대농장은 원가를 절감하느라 위험한 농약을 대량으로 살포합니다.
> • 공정 무역 인증 표시는 국제기구가 생산지에서 공정 무역의 주요 원칙이 잘 지켜졌는지를 점검한 물건들에 붙일 수 있습니다.
> • 공정 무역을 흉내 낸 인증 표시를 만들어 소비자들에게 혼란을 주는 기업들도 있습니다.

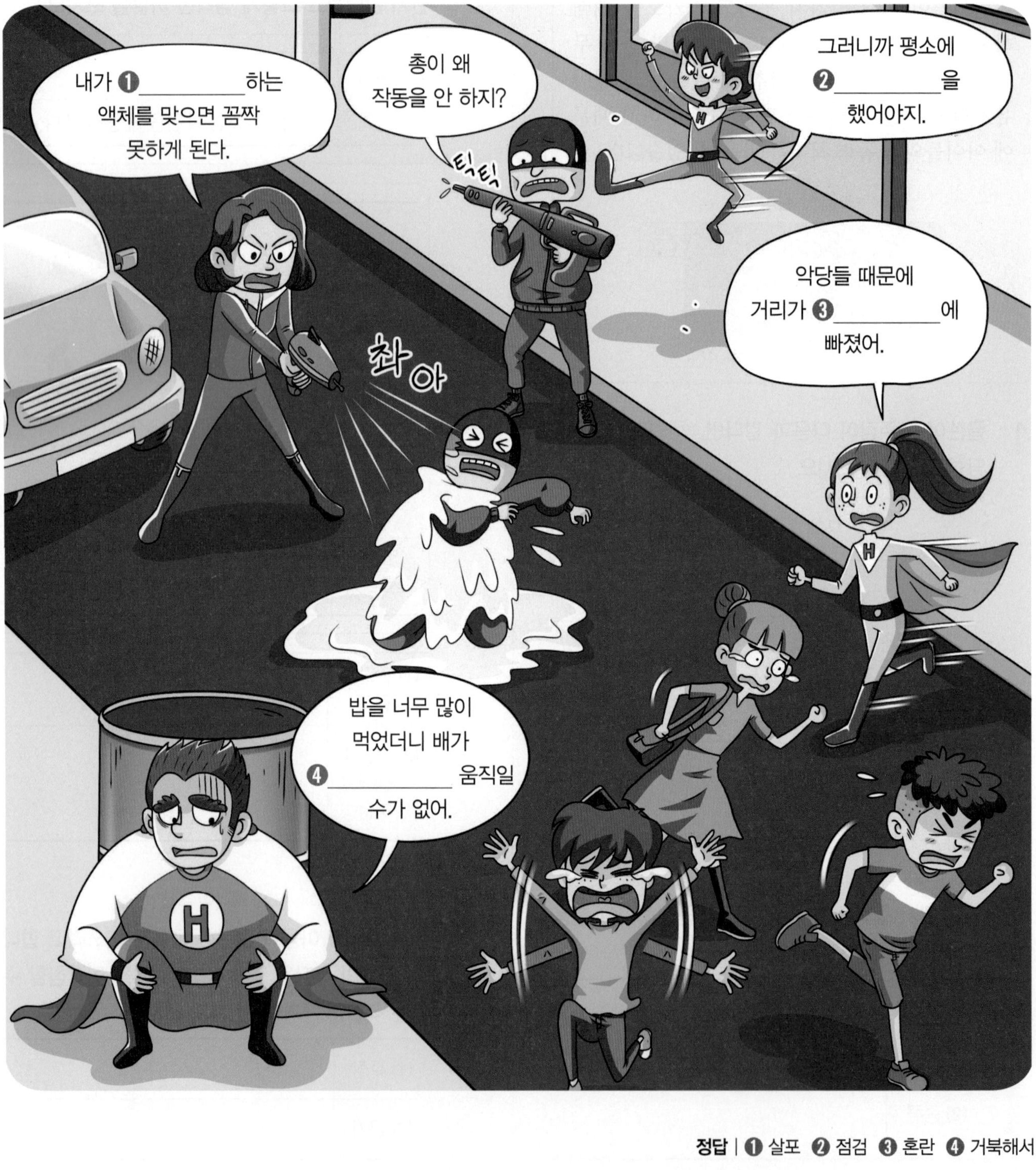

내가 ❶_____하는 액체를 맞으면 꼼짝 못하게 된다.

총이 왜 작동을 안 하지?

틱틱

그러니까 평소에 ❷_____을 했어야지.

악당들 때문에 거리가 ❸_____에 빠졌어.

촤아

밥을 너무 많이 먹었더니 배가 ❹_____ 움직일 수가 없어.

4

효과적으로
발표해요

무엇을 배울까요?

4 효과적으로 발표해요

1 매체 자료
① 어떤 사실이나 정보, 의견을 담아서 듣는 사람에게 전하려고 매체 자료를 활용할 수 있습니다.
② 매체 자료에는 영상, 사진, 표, 지도, 도표, 그림, 소리, 음악 따위가 있습니다.

2 주제에 맞는 매체 자료 찾기
① 매체 자료의 종류를 살펴봅니다.
② 매체 자료가 전하고자 하는 주제를 살펴봅니다.
③ 매체 자료가 주제를 효과적으로 표현하려고 어떤 방법을 사용했는지 살펴봅니다.

3 영상 자료를 제작하고 발표하는 과정

발표 상황 파악하기	발표 목적과 듣는 사람을 파악하고, 발표 상황에서 고려할 점을 생각해 봅니다.
주제 정하기	친구들과 토의해서 다양한 의견을 나누고, 발표를 듣는 사람들이 흥미를 가질 만한 주제를 정합니다. → 발표 상황과 관련한 자료를 더 찾아봅니다.
내용 및 장면 정하기	주제를 효과적으로 전할 수 있는 내용과 촬영 장면을 생각해 보고 친구들과 토의해서 정합니다.
촬영 계획 세우기	역할, 장면 번호, 촬영 내용, 촬영 일시와 장소, 준비물 등을 정합니다.
촬영하기	• 전하려는 내용이 잘 드러나게 촬영합니다. • 삼각대를 이용하거나 흔들림 없이 안정된 자세로 촬영하고, 화면을 이동할 때에는 너무 빠르지 않게 합니다. • 음성이 기록되는지 확인합니다. • 면담 촬영은 질문 내용을 미리 준비합니다. • 보완할 점이 있으면 다시 촬영하거나 여러 번 촬영해 알맞은 장면을 골라 사용할 수도 있습니다.
편집하기	• 알맞은 영상 편집 프로그램을 정합니다. • 촬영한 영상에서 발표에 사용할 장면을 고릅니다. • 발표 효과를 높이는 다른 매체 자료(표, 도표, 신문 기사)를 활용합니다. • 장면을 차례에 맞게 편집합니다. • 제목, 자막, 배경 음악을 넣습니다. • 자막은 필요한 내용만 간단하게 넣습니다. • 인용한 내용은 출처를 넣습니다.
발표하기	• 소개하거나 부탁할 내용과 같이 발표하기 전이나 발표한 뒤에 말할 내용을 다양한 방법으로 준비할 수 있습니다. • 발표를 하거나 들을 때 집중하고 존중합니다.

→ 전하려는 주제를 파악하며 듣고, 촬영이나 편집에서 효과적인 부분을 찾으며 듣습니다.

핵 심 개 념 문 제
정답과 해설 ● 16쪽

1 매체 자료에는 무엇이 있는지 한 가지만 쓰시오.

(   )

2 주제에 맞는 매체 자료를 찾을 때에는 매체 자료가 주제를 효과적으로 □□하려고 어떤 방법을 사용했는지 살펴봅니다.

3 영상 자료를 제작하고 발표할 때 가장 먼저 할 일의 기호를 쓰시오.

> ㉠ 촬영하기
> ㉡ 편집하기
> ㉢ 촬영 계획 세우기
> ㉣ 발표 상황 파악하기
> ㉤ 내용 및 장면 정하기

(   )

4 영상 자료를 제작하려고 발표 주제를 정할 때에는 발표를 듣는 사람들이 □□을/를 가질 만한 주제를 정합니다.

5 촬영한 영상을 편집할 때에 자막은 필요한 내용만 간단하게 넣습니다.

(○ , ×   )

준비 여러 가지 매체 자료 살펴보기

○ 세미와 친구가 이야기하는 상황을 보고 대화 ❶과 ❷의 다른 점 말하기

학습 발표회에서 독도의 날 기념 율동을 하면 어떨까?

마침 독도의 날이 다가오니까 좋은 생각이야. 그런데 세미야, 어떤 동작들을 하는지 궁금해.

세미 ▶

• 그림 설명: 세미가 친구에게 학습 발표회에서 할 독도의 날 기념 율동을 사진과 영상을 보여 주며 설명하고 있습니다.

4 단원

그럼 사진 말고 영상을 보여 줄게. 인터넷에 있는 율동이야.

아하! 간단하고 재미있네. 우리도 해 보자.

핵심

● 대화 ❶과 ❷의 다른 점

대화 ❶	대화 ❷
사진을 보여 주며 설명하고 있습니다.	영상을 보여 주며 설명하고 있습니다.

↓

듣는 사람은 대화 ❶보다 대화 ❷에서 율동 동작을 더욱 생생하게 잘 알 수 있습니다.

1 세미는 친구에게 무엇을 말하고 있는지 빈칸에 알맞은 말을 쓰시오.
_{교과서 문제}
• 학습 발표회에서 할 (   )
을/를 말하고 있다.

2 대화 ❶과 ❷의 다른 점으로 알맞은 것을 찾아 각각 선으로 이으시오.
_{교과서 문제}

(1) 대화 ❶ •   • ① 영상을 보여 주며 설명하고 있다.

(2) 대화 ❷ •   • ② 사진을 보여 주며 설명하고 있다.

핵심
3 대화 ❶과 ❷ 중 듣는 사람은 어떤 대화에서 율동 동작을 더욱 생생하게 잘 알 수 있었는지 번호를 쓰시오.

대화 (   )

4 다음 대화에서 여러 가지 매체 자료를 활용한 경험에 대해 이야기하지 <u>않은</u> 친구를 쓰시오.
_{교과서 문제}

유미: 발표할 때 표를 사용하니 복잡한 자료를 간단하게 나타낼 수 있었어.
민지: 방학 때 제주도에서 봤던 주상 절리의 기이한 모습을 말로만 설명했어.
형준: 1학기에 연극 공연을 할 때 음악을 사용하니 장면의 느낌이 더 살아났어.

(   )

준비

○ 지구 온난화로 생긴 변화를 발표할 때 매체 자료를 어떻게 활용하는지 살펴보기

• **그림 설명:** 지구 온난화로 인한 주요 농산물 주산지 이동 변화를 그림 지도를 활용해 발표하고 있습니다.

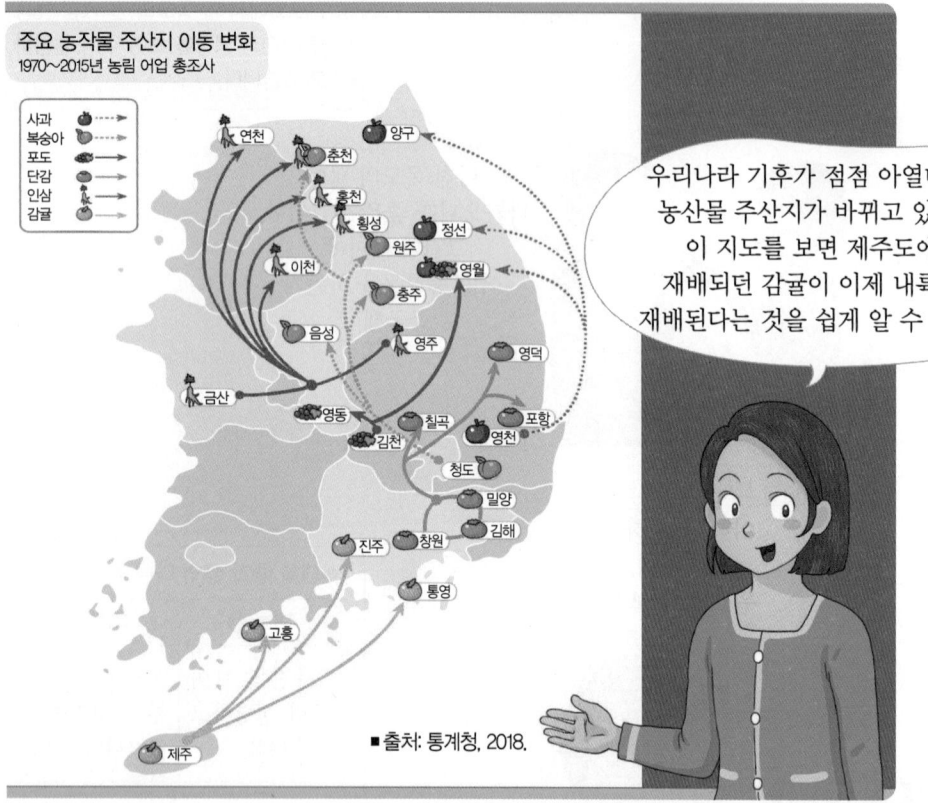

주요 농작물 주산지 이동 변화
1970~2015년 농림 어업 총조사

우리나라 기후가 점점 아열대화되면서 농산물 주산지가 바뀌고 있습니다. 이 지도를 보면 제주도에서만 재배되던 감귤이 이제 내륙에서도 재배된다는 것을 쉽게 알 수 있습니다.

■ 출처: 통계청, 2018.

● 활용한 매체 자료의 종류와 그 매체 자료를 활용하면 좋은 점

매체 자료의 종류	그림지도
활용하면 좋은 점	듣는 사람들이 주요 농산물이 주로 생산되는 지역이 바뀌고 있다는 것을 쉽게 이해할 수 있습니다.

---

5 이 그림에서 매체 자료는 무엇의 변화를 알려 주고 있는지 알맞은 것의 기호를 쓰시오.

> ㉠ 지구 온난화로 인한 기후 변화
> ㉡ 지구 온난화로 인한 농산물 가격 변화
> ㉢ 지구 온난화로 인한 농산물의 재배 방법 변화
> ㉣ 지구 온난화로 인한 주요 농산물 주산지 이동 변화

( )

6 이 그림에서 여자아이가 활용한 매체 자료의 종류는 무엇입니까? ( )
(교과서 문제)

① 영상 　　② 소리
③ 사진 　　④ 그림지도
⑤ 관광 안내도

핵심 논술형

7 여자아이가 6번 문제에서 답한 매체 자료를 활용하면 좋은 점은 무엇인지 쓰시오.

_____

_____

8 폴란드의 민속춤을 소개할 때 영상 자료를 활용해 얻을 수 있는 효과로 알맞은 것을 두 가지 고르시오.
(교과서 문제)
(,)

① 폴란드 사람을 직접 만나 볼 수 있다.
② 민속춤의 역사를 간단하게 정리할 수 있다.
③ 여러 나라의 민속춤을 한눈에 파악할 수 있다.
④ 매체 자료를 보면서 민속춤을 따라 출 수 있다.
⑤ 민속춤의 움직임이나 특징을 더 자세하게 파악할 수 있다.

기본 ① 역량 제재
주제에 맞는 매체 자료 찾기

◆ 친구들이 '휴대 전화 사용 습관'에 대해 발표하려고 활용한 매체 자료에서 전하려는 주제 찾기

가 잡고 있습니까?
잡혀 있습니까?

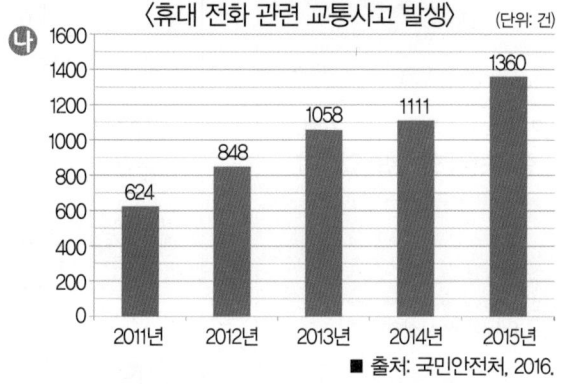

〈휴대 전화 관련 교통사고 발생〉 (단위: 건)

나 624(2011년) 848(2012년) 1058(2013년) 1111(2014년) 1360(2015년)

■ 출처: 국민안전처, 2016.

● 매체 자료 가와 나에서 전하려는 주제와 효과적인 표현 방법 (핵심)

전하려는 주제
가	하루 종일 휴대 전화를 잡고 있는 등 휴대 전화에 중독된 사람이 많다.
나	걸을 때나 운전할 때 휴대 전화를 사용하면 위험하다.

↓

효과적인 표현 방법
가	• 공익 광고의 글이 질문 형식이라 더 생각하게 함. • 휴대 전화가 사람을 꽉 붙잡고 있는 모습을 사진으로 잘 표현함.
나	• 도표로 나타내니 연도별로 휴대 전화 관련 교통사고 발생량이 크게 늘어난 것을 알 수 있음. • 교통사고 수치도 넣어 더 정확한 통계를 알 수 있음.

4 단원

---

1 교과서 문제

매체 자료 가와 나의 내용에 맞게 다음 빈칸에 알맞은 말을 각각 쓰시오.

가	• 사람이 휴대 전화를 붙잡고 있다. • (1)(　　　　　)이/가 사람을 꽉 붙잡고 있다.
나	• 휴대 전화 관련 (2)(　　　　　)이/가 점점 늘어나고 있다. • 휴대 전화 사용으로 생긴 교통사고가 2013년부터 1년에 1000건이 넘는다.

2 교과서 문제

매체 자료 가와 나에서 각각 전하려는 주제를 보기에서 찾아 알맞은 것의 기호를 쓰시오.

보기
ㄱ 걸을 때나 운전할 때 휴대 전화를 사용하면 위험하다.
ㄴ 하루 종일 휴대 전화를 잡고 있는 등 휴대 전화에 중독된 사람이 많다.

(1) 가: (　　　　　) (2) 나: (　　　　　)

3 핵심 역량

다음 친구들은 매체 자료 가와 나가 주제를 잘 전한다고 판단하여 그렇게 생각한 까닭을 말하고 있습니다. 그 까닭을 알맞게 말한 친구에게 모두 ○표를 하시오.

(1) 유진: 가는 공익 광고의 글이 질문 형식이라 더 생각하게 해. (　　　　)
(2) 지우: 가는 영상에 어울리는 음악을 사용해 느낌이 더 와닿았어. (　　　　)
(3) 종화: 나는 도표에 교통사고 수치도 넣어 더 정확한 통계를 알 수 있어. (　　　　)

4 논술형

다음 주제에 대해 발표할 때 활용하고 싶은 매체 자료를 정해 그 까닭과 함께 쓰시오.

스마트폰 과몰입을 예방하자.

_____

_____

핵심

○ 어떤 주제를 전하려고 활용한 영상 자료 보기

	● 영상에서 주제를 효과적으로 표현하려고 사용한 방법
장면 구성	• 학생의 표정이나 행동을 대조되는 장면으로 구성함. • 손가락에 검정 망토, 푸른 망토를 둘러 어떤 댓글을 다는지에 따라 손가락의 능력이 달라짐을 나타냄.
음악, 소리	• 나쁜 댓글을 쓰는 장면은 배경 음악이 무서움. • 좋은 댓글을 쓰는 장면은 배경 음악이 경쾌함.
비유적 표현	• 당신은 누군가를 아프게도 기쁘게도 하는 능력자라고 비유함. • 댓글을 다는 손가락을 악마 또는 천사의 모습으로 비유함.
자막, 해설	• 해설자의 해설로 내용을 더 잘 이해할 수 있음. • 마지막 장면에서 질문을 자막으로 넣어 영상을 보는 사람이 스스로를 돌아보게 함.

❶
당신은 능력자입니다.

해설: 당신은 능력자입니다.

❷

해설: 손가락만 까딱하면 누군가를 울릴 수도, 아프게 할 수도,

❸

해설: 포기하게 할 수도 있습니다.

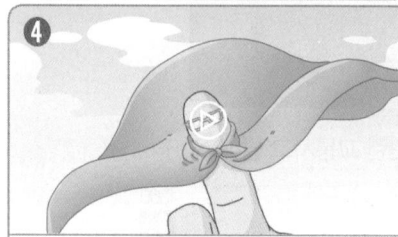

❹

해설: 하지만 당신은 누군가를 기쁘게 할 수도, 행복하게 할 수도 있으며,

❺

해설: 다시 뛰게 할 수도 있습니다. 손가락만 까딱하면.

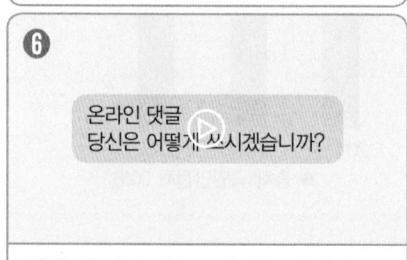

❻
온라인 댓글
당신은 어떻게 쓰시겠습니까?

해설: 온라인 댓글, 당신은 어떻게 쓰시겠습니까?

---

5 이 매체 자료의 종류는 무엇입니까? (   )

① 표   ② 사진   ③ 영상
④ 도표   ⑤ 지도

6 이 매체 자료에서 전하고자 하는 주제는 무엇입니까? (   )
(교과서 문제)

① 온라인 댓글을 많이 쓰자.
② 온라인 댓글에 줄임 말을 쓰지 말자.
③ 읽는 사람을 배려하면서 온라인 댓글을 쓰자.
④ 나에게 도움이 되는 글에만 온라인 댓글을 쓰자.
⑤ 온라인 댓글을 쓸 때에는 자신의 이름을 밝히자.

핵심

7 이 매체 자료에서 주제를 효과적으로 표현하려고 사용한 방법이 아닌 것은 어느 것입니까? (   )

① 학생의 행동을 대조되는 장면으로 구성했다.
② 해설자의 해설로 내용을 더 잘 이해할 수 있게 했다.
③ 당신은 누군가를 아프게도 기쁘게도 하는 능력자라고 비유했다.
④ 마지막 장면에서 좋은 댓글과 나쁜 댓글을 자막으로 넣어 비교할 수 있게 했다.
⑤ 손가락에 검정 망토, 푸른 망토를 둘러 어떤 댓글을 다는지에 따라 손가락의 능력이 달라짐을 나타냈다.

8 이 매체 자료의 주제를 효과적으로 표현한 다른 매체 자료를 더 찾아보고 한 가지만 쓰시오.
(교과서 문제)

(   )

기본❷ 발표 상황에 맞는 영상 자료를 만드는 방법 알기

[1~3] 그림을 보고, 물음에 답하시오.

○ 영상 자료를 직접 제작하고 발표하는 과정 자세히 살펴보기

학교 방송국에서 '건강 주간'을 맞아 건강을 주제로 한 매체 자료를 공모합니다. 뽑힌 작품은 전교생에게 발표할 예정입니다. 많이 참여해 주세요.

우리 반도 '건강한 생활을 위해 실천하면 좋은 일'을 직접 영상으로 만들어 보자!

1 이 그림에 나타난 발표 목적은 무엇인지 빈칸에 알맞은 말을 쓰시오.
교과서 문제

• '건강 주간'을 맞아 (   )을/를 주제로 한 작품을 발표하는 것이다.

2 이 발표 상황에서 고려할 점으로 알맞은 것을 두 가지 골라 기호를 쓰시오.
교과서 문제

ㄱ 건강에 도움을 줄 수 있어야 한다.
ㄴ 전교생이 모두 이미 아는 내용이어야 한다.
ㄷ 전교생이 보게 되므로 1~6학년까지 모두 이해하기 쉬워야 한다.

(   )

3 우리 반은 '맨발 걷기'를 주제로 영상 자료를 만들려고 합니다. 주제를 잘 전하려면 어떤 장면을 발표 장면으로 정해야 할지 알맞은 것을 <u>모두</u> 찾아 ○표를 하시오.

(1) 맨발 걷기의 효과를 정리한 내용 (   )
(2) 운동장에서 사람들이 달리기를 하는 장면
(   )
(3) 맨발 걷기를 꾸준히 한 사람을 면담하는 장면 (   )

4 영상을 촬영하는 방법으로 알맞지 <u>않은</u> 것은 무엇입니까? (   )

① 음성이 기록되는지 확인한다.
② 전하려는 내용이 잘 드러나게 촬영한다.
③ 면담 촬영은 질문 내용을 미리 준비한다.
④ 화면을 이동할 때에는 최대한 빠르게 이동한다.
⑤ 보완할 점이 있으면 다시 촬영하거나 여러 번 촬영해 알맞은 장면을 골라 사용한다.

5 촬영한 영상을 편집하는 방법으로 알맞지 <u>않은</u> 것은 어느 것입니까? (   )

① 제목과 배경 음악을 넣는다.
② 장면을 차례에 맞게 편집한다.
③ 촬영한 영상을 전부 사용한다.
④ 알맞은 영상 편집 프로그램을 정한다.
⑤ 자막은 필요한 내용만 간단하게 넣는다.

6 만든 영상 자료를 인터넷에 올릴 때 주의할 점은 무엇인지 빈칸에 알맞은 말을 보기 에서 찾아 각각 쓰시오.

보기   격식   동의   영향   출처

(1) 영상에 나오는 사람들의 (   )을/를 얻는다.
(2) 보는 사람들에게 좋은 (   )을/를 주는지 생각한다.
(3) 비속어, 은어 같은 (   )에 맞지 않는 언어를 사용하지 않는다.
(4) 영상에 매체 자료를 넣을 때에는 자료의 (   )을/를 밝힌다.

○**영상 자료를 제작하고 발표하는 과정**

발표 상황 파악하기 → 주제 정하기 → 내용 및 장면 정하기 → 촬영 계획 세우기 → 촬영하기 → 편집하기 → 발표하기

기본 3 효과적인 발표 자료 만들기

[1~3] 다음을 보고, 물음에 답하시오.

● 발표 상황을 파악하고 주제 정하기

가

> 5분 영상 발표회를 개최합니다.
> 우리 반은 어떻게 준비해야 할까요?

> 5분 영상 발표회
> ○○초등학교 6학년을 대상으로 인물 탐구 영상 발표회를 개최합니다.
> • 때: ○○월 ○○일 ○○시
> • 곳: 시청각실
> • 대상: ○○초등학교 6학년 누구나
> • 주제: 주변 인물 탐구

> 모둠 친구들이 관심 있는 사람을 정하고 그 사람과 면담하는 장면을 촬영하면 어떨까요?

나

우리 모둠이 정한 인물	㉠친구 ○○
그 까닭	꿈을 가지고 재능을 꾸준히 키워 가기 때문에
전하고 싶은 주제	㉡꿈을 가지고 재능을 꾸준히 키워 가자.

1
_{교과서 문제}
그림 **가**에 나타난 발표 상황을 파악하여 빈칸에 각각 알맞은 말을 쓰시오.

발표 목적	(1) ( )분 영상 발표회에서 관심 있는 인물에 대해 발표하기
듣는 사람	(2) ( )학년 친구들

서술형

2 표 **나**는 그림 **가**의 발표 상황에 알맞은 인물과 주제를 정하여 정리한 것입니다. 모둠에서 ㉠의 인물을 정한 까닭은 무엇인지 쓰시오.

_____

_____

3 영상으로 제작하고 발표할 내용에 대해 토의할 때 ㉡의 주제와 관련 <u>없는</u> 내용은 무엇입니까? ( )

① 친구가 다른 사람을 먼저 배려하고 양보하는 모습

② 친구의 구체적인 꿈, 노력하는 과정 등에 대해 면담한 내용

③ 친구가 여러 가지 연주회에서 연주하는 모습을 담은 사진

④ 친구가 날마다 두 시간 이상씩 연주 연습을 꾸준히 한다는 것

⑤ 친구가 최근 연습하는 곡을 면담자에게 직접 들려주는 모습

4 영상 촬영을 하려고 촬영 계획을 세울 때 정해야 할 것이 <u>아닌</u> 것은 어느 것입니까? ( )

① 역할   ② 준비물   ③ 장면 번호
④ 촬영 일시   ⑤ 영상을 볼 장소

5 영상을 촬영할 때 주의할 점을 바르게 말한 친구는 누구인지 쓰시오.

> 유진: 촬영하는 과정에서 수정하거나 보완할 점을 점검해야 해.
> 도현: 자연스러운 장면을 촬영하려면 촬영 대상에게 촬영 상황을 미리 알리지 말아야 해.

( )

핵심

6 촬영한 영상을 편집하고 편집 과정을 점검할 때 살펴볼 내용이 <u>아닌</u> 것은 어느 것입니까? ( )

① 발표에 사용할 장면을 골랐는가?
② 인용한 자료의 출처를 밝혔는가?
③ 장면을 차례에 맞게 편집했는가?
④ 알맞은 영상 편집 프로그램을 정했는가?
⑤ 배경 음악과 자막을 모든 장면에 넣었는가?

영상 발표회 하기

○ 우리 모둠이 제작한 영상 자료를 발표할 준비하기

우리 모둠은 요리사를 소개하는 영상을 제작했습니다. 영상 제목은 「사람을 행복하게 하는 요리사」입니다. 방송에서 유명 요리사가 요리하는 장면, 요리사와 직접 면담한 내용, 다양한 요리 분야를 조사한 내용을 넣었습니다.

민지

사람을 행복하게 하는 요리사

● 발표 자료를 소개하는 방법 예

영상을 보여 주기 전에 소개할 내용	소개할 인물에 대한 다섯 고개 문제 내기 / 듣는 사람들에게 인물과 관련한 것 묻기 / 한두 문장으로 간단히 인물을 소개하기
영상을 보여 준 뒤에 할 수 있는 활동	영상에 대한 질문 받기 / 영상에서 가장 인상 깊은 장면이 무엇인지 물어보기 / 영상을 촬영하면서 겪은 일 이야기하기

핵심

4 단원

1 민지네 모둠이 제작한 영상에 대한 설명으로 알맞지 않은 것은 무엇입니까? ( )

① 요리사와 직접 면담한 내용을 넣었다.
② 다양한 요리 분야를 조사한 내용을 넣었다.
③ 영상 제목은 「사람을 행복하게 하는 요리사」이다.
④ 방송에서 유명 요리사가 요리하는 장면을 넣었다.
⑤ 요리사가 꿈인 친구들이 요리 연습을 하는 장면을 넣었다.

핵심 역량

2 민지네 모둠이 영상을 보여 주기 전에 소개할 내용과 영상을 보여 준 뒤에 할 수 있는 활동은 각각 무엇인지 보기 에서 찾아 기호를 쓰시오.

보기
㉠ 영상에 대한 질문을 받는다.
㉡ 한두 문장으로 간단히 인물을 소개한다.
㉢ 영상에서 가장 인상 깊은 장면이 무엇인지 물어본다.
㉣ 소개할 인물에 대한 다섯 고개 문제를 내서 듣는 사람의 관심을 불러일으킨다.

(1) 영상을 보여 주기 전: ( )
(2) 영상을 보여 준 뒤: ( )

3 영상 발표회에서 다른 모둠의 발표를 들을 때 주의할 점으로 알맞은 것을 두 가지 고르시오.
교과서 문제
(,)

① 다른 곳을 쳐다보며 듣는다.
② 흥미로운 내용만 집중해서 듣는다.
③ 전하려는 주제를 파악하며 듣는다.
④ 발표할 때에 주의할 점을 적으며 듣는다.
⑤ 촬영이나 편집에서 효과적인 부분을 찾으며 듣는다.

4 다른 모둠에서 제작하고 발표한 영상을 보고 잘된 점이나 보완할 점을 알맞지 않게 말한 친구에게 ×표를 하시오.

(1)  장면을 생생하게 촬영했고 배경 음악을 적절하게 잘 넣었어. ( )

(2) 조사한 자료의 출처는 모두 삭제하는 것이 좋겠어. ( )

(3)  중요한 내용을 자막으로 넣어 기억하기 쉽게 하면 좋겠어. ( )

**여러 가지
매체 자료
살펴보기**

예 친구들이 활용하려는 매체 자료의 종류와 그 매체 자료를 활용해 얻을 수 있는 효과 알기

폴란드의 민속춤을 소개할 때 영상을 보여 줘야지.

베트남의 전통 의상을 소개하고 싶어. 베트남의 옷 사진을 찾아봐야겠어.

진아 ▶   ◀ 별이

	매체 자료의 종류	얻을 수 있는 효과
진아	❶ ☐☐	민속춤의 움직임이나 특징을 더 자세하게 파악할 수 있고, 영상을 보면서 민속춤을 따라 출 수 있습니다.
별이	사진	매체 자료 없이 설명하면 상상만 해야 하는데 사진을 보면 어떤 전통 의상인지 쉽게 ❷ ☐☐할 수 있습니다.

**주제에 맞는
매체 자료 찾기**

예 교과서 152쪽 영상 자료에서 주제를 효과적으로 표현하려고 사용한 방법

주제	온라인 언어폭력을 하지 맙시다. / 읽는 사람을 배려하면서 온라인 댓글을 씁시다. / 온라인 댓글을 긍정적으로 씁시다.

⬇

장면 구성	• 학생의 표정이나 행동을 ❸ ☐☐되는 장면으로 구성했습니다.   • 손가락에 검정 망토, 푸른 망토를 둘러 어떤 댓글을 다는지에 따라 손가락의 능력이 달라짐을 나타냈습니다. 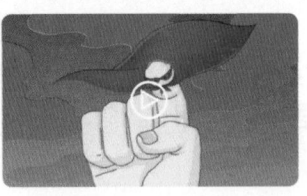 
음악, 소리	• 나쁜 댓글을 쓰는 장면은 배경 음악이 무섭습니다. • 좋은 댓글을 쓰는 장면은 배경 음악이 경쾌합니다.
비유적 표현	• 당신은 누군가를 아프게도 기쁘게도 하는 능력자라고 비유했습니다. • 상대에게 영향을 주는 댓글을 다는 ❹ ☐☐☐을/를 악마 또는 천사의 모습으로 비유했습니다.
자막, 해설	• 해설자의 해설로 내용을 더 잘 이해할 수 있습니다. • 마지막 장면에서 질문을 ❺ ☐☐(으)로 넣어 영상을 보는 사람이 스스로를 돌아보게 했습니다.

발표 상황에 맞는 영상 자료를 만드는 방법 알기

 예 '맨발 걷기'를 주제로 영상 자료를 제작하고 발표하는 과정

발표 상황 파악하기	• 발표 목적: '건강 주간'을 맞아 건강을 주제로 한 작품을 발표하려는 것입니다. • 듣는 사람: 전교생

↓

❻ □□ 정하기	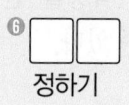 '맨발 걷기'가 새로운 주제라서 흥미롭다는 의견이 많았습니다. 따라서 우리 반은 맨발 걷기를 주제로 영상 자료를 만들어 봅시다.

↓

내용 정하기	• 맨발 걷기를 하는 모습 • 맨발 걷기의 효과(관련 있는 신문 기사 참고) • 맨발 걷기를 하는 사람과의 면담

↓

장면 정하기	모래 위에서 사람들이 맨발 걷기를 하는 장면 ➡ 맨발 걷기를 꾸준히 한 사람을 면담하는 장면 ➡ 맨발 걷기의 효과를 정리한 내용

↓

촬영 ❼ □□ 을/를 세우고 촬영하기	장면 번호	촬영 내용	촬영 일시와 장소	준비물
	1	운동장 모래 위에서 맨발 걷기를 하는 사람들	○○월 ○○일 ○○시 학교 운동장	휴대 전화 (캠코더)
	2	맨발 걷기를 꾸준히 한 사람과 면담	○○월 ○○일 ○○시 학교 운동장	휴대 전화 (캠코더), 수첩

↓

편집하기	 제목을 무엇으로 하면 주제가 잘 드러날까?  맨발 걷기 장면에 경쾌한 느낌의 배경 음악을 넣자.  '○○초등학교의 맨발 걷기' 신문 기사를 넣고 자료 출처는 자막으로 넣자.

↓

발표하기

단원 평가

★ 단원 평가 더 풀기 ≫ 평가 교재 20~25쪽

[1~2] 그림을 보고, 물음에 답하시오.

1 그림 ❶과 ❷에서 세미가 활용한 매체 자료는 각각 무엇인지 쓰시오.

(1) 그림 ❶: (   )

(2) 그림 ❷: (   )

2 그림 ❷에서 활용한 매체 자료가 그림 ❶에서 활용한 매체 자료와 다른 점으로 알맞은 것에 ○표를 하시오.

(1) 율동 동작을 상상해 볼 수 있다.   (   )

(2) 율동 동작을 더욱 생생하게 잘 알 수 있다.

(   )

(3) 율동 전체 동작을 간단하게 나타낼 수 있다.

(   )

논술형

3 여러 가지 매체 자료를 활용한 경험을 떠올려 쓰시오.

_____

_____

4 베트남의 전통 의상을 친구들에게 소개하려고 합니다. 베트남의 옷 사진을 활용해 얻을 수 있는 효과로 알맞은 것은 무엇입니까?   (   )

① 전통 의상을 직접 입어 볼 수 있다.

② 어떤 전통 의상인지 쉽게 이해할 수 있다.

③ 여러 나라의 전통 의상을 비교해 볼 수 있다.

④ 전통 의상에 담긴 문화를 자세하게 파악할 수 있다.

⑤ 전통 의상을 만드는 과정을 생생하게 보여 줄 수 있다.

[5~7] 다음을 보고, 물음에 답하시오.

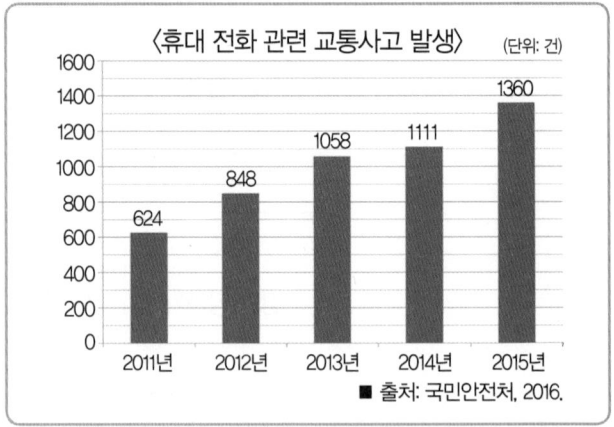

〈휴대 전화 관련 교통사고 발생〉 (단위: 건)

■ 출처: 국민안전처, 2016.

5 이 매체 자료의 내용을 살펴보고, 빈칸에 공통으로 들어갈 알맞은 말을 쓰시오.

> • 휴대 전화 관련 (   )이/가 점점 늘어나고 있다.
>
> • 휴대 전화 사용으로 생긴 (   )이/가 2013년부터 1년에 1000건이 넘는다.

(   )

6 이 매체 자료에서 전하려는 주제는 무엇입니까?

(   )

① 휴대 전화는 현대인들에게 꼭 필요하다.

② 휴대 전화와 교통사고는 아무런 관련이 없다.

③ 휴대 전화 때문에 가족이나 친구들과 멀어진다.

④ 초등학생의 휴대 전화 중독 문제가 심각하다.

⑤ 걸을 때나 운전할 때 휴대 전화를 사용하면 위험하다.

7 이 매체 자료가 주제를 잘 전하려고 사용한 표현 방법을 두 가지 골라 ○표를 하시오.

(1) 교통사고 수치를 넣어 더 정확한 통계를 알 수 있다. （　　）

(2) 보행 중 휴대 전화 사용을 경고하는 그림과 문구를 넣었다. （　　）

(3) 연도별로 휴대 전화 관련 교통사고 발생량이 크게 늘어난 것을 알 수 있다. （　　）

[8~10] 다음을 보고, 물음에 답하시오.

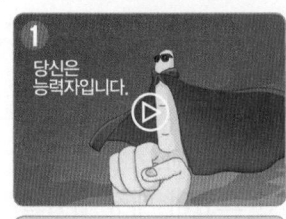

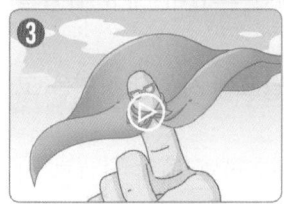
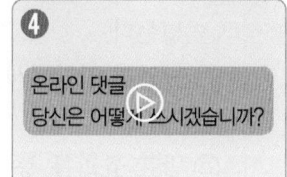

해설: 당신은 능력자입니다. 손가락만 까딱하면 누군가를 울릴 수도, 아프게 할 수도, 포기하게 할 수도 있습니다. 하지만 당신은 누군가를 기쁘게 할 수도, 행복하게 할 수도 있으며, 다시 뛰게 할 수도 있습니다. 손가락만 까딱하면. 온라인 댓글, 당신은 어떻게 쓰시겠습니까?

8 이 영상 자료에서 전하고자 하는 주제는 무엇입니까? （　　）

① 온라인 댓글을 쓰지 말자.
② 온라인 댓글을 길게 쓰자.
③ 휴대 전화를 적당히 사용하자.
④ 온라인 댓글을 긍정적으로 쓰자.
⑤ 재미있는 글에만 온라인 댓글을 쓰자.

9 이 영상 자료에서 사용한 비유적 표현은 무엇인지 빈칸에 각각 알맞은 말을 쓰시오.

• 당신은 누군가를 아프게도 기쁘게도 하는 (1)(　　　　　　　)(이)라고 비유했다.

• 상대에게 영향을 주는 댓글을 다는 (2)(　　　　　　　)을/를 악마 또는 천사의 모습으로 비유했다.

10 이 영상 자료에서 주제를 효과적으로 표현하려고 사용한 방법을 알맞게 말한 친구는 누구인지 쓰시오.

지효: 해설자의 해설이 없어서 내용을 더 풍부하게 상상할 수 있어.
태형: 마지막 장면에서 질문을 자막으로 넣어 영상을 보는 사람이 스스로를 돌아보게 했어.

（　　　　　　　　）

11 영상 자료를 제작하고 발표하는 과정에 맞게 차례대로 번호를 쓰시오.

(1) 발표하기 （　　）
(2) 촬영하기 （　　）
(3) 편집하기 （　　）
(4) 주제 정하기 （　　）
(5) 촬영 계획 세우기 （　　）
(6) 발표 상황 파악하기 （　　）
(7) 내용 및 장면 정하기 （　　）

[12~13] 그림을 보고, 물음에 답하시오.

학교 방송국에서 '건강 주간'을 맞아 건강을 주제로 한 매체 자료를 공모합니다. 뽑힌 작품은 전교생에게 발표할 예정입니다. 많이 참여해 주세요.

12 공모에서 뽑힌 작품은 누구에게 발표할 예정이라고 했는지 쓰시오.

（　　　　　　　　）

 논술형

13 이 그림에 나타난 발표 상황에서 고려할 점을 한 가지 쓰시오.

_____

_____

[14~15] 그림을 보고, 물음에 답하시오.

'맨발 걷기'가 새로운 주제라서 흥미롭다는 의견이 많았습니다. 따라서 우리 반은 맨발 걷기를 주제로 영상 자료를 만들어 봅시다.

건강한 생활을 위해 실천하면 좋은 일
줄넘기, 손 씻기, 맨발 걷기.
긍정적 생각

14 이 그림과 같이 발표 주제를 정할 때 고려할 점을 알맞지 <u>않게</u> 말한 친구는 누구인지 쓰시오.

용준: 친구들과 토의해서 다양한 의견을 나누 어야 해.
연서: 발표 상황과 관련 없더라도 창의적인 주 제를 정해야 해.
서은: 발표를 듣는 사람들이 흥미를 가질 만한 주제를 정해야 해.

(   )

15 이 그림에서 정한 발표 주제를 효과적으로 알릴 수 있는 발표 내용으로 알맞은 것을 <u>두 가지</u> 고르 시오. (,   )

① 긍정적 생각의 효과
② 맨발 걷기를 하는 모습
③ 손 씻기를 권하는 내용
④ 줄넘기를 하는 사람과의 면담
⑤ 맨발 걷기를 직접 체험해 보는 내용

16 촬영 계획을 세울 때에는 무엇을 정해야 하는지 <u>두 가지만</u> 쓰시오.

(   )

17 영상을 촬영할 때 주의할 점으로 알맞지 <u>않은</u> 것 은 어느 것입니까? (   )

① 흔들림 없이 안정된 자세로 촬영한다.
② 전하려는 내용이 잘 드러나게 촬영한다.
③ 화면을 이동할 때에는 너무 빠르지 않게 한다.
④ 면담 촬영은 질문 내용을 미리 준비하지 않 는다.
⑤ 보완할 점이 있으면 다시 촬영하거나 여러 번 촬영해 알맞은 장면을 골라 사용한다.

18 촬영한 영상을 편집하는 방법으로 알맞지 <u>않은</u> 것 의 기호를 쓰시오.

㉠ 장면을 차례에 맞게 편집한다.
㉡ 모든 장면에 경쾌한 느낌의 배경 음악을 넣는다.
㉢ 촬영한 영상에서 발표에 사용할 장면을 고 른다.
㉣ 발표 효과를 높이는 다른 매체 자료를 활 용한다.

(   )

19 우리 모둠이 제작한 영상을 친구들에게 발표하기 전에 수정하거나 보완할 점을 알맞게 말한 친구는 누구인지 쓰시오.

영상에 사용한 매체 자료의 출처를 밝혀야 해.

친구들이 이해하기 쉽도록 자막을 모든 장면에 자세하게 넣자.

▲ 수지   ▲ 동욱

(   )

20 영상 발표회에서 다른 모둠의 발표를 들을 때 주 의할 점을 한 가지 쓰시오.

(   )

서술형 평가

4
단원

1 다른 나라의 문화를 친구들에게 소개하려고 합니다. 진아가 활용하려는 매체 자료의 종류와 그 매체 자료를 활용해 얻을 수 있는 효과를 쓰시오.

> 진아: 폴란드의 민속춤을 소개할 때 영상을 보여 줘야지.

(1) 매체 자료의 종류	
(2) 얻을 수 있는 효과	

[2~3] 다음을 보고, 물음에 답하시오.

잡고 있습니까?
잡혀 있습니까?

2 이 매체 자료에서 전하려는 주제는 무엇인지 쓰시오.

_____

_____

3 이 매체 자료가 1번 문제에서 답한 주제를 잘 전하고 있는지 생각하여 그 까닭과 함께 쓰시오.

_____

_____

4 다음 주제로 영상 자료를 제작하여 발표하려고 합니다. 어떤 장면을 촬영하면 좋을지 정하여 빈칸에 쓰시오.

> 건강한 생활을 위해 실천하면 좋은 일: 맨발 걷기

장면 1 운동장 모래 위에서 사람들이 맨발 걷기를 하는 장면	장면 2 (1)
장면 3 (2)	장면 4 (3)

5 영상 자료를 만들어서 인터넷에 올릴 때 주의할 점을 한 가지 쓰시오.

_____

_____

6 영상 발표회에서 우리 모둠이 제작한 영상 자료를 발표하려고 합니다. 영상을 보여 준 뒤에 할 수 있는 활동을 한 가지 쓰시오.

_____

_____

● 다음 교과서 문장의 파란색 낱말 중에서 알맞은 것을 골라 인물들이 한 말을 완성하시오.

- 어떤 사실이나 정보, 의견을 담아서 듣는 사람에게 전하려고 매체 자료를 활용할 수 있어요.
- 방학 때 제주도에서 봤던 주상 절리의 기이한 모습을 말로만 설명할 때에는 친구가 이해하기 어려워 했는데, 사진을 보여 주었더니 금세 이해했어.
- 친구들이 활용하려는 매체 자료의 종류와 그 매체 자료를 활용해 얻을 수 있는 효과는 무엇일까요?
- 모둠 친구들과 협력해서 촬영하려면 어떤 점들을 실천하면 좋을까요?

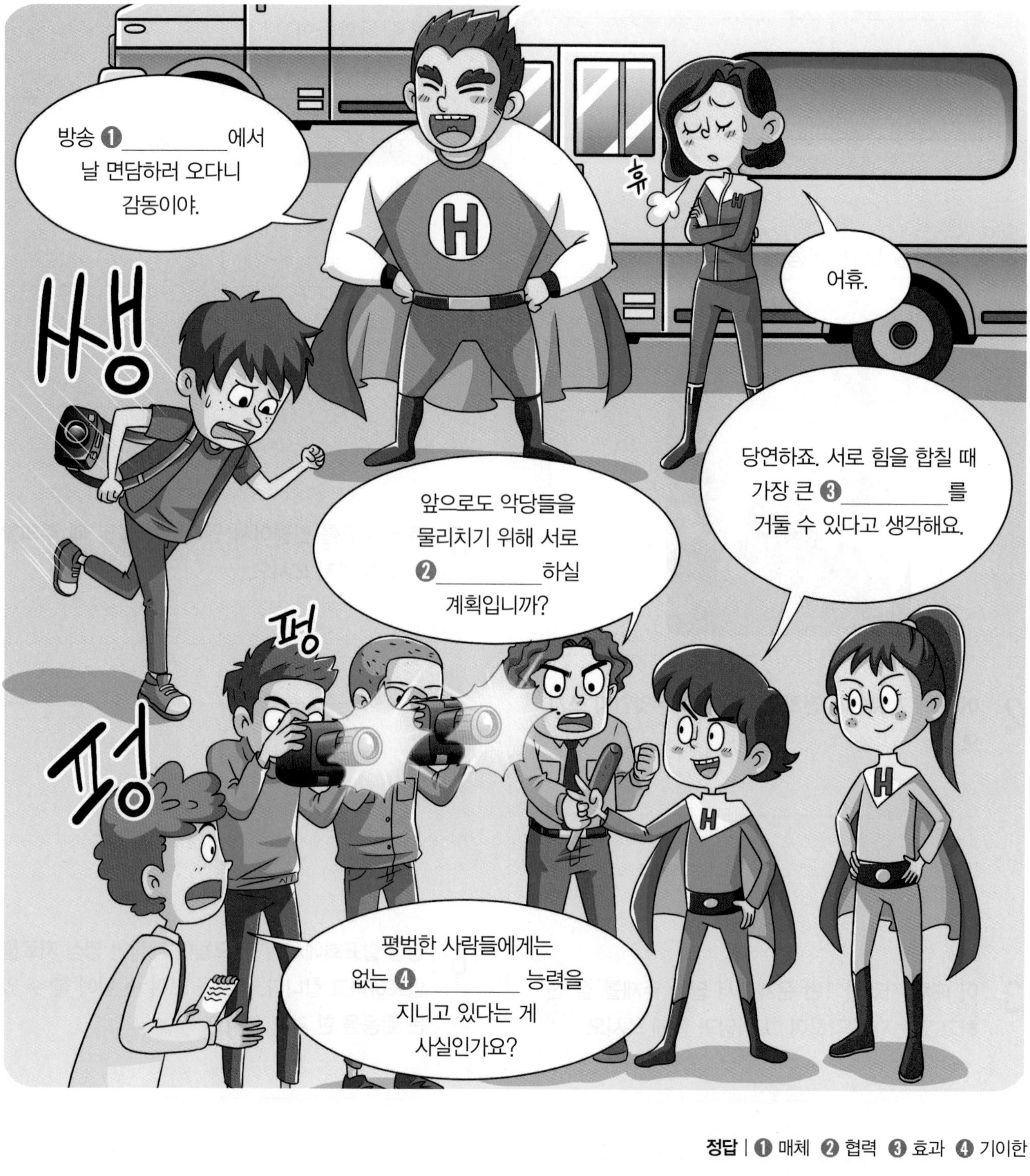

방송 ❶_____에서 날 면담하러 오다니 감동이야.

어휴.

쌍

당연하죠. 서로 힘을 합칠 때 가장 큰 ❸_____를 거둘 수 있다고 생각해요.

앞으로도 악당들을 물리치기 위해 서로 ❷_____하실 계획입니까?

펑

펑

평범한 사람들에게는 없는 ❹_____ 능력을 지니고 있다는 게 사실인가요?

정답 | ❶ 매체 ❷ 협력 ❸ 효과 ❹ 기이한

함께
연극을 즐겨요

이 단원은 자신의 생각이나 느낌을 다른 사람과
나누고 목소리, 표정, 몸짓으로 표현하는
활동을 배우는 단원입니다.
연극 단원은 한 학기 동안 언제든지 공부할 수
있습니다. 학교 수업 순서에 맞추어 활용하세요.

연극
활동

[연극 준비]
• 연극의 특성을
  생각하며 감상하기

[연극 연습]
• 극본을 읽고 감상하기
• 인물이 처한 상황에 알맞게
  표현하기
• 연극을 공연할 무대
  준비하기

[연극 실연]
• 무대에서 연극 공연하기

정답과 해설 ● 20쪽

✤ 연극을 했던 경험을 떠올려 친구들과 이야기하기 【1】

 연극에서 어떤 역할을 했니? 그때 기분은 어땠어?

 『별주부전』 연극을 했는데 그때 토끼 역할을 맡았어. 매우 떨렸지. 하지만 용왕 앞에서 놀라는 토끼 모습을 잘 표현했다고 칭찬을 들었어. 그래서 정말 기분이 좋았어.

1 두 친구는 ☐☐과/와 관련한 경험을 떠올려 이야기하고 있습니다.

✤ 극본 「배낭을 멘 노인」을 어떻게 연극으로 표현하는지 말해 보기 【2~4】

> • **때**: 어느 가을날 / • **곳**: 어느 한적한 마을
> • **나오는 사람**: 노인, 식당 주인, 마을 사람 1, 마을 사람 2, 마을 사람 3

1장

낡고 커다란 배낭을 멘 노인이 마을 거리를 무겁게 걸어간다. 해진 옷에, 지나치게 커다란 배낭을 메고, 마을의 여기저기를 기웃거리는 노인을 보고 마을 사람들이 수군거린다.

2 극본의 해설에는 시간과 장소가 나타납니다.

(○ , ×)

극본의 해설에는 시간과 장소가 나타나. 연극으로 공연할 때에는 이 시간과 장소의 분위기를 무대 배경과 조명, 음악으로 표현해.

3 극본의 해설을 연극으로 표현할 때, 시간과 장소의 분위기는 무엇으로 표현하는지 알맞은 것에 모두 ○표를 하시오.

(1) 조명 ( )
(2) 자막 ( )
(3) 음악 ( )
(4) 무대 배경 ( )

식당 주인: (배낭을 벗겨 주려고 배낭을 들면서) 무거운데, 이거는 벗어 놓고 드세요.

노인: (놀란 듯이 황급히 배낭끈을 잡아 쥐면서) 놔둬요.

극본의 대사는 연극에서 배우가 말로 표현해. 대사를 보면 사건이 어떻게 흘러가는지 알 수 있어.

지문에는 인물의 목소리나 행동 따위가 나타나. 노인 역할을 맡은 배우는 '놀란 듯이'라는 지문을 목소리와 표정으로 표현해.

4 극본의 대사와 지문은 연극에서 어떻게 표현하는지 알맞은 것을 각각 선으로 이으시오.

(1) 대사 • • ① 배우가 말로 표현한다.

(2) 지문 • • ② 배우가 목소리와 표정으로 표현한다.

정답과 해설 ● 20쪽

1 윌버는 ☐☐☐ 농장의 헛간에서 여러 동물들과 함께 살고 있습니다.

♣ 인물의 특성을 생각하며 극본 읽기 [1~28]

샬럿의 거미줄

글: 조셉 로비넷, 옮김: 김정호

앞부분 이야기

펀은 아버지에게서 새끼 돼지를 구한다. 펀은 새끼 돼지에게 윌버라는 이름을 붙여 주고 정성껏 돌본다. 윌버의 몸집이 점점 커져 집에서 기를 수 없게 되자 펀은 윌버를 주커만 농장에 보낸다. 이후 윌버는 농장 헛간에서 여러 동물과 함께 살며 친구가 된다.

어느 날, 나이 많은 양이 윌버에게 끔찍한 소식을 전한다. 윌버가 살이 찌고 몸이 더 커지면 잡아먹힐 것이라는 소식이었다. 윌버는 겁에 질려 울음을 터뜨린다. 윌버의 가장 가까운 친구인 거미 샬럿은 윌버에게 자신이 도와주겠다고 말한다. 샬럿은 밤을 새워 거미줄에 '굉장한 돼지'라는 글자를 새긴다.

• **때**: 어느 해 늦여름
• **곳**: 어느 시골 마을 주커만 농장의 헛간
• **나오는 인물**: 샬럿, 윌버, 펀 애러블, 에이버리 애러블, 존 애러블, 마사 애러블, 호머 주커만, 에디스 주커만, 러비, 거위, 수거위, 새끼 양, 양, 템플턴

2 윌버와 샬럿은 각각 어떤 동물인지 선으로 이으시오.

(1) 윌버 • • ① 거미

(2) 샬럿 • • ② 돼지

1장

헛간 안에서 윌버가 잠을 자고 있다. 윌버가 몸을 뒤척인다. 악몽을 꾸고 있다.

윌버: 아니, 아니, 제발, 안 돼. 그만! (잠에서 깬다.) 어휴, 큰일 날 뻔했어. 진짜 기분 나쁜 꿈이야. 사람들이 총을 들고 날 잡으러 오다니!

러비가 여물통을 들고 온다. 윌버, 뒤로 살짝 물러난다.

3 거미줄에 새겨진 글자를 보았을 때 러비는 어떤 마음이 들었겠습니까?

( )

러비: 여기 있다, 꿀꿀아. 아침이다. 먹다 남은 도넛이랑 빵이야. (여물통을 내려놓는다.) 정말 맛…… 맛……. (거미줄에 새겨진 글자를 보고) 저게 뭐야? 뭐가 있는데……. (무대 밖으로 소리치며) 주커만 씨! 주커만 씨! 빨리 와 보세요! (허겁지겁 퇴장한다.)

윌버: (거미줄 쪽은 보지 않고서) 대체 뭘 봤다는 거야? (곰곰이 생각하다가 갑자기 벌떡 일어나며) 그래! 날 본 거야! 내가 살이 찌고 커져서 이제는 햄으로 만들려는 게 틀림없어! (안절부절못하며 우리를 서성인다.) 이제 어떡하지? (잠시 멈춰서 고개를 갸우뚱하며 생각을 떠올리려고 한다.) 당장 여길 빠져나가야 돼. (여물통을 바라보고) 아니지, 우선 먹고 기운부터 차리자. (죽을 꿀꺽꿀꺽 마신다.) 준비 완료! (눈에 힘을 주고 크게 뜨면서) 돌진! (무대 밖으로 뛰어나간다.)

4 윌버가 헛간을 빠져나가기로 결심한 까닭은 무엇입니까?

_____

_____

무대 밖에서 쾅당 부딪치는 소리가 들리자, 샬럿이 하품을 하며 등장한다.

샬럿: ㉠무슨 소리지? 윌버, 어디 있니?

윌버: (무대 밖에서) ㉡나는 자유다!

호머 주커만: (무대 밖에서) ㉢아, 돼지우리에 대체 뭐가 있다고 여기까지 오라 ······.

러비: (무대 밖에서) 보면 아신다니까요, 주커만 씨. 보면 아신다고요.

호머 주커만과 러비가 등장한다.

호머 주커만: 보라니 뭘······. 돼지가 없어졌구먼!

러비: 예?

호머 주커만: 닭장 쪽 마당으로 가 보세. (무대 밖을 가리키며) 도망갔어. 에디스가 좀 전에 알 가지러 닭장으로 갔는데, 잘하면 이쪽으로 몰고 올지도 모르겠군. 자, 가세!

러비: 그렇지만······. 저기 거미줄 좀 보세요, 주커만 씨.

호머 주커만: 그럴 시간이 어디 있나. 어서 돼지를 잡아야지. (둘 다 퇴장한다. 무대 밖에서) 에디스, 돼지가 빠져나갔어! 이쪽으로 몰아와! 돼지가 도망갔다니까!

샬럿: 아이, 큰일 났네!

2장

헛간 안에 샬럿이 어쩔 줄 몰라 하며 서 있다. 동물들이 차례차례 잠에서 깨어 등장한다.

양과 새끼 양 등장한다.

양: 이게 무슨 소란이야?

새끼 양: 귀청 떨어지겠어.

거위와 수거위 등장한다.

거위: 시끌, 시끌, 시끄러워.

수거위: 새끼들이 잠을 못 자. (무대 밖에서 여러 사람이 쿵쿵 뛰는 소리가 들린다.)

윌버가 달리면서 무대에 등장하고, 에디스 주커만, 호머 주커만, 러비가 그 뒤를 쫓는다. 동물들은 윌버를 응원한다.

5 극본을 읽을 때에는 인물이 처한 ☐☐을/를 생각하며 인물의 행동을 표현해 봅니다.

6 ㉠을 표현할 때에는 기지개를 펴면서 (기쁜 , 놀란) 표정을 짓습니다.

7 ㉡과 ㉢을 표현할 때 알맞은 표정과 몸짓을 찾아 선으로 이으시오.

(1) ㉡ •

• ① 약간 짜증스러운 표정과 땀을 닦는 몸짓

(2) ㉢ •

• ② 기쁜 표정과 두 팔을 활짝 펼치고 뛰어가는 몸짓

8 윌버가 처한 상황을 생각하며 내가 윌버라면 어떻게 행동했을지 쓰시오.

_____

_____

_____

연극
단원

동물들: 잘한다, 잘해! 윌버, 잡히면 안 돼! 도망쳐, 도망쳐, 도망쳐! (윌버가 잡히
　지 않으려고 무대를 한 바퀴 돌아 무대 밖으로 뛰어나간다. 에디스 주커만, 호머
　주커만, 러비는 윌버를 쫓으며 뒤따라 퇴장한다. 무대 밖에서 계속 쫓아다니는 소
　리가 들려온다.)
샬럿: 이제 그만들 해요! 부추기지 마시라고요. 윌버는 바깥세상에서는 살 수 없
　어요. 그러니까 여기로 다시 돌아올 때 붙잡아 주세요. (쫓아다니는 소리가 점
　점 가까이 들린다.) 준비! 저기 와요.

윌버가 뛰어 들어온다.

윌버: 이번엔 해내고 말 테야! 숲 쪽으로 나 있는 구멍도 봤어. (동물들이 뛰는 윌
　버를 잡는다.) ㉠뭐 하는 거야? 친구들까지 날 배신하다니! (사람들이 달려오는
　소리가 무대 밖에서 들린다. 윌버가 동물들에게 붙잡혀 버둥거린다.) 이대로 포
　기할 순 없어! 나는 끝까지 싸울 거야! 순순히 햄이 되진 않을 거라고!

호머 주커만, 에디스 주커만, 러비가 숨을 헐떡이며 등장한다. 윌버가 빠져나
가려고 버둥거리다가 잠잠해지자 동물들이 윌버를 풀어 준다.

호머 주커만: ㉡이놈, 너 때문에 모두들 한바탕…….
러비: 주커만 씨, 주커만 씨, 저길 좀 보세요. 아까 보여 드리려고 했던 게 바로
　저거예요. (거미줄을 가리킨다. 사람들은 모두 한동안 말없이 바라본다. 윌버와
　동물들도 함께 본다.)
호머 주커만: (떨리는 목소리로) 이럴 수가! 이 농장에 기적이 일어났군.
러비: 기적.
에디스 주커만: 믿을 수 없어! '굉장한 돼지'. (윌버는 자신감 넘치게 어깨를 펴고
　고개를 든다.)
호머 주커만: 보통 돼지가 아닌 게 틀림없어.
에디스 주커만: 보통 거미가 아닌 거겠지요.
호머 주커만: 아니지, 특별한 건 바로 이 돼지야. 여보, 이장님께 전화해서 기적
　이 일어났다고 알려요. 그리고 애러블네 집에도 전화를 하고. 어서. (윌버, 일
　어나서 거미 옆에 있는 항아리 위에 앉는다.) 흠…… 러비, 사실 난 말이야, 이
　돼지가 복 돼지라고 생각했다고.
러비: 보통 놈이 아녜요.
호머 주커만: 녀석은 그러니까……, 굉장한 돼지인 거지. (호머 주커만과 러비는
　마주 보며 웃는다.) 자, 어서 일을 끝내자고. 이 일이 알려지면 사람들이 우르
　르 몰려올 테니까. (호머 주커만과 러비가 퇴장한다. 동물들은 박수를 하고 환호
　하면서 샬럿을 축하한다.)

9 샬럿은 윌버가 바깥세상에서
도 잘 살 수 있을 것이라고
말했습니다.
(　　○ , × 　　)

10 ㉠의 말을 할 때 윌버는 어떤
마음이었을지 알맞은 것의 번
호를 쓰시오.

① 기쁜 마음
② 놀란 마음
③ 고마운 마음
④ 기대하는 마음

(　　　　　　)

11 ㉡을 표현할 때에는
(즐거운 , 화가 난) 표정으로
읽어야 합니다.

12 호머 주커만은 샬럿의 거미줄
을 보고 윌버가 특별한 돼지
라고 생각했습니다.
(　　○ , × 　　)

3장

동물들이 동그랗게 모여 서 있다.

윌버: (차분한 목소리로) 아, 샬럿. 고마워, 고마워, 정말 고마워.

샬럿: 일이 잘된 것 같아. 지금으로서는 말이야. 그렇지만 윌버를 살리려면 거미줄에 글자를 더 새겨야 해. 어떤 글자를 새길지 고민인데, 누구 좋은 생각 없어?

새끼 양: '최고의 돼지'는 어때?

샬럿: 별로야. 음식 이름 같아.

거위: 멋진, 멋진, 멋진 돼지 어때?

샬럿: 하나로 줄여서 '멋진 돼지'라고 하면 되겠다. 주커만 씨가 감동받겠지. '멋진'이라는 말 쓸 줄 아는 친구?

수거위: 내 생각에 '미음' 하고 '어', 그리고 '시옷', '시옷', '시옷'. 그다음에 '쌍지읒', '쌍지읒', '쌍지읒' 하고 '이' 쓴 다음에 '니은', '니은', '니은'.

샬럿: 내가 무슨 재봉틀 돌리는 줄 알아?

수거위: 미안, 미안, 미안.

샬럿: 최선을 다해서 써 볼게.

양: (무대 밖을 보면서) 저기 들쥐 온다. 도움이 될지도 몰라.

템플턴이 들어오자 동물들이 모두 그쪽을 바라본다.

템플턴: 무슨 일인데 그래? (팔짱을 끼며) 내가 나 좋은 일만 하는 건 다들 알고 있겠지?

양: 거미줄에 있는 글자 봤니?

템플턴: 아침에 나갈 때 봤지. 별거 아니던데, 뭘.

양: 주커만 씨한테는 별일이야. 지금 샬럿한테 새로운 글자가 필요하대. 쓰레기장에 갈 때 글자 좀 가지고 와. 보고 쓰게. 윌버를 살릴 수 있을지도 몰라.

템플턴: 흥, 내가 왜?

양: 윌버가 죽고 겨울이 되어 보라지. 누가 여물을 들고 여기까지 오나.

템플턴: (잠시 뜸을 들이며 고민하다가) 글자 조각 찾아오면 되잖아.

샬럿: 다들 고마워. 회의는 여기서 끝내자. (샬럿과 윌버를 뺀 나머지 동물들은 서로 인사하며 퇴장한다.) 오늘 밤 거미줄을 다시 찢어서 '멋진 돼지'라는 글자를 쓸 거야. 이제 밖에 나가서 햇볕 아래에 누워 있어, 윌버. 난 좀 쉬어야겠어. 어젯밤 한숨도 못 잤거든.

윌버: (나가면서) 고마워, 샬럿. 넌 이 꿀꿀이의 가장 친한 친구야. (퇴장한다.)

샬럿: (혼자 미소 지으면서) 굉장한 돼지, 굉장한 돼지. (무대 어두워진다.)

13 샬럿은 거미줄에 어떤 글자를 쓰기로 했는지 알맞은 것에 ○표를 하시오.
(1) 멋진 돼지　　　(　　)
(2) 최고의 돼지　　(　　)
(3) 멋진, 멋진, 멋진 돼지
　　　　　　　　　(　　)

14 템플턴은 자신은 (남, 자기)에게 좋은 일만 한다고 말했습니다.

15 양은 샬럿이 거미줄을 만드는 것을 돕기 위해 템플턴에게 무엇을 가지고 오라고 했습니까?
(　　　　　　　　　　)

16 윌버는 샬럿을 어떻게 생각하는지 알맞은 것을 골라 기호를 쓰시오.

　㉠ 고마운 친구이다.
　㉡ 도와주고 싶은 친구이다.
　㉢ 자기에게 이익이 되는 일만 하는 친구이다.

(　　　　　　　　　　)

4장

무대 거미줄 옆에 샬럿이 서 있고, 해설자 1·2·3이 차례로 등장한다.

해설자 1: 하루가 지나고 샬럿의 거미줄에 대한 이야기가 온 동네에 퍼져 갔어.

해설자 2: 사람들은 샬럿이 새겨 넣은 글자를 보려고 먼 길을 왔지.

해설자 3: 멀리 사는 사람들까지 주커만 씨 농장에 기적 같은 돼지가 나타났다며 소문을 퍼뜨리기 시작했거든.

해설자 1: 샬럿은 다음 날 더 많은 사람이 오리라는 걸 알고 있었지.

해설자 2: 그래서 그날 밤 다른 동물들이 모두 자고 있을 때 거미줄을 짜기 시작했어.

샬럿: 물레야, 돌아라. 비단실을 내어라. 길게 내어야 잘 보인다. (글자를 쓰기 시작한다.)

해설자 3: 돌리고 짜고……, 샬럿은 새 글자를 만들었어.

해설자 1: 자신에게 힘을 주는 말을 하면서 거미줄을 짰어.

샬럿: 살포시 내려와, 실을 풀어라. 옳지, 잘한다. 천천히. 이제는 '시옷'이야.

해설자 2: 밤을 하얗게 새우면서 거미는 너무나도 어려운 일을 해냈어. 아침이 다 되어서야 일을 마무리했지.

샬럿: ㉠다 됐다. 끝났어. 월버는 이제 괜찮을 거야.

해설자 3: 샬럿은 일을 끝내고 아껴 두었던 작은 벌레를 잡아먹었어. 그리고…….

해설자 1: (작은 소리로) 잠이 들었지. (퇴장한다. 조명이 거미줄 위의 '멋진 돼지'라는 글자를 비춘다.)

5장

아침이 되었다. 월버가 하품을 하면서 등장한다.

월버: 낮잠 자려다가 아침까지 밖에서 자 버리다니……. 믿을 수가 없네. 아, 상쾌해. 여름에 자는 낮잠은 최고야.

러비, 여물통을 들고 등장한다.

러비: 쳐다보기가 무섭네. 설마 또 그런 일이 생기려고. (거미줄을 본다.) 믿을 수가 없어. '멋진 돼지'. 나타났다! 또 나타났어! '멋진 돼지'. 또 ㉡기적이 일어났어! 주커만 씨! 어서 와 보세요! 또 기적이 일어났어요! (퇴장한다.)

월버: (거미줄을 보면서) 아름다워.

펀 애러블 등장한다.

펀 애러블: 좋은 아침이야, 월버. (월버가 거미줄 쪽으로 손짓한다.) '멋진 돼지'. 와, 샬럿! 또 해냈구나! (월버가 둘째 손가락을 입술에 가져다 대면서 펀에게 조용히 하라는 눈짓을 보낸다.) 아, 자는구나. 밤을 꼬박 새웠겠어. (월버, 고개를 끄덕인다.)

17 샬럿의 거미줄에 대한 이야기가 온 동네에 퍼지자 어떤 일이 벌어졌습니까?

_____

_____

18 ㉠에서 느껴지는 샬럿의 마음을 쓰시오.

(   )

19 샬럿이 월버를 위해 밤새 거미줄을 짜는 행동으로 보아 샬럿의 성격은 어떠한지 알맞은 것에 ○표를 하시오.

(1) 이기적이다.   (   )

(2) 인정이 많고 의리가 있다.
(   )

(3) 남의 일에는 관심이 없다.
(   )

20 ㉡'기적'은 무엇을 의미하는 것입니까?

(   )

호머 주커만: (무대 밖에서) 여보, 기자한테 전화 좀 해야겠어!

호머 주커만이 등장하고 러비가 그 뒤를 따라 들어온다.

호머 주커만: ㉠사진 기자를 데려올지도 몰라. (거미줄을 본다.) 흠, 이거 봐, 이 거. '멋진 돼지'라니, 누가 생각이나 했겠어!

존 애러블, 마사 애러블, 에이버리 애러블이 등장한다.

마사 애러블: 또 나타났어요?

러비: (거미줄을 가리키면서) 또 기적이야!

존 애러블: 호머, 오늘도 사람이 많이 몰려오겠네.

호머 주커만: 그 사람들이 차를 세울 데가 있을지 모르겠어. 어제 우리 집 앞 찻 길이 완전히 주차장이 되었다니까.

존 애러블: 우리는 공터에다 주차하고, 내가 에이버리랑 같이 주차를 안내하지.

에이버리 애러블: 와, 신난다. 내가 주커만 경찰서장 할래. (모두 함께 웃는다. 에 이버리 애러블과 존 애러블이 퇴장한다.)

펀 애러블: 호머 아저씨, 이제 윌버를 살려 두실 거예요?

호머 주커만: 아니, 누가 윌버를 어떻게 한대?

펀 애러블: 돼지들은 그렇게 되잖아요. 날씨가 추워지면요. 그러니까…… 뻔한 순서…….

마사 애러블: 뻔한 순서? 도대체 그런 말을 어디에서 들었니?

펀 애러블: 늙은 양 아주머니가…… 아니, 그러니까…… 어디에선가 들은 말이에 요.

호머 주커만: 윌버한텐 아무 일 없을 거야. 이렇게 유명세를 타고 있으니 말이야. 자, 가세, 러비. 할 일이 많아.

러비: '멋진 돼지'. (호머 주커만과 러비가 퇴장한다.)

마사 애러블: 에디스 아주머니가 손님들 드릴 과자를 만드시는데, 같이 도와 드 리러 가자.

펀 애러블: 여기 좀 더 있으면 안 돼요?

마사 애러블: 너는 동물과 있느라 시간을 다 보내는구나. 네 또래 애들이랑도 놀 아야지. 토미 왓슨이나…….

펀 애러블: 어휴, 엄마.

마사 애러블: 아니면 프레디 존슨.

펀 애러블: 웩.

마사 애러블: 아님 헨리 퍼시.

펀 애러블: ㉡헨리 퍼시요? (눈을 크게 뜨고 어이없다는 표정을 짓는다.)

마사 애러블: 그만 가자.

펀 애러블: 아, 알겠어요. 윌버야, 안녕. 샬럿, 안녕. (둘 다 퇴장한다.)

21 극본은 소리 내어 읽거나 표정, 몸짓으로 표현할 수 있습니다.

(○ , ×)

22 ㉠을 표현할 때에는 (들뜬 , 실망한) 표정으로 읽어야 합니다.

23 호머 주커만은 날씨가 추워지면 윌버를 잡아먹을 것이라고 했습니다.

(○ , ×)

24 ㉡을 표현할 때 알맞은 표정과 몸짓을 찾아 ○표를 하시오.

(1) 웃는 표정을 지으며 고개를 끄덕인다. ( )

(2) 어이없다는 표정을 지으며 고개를 좌우로 젓는 다. ( )

6장

무대에 윌버 홀로 서 있다. 샬럿이 기지개를 켜고 하품을 하면서 등장한다.

샬럿: 좋은 아침이야, 윌버.

윌버: 아, 샬럿. 다들 새 글자를 보면서 좋아하고 있어. 오늘 손님들이 더 올 것 같다고 난리야. (샬럿, 웃는다.)

거위와 수거위 등장한다.

거위와 수거위: 좋은 아침, 좋은 아침, 좋은 아침.

윌버: 샬럿이 쓴 새 글자 봤어?

거위: ㉠물론, 물론, 물론. '멋진 돼지'란 말은 내 생각이었잖아, 기억나?

새끼 양에 이어 양 등장한다.

새끼 양: 윌버, 모두 너에게 관심을 가지니까 콧대가 높아졌구나?

윌버: 그런 거 아냐. 유명해진다고 변하진 않을 거야.

양: 아직 안심하긴 일러. 네 목숨이 완전히 보장된 건 아냐.

윌버: 알아. 그렇지만 너희 같은 친구들이 있어서 뭐든 다 헤쳐 나갈 수 있을 것 같아. 우정이야말로 세상에서 가장 소중한 거니까.

템플턴이 비누 상자 뚜껑을 들고 등장한다.

템플턴: 너, 그 말 마음속에 꼭 새겨 둬. 너 살린다고 밤새 쓰레기통을 뒤지면서 글자 조각을 찾던 이 늙은 템플턴의 우정도 잊어버리면 안 돼. (비누 상자 뚜껑을 샬럿에게 건넨다.) 한번 봐. 빈 비누 상자에서 나온 거야.

샬럿: (글자 조각을 보고 읽는다.) 새롭고 빛나는 모습.

동물들: (샬럿을 따라 읽는다.) 새롭고 빛나는 모습.

샬럿: 윌버, 뛰어다녀 봐. 정말 빛이 나는지 봐. (윌버, 뛰어다니기 시작한다.) 다시 해 봐. 좀 더 빠르게. (윌버는 점점 빨리 뛴다.) 하늘을 향해 뛰어올라 봐. (윌버는 뛰기 시작하고 다른 동물들은 윌버가 한 동작씩 해낼 때마다 점점 박수와 환호를 보내면서 분위기를 고조시킨다.) 앞 구르기……, 뒤 구르기……, 구른 다음 다리 찢기! (윌버는 다리를 벌리고 앉아 미소를 짓는다.) 빛이 나는지는 모르겠지만 신기하기는 하다.

윌버: 아니, 정말로 내 몸에서 빛이 나는 것 같아. 정말 그런 것 같아.

샬럿: 그럼 '빛나는'으로 하자.

모두 박수를 하며 환호한다. 템플턴, 무대 밖을 힐끗 보고 검지손가락을 세워 입에 가져다 댄다. 모두가 조용해지면 무대 밖으로 나간다.

---

25 ㉠에서 알 수 있는 거위의 마음으로 알맞은 것에 ○표를 하시오.

(1) 속상한 마음 （   ）

(2) 우쭐한 마음 （   ）

(3) 짜증스러운 마음 （   ）

26 윌버는 ☐☐(이)야말로 세상에서 가장 소중한 것이라고 했습니다.

27 템플턴이 샬럿에게 건넨 비누 상자에는 어떤 글자가 쓰여 있었습니까?

（   ）

28 이 극본을 읽고 떠오르는 생각이나 느낌을 쓰시오.

_____

_____

_____

_____

_____

정답과 해설 ● 20쪽

✚ 인물이 처한 상황에 알맞은 목소리로 표현하는 방법 알기 [1~2]

① 인물이 처한 상황에서 인물이 어떤 마음일지 생각합니다.
② 인물의 대사를 어떻게 표현하면 좋을지 생각합니다.
③ 공연에서 목소리를 알맞게 낼 수 있도록 연습합니다.

배로 숨을 쉬면서 말하면 목소리를 우렁차게 낼 수 있어.

숨을 쉴 때마다 배가 오르락내리락하네! 손으로 배가 움직이는 것을 느끼면서 숨쉬기 연습을 할 거야.

숨을 크게 들이마시고 천천히 내쉬면서 목소리를 내 봐. 그러면 목소리를 훨씬 우렁차게 낼 수 있어.

입 모양이 정확해야 발음이 좋아. 거울을 보면서 자신이 정확한 입 모양으로 말하는지 살펴봐야 해.

정확한 입 모양으로 말하니까 발음이 좋아졌어.

내 목소리가 우렁차서 연극을 보는 친구들에게 잘 들릴 거야.

✚ 인물이 처한 상황에 알맞게 표정과 몸짓을 표현하는 방법 알기 [3~4]

① 인물이 처한 상황에서 인물이 어떤 마음일지 생각합니다.
② 극본의 지문을 어떤 표정과 몸짓으로 표현하면 좋을지 생각합니다.
③ 공연에서 알맞게 표정을 짓고 몸짓을 할 수 있도록 연습합니다.

몸이 유연해야 자연스러운 몸짓으로 표현할 수 있어.

몸풀기를 꾸준히 해야겠어.

친구들은 내 표정을 보고 어떤 기분을 나타내는지 알 수 있을 거야.

거울을 보고 표정을 크게 짓는 연습을 할 거야. 그리고 입을 크게 벌려서 발음을 해야 해.

표정을 크게 지으면 인물의 감정을 잘 전달할 수 있어.

표정과 대사가 잘 전달되면 보는 사람들이 인물에게 더 몰입할 수 있어.

---

1 공연에서 인물이 처한 상황에 알맞은 목소리로 표현하려면 먼저 인물이 어떤 ☐☐ 일지 생각합니다.

2 공연에서 목소리를 알맞게 낼 수 있도록 연습한 방법이 바르지 <u>않은</u> 친구는 누구인지 쓰시오.

> 민지: 배로 숨을 쉬면서 말할 거야.
> 은미: 입 모양을 최대한 작게 해서 말할 거야.
> 희주: 숨을 크게 들이마시고 천천히 내쉬면서 목소리를 낼 거야.

(   )

3 공연에서 알맞게 표정을 짓고 몸짓을 할 수 있도록 연습하는 방법을 한 가지 쓰시오.

_____

_____

_____

4 공연에서 표정과 대사를 잘 전달하면 보는 사람들이 인물에게 더 몰입할 수 있습니다.
(○ , ×   )

정답과 해설 ● 20쪽

✚ **모둠별로 배역을 정하여 연습하기 [1]**

① 모둠별로 배역을 정합니다.
② 무대 특성에 맞게 연기 연습을 해 봅니다.

③ 같은 배역끼리 모여 연습해 봅니다.

✚ **모둠별로 누가 어떤 제작진 역할을 맡을지 정하고 무대 준비하기 [2~4]**

1 연기 연습을 할 때에는 항상 대사를 보면서 연기합니다.
(○ , ×)

2 연극 무대를 준비할 때 다음 역할을 맡은 제작진이 할 일을 보기 에서 찾아 각각 기호를 쓰시오.

> 보기
> ㉠ 인물이 입을 옷들을 미리 준비한다.
> ㉡ 소리를 정해진 부분에서 틀 수 있도록 미리 준비해서 연습한다.
> ㉢ 소품을 미리 준비하고, 공연할 때 소품이 필요한 장면에서 쓸 수 있도록 한다.

(1) 의상: (   )
(2) 소품: (   )
(3) 음악, 효과음: (   )

3 □□을/를 맡은 사람은 연기하는 친구들이 연극 무대에 알맞게 표현하는지 점검합니다.

4 연극 무대를 준비할 때에는 맡은 역할이 (같은 , 다른) 친구들끼리 모여서 준비 계획을 세우면 좋습니다.

연극 실연 무대에서 연극 공연하기

♣ 모둠별로 이어서 연극 「샬럿의 거미줄」을 공연하기 【1~2】

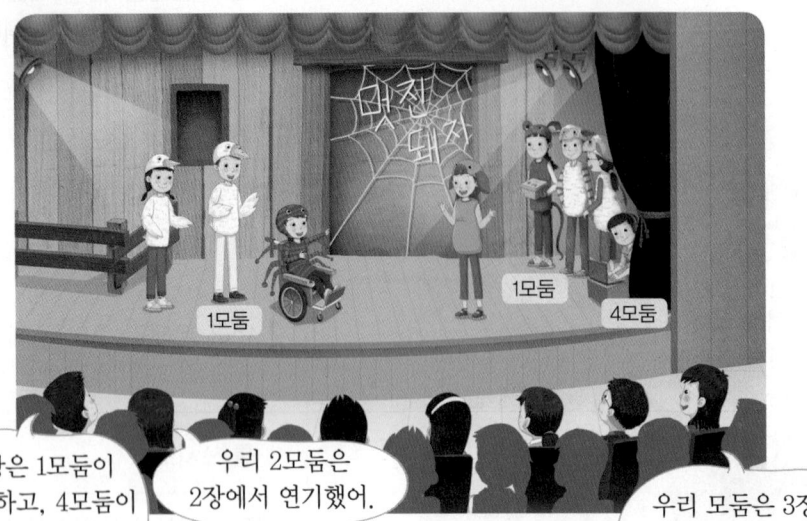

6장은 1모둠이 연기하고, 4모둠이 제작진 역할을 맡았어.

우리 2모둠은 2장에서 연기했어.

우리 모둠은 3장의 제작진 역할을 맡았어.

 연극은 어떻게 보는 것이 좋을까?

 떠들지 않고 집중해서 봐야지. 그러다가 재미있는 장면이 나올 땐 소리 내어 웃을 수도 있어. 친구들이 실수하더라도 손뼉을 치면서 격려해 줘야지.

♣ 연극을 공연하면서 친구가 잘한 점 칭찬하기 【3】

 나는 친구가 알맞은 목소리로 연기한 것을 칭찬할 거야.

 나는 연극을 준비할 때 다른 친구들을 잘 도와준 친구를 칭찬할 거야.

♣ 연극을 준비하고 공연하면서 느낀 점을 써서 발표하기 【4】

　　연극을 하려면 연기자뿐만 아니라 무대를 준비하는 사람도 최선을 다해 자신의 역할을 해야 한다. 그리고 서로 도우며 함께 노력할 때 멋진 공연이 이루어진다는 것을 알았다.
　　우리 반 연극을 준비할 때 평소 이야기를 잘 나누지 않던 친구와 소품을 함께 만들면서 친해졌다. 그리고 ㉠템플턴 역할을 하면서 나도 누군가에게 도움을 주는 사람이 되면 좋겠다고 생각했다. 연극 공연을 하고 나니 우리 반 친구들이 더 가깝게 느껴졌다.

---

1 연극을 볼 때에는 떠들지 않고 □□해서 봅니다.

2 친구들이 준비한 연극을 바르게 관람한 친구는 누구인지 쓰시오.

> 민지: 재미있는 장면이 나와도 일부러 웃지 않았어.
> 은우: 친구들이 실수해도 손뼉을 치면서 격려해 주었어.

(　　　　　　　　)

3 연극을 공연하면서 친구가 잘한 점을 칭찬할 때에는 어떤 점을 칭찬할 수 있을지 쓰시오.

_____

_____

4 글쓴이가 연극에서 ㉠'템플턴 역할'을 하면서 느낀 점을 쓰시오.

_____

_____

연극 정리

연극 활동 돌아보기

✦ 각 영역에서 자신이 잘했는지 표시하고 연결해 봅시다.

영역	잘했나요?
극본 읽기	인물이 어떤 마음인지 생각하며 극본을 잘 읽었다.
인물 표현	인물을 실감 나게 잘 표현했다.
연극 무대 준비	내가 맡은 역할에 맞게 연극 무대를 잘 준비했다.
연극 관람	다른 친구들이 하는 연극을 적극적으로 호응하며 관람했다.
협동	연극을 준비하고 공연하는 과정에서 친구들과 잘 협력했다.

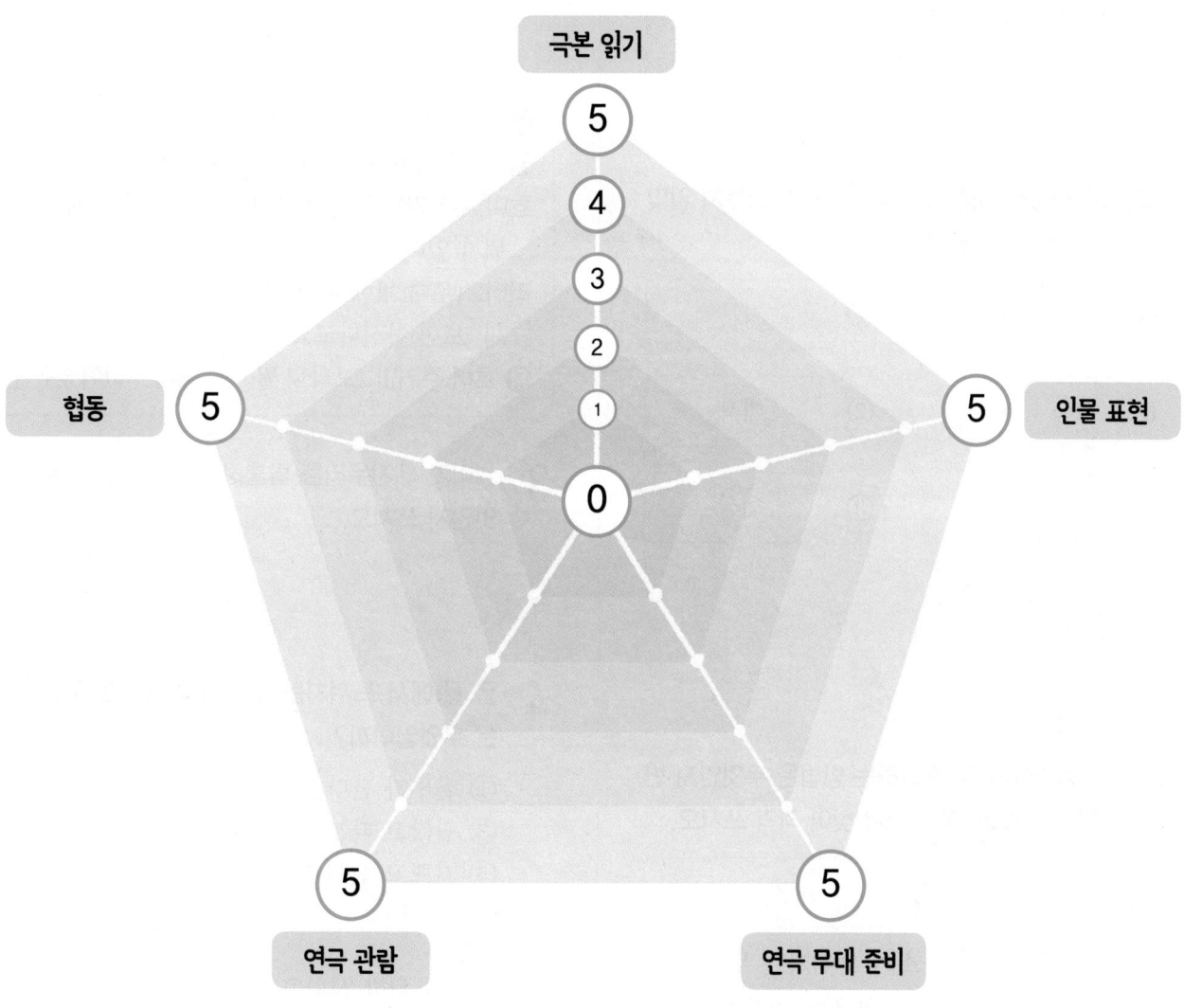

매우 잘함: 5, 잘함: 4, 보통임: 3, 노력해야 함: 2, 매우 노력해야 함: 1

단원 평가

[1~2] 글을 읽고, 물음에 답하시오.

가
- 때: 어느 가을날
- 곳: 어느 한적한 마을
- 나오는 사람: 노인, 식당 주인, 마을 사람 1, 마을 사람 2, 마을 사람 3 ⟩㉠

나 노인이 식당 구석진 자리에 앉는다. 배낭을 벗지 않은 채 엉거주춤 위태롭게 앉는다. 식당 안 손님들이 노인을 힐끔힐끔 쳐다본다. 식당 주인이 빵과 물을 노인의 식탁으로 가져간다. 노인이 천천히 물을 마시고 빵을 베어 문다.

식당 주인: (배낭을 벗겨 주려고 배낭을 들면서) ㉡무거운데, 이거는 벗어 놓고 드세요.
노인: ㉢(놀란 듯이 황급히 배낭끈을 잡아 쥐면서) 놔둬요.

1 극본에서 ㉠~㉢을 각각 무엇이라고 하는지 알맞은 것을 각각 선으로 이으시오.

(1) ㉠ •   • ① 지문

(2) ㉡ •   • ② 대사

(3) ㉢ •   • ③ 해설

☆☆
2 ㉠~㉢을 연극으로 표현하는 방법은 무엇인지 빈칸에 알맞은 말을 **보기** 에서 찾아 각각 쓰시오.

보기   말   음악   표정

(1) ㉠에서 시간과 장소의 분위기는 무대 배경과 조명, (   )(으)로 표현한다.
(2) ㉡은 배우가 (   )(으)로 표현한다.
(3) ㉢은 배우가 목소리와 몸짓, (   )(으)로 표현한다.

[3~5] 글을 읽고, 물음에 답하시오.

가 러비: (무대 밖으로 소리치며) 주커만 씨! 주커만 씨! 빨리 와 보세요! (허겁지겁 퇴장한다.)
윌버: (거미줄 쪽은 보지 않고서) 대체 뭘 봤다는 거야? (곰곰이 생각하다가 갑자기 벌떡 일어나며) 그래! 날 본 거야! 내가 살이 찌고 커져서 이제는 햄으로 만들려는 게 틀림없어! (안절부절못하며 우리를 서성인다.) 이제 어떡하지? (잠시 멈춰서 고개를 갸우뚱하며 생각을 떠올리려고 한다.) 당장 여길 빠져나가야 돼. (여물통을 바라보고) 아니지, 우선 먹고 기운부터 차리자. (죽을 꿀꺽꿀꺽 마신다.) 준비 완료! (눈에 힘을 주고 크게 뜨면서) 돌진! (무대 밖으로 뛰어나간다.)

나 샬럿: 무슨 소리지? 윌버, 어디 있니?
윌버: (무대 밖에서) ㉠나는 자유다!
호머 주커만: (무대 밖에서) 아, 돼지우리에 대체 뭐가 있다고 여기까지 오라…….
러비: (무대 밖에서) 보면 아신다니까요, 주커만 씨. 보면 아신다고요.

다 호머 주커만: 보라니 뭘……. 돼지가 없어졌구먼!

3 윌버가 돼지우리를 탈출하기로 결심한 까닭은 무엇인지 쓰시오.

(   )

4 글 **가**에서 느껴지는 윌버의 마음으로 알맞은 것은 무엇입니까? (   )
① 질투가 난다.   ② 두렵고 초조하다.
③ 귀찮고 따분하다.   ④ 반갑고 행복하다.
⑤ 기쁘고 신이 난다.

논술형
5 인물이 처한 상황을 생각하며 ㉠을 표현하려면 어떤 표정이나 몸짓을 해야 할지 쓰시오.

_____

_____

[6~7] 글을 읽고, 물음에 답하시오.

> ㉮ 샬럿: 일이 잘된 것 같아. 지금으로서는 말이
> 야. 그렇지만 윌버를 살리려면 거미줄에 글자
> 를 더 새겨야 해.
> ㉯ 양: (무대 밖을 보면서) 저기 들쥐 온다. 도움
> 이 될지도 몰라.
> ㉰ 템플턴: 무슨 일인데 그래? (팔짱을 끼며) 내
> 가 나 좋은 일만 하는 건 다들 알고 있겠지?
> 양: 거미줄에 있는 글자 봤니?
> 템플턴: 아침에 나갈 때 봤지. 별거 아니던데, 뭘.
> 양: 주커만 씨한테는 별일이야. 지금 샬럿한테
> 새로운 글자가 필요하대. 쓰레기장에 갈 때 글
> 자 좀 가지고 와. 보고 쓰게. 윌버를 살릴 수
> 있을지도 몰라.
> 템플턴: 흥, 내가 왜?
> 양: 윌버가 죽고 겨울이 되어 보라지. 누가 여물
> 을 들고 여기까지 오나.
> 템플턴: (잠시 뜸을 들이며 고민하다가) 글자 조각
> 찾아오면 되잖아.
> 샬럿: 다들 고마워. 회의는 여기서 끝내자. (샬럿
> 과 윌버를 뺀 나머지 동물들은 서로 인사하며 퇴
> 장한다.) 오늘 밤 거미줄을 다시 찢어서 '멋진
> 돼지'라는 글자를 쓸 거야.

6 템플턴이 윌버를 살리기 위해 해야 할 일은 무엇
인지 빈칸에 알맞은 말을 쓰시오.

 • (1)(   )에서 (2)(   )
 을/를 찾아 샬럿에게 가져다주는 것

7 윌버에 대한 샬럿의 생각으로 알맞은 것은 어느
것입니까?   (   )

① 성가신 친구이다.
② 도와주고 싶은 친구이다.
③ 특별하지 않은 친구이다.
④ 나와는 상관이 없는 친구이다.
⑤ 자기에게 이익이 되는 일만 하는 친구이다.

8 다음 그림에서 샬럿과 윌버 역할을 맡은 친구들이
목소리를 알맞게 내려면 어떻게 해야 하는지 한
가지씩 쓰시오.

(1) 샬럿: (   )
(2) 윌버: (   )

9 연극 무대를 준비할 때 연출 역할을 맡은 제작진
이 할 일로 알맞은 것을 **두 가지** 고르시오.
                (,   )

① 소품을 미리 준비한다.
② 인물이 입을 옷들을 미리 준비한다.
③ 음악이나 효과음이 장면에 맞게 잘 나오는
지 살펴본다.
④ 소리를 정해진 부분에서 틀 수 있도록 미
리 준비해서 연습한다.
⑤ 연기하는 친구들의 목소리가 들리지 않거
나 몸짓이 보이지 않는 부분이 있는지 확
인한다.

논술형
10 친구들이 준비한 연극을 관람할 때에는 어떻게 보
는 것이 좋을지 쓰시오.

_____

_____

● 다음 교과서 문장의 파란색 낱말 중에서 알맞은 것을 골라 인물들이 한 말을 완성하시오.

• 이 농장에 **기적**이 일어났군.
• 동물들은 박수를 하고 **환호**하면서 샬럿을 축하한다.
• 이렇게 **유명세**를 타고 있으니 말이야.
• 모두 너에게 관심을 가지니까 **콧대**가 높아졌구나?

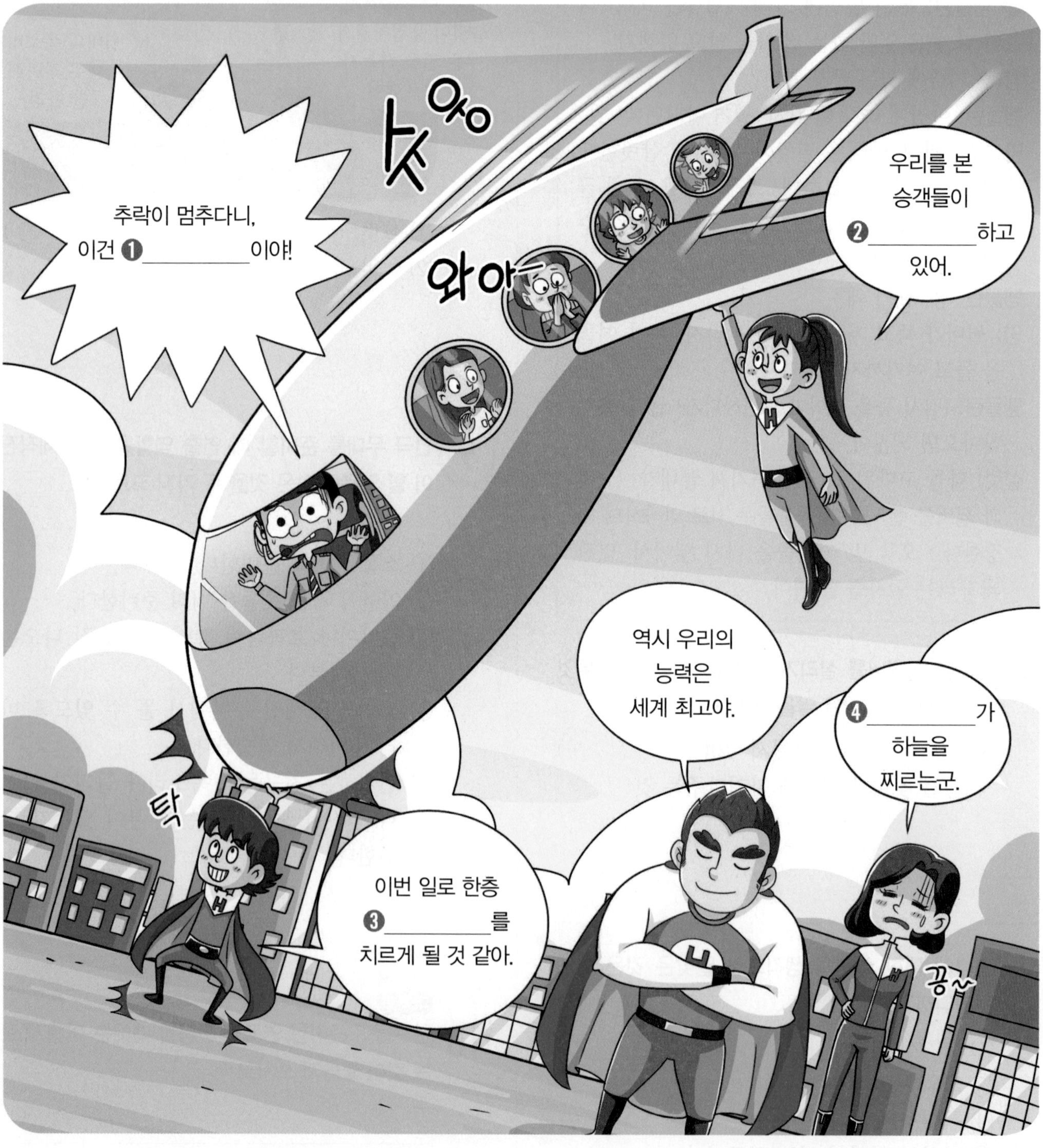

추락이 멈추다니,
이건 ❶_____이야!

우리를 본
승객들이
❷_____하고
있어.

역시 우리의
능력은
세계 최고야.

❹_____가
하늘을
찌르는군.

이번 일로 한층
❸_____를
치르게 될 것 같아.

5

글에 담긴
생각과 비교해요

5 글에 담긴 생각과 비교해요

1 글쓴이의 생각을 파악하며 글을 읽어야 하는 까닭
① 글 내용을 좀 더 깊이 있게 이해할 수 있습니다.
② 글쓴이가 글을 쓴 의도와 목적을 알 수 있습니다.

2 글을 읽고 글쓴이의 생각을 파악하는 방법
① 제목과 글에서 사용한 표현을 보면 글쓴이의 관점을 알 수 있습니다. → 사물이나 현상을 관찰할 때 그 사람이 바라보는 태도나 방향 또는 처지
② 글 내용을 파악하며 글쓴이가 알려 주고 싶은 생각을 찾아봅니다.
③ 글 내용과 관련해 글쓴이가 예상하는 독자가 누구일지 생각해 봅니다.
④ 글에 포함된 그림이나 사진을 살펴봅니다.
⑤ 글쓴이가 글을 쓴 의도와 목적을 생각해 봅니다.
예 「로봇세를 도입해야 한다」를 읽고 글쓴이의 생각 파악하기

글쓴이가 제목을 그렇게 정한 까닭	로봇세를 걷는 것이 필요하기 때문이다. 등
글쓴이의 생각이 담긴 낱말이나 문장 같은 표현	'도입', '인간과 로봇이 함께 살아가는 방법', '소득을 재분배' 등
글쓴이가 예상하는 독자	학생, 로봇에 관심 있는 사람들, 기업인 등
글쓴이가 글을 쓴 의도와 목적	로봇세 도입에 부정적인 사람들에게 다른 관점으로도 생각할 수 있게 하려고 이 글을 썼을 것이다. 등

➡ 글쓴이의 생각: 로봇세를 걷으면 일자리를 잃은 사람들이 재교육을 받고 새로운 일자리를 찾는 데 도움을 줄 수 있고, 소득을 재분배함으로써 국민의 복지 향상에 도움을 줄 수 있다. 등

3 글쓴이의 생각과 자신의 생각을 비교하며 글 읽기
① 글쓴이가 제목을 그렇게 정한 까닭을 생각해 봅니다.
② 글쓴이의 생각이 담긴 표현을 찾아봅니다.
③ 글쓴이가 글을 쓴 의도와 목적을 생각해 봅니다.
④ 글쓴이의 생각과 자신의 생각을 비교해 봅니다.

4 자신의 생각과 상대의 생각을 비교하며 토론하기
① 토론에서 역할을 정해 봅니다. → 사회자, 찬성편 토론자, 반대편 토론자
② 우리 편 주장의 적절한 근거를 마련해 봅니다.
③ 상대편 주장의 근거와 우리 편 주장에 대한 반론을 예상해 봅니다.
④ 우리 편이 마련한 근거를 설명할 수 있는 자료를 찾아봅니다.
⑤ 자신의 생각을 효과적으로 나타낼 수 있는 낱말이나 문장 같은 표현을 써 봅니다. → 자신의 경험, 책, 신문 기사, 통계 자료, 전문가 의견 등
⑥ 토론을 한 뒤에 느낀 점이나 달라진 생각을 친구들과 이야기해 봅니다.

핵심 개념 문제
정답과 해설 ● 21쪽

1 글쓴이의 생각을 파악하며 글을 읽으면 글 내용을 좀 더 깊이 있게 이해할 수 있습니다.
(○ , ×)

2 제목과 글에서 사용한 표현을 보면 글쓴이의 ☐☐을/를 알 수 있습니다.

3 글을 읽고 글쓴이의 생각을 파악하기 위해서는 글에 포함된 그림이나 사진은 살펴볼 필요가 없습니다.
(○ , ×)

4 글쓴이의 생각과 자신의 생각을 비교하며 글을 읽을 때, 글쓴이가 글을 쓴 의도와 ☐☐을/를 생각해 봅니다.

5 자신의 생각과 상대의 생각을 비교하며 토론할 때 상대편 주장의 근거를 예상할 필요는 없습니다.
(○ , ×)

준비 글쓴이의 생각을 파악하며 글을 읽어야 하는 까닭 알기

○ 김구 선생이 어떤 나라를 원하는지 생각하며 글 읽기

내가 원하는 우리나라

김구

❶ 나는 우리나라가 세계에서 가장 아름다운 나라가 되기를 원한다. 가장 부강한 나라가 되기를 원하는 것은 아니다. 내가 남의 침략에 가슴이 아팠으니, 내 나라가 남을 침략하는 것을 원치 아니한다.
5 우리의 부는 우리 생활을 풍족히 할 만하고, 우리의 힘은 남의 침략을 막을 만하면 족하다. 오직 한없이 가지고 싶은 것은 높은 문화의 힘이다. 문화의 힘은 우리 자신을 행복하게 하고, 나아가서 남에게도 행복을 주기 때문이다. 지금 인류에게 부족한 것은 무
10 력도 아니요, 경제력도 아니다. 자연 과학의 힘은 아무리 많아도 좋으나, 인류 전체로 보면 현재의 자연 과학만 가지고도 편안히 살아가기에 넉넉하다.

중심 내용 나는 우리나라가 세계에서 가장 아름다운 나라가 되기를 원한다.

❷ 인류가 현재에 불행한 근본 이유는 인의가 부족하고, 자비가 부족하고, 사랑이 부족한 때문이다.
15 이 마음만 발달이 되면, 현재의 물질력으로 인류

• 글의 특징: 백범 김구 선생이 쓴 글로, 김구 선생이 어떤 나라를 원하는지에 대한 생각이 잘 드러난 글입니다.

20억이 다 편안히 살아갈 수 있을 것이다. 인류에게 이 정신을 배양하는 것은 오직 문화이다. 나는 우리나라가 남의 것을 모방하는 나라가 되지 말고, 이러한 높고 새로운 문화의 근원이 되고, 목표가 되고, 모범이 되기를 원한다. 그래서 진정한 세 5 계의 평화가 우리나라에서, 우리나라로 말미암아 세계에 실현되기를 원한다.

홍익인간이라는 우리 국조 단군의 이상이 이것
널리 사람을 이롭게 함. 단군의 건국 이념
이라고 믿는다. 또 우리 민족의 재주와 정신과 과거의 단련이 이 사명을 달성하기에 넉넉하고, 국 10 토의 위치와 기타의 지리적 조건이 그러하며, 또 제1차·제2차 세계 대전을 치른 인류의 요구가 그러하며, 새로 나라를 고쳐 세우는 우리가 서 있는 시기가 그러하다고 믿는다. 우리 민족이 주연 배우로 세계의 무대에 등장할 날이 눈앞에 보이지 아 15 니하는가.

중심 내용 나는 우리나라가 높고 새로운 문화의 근원이 되고, 목표가 되고, 모범이 되어 우리나라로 말미암아 세계의 평화가 실현되기를 원한다.

부강(富 부유할 부, 強 강할 강) 부유하고 강함.
예 부강한 국가를 이루기 위해 어떤 노력을 해야 할까?

모범 본받아 배울만한 대상.
예 반장은 늘 친구들에게 모범을 보인다.

---

1 다음은 무엇에 대한 설명인지 쓰시오.

> 사물이나 현상을 관찰할 때 그 사람이 바라보는 태도나 방향 또는 처지를 뜻한다.

( )

2 김구 선생은 어떤 나라를 원한다고 했습니까?( )

교과서
문제
① 부강한 나라
② 문화의 힘이 약한 나라
③ 남을 침략할 수 있는 나라
④ 세계에서 가장 아름다운 나라
⑤ 남의 침략을 막을 수 없는 나라

3 김구 선생은 무엇이 부족하여 인류가 현재에 불행하다고 했는지 세 가지를 고르시오.

(, ,)

① 인의   ② 자비   ③ 사랑
④ 식량   ⑤ 무기

4 3번 문제에서 답한 것을 배양하는 것은 오직 무엇이라고 했는지 이 글에서 찾아 두 글자로 쓰시오.

( )

준비

❸ 이 일을 하기 위하여 우리가 할 일은 사상의 자유
<u>문화를 높이는 일</u>
를 확보하는 정치 양식의 건립과 국민 교육의 **완비**
이다. 내가 위에서 자유의 나라를 강조하고, 교육의
중요성을 말한 것도 이 때문이다. 최고의 문화를 건
5 설하는 사명을 **달성**할 민족은 한마디로 말하면 국
민 모두를 성인으로 만드는 데 있다. 대한 사람이라
면 간 데마다 신용을 받고 대접을 받아야 한다.

우리의 적이 우리를 누르고 있을 때에는 미워하
고 분해하는 살벌 투쟁의 정신을 길렀지만, 적은
10 이미 물러갔으니 우리는 증오의 투쟁을 버리고 화
<u>아주 사무치게 미워함.</u>
합의 건설을 일삼을 때다. <u>㉠집안이 불화하면 망하
듯, 나라 안이 갈려서 싸우면 망한다. 동포 간의 증
오와 투쟁은 망할 징조이다.</u> 우리의 용모에서는 화
기가 빛나야 한다. 우리 국토 안에는 언제나 봄바
15 람이 가득해야 한다. 이것은 우리 국민 각자가 한
번 마음을 고쳐먹음으로써 가능하게 되고, 그러한
정신을 교육함으로 영원히 이어질 것이다.

중심 내용 문화를 높이기 위해 우리가 할 일은 사상의 자유를 확보하는 정치
양식의 건립과 국민 교육의 완비이다.

❹ 최고의 문화로 인류의 모범이 되는 것을 사명으
로 삼는 우리 민족의 개개인은 이기적 개인주의자

가 되어서는 안 된다. 우리는 개인의 자유를 극도
로 주장하되, 그것은 저 짐승들과 같이 저마다 제
배를 채우기에 쓰는 자유가 아니요, 제 가족을, 제
이웃을, 제 국민을 잘 살게 하는 데 쓰이는 자유이
다. 공원의 꽃을 꺾는 자유가 아니라 공원에 꽃을 5
심는 자유이다. 우리는 남의 것을 **빼앗거나** 남의
덕을 보려는 사람이 아니라 가족에게, 이웃에게,
동포에게 주는 것을 즐거움으로 삼는 사람이다.
이것이 우리말에 이른바 선비요 점잖은 사람이다.

그러므로 우리는 게으르지 아니하고 부지런하다. 10
㉡『사랑하는 처자를 가진 가장은 부지런할 수밖에
없다. 한없이 주기 위함이다. 힘든 일은 내가 앞서
하니 사랑하는 동포를 아낌이요, 즐거운 것은 남에
게 권하니 사랑하는 자를 위하기 때문이다.』이것이
우리 조상들이 좋아하던 인자하고 어진 덕이다. 15

이러함으로써 우리나라 산에는 삼림이 무성하고,
<u>풀이나 나무 따위가 자라서 우거져 있고</u>
들에는 오곡백과가 풍성하며, 촌락과 도시는 깨끗
하고 풍성하고 화평할 것이다. 그리하며 우리 동
포, 즉 대한 사람은 남자나 여자나 얼굴에는 항상
화기가 있고, 몸에서는 어진 향기를 발할 것이다. 20

완비(完 완전할 완, 備 갖출 비) 빠짐없이 완전히 갖춤.
⑩ 그 식당에는 주차장이 완비되어 있다.

달성(達 통달할 달, 成 이룰 성) 목적한 것을 이룸.
⑩ 목표 달성을 위해 노력하다.

---

5 김구 선생은 문화를 높이려면 우리가 해야 할 일
이 무엇이라고 했는지 빈칸에 알맞은 말을 쓰시오.

(1) 사상의 자유를 확보하는 (   )
(2) 국민 (   )의 완비

7 김구 선생이 말하는 자유란 어떤 것인지 알맞은
것에 **모두** ○표를 하시오.

(1) 공원의 꽃을 꺾는 자유   (   )
(2) 공원에 꽃을 심는 자유   (   )
(3) 제 배를 채우기에 쓰는 자유   (   )
(4) 제 가족을, 제 이웃을, 제 국민을 잘 살게 하
는데 쓰이는 자유   (   )

6 ㉠과 같은 일이 벌어지지 않기 위해 우리 민족이
어떻게 해야 할지 쓰시오.

(   )

8 ㉡『　』부분은 무엇과 관련 있는지 빈칸에 알맞은
말을 쓰시오.

• 우리 조상들이 좋아하던 (   )

준비

이러한 나라는 불행하려 해도 불행할 수 없고, 망하려 해도 망할 수 없는 것이다. 민족의 행복은 결코 계급 투쟁에서 오는 것이 아니요, 개인의 행복이 이기심에서 오는 것도 아니다. 계급 투쟁은 끝없는 계급 투쟁을 낳아서 국토에 피가 마를 날 없고, 내가 이기심으로 남을 해하면 천하가 이기심으로 나를 해할 것이니, 이것은 조금 얻고 많이 빼앗기는 것이다. 일본이 이번 전쟁에 패해 보복당한 것은 국제적·민족적으로 그것을 증명하는 가장 좋은 실례다.

중심 내용 우리 민족의 개개인은 이기적 개인주의자가 되어서는 안 되며 게으르지 않고 부지런해야 한다.

❺ 이상에 말한 것은 내가 바라는 새 나라의 용모의 일단을 그린 것이다. 동포 여러분! 이러한 나라가 된다면 얼마나 좋겠는가. 우리 자손에게 이러한 나라를 남기고 가면 얼마나 만족하겠는가. 옛날 한 나라 지역의 기자가 우리나라를 사모하여 왔고, 공자께서도 우리 민족이 사는 데 오고 싶다고 하셨으며 우리 민족을 인을 좋아하는 민족이라 하였다. 옛날에도 그러하였거니와, 앞으로 세계 인류가

모두, 우리 민족의 문화를 이렇게 사모하도록 하지 아니하려는가. 나는 우리의 힘으로, 특히 교육의 힘으로 반드시 이 일이 이루어질 것이라고 믿는다. 우리나라의 젊은 남녀가 다 이 마음을 가진다면 아니 이루어지고 어찌하랴!

나도 일찍이 황해도에서 교육에 종사하였거니와, 내가 교육에서 바라던 것이 이것이었다. 내 나이 이제 일흔이 넘었으니 직접 국민 교육에 종사할 시일이 넉넉지 못하지만, 나는 천하의 교육자와 남녀 학도들이 한번 크게 마음을 고쳐먹기를 빌지 아니할 수 없다.

1947년 / 새문 밖에서
'돈의문'의 다른 이름

중심 내용 내가 바라는 나라는 우리의 힘으로, 특히 교육의 힘으로 이루어질 것이라고 믿는다.

● 글 내용만 이해하고 읽을 때와 글쓴이의 생각을 파악하며 읽을 때를 비교하기 (예)

글쓴이의 생각을 파악하며 읽으면 글의 주제를 쉽게 찾을 수 있어.

핵심

이기심 자기 자신의 이익만을 꾀하는 마음.
(예) 이기심을 가지기보다 서로 돕고 살아야 한다.

증명 어떤 상황이나 판단 따위에 대하여 진실인지 아닌지 근거를 들어서 밝힘.

---

9 공자는 우리 민족이 무엇을 좋아하는 민족이라고 했습니까? ( )

① 인   ② 의   ③ 예
④ 지   ⑤ 효

논술형

10 이 글에서 인상 깊은 부분은 어디인지 그 까닭과 함께 쓰시오.

_____

_____

11 김구 선생이 제목을 「내가 원하는 우리나라」라고 정한 까닭을 알맞게 말하지 못한 사람을 쓰시오.

교과서 문제

> 정환: 글 내용을 잘 설명할 수 있는 제목이기 때문이야.
> 병수: 읽는 사람의 관심을 끌 수 있는 제목이기 때문이야.
> 혜린: 읽는 사람이 글을 읽고 자신이 원하는 나라를 생각해 보라는 뜻으로 지은 제목이야.

( )

핵심

12 글쓴이의 생각을 파악하며 글을 읽어야 하는 까닭을 한 가지 쓰시오.

( )

기본 1 글을 읽고 글쓴이의 생각 파악하기

○ 글쓴이가 글을 쓴 까닭을 생각하며 글 읽기

로봇세를 도입해야 한다
로봇이 노동으로 생산하는 경제적 가치에 부과하는 세금

인공 지능 기술이 발전하면서 로봇이 사람을 대신해 일하는 영역이 늘어나고, 그 규모도 커지고 있다. 이에 따라 외국에서는 로봇을 소유한 기업이나 로봇에게 세금을 부과하자는 주장이 나오고 있다. 우리도 로봇세를 ㉠도입하여 ㉡인간과 로봇이 함께 살아가는 방법을 찾아야 한다.
세금을 매기어 부담하게 함.

세계 경제 포럼은 로봇이나 인공 지능이 이끄는 4차 산업 혁명으로 수많은 사람이 일자리를 잃을 것이라고 전망했다. 로봇 때문에 일자리를 잃고 소득을 얻지 못하는 사람들은 새로운 일자리를 찾기 위해 재교육을 받아야 한다. 로봇세를 도입하면 그 세금으로 일자리를 잃은 사람들에게 진로 상담이나 적성 검사, 기술 교육 등을 할 수 있다. 또 로봇세를 활용하면 일자리를 잃은 사람들이 재교육을 받고 새로운 일자리를 찾는 데 도움을 줄 수 있다.

미래 사회에는 소수의 사람이 로봇으로 소득을 독점할 수 있다. 로봇을 소유하고 이용하는 사람이나 로봇에게 세금을 부과하면 소득의 독점을 막을

수 있다. 그런데 로봇에게 세금을 부과하려면 법적 근거를 마련해야 한다. 법적인 의미에서 자연인과 법인에게만 세금을 부과할 수 있다. 현행법으로는 기계인 로봇에게 세금을 부과할 수 없다. 그래서 2017년에 유럽 의회는 장기적으로 로봇에게 '특수한 권리와 의무를 가진 전자 인간'으로 법적 지위를 부여하는 입법을 집행 위원회가 추진하도록 결의했다. 이는 로봇을 소유하고 이용하는 사람뿐만 아니라 로봇에게도 세금을 부과할 수 있는 근거가 된다. 또 로봇세를 활용하면 ㉢소득을 재분배함으로써 국민의 복지 향상에 도움을 줄 수 있다.

최근 과학의 발달에서 ㉣로봇의 변화는 눈부시다. 우리나라도 이미 2008년에 「지능형 로봇 개발 및 보급 촉진법」을 제정해 로봇 산업의 법적 기반을 마련했다. 인간과 로봇이 공존하는 방법을 찾을 수 있도록 지금이라도 로봇세를 도입해야 한다.
두 가지 이상의 사물이나 현상이 함께 존재함.

●글쓴이의 생각 파악하기

글쓴이의 생각	예 로봇세를 걷으면 일자리를 잃은 사람들이 재교육을 받고 새로운 일자리를 찾는 데 도움을 줄 수 있고, 소득을 재분배함으로써 국민의 복지 향상에 도움을 줄 수 있다.

핵심

---

1 글쓴이가 「로봇세를 도입해야 한다」라고 제목을 정한 까닭으로 알맞은 것에 ○표를 하시오.
교과서 문제

(1) 로봇에게 법적 지위를 부여하기 위해서
( )

(2) 로봇세를 걷는 것이 필요하다고 생각해서
( )

(3) 로봇이 사람을 대신해 일하는 영역이 줄어들어서
( )

2 ㉠~㉣ 중 글쓴이의 생각이 드러난 표현이 아닌 것을 골라 기호를 쓰시오.
교과서 문제
( )

3 글쓴이가 로봇에게 세금을 부과하자는 까닭은 무엇인지 두 가지 고르시오. (,)
교과서 문제

① 소득을 재분배하기 위해서
② 우리나라만 로봇에게 세금을 부과하지 않아서
③ 로봇세를 걷어서 로봇 개발에 사용하기 위해서
④ 로봇도 인간과 동일한 법적 지위를 가지게 되어서
⑤ 로봇 때문에 일자리를 잃은 사람들의 재교육 비용을 마련하기 위해서

서술형
4 글쓴이가 이 글을 쓴 의도와 목적을 쓰시오.

_____

_____

로봇세 도입을 늦추어야 한다

로봇을 소유한 기업이나 로봇에게 세금을 부과하자는 주장이 나오고 있다. 로봇이 인간의 일거리를 대신 할 수 있기 때문에 인간에게 필요한 비용을 로봇세로 보충하려는 것이다. 하지만 로봇세 도
5 입은 로봇 산업의 발전과 국가의 미래 경쟁력에 부정적인 영향을 끼칠 수 있다.

로봇 산업이 본격적으로 발전하면 로봇은 인간을 대신하여 일을 하게 된다. 이럴 경우에 인간은 위험하거나 단순한 일, 반복적인 일에서 해방될 수
<u>구속이나 부담에서 벗어나게 함.</u>
10 있다. 그런데 인간을 대신하여 일을 할 로봇에게 성급하게 세금을 부과한다면 로봇 산업 발전을 더디게 할 것이다. 특히 로봇 개발자는 개발 비용에 세금까지 더하여 마음의 부담을 느낄 수 있다. 로봇 개발자가 느끼는 마음의 부담은 로봇을 개발하
<u>글쓴이의 생각이 드러난 표현</u>
15 는 과정에서 혁신적인 생각을 발전시키거나 과감한 투자를 하는 데에 걸림돌이 될 수 있다. 로봇세는 이제 발전하려는 로봇 산업에 방해가 된다.
<u>글쓴이의 생각이 드러난 표현</u>

로봇세를 부과하는 근거가 명확하지 않기 때문

에 세계의 모든 국가가 동시에 로봇세를 도입하기 어렵다. 서둘러 로봇세를 도입한 국가가 다른 국가에 비해 미래 경쟁력에서 뒤처질 수 있다. 지금도 로봇 기술은 외국의 대기업들이 독차지하고 있
<u>혼자서 모두 차지함.</u>
다. 그래서 우리의 기술 없이 로봇을 만들면 막대한 5 특허 사용료를 외국에 지급해야 한다. 그렇게 될 경
<u>글쓴이의 생각이 드러난 표현</u>
우 로봇세를 도입한 국가는 다른 국가에 비해 기술 개발이 늦어질 수 있다. 국가의 미래 경쟁력을 기르려면 로봇 기술의 개발이 먼저 이루어져야 한다.

지금은 로봇 산업 발전에 투자해야 할 때이다. 10 특히 로봇 개발에 필요한 원천 기술에 더 집중해야 한다. 그래야 우리나라의 재산을 지키고 국내 로봇 산업을 이끌 수 있는 힘을 기를 수 있다. 따라서 우리나라의 미래 경쟁력인 로봇 산업을 키울 수 있도록 로봇세 도입을 늦추어야 한다. 15

● 글쓴이의 생각 파악하기

글쓴이의 생각	예 로봇세 도입은 로봇 산업 발전에 걸림돌이 될 수 있으며 지금은 로봇 기술 개발에 더욱 집중할 때이므로 로봇세 도입을 늦추어야 한다.

핵심 **서술형**

7 이 글에 나타난 글쓴이의 생각을 쓰시오.

_____

_____

5 글쓴이가 제목을 「로봇세 도입을 늦추어야 한다」라고 정한 까닭을 두 가지 고르시오. (,)

① 로봇 산업 발전을 더디게 하기 때문에
② 국가의 미래 경쟁력이 결정되기 때문에
③ 로봇 기술 개발에 집중할 때이기 때문에
④ 인간과 로봇이 함께 살아야 하기 때문에
⑤ 외국의 대기업이 로봇세를 반대하기 때문에

역량

8 글쓴이의 생각을 파악하기 위해 살펴볼 것으로 알맞지 않은 것은 무엇입니까? ( )

① 글쓴이가 예상하는 독자
② 제목을 그렇게 정한 까닭
③ 글쓴이가 글을 쓴 의도와 목적
④ 글쓴이가 글을 쓴 시간과 장소
⑤ 글쓴이의 생각이 담긴 낱말이나 문장

6 글쓴이가 로봇세 도입이 로봇 산업 발전에 도움이 되지 않는다고 한 까닭은 무엇인지 빈칸에 각각 알맞은 말을 쓰시오.

• 로봇 개발자가 마음의 ( )을/를 느껴 혁신적인 생각을 발전시키거나 과감한 투자를 하는 데에 ( )이/가 되기 때문이다.

○ 글을 읽고 『열하일기』에 대해 궁금한 점을 말해 보기

『열하일기』 소개

• 글: 강민경 • 그림: 최현묵

『열하일기』는 조선 후기의 실학자 연암 박지원이 중국에 다녀와서 쓴 여행기입니다.

당시 중국은 아무나 갈 수 있는 곳이 아니었습니다. 그만한 자격과 능력이 요구되었지요. 그러나 반
5 대로 중국을 가려고 굳이 나서는 사람도 없었습니다. 몇 달 간 누런 모래바람을 뒤집어써야 하는 험난한 여행길을 누가 선뜻 나서겠습니까. 하지만 박지원은 호기심이 많고 모험 정신이 가득한 사람이었습니다.

10 중국에 갔다가 무사히 고국으로 돌아온 박지원은 3년 동안 정성을 쏟아 『열하일기』를 썼습니다.

• 글의 특징: 『열하일기』를 쓴 사람, 내용, 글을 쓴 기간 등을 설명하는 글입니다.

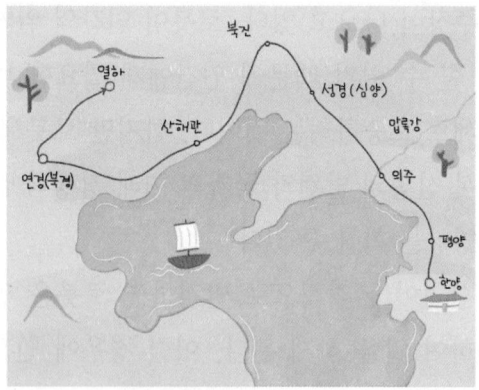

자신이 느낀 바를 진솔하게 기록했기에 책 이름에
『진실하고 솔직하게』
'일기'라는 말을 붙였습니다. 그러나 사실 『열하일기』는 개인의 감상을 늘어놓은 것이 아닙니다. 시대를 앞서가는 연암의 생각과 기억, 철학과 세계관을 한데 모은 지식의 저장소입니다.   5

자격 일정한 신분이나 지위를 가지거나 일정한 일을 하는 데 필요한 조건이나 능력.

호기심 새롭고 신기한 것을 좋아하거나 모르는 것을 알고 싶어 하는 마음.

---

1 『열하일기』는 무엇인지 빈칸에 각각 알맞은 말을 쓰시오.

• 조선 후기의 실학자 (1)(   )이/가
 (2)(   )에 다녀와서 쓴 여행기이다.

2 이 글에서 당시에는 왜 중국에 가려고 나서는 사람이 없다고 했습니까?   (   )

① 중국이 너무 멀었기 때문에
② 중국은 매우 위험한 곳이었기 때문에
③ 중국에 가 본 사람이 아무도 없었기 때문에
④ 우리나라와 중국의 사이가 좋지 않았기 때문에
⑤ 몇 달 간 누런 모래바람을 뒤집어써야 하는 험난한 여행길이었기 때문에

3 박지원의 성격으로 알맞은 것을 두 가지 고르시오.
                                    (,   )

① 조용하다.
② 겁이 많다.
③ 이기적이다.
④ 호기심이 많다.
⑤ 모험 정신이 가득하다.

4 이 글을 읽고 『열하일기』 또는 연암 박지원에 대해 궁금한 점을 쓰시오.

_____

_____

5단원

○ 글쓴이의 생각을 파악하며 글 읽기

기와 조각과 똥 덩어리

• 원작: 박지원 • 글: 강민경

❶ 나리는 일행보다 서둘러 새벽같이 길을 떠났다. 나리의 부지런함 때문에 말은 히힝 울고 잠이 덜 깬 장복이는 툴툴거렸지만, 창대는 그런 나리가 좋았다. 나리 덕분에 이번 사행길이 흙먼지만 먹고
5 가는 마부의 길이 아니라 자신을 찾는 여행처럼 느껴졌다.

"창대야, 장복아! 우리나라 선비들이 연경에서 돌아온 사람을 만나면 반드시 물어보는 말이 있다. 그게 무엇인지 아느냐?" / 나리의 질문에 창대가 미처 생
10 각할 겨를도 없이, 장복이가 대답을 툭 뱉었다.

"뭘 먹고 왔느냐는 거 아니겠습니까요? 이 나라 사람들은 책상다리 빼놓고 다 먹는다 하지 않습니까요."
장복이의 대답에 나리가 껄껄 웃으며 고개를 저었다.
"이번 여행에서 제일가는 경치가 뭐였는지 하나
15 만 짚으라는 거다."

• **글의 특징**: 글쓴이가 나리의 말로써 자신이 전하고 싶은 의도와 목적을 나타내고 있습니다.

"한마디로 제일 눈 호강을 시킨 게 뭐였는가 묻는 것이지요?"
창대가 제법 아는 척을 하며 말하자, 나리가 얼른 고개를 끄덕였다. 창대는 나리를 쫓아 이곳저곳 눈에 담기는 했지만 딱히 제일가는 경치가 뭐였 5 는지 꼽아 볼 생각은 못 했었다. 나리 뒤에서 흘깃흘깃 곁눈질을 했을 뿐이어서 창대는 스스로 감탄한 경관이 무엇이었는지 생각이 나지 않았다. 창대는 묵묵히 나리의 말을 기다렸다.

중심 내용 나리는 창대와 장복이에게 우리나라 선비들이 연경에서 돌아온 사람을 만나면 여행에서 제일가는 경치가 뭐였는지 묻는다고 했다.

❷ "어떤 이는 요동 천 리 넓은 들판을 꼽고, 어떤 10 이는 구요동의 백탑을 꼽기도 하지. 큰 길가의 저자와 점포, 계문의 안개 낀 숲, 노구교, 산해관, 동악묘, 북진묘 등 대답이 분분하여 참으로 어떤 것이 진짜 장관인가 싶기도 하고, 중국의 거대함에 혀를 내두르기도 하지." 15

호강 호화롭고 편안한 삶을 누림. 또는 그런 생활.
예 누나 덕분에 호강을 누리게 되었다.

곁눈질 곁눈으로 보는 일.
예 그 아이는 곁눈질로 나를 보고 있었다.

---

5 이 글에 나오는 인물을 세 명 쓰시오.
( )

6 창대는 이번 사행길이 무엇처럼 느껴졌습니까?
( )
① 자신을 찾는 여행
② 여유롭고 한가로운 사행길
③ 새로운 친구를 알게 되는 기회
④ 흙먼지만 먹고 가는 마부의 길
⑤ 나리와 더 친해질 수 있는 기회

7 우리나라 선비들이 연경에서 돌아온 사람에게 반드시 물어보는 말은 무엇입니까? ( )
① 무엇을 먹었는가?
② 누구를 만나고 왔는가?
③ 무엇을 사 가지고 왔는가?
④ 제일가는 경치가 무엇이었는가?
⑤ 제일 맛있었던 것이 무엇인가?

8 7번 문제에서 답한 물음에 사람들이 대답한 것이 아닌 것은 무엇입니까? ( )
① 구요동의 백탑 ② 아기자기한 건물
③ 계문의 안개 낀 숲 ④ 요동 천 리 넓은 들판
⑤ 큰 길가의 저자와 점포

나리가 말한 것 중에는 아직 창대가 보지 못한 것도 있지만, 이미 본 것도 있었다. 하지만 창대는 뚜렷이 기억나는 것이 별로 없었다. 여기가 거기 같고, 거기가 여기 같았다. 제대로 알고 본 것이 없어, 조선이나 중국이나 동악묘나 북진묘나 다 거기서 거기였다.

"그러나 일류 선비는 뭐라고 말하는 줄 아느냐?" 얼굴에 웃음기를 거두고 진지하고 근엄하게 말하곤 하지. '중국엔 도무지 볼 것이라곤 없습니다.' 사람들이 놀라 물으면, 일류 선비는 이렇게 대답할 것이다. '황제는 물론 장상과 대신 등 모든 관원과 백성이 머리를 깎았으니 오랑캐요, ㉠오랑캐의 나라에서 볼 게 뭐가 있겠습니까?"

나리의 말에 장복이가 무릎을 치며 깔깔 웃었다.

"진짜 일류 선비가 맞는뎁쇼. 어쩜 그리 내 속을 시원하게 알아준단 말입니까? 암, 맞지요. 중국은 오랑캐의 나라인데, 볼거리가 뭐가 있겠습니까?"

나리는 장복이 말에 대꾸 없이 말을 이었다.

"이류 선비들은 또 이렇게 말할 것이다. '성곽은 만리장성을 본받았고, 궁실은 아방궁을 흉내 냈을 뿐입니다. 선비와 백성은 위나라, 진나라 때처럼 겉만 화려한 기풍을 좇고, 풍속은 온갖 사치에 빠져 있습니다. 10만 대군을 얻어 산해관으로 쳐들어가, 만주족 오랑캐들을 소탕한 뒤라야 비로소 경치를 이야기할 수 있을 겁니다.'"

장복이는 아까보다 더 좋아하며 배를 잡고 낄낄거렸다.

"저는 이류 선비가 더 좋습니다요. 과연 맞는 말이지요. 10만 대군으로 오랑캐를 쳐부수면 얼마나 속이 시원하겠습니까?"

장복이뿐 아니라 조선의 백성이라면 지금의 중국인 청나라를 다 오랑캐의 나라로 여겼다. 청나라나 왜적이 조선에 쳐들어왔을 때, 명나라가 도와준 고마움을 오랫동안 잊지 않은 까닭도 있었다.

중심 내용 나리는 연경에 다녀온 일류 선비와 이류 선비들이 연경에서 제일 가는 경치가 무엇이냐고 묻는 질문에 무엇이라고 답하는지 알려 주었다.

근엄하게 점잖고 엄숙하게.
예 아버지는 근엄하게 말씀하셨다.

장상 장수와 재상을 아울러 이르는 말.
소탕한 휩쓸어 죄다 없애 버린.

---

9 ㉠'오랑캐의 나라'는 어느 나라를 가리키는 말인지 이 글에서 찾아 두 글자로 쓰시오.

( )

10 이류 선비가 중국에 대해 생각하는 것으로 알맞지 않은 것은 무엇입니까? ( )

① 볼거리가 많다.
② 궁실은 아방궁을 흉내 냈다.
③ 겉만 화려한 기풍을 좇는다.
④ 성곽은 만리장성을 본받았다.
⑤ 풍속은 온갖 사치에 빠져 있다.

11 청나라나 왜적이 조선에 쳐들어왔을 때 조선을 도와준 나라는 어디입니까?

( )

12 이 글에 나오는 인물을 초대해 궁금한 점을 질문하려고 합니다. 누구에게 어떤 질문을 하고 싶은지 쓰시오.

(1) 인물	
(2) 하고 싶은 질문	

❸ 창대는 나리의 생각이 궁금했다.

"나리는 어떻게 생각하시는지요? 역시 오랑캐의 나라라 볼게 없다고 여기시는지요?"

창대의 질문에 나리는 기다렸다는 듯이 대답했다.

5 "나는 시골의 삼류 선비지만, 중국의 제일가는 경치는 저 기와 조각과 똥 덩어리라고 말하고 싶구나."

나리의 말에 장복이가 이번엔 아예 배를 잡고 대굴대굴 굴렀다. / "이히히, 기와 조각요? 똥, 똥 덩

10 어리랍쇼? 개똥요? 소똥요? 우헤헤, 그럼 똥을 조선까지 고이고이 가져갈깝쇼?"

창대는 장복이처럼 웃지는 않았지만, 나리의 말을 이해할 수 없기는 마찬가지였다. 나리가 창대와 장복이를 상대로 말장난을 하는 것 같기도 했고,

15 더위에 지쳐 헛소리를 하는 것 같기도 했다. 창대가 슬쩍 나리의 표정을 살폈지만, 나리는 장난을 치는 것 같지도, 헛소리를 하는 것 같지도 않았다. 나리의 표정은 그 어느 때보다도 진지했다.

"대개 백성을 위해 일하는 자는 백성과 나라에 도움이 될 일이라면 그 법이 비록 오랑캐에서 나온 것이라 해도, 마땅히 이를 배우고 본받아야 할 것이니라. 그래야 오랑캐를 물리칠 수 있는 5 법이다. 저들의 것을 다 익히고, 저들보다 낫게 되어야 비로소 '중국에는 볼만한 것이 없다'고 말할 수 있는 거다."

"그게 기와 조각이랑 똥 덩어리랑 무슨 상관이란 말씀입니까?"

장복이가 얼굴에 웃음기를 거두지 않고 물었다. 10

"깨진 기와 조각은 천하에 쓸모없는 물건이다. 그러나 백성들의 집에 담을 쌓을 때 깨진 기와 조각을 둘씩 짝을 지어 물결무늬를 만들기도 하고, 혹은 네 조각을 모아 쇠사슬 모양이나 엽전 모양을 만들지 않느냐? 깨진 기와 조각도 알뜰 15 하게 사용했기에 천하의 고운 빛깔을 다 낼 수 있었던 것이다."

고이고이 소중하게 또는 정성을 다하여.
◉ 고이고이 키운 딸.

엽전 예전에 사용하던, 놋쇠로 만든 돈. 둥글고 납작하며 가운데에 네 모진 구멍이 있다.

---

13 나리는 중국의 제일가는 경치가 무엇과 무엇이라고 했는지 쓰시오.

( )

14 중국의 제일가는 경치가 무엇이냐는 질문에 대한 나리의 대답을 듣고 장복이와 창대는 어떤 생각을 했을지 두 가지 고르시오. (,)

① 뜻밖이다.
② 명쾌한 답이다.
③ 이해할 수 없다.
④ 예상했던 답이다.
⑤ 우리를 무시하는 답이다.

15 나리는 백성을 위해 일하는 자들은 어떤 태도를 가져야 한다고 생각하는지 찾아 기호를 쓰시오.

> ㉠ 오랑캐와의 교류를 막아야 한다.
> ㉡ 우리의 것을 모두 버리고 오랑캐의 법으로 바꾸어야 한다.
> ㉢ 백성과 나라에 도움이 될 일이라면 오랑캐에서 나온 법이라도 마땅히 배우고 본받아야 한다.

( )

서술형
16 글쓴이의 생각이 담긴 문장을 찾아 쓰시오.

_____

_____

그러고 보니, 창대도 중국에서 뜰 앞에 벽돌을 깔 형편이 안 되는 가난한 집들도 여러 빛깔의 유리 기와 조각과 둥근 조약돌을 주워다가 꽃, 나무, 새, 동물 모양 등을 아로새겨 깔아 놓은 것을 본 적이 있었다. 이는 예쁘기도 했지만, 비 올 때 흙이 진창이 되는 것을 막아 주기도 했다.

"똥오줌을 생각해 보아라. 세상에 둘도 없이 더러운 것들이다. 하지만 거름으로 쓸 때는 한 덩어리라도 흘릴까 하여 조심하고, 말똥을 모으려 삼태기를 들고 말 꽁무니를 따라다니기도 하지 않느냐. 똥을 모아 그냥 두는 법도 없다. 네모반듯하게 쌓거나 팔각, 육각 등의 누각으로 쌓아 올려 똥거름 또한 모양을 만들어 두지 않았느냐. 그러니 나는 저 깨진 기와 조각과 똥 덩어리야말로 가장 볼만한 것이라 꼽을 것이다. 높디높은 성곽이나 궁실, 웅장한 사찰과 광활한 벌판보다 이것들이 더 아름답다 하지 않겠느냐."

말을 마친 나리는 흐뭇한 표정으로 주위를 둘러보았다. 창대도 나리를 따라 주위를 둘러보았다. 저 멀리 똥 누각이 보였다. 그전까진 멀리서 보기만 해도 냄새가 날까 코를 막고 고개를 돌렸던 똥 누각이 나리의 말씀에 오늘은 달리 보였다. 무심코 보아 넘겼던 깨진 기와 조각들이 오늘은 그보다 아름다울 수 없게 느껴졌다.

중심 내용 나리는 중국의 제일가는 경치는 기와 조각과 똥 덩어리라고 했다.

④ 창대의 머릿속에 불현듯 스치는 생각이 있었다. 깨진 기와 조각을 눈여겨보는 나리라면, 똥오줌을 아름답다 하는 나리라면 혹시.

"나리! 저 같은 천민도 저런 똥오줌이나 깨진 기와 조각처럼 쓸모가 있을깝쇼?"

창대보다 먼저 입을 연 건 장복이였다. 자신의 생각과 비슷한 장복이의 말에 창대는 깜짝 놀라 장복이를 건너다보았다. 낄낄거리며 웃던 장복이의 얼굴에 어느새 장난기와 웃음기가 싹 걷혀 있었다.

형편 살림살이의 형세.
예 형수는 형편이 어려워도 늘 밝고 씩씩했다.

무심코 아무런 뜻이나 생각이 없이.
예 무심코 던진 말이 그의 마음을 상하게 했다.

---

17 중국에서 뜰 앞에 벽돌을 깔 형편이 안 되는 가난한 집들은 무엇을 주워다가 깔았는지 두 가지를 고르시오. (,)

① 꽃
② 나무
③ 동물 뼈
④ 둥근 조약돌
⑤ 여러 빛깔의 유리 기와 조각

18 나리는 세상에 둘도 없이 더러운 똥오줌도 어디에 쓰일 때 귀하게 여겨졌다고 했는지 쓰시오.

( )

19 나리의 말을 듣고 나서 창대는 똥 누각과 깨진 기와 조각들을 보고 어떤 생각을 했는지 두 가지 고르시오. (,)

① 달리 보였다.
② 더럽게 느껴졌다.
③ 쓸모없게 느껴졌다.
④ 안타깝다는 생각이 들었다.
⑤ 다른 날과 달리 아름답게 느껴졌다.

서술형
20 장복이가 나리에게 무엇을 물어보았는지 쓰시오.

_____

_____

나리에게 묻는 장복이의 말투도 사뭇 가라앉아 있었다. 나리는 대답 대신 장복이를 잠시 말없이 내려다보았다. ㉠눈빛이 따뜻한 것 같기도 하고, 흔들리는 것 같기도 했다. 창대는 나리의 대답이 너무나 궁금했다. 혹여 똥오줌보다 못할까, 깨진 기와 조각보다 쓸모가 없을까 가슴이 조마조마했다. 창대가 느끼기엔 한 식경같은 시간이 지나갔다.

밥을 먹을 동안이라는 뜻으로, 잠깐 동안을 이르는 말

"똥과 기와 조각은 사람의 손길에 따라 쓰임새가 정해지기도 하고, 버려지기도 하는 거다. ㉡사람으로 태어나서 어찌 다른 사람의 손길만 기다리겠느냐? 스스로 쓰임새를 찾는다면 어찌 똥오줌이나 깨진 기와 조각의 쓰임새에 비하겠으며, 그렇지 못하다면 그야말로 길거리에 굴러다니는 개똥보다 못할 것이니라."

"에이, 그게 뭡니까요? 맞으면 맞는다, 아니면 아니다 명확히 대답을 해 주셔야지요."

㉢장복이의 응석에 나리는 다시 한번 꼬집어 말하였다.

"㉣스스로의 가치는 스스로가 매기는 거야. 다른 사람에게 맡길 것이 아닌 게야."

그 이후로 장복이가 아무리 아양을 떨고 투정을 부려도 나리는 입을 열지 않았다. 창대는 나리의 말을 씹고 또 곱씹어 보았다. 스스로의 쓰임새를 스스로가 찾지 않으면 똥오줌, 깨진 기와 조각보다 못하다는 말은 창대의 가슴을 아프게 했다.

'나의 쓰임새는 과연 무엇인가?'

말고삐를 잡고 흙먼지를 마시는 것밖에 세상에서 창대가 할 수 있는 일은 없어 보였다. 장복이는 그새 진지함은 게 눈 감추듯 하고, 흥얼흥얼 콧노래를 부르고 있었다. / 창대는 저 멀리 서 있는 똥누각이 차라리 부러웠다.

중심 내용 나리의 말에 창대와 장복이는 자신들의 쓸모에 대해 생각하게 되었다.

●글쓴이의 생각 파악하기 예

글쓴이의 생각이 담긴 표현	• 깨진 기와 조각도 알뜰하게 사용했기에 천하의 고운 빛깔을 다 낼 수 있었던 것이다. • 사람으로 태어나서 어찌 다른 사람의 손길만 기다리겠느냐? • 스스로의 가치는 스스로가 매기는 거야.
글쓴이가 글을 쓴 의도와 목적	조선 시대 사람들에게 신분 제도, 사물의 가치 등에 대해 다른 관점으로도 생각할 수 있게 하려고 이 글을 썼을 것이다.

➡ 글쓴이의 생각: 자신의 가치는 자신이 만드는 것이니 스스로 노력하는 삶을 살아야 한다. 등

명확히 명백하고 확실하게.
예 당신의 의사를 명확히 밝히십시오.

투정 무엇이 모자라거나 못마땅하여 떼를 쓰며 조르는 일.
예 반찬 투정을 하다가 엄마께 혼이 났다.

21 나리의 대답을 기다리는 창대의 기분은 어떠했겠습니까? ( )

① 기쁘다.
② 설렌다.
③ 지친다.
④ 조마조마하다.
⑤ 무척 화가 난다.

22 ㉠~㉣ 중 글쓴이의 생각이 담긴 표현을 모두 골라 기호를 쓰시오.

교과서 문제

( )

23 글쓴이가 이 글을 쓴 의도와 목적을 알맞게 말한 것을 찾아 ○표를 하시오.

(1) 조선 시대 사람들이 물건을 아껴 쓰는 마음을 가졌으면 해서 이 글을 썼어. ( )

(2) 조선 시대 사람들에게 신분 제도, 사물의 가치에 등에 대해 다른 관점으로도 생각할 수 있게 하려고 이 글을 썼어. ( )

핵심 논술형

24 글쓴이의 생각과 자신의 생각을 비교하여 쓰시오.

_____

_____

기본 3 자신의 생각과 상대의 생각을 비교하며 토론하기

○ 영상을 보고 '착한 사마리아인의 법'에 대해 이야기해 보기

•동영상 내용: 실수로 바다에 빠진 사람의 구조 요청에도 모른 척하고 도움을 주지 않은 젊은 남자를 상대로 익사자 가족이 소송을 냈지만 기각되었다는 내용으로, 착한 사마리아인의 법을 제정하는 것에 대해 생각해 볼 수 있습니다.

❶ 1928년 미국의 한 부둣가… 산책하던 중 실수로 바다에 빠진 남자

❷ "살려 주세요." "살려 주세요."

❸ 그런데

❹ 다급한 구조 요청에도 무관심

❺ 젊은이를 상대로 소송을 낸 익사자 가족 "그때 도와줬다면 내 아들은 죽지 않았어요."

❻ 소송 기각 현재 법률엔 구조의 의무가 명시돼 있지 않다.

❼ 만약 1928년 '착한 사마리아인의 법'이 있었다면?

❽ 착한 사마리아인의 법: 위험에 처한 사람을 돕지 않으면 처벌할 수 있는 법 제도

●'착한 사마리아인의 법을 제정해야 한다'를 주제로 토론할 때, 자신의 주장과 근거 말하기 예 〔핵심〕

주장	착한 사마리아인의 법을 법으로 정하지 않아도 된다.
근거	도덕적 의무를 따르지 않으면 처벌해야 한다는 생각과 도덕까지 법으로 규제하는 것은 강압이라고 생각하기 때문이다.

---

1 '착한 사마리아인의 법'의 내용을 알맞게 정리한 것을 찾아 기호를 쓰시오.

> ㉠ 다른 사람에게 무관심하면 처벌할 수 있는 법 제도
> ㉡ 위험에 처한 사람을 돕지 않으면 처벌할 수 있는 법 제도

( )

〔핵심〕〔논술형〕
2 '착한 사마리아인의 법'에 대한 자신의 생각을 쓰시오.

_____

_____

3 '착한 사마리아인의 법을 제정해야 한다'를 주제로 토론할 때, 근거를 설명할 수 있는 자료를 찾는 방법으로 알맞지 않은 것은 어느 것입니까? ( )

① 책을 찾아본다.
② 신문 기사를 찾아본다.
③ 통계 자료를 찾아본다.
④ 전문가 의견을 찾아본다.
⑤ 친구의 의견을 물어본다.

4 주장에 대한 근거를 마련하고 친구들과 토론을 한 뒤에 느낀 점이나 달라진 생각을 쓰시오.

_____

_____

 **글쓴이와 대화하기**

○ 친구에게 추천하고 싶은 책에서 떠오르는 생각을 자유롭게 써 보기

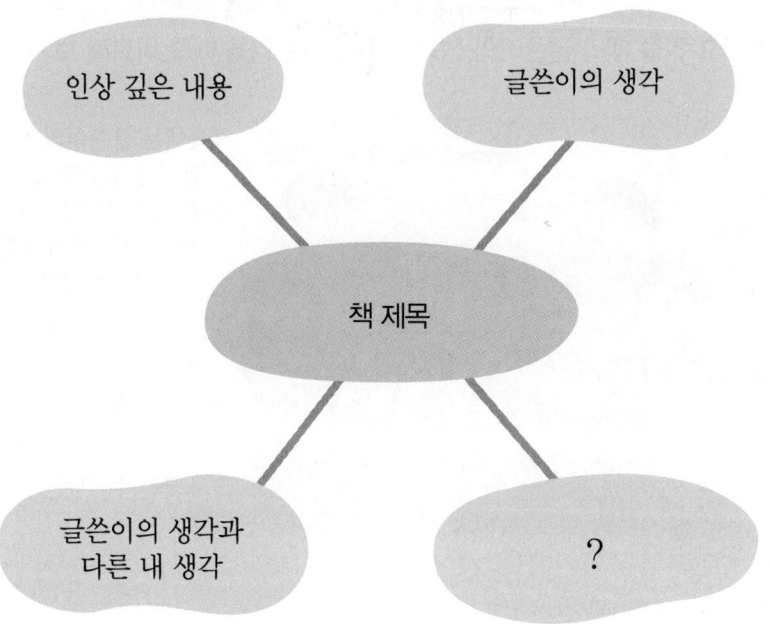

인상 깊은 내용

글쓴이의 생각

책 제목

글쓴이의 생각과
다른 내 생각

?

●**친구들에게 책을 추천하기** 예

 비슷한 주제를 다룬 다른 책도 함께 추천하면 좋겠어.

 책을 읽고 깨달은 점을 생각하며 책을 추천하면 좋겠어.

---

1 친구에게 추천하고 싶은 책을 떠올려 책 제목과 추천하는 까닭을 쓰시오.

(1) 책 제목	
(2) 추천하는 까닭	

핵심

3 친구들에게 책을 추천할 때 생각해야 할 것을 알맞게 말하지 못한 사람을 쓰시오.

> 가원: 최근에 출판된 책을 고르면 좋겠어.
> 지우: 책을 읽고 깨달은 점을 생각하며 추천하면 좋겠어.
> 나래: 비슷한 주제를 다룬 다른 책도 함께 추천하면 좋겠어.

(   )

논술형

2 추천하고 싶은 책에서 떠오르는 생각을 한 가지 쓰시오.

_____

_____

4 자음자 'ㅇ'으로 시작하는 질문으로 알맞은 것을 골라 ○표를 하시오.

(1) 이 책을 쓴 의도는 무엇인가요? (   )

(2) 주인공이 그런 행동을 한 까닭은 무엇인가요? (   )

글쓴이의 생각을 파악하며 글을 읽어야 하는 까닭 알기

예 글 내용만 이해하고 읽을 때와 글쓴이의 생각을 파악하며 읽을 때를 비교해 보기

글 내용만 이해하고 읽으면 제목을 그렇게 정한 까닭을 알기 어려워.

제목에는 글쓴이의 생각이 담기는 경우가 많아. 글을 읽는 사람은 제목을 보고 글에 호기심을 느낄 수 있어.

글에서 인상 깊은 부분은 글쓴이의 생각을 파악하며 읽을 때 찾을 수 있어.

글쓴이의 생각을 파악하며 읽으면 글의 ❶ ▢▢을/를 쉽게 찾을 수 있어.

글을 읽고 글쓴이의 생각 파악하기

예 「로봇세를 도입해야 한다」를 읽고 글쓴이의 생각 파악하기

글쓴이가 제목을 그렇게 정한 까닭	로봇세를 걷는 것이 필요하다고 생각하기 때문이다. 등
글쓴이의 생각이 담긴 낱말이나 문장 같은 표현	❷ '▢▢', '인간과 로봇이 함께 살아가는 방법', '소득을 재분배' 등
글쓴이가 예상하는 독자	학생, 로봇에 관심 있는 사람들, 기업인 등
글쓴이가 글을 쓴 의도와 목적	로봇세 도입에 부정적인 사람들에게 다른 관점으로도 생각할 수 있게 하려고 이 글을 썼을 것이다. 등

➡ 글쓴이의 생각: 로봇세를 걷으면 일자리를 잃은 사람들이 재교육을 받고 새로운 일자리를 찾는 데 도움을 줄 수 있고, 소득을 재분배함으로써 국민의 복지 향상에 도움을 줄 수 있다. 등

예 「로봇세 도입을 늦추어야 한다」를 읽고 글쓴이의 생각 파악하기

글쓴이가 제목을 그렇게 정한 까닭	로봇 산업 발전을 더디게 하기 때문이다. 등
글쓴이의 생각이 담긴 낱말이나 문장 같은 표현	'부담', '걸림돌', '막대한 특허 사용료를 외국에 지급' 등
글쓴이가 예상하는 독자	학생, 로봇에 관심 있는 사람들, 기업인 등
글쓴이가 글을 쓴 의도와 목적	로봇세 도입이 필요하다고 생각하는 사람들에게 다른 관점으로도 생각할 수 있게 하려고 이 글을 썼을 것이다. 등

➡ 글쓴이의 생각: 로봇세 도입은 로봇 산업 발전에 걸림돌이 될 수 있으며 지금은 로봇 기술 개발에 더욱 집중할 때이므로 ❸ ▢▢▢ 도입을 늦추어야 한다. 등

5
단원

글쓴이의 생각과
자신의 생각을
비교하며 글 읽기

예 「기와 조각과 똥 덩어리」를 읽고 글쓴이의 생각과 자신의 생각 비교하기

글쓴이가 제목을 그렇게 정한 까닭	글쓴이는 나리가 중국에서 기와 조각과 똥 덩어리를 인상 깊게 봤다고 생각했기 때문이다.
글쓴이의 생각이 담긴 표현	• 깨진 기와 조각도 알뜰하게 사용했기에 천하의 고운 빛깔을 다 낼 수 있었던 것이다. • 사람으로 태어나서 어찌 다른 사람의 손길만 기다리겠느냐? • 스스로의 가치는 스스로가 매기는 거야.
글쓴이가 글을 쓴 의도와 목적	조선 시대 사람들에게 신분 제도, 사물의 가치 등에 대해 다른 ❹ ⬜⬜(으)로도 생각할 수 있게 하려고 이 글을 썼을 것 같다.

⬇

글쓴이의 ❺ ⬜⬜	• 다른 사람의 도움을 받으려고 하지 말고 스스로 자신이 할 수 있는 일을 찾아야 한다. • 자신의 가치는 자신이 만드는 것이니 스스로 노력하는 삶을 살아야 한다.
나의 생각	예 글쓴이의 생각처럼 자신의 가치를 아직 찾지 못한 사람도 스스로 노력하는 삶을 살면서 스스로의 가치를 만들어야 한다고 생각한다.

자신의 생각과
상대방의 생각을
비교하며 토론하기

예 '착한 사마리아인의 법을 제정해야 한다'를 주제로 토론한 뒤에 느낀 점이나 달라진 생각을 이야기하기

토론을 해 보니 다른 사람의 이야기를 잘 듣는 태도가 중요하다는 것을 알겠어.

다른 사람의 이야기를 잘 들었을 때 그 사람의 태도를 이해할 수 있었어.

토론하는 과정에서 나와 다른 생각도 ❻ ⬜⬜해야 한다고 생각했어.

[1~4] 글을 읽고, 물음에 답하시오.

내가 원하는 우리나라

나는 우리나라가 세계에서 가장 아름다운 나라가 되기를 원한다. 가장 부강한 나라가 되기를 원하는 것은 아니다. 내가 남의 침략에 가슴이 아팠으니, 내 나라가 남을 침략하는 것을 원치 아니한다. 우리의 부는 우리 생활을 풍족히 할 만하고, 우리의 힘은 남의 침략을 막을 만하면 족하다. 오직 한없이 가지고 싶은 것은 높은 문화의 힘이다. 문화의 힘은 우리 자신을 행복하게 하고, 나아가서 남에게도 행복을 주기 때문이다. 지금 인류에게 부족한 것은 무력도 아니요, 경제력도 아니다. 자연 과학의 힘은 아무리 많아도 좋으나, 인류 전체로 보면 현재의 자연 과학만 가지고도 편안히 살아가기에 넉넉하다.

1 글쓴이는 우리나라가 어떤 나라가 되기를 원한다고 했는지 쓰시오.

( )

2 글쓴이가 한없이 가지고 싶은 것은 무엇이라고 했습니까? ( )

① 다양한 서적　　　② 무한한 경제력
③ 높은 문화의 힘　　④ 발전된 과학의 힘
⑤ 남을 침략할 수 있는 무력

3 이 글에서 인상 깊은 부분을 찾아 쓰시오.

_____

_____

4 글쓴이가 글 제목을 「내가 원하는 우리나라」로 정한 까닭은 무엇일지 빈칸에 알맞은 말을 쓰시오.

· 글 ( )을/를 잘 설명할 수 있는 제목이기 때문이다.

[5~8] 글을 읽고, 물음에 답하시오.

㉮ 인공 지능 기술이 발전하면서 로봇이 사람을 대신해 일하는 영역이 늘어나고, 그 규모도 커지고 있다. 이에 따라 외국에서는 로봇을 소유한 기업이나 로봇에게 세금을 부과하자는 주장이 나오고 있다. 우리도 로봇세를 도입하여 인간과 로봇이 함께 살아가는 방법을 찾아야 한다.

㉯ 로봇에게 세금을 부과하려면 법적 근거를 마련해야 한다. 법적인 의미에서 자연인과 법인에게만 세금을 부과할 수 있다. 현행법으로는 기계인 로봇에게 세금을 부과할 수 없다. 그래서 2017년에 유럽 의회는 장기적으로 로봇에게 '특수한 권리와 의무를 가진 전자 인간'으로 법적 지위를 부여하는 입법을 집행 위원회가 추진하도록 결의했다. 이는 로봇을 소유하고 이용하는 사람뿐만 아니라 로봇에게도 세금을 부과할 수 있는 근거가 된다. 또 로봇세를 활용하면 소득을 재분배함으로써 국민의 복지 향상에 도움을 줄 수 있다.

5 글쓴이는 이 글에서 무엇을 전달하려고 하는지 찾아 기호를 쓰시오.

㉠ 로봇이 사람의 일을 대신해 주어 사람들의 생활이 편리해진다.
㉡ 로봇세를 활용하면 소득을 재분배함으로써 국민의 복지 향상에 도움을 줄 수 있다.

( )

6 글쓴이의 생각이 잘 드러난 표현을 세 가지 고르시오. (, ,)

① 도입　　　　　　② 발전
③ 전망　　　　　　④ 소득을 재분배
⑤ 인간과 로봇이 함께 살아가는 방법

7 글의 내용으로 볼 때, 이 글의 제목으로 어울리는 것에 ○표를 하시오.

(1) 로봇세를 도입해야 한다. ( )
(2) 로봇세 도입을 늦추어야 한다. ( )

점수

／ 점

서술형

8 이 글에 나타난 글쓴이의 생각을 쓰시오.

_____

_____

_____

[9~11] 글을 읽고, 물음에 답하시오.

『열하일기』는 조선 후기의 실학자 연암 박지원이 중국에 다녀와서 쓴 여행기입니다.

당시 중국은 아무나 갈 수 있는 곳이 아니었습니다. 그만한 자격과 능력이 요구되었지요. 그러나 반대로 중국을 가려고 굳이 나서는 사람도 없었습니다. 몇 달 간 누런 모래바람을 뒤집어써야 하는 험난한 여행길을 누가 선뜻 나서겠습니까. 하지만 박지원은 호기심이 많고 모험 정신이 가득한 사람이었습니다.

중국에 갔다가 무사히 고국으로 돌아온 박지원은 3년 동안 정성을 쏟아 『열하일기』를 썼습니다. 자신이 느낀 바를 진솔하게 기록했기에 책 이름에 '일기'라는 말을 붙였습니다. 그러나 사실 『열하일기』는 개인의 감상을 늘어놓은 것이 아닙니다. 시대를 앞서가는 연암의 생각과 기억, 철학과 세계관을 한데 모은 지식의 저장소입니다.

9 『열하일기』는 어디에 다녀온 경험을 기록하고 있습니까?

(_____)

10 다음 중 박지원에 대한 설명으로 알맞은 것을 세 가지 고르시오. (, ,)

① 여행을 싫어했다.

② 중국에서 오래 살았다.

③ 조선 후기 실학자이다.

④『열하일기』를 쓴 사람이다.

⑤ 호기심이 많고 모험 정신이 가득했다.

11 박지원에 대해 더 궁금한 점을 한 가지 쓰시오.

(_____)

[12~14] 글을 읽고, 물음에 답하시오.

기와 조각과 똥 덩어리

㉮ "나리는 어떻게 생각하시는지요? ㉠역시 오랑캐의 나라라 볼 게 없다고 여기시는지요?" 창대의 질문에 나리는 기다렸다는 듯이 대답했다. "나는 시골의 삼류 선비지만, 중국의 제일가는 경치는 저 기와 조각과 똥 덩어리라고 말하고 싶구나."

㉯ "깨진 기와 조각은 천하에 쓸모없는 물건이다. 그러나 백성들의 집에 담을 쌓을 때 깨진 기와 조각을 둘씩 짝을 지어 물결무늬를 만들기도 하고, 혹은 네 조각을 모아 쇠사슬 모양이나 엽전 모양을 만들지 않느냐? ㉡깨진 기와 조각도 알뜰하게 사용했기에 천하의 고운 빛깔을 다 낼 수 있었던 것이다."

㉰ ㉢"똥오줌을 생각해 보아라. 세상에 둘도 없이 더러운 것들이다. 하지만 거름으로 쓸 때는 한 덩어리라도 흘릴까 하여 조심하고, 말똥을 모으려 삼태기를 들고 말 꽁무니를 따라다니기도 하지 않느냐. 똥을 모아 그냥 두는 법도 없다. ㉣네모반듯하게 쌓거나 팔각, 육각 등의 누각으로 쌓아 올려 똥거름 또한 모양을 만들어 두지 않았느냐."

12 나리는 중국의 제일가는 경치로 무엇무엇을 말했는지 두 가지 고르시오. (,)

① 엽전 ② 담벼락 ③ 쇠사슬

④ 기와 조각 ⑤ 똥 덩어리

★★
13 ㉠~㉣ 중, 글쓴이의 생각이 담긴 문장을 찾아 기호를 쓰시오.

(_____)

14 제목을 「기와 조각과 똥 덩어리」로 쓴 까닭으로 알맞은 것에 ○표를 하시오.

(1) 기와 조각과 똥 덩어리가 쓸모없고 더러운 물건이라는 것을 알리기 위해 ( )

(2) 글쓴이는 나리가 중국에서 기와 조각과 똥 덩어리를 인상 깊게 봤다고 생각했기 때문에 ( )

[15~17] 글을 읽고, 물음에 답하시오.

> "똥과 기와 조각은 사람의 손길에 따라 쓰임새가 정해지기도 하고, 버려지기도 하는 거다. 사람으로 태어나서 어찌 다른 사람의 손길만 기다리겠느냐? 스스로 쓰임새를 찾는다면 어찌 똥오줌이나 깨진 기와 조각의 쓰임새에 비하겠으며, 그렇지 못하다면 그야말로 길거리에 굴러다니는 개똥보다 못할 것이니라."
>
> "에이, 그게 뭡니까? 맞으면 맞는다, 아니면 아니다 명확히 대답을 해 주셔야지요."
>
> 장복이의 응석에 나리는 다시 한번 꼬집어 말하였다.
>
> "스스로의 가치는 스스로가 매기는 거야. 다른 사람에게 맡길 것이 아닌 게야."

15 글쓴이는 이 글을 누가 읽을 것이라고 생각했을지 쓰시오.

(   )

16 이 글에서 글쓴이의 생각이 담긴 문장을 두 가지 찾아 밑줄 그으시오.

17 글쓴이가 글을 쓴 의도와 목적은 무엇이겠습니까? (   )

① 중국 여행을 가지 말라고 당부하려고
② 사람들에게 주변 사물의 소중함을 알게 하려고
③ 중국 백성의 알뜰함을 본받아야 한다고 말하려고
④ 자신의 신분은 스스로 노력해야 달라질 수 있다는 것을 알리려고
⑤ 조선 시대 사람들에게 신분 제도, 사물의 가치 등에 대해 다른 관점으로도 생각할 수 있게 하려고

[18~19] 영상의 내용을 보고, 물음에 답하시오.

❶ 1928년 미국의 한 부둣가… 산책하던 중 실수로 바다에 빠진 남자

❷ "살려 주세요." "살려 주세요."

❸ 그런데

❹ 다급한 구조 요청에도 무관심

❺ 젊은이를 상대로 소송을 낸 익사자 가족 "그때 도와줬다면 내 아들은 죽지 않았어요."

❻ 소송 기각 현재 법률엔 구조의 의무가 명시돼 있지 않다.

❼ 만약 1928년 '착한 사마리아인의 법'이 있었다면?

❽ 착한 사마리아인의 법: 위험에 처한 사람을 돕지 않으면 처벌할 수 있는 법 제도

18 '착한 사마리아인의 법을 제정해야 한다'를 주제로 토론할 때 필요한 역할을 세 가지 고르시오.

(,   ,   )

① 사회자   ② 선생님
③ 기록자   ④ 찬성편 토론자
⑤ 반대편 토론자

논술형
19 '착한 사마리아인의 법을 제정해야 한다'에 대한 자신의 주장과 근거를 쓰시오.

_____

_____

20 친구들에게 책을 추천할 때 생각할 점을 한 가지 쓰시오.

(   )

서술형 평가

1 관점이 무엇인지 쓰시오.

_____

_____

[2~3] 글을 읽고, 물음에 답하시오.

> ㉮ 로봇을 소유한 기업이나 로봇에게 세금을 부과하자는 주장이 나오고 있다. 로봇이 인간의 일거리를 대신 할 수 있기 때문에 인간에게 필요한 비용을 로봇세로 보충하려는 것이다. 하지만 로봇세 도입은 로봇 산업의 발전과 국가의 미래 경쟁력에 부정적인 영향을 끼칠 수 있다.
>
> ㉯ 로봇 산업이 본격적으로 발전하면 로봇은 인간을 대신하여 일을 하게 된다. 이럴 경우에 인간은 위험하거나 단순한 일, 반복적인 일에서 해방될 수 있다. 그런데 인간을 대신하여 일을 할 로봇에게 성급하게 세금을 부과한다면 로봇 산업 발전을 더디게 할 것이다.
>
> ㉰ 지금은 로봇 산업 발전에 투자해야 할 때이다. 특히 로봇 개발에 필요한 원천 기술에 더 집중해야 한다. 그래야 우리나라의 재산을 지키고 국내 로봇 산업을 이끌 수 있는 힘을 기를 수 있다. 따라서 우리나라의 미래 경쟁력인 로봇 산업을 키울 수 있도록 로봇세 도입을 늦추어야 한다.

2 글쓴이는 자신의 글을 누가 읽을 것라고 생각했을지 쓰시오.

_____

_____

3 글쓴이가 이 글을 쓴 의도와 목적을 쓰시오.

_____

[4~5] 글을 읽고, 물음에 답하시오.

> ㉮ "나리는 어떻게 생각하시는지요? 역시 오랑캐의 나라라 볼 게 없다고 여기시는지요?"
> 창대의 질문에 나리는 기다렸다는 듯이 대답했다.
> "나는 시골의 삼류 선비지만, 중국의 제일가는 경치는 저 기와 조각과 똥 덩어리라고 말하고 싶구나."
>
> ㉯ "깨진 기와 조각은 천하에 쓸모없는 물건이다. 그러나 백성들의 집에 담을 쌓을 때 깨진 기와 조각을 둘씩 짝을 지어 물결무늬를 만들기도 하고, 혹은 네 조각을 모아 쇠사슬 모양이나 엽전 모양을 만들지 않느냐? 깨진 기와 조각도 알뜰하게 사용했기에 천하의 고운 빛깔을 다 낼 수 있었던 것이다."
>
> 그리고 보니, 창대도 중국에서 뜰 앞에 벽돌을 깔 형편이 안 되는 가난한 집들도 여러 빛깔의 유리 기와 조각과 둥근 조약돌을 주워다가 꽃, 나무, 새, 동물 모양 등을 아로새겨 깔아 놓은 것을 본 적이 있었다. 이는 예쁘기도 했지만, 비 올 때 흙이 진창이 되는 것을 막아 주기도 했다.

4 가난한 백성들이 뜰 앞에 기와 조각과 조약돌을 주워다가 깔아 놓은 것이 어떤 역할을 했는지 쓰시오.

_____

_____

5 글쓴이의 생각이 담긴 표현을 찾아 쓰시오.

_____

_____

● 다음 교과서 문장의 파란색 낱말 중에서 알맞은 것을 골라 인물들이 한 말을 완성하시오.

- 이러함으로써 우리나라 산에는 산림이 무성하고, 들에는 오곡백과가 풍성하며, 촌락과 도시는 깨끗하고 풍성하고 화평할 것이다.
- 나리 뒤에서 흘깃흘깃 곁눈질을 했을 뿐이어서 창대는 스스로 감탄한 경관이 무엇이었는지 생각이 나지 않았다.
- "우헤헤, 그럼 똥을 조선까지 고이고이 가져갈깝쇼?"
- "에이, 그게 뭡니까요? 맞으면 맞는다, 아니면 아니다 명확히 대답을 해 주셔야지요."

아무래도 ❶_____로 주위를 살피는 모습이 의심스러워.

쩌릿

과일로 ❷_____했던 나무가 도둑 때문에 엉망이 됐어.

버럭

한 해 동안 ❸_____ 키운 농작물을 누군가 훔쳐갔어요.

걱정 마세요. 저희들이 범인이 누군지 ❹_____ 밝히겠습니다.

정답 | ❶ 곁눈질 ❷ 풍성 ❸ 고이고이 ❹ 명확히

6

정보와 표현
판단하기

무엇을 배울까요?

준비

• 뉴스와 광고를 보고 세계에
  관심 가지기

기본

• 광고에 나타난 표현의 적절성
  살펴보기
• 뉴스에 나타난 정보의 타당성 알기
• 관심 있는 내용으로 뉴스 원고 쓰기

실천

• 우리 반 뉴스 발표회 하기

6 정보와 표현 판단하기

1 뉴스가 우리 생활에 미치는 영향

① 사람들에게 새로운 정보를 알려 줍니다.
② 어떤 일을 긍정적이거나 비판적인 시각으로 보게 합니다.
③ 여러 사람의 생각에 영향을 주어 여론을 형성하게 합니다.

2 광고의 표현 특성 살펴보기

① 인상 깊은 사진이나 그림, 글, 소리를 찾아봅니다.
② 광고 내용을 두드러지게 하려고 사용한 글씨체, 글씨 크기와 색, 화면 구도와 색감, 반복되는 말 따위를 살펴봅니다.

3 광고 내용을 비판적으로 바라보기

① 광고 문구에서 과장하거나 감추는 내용이 무엇인지 살펴봅니다.
② 과장 광고와 허위 광고를 구분합니다.

4 뉴스의 짜임

진행자의 도입	뉴스에서 보도할 내용을 유도하거나 전체를 요약해 안내합니다.
기자의 보도	시청자의 이해를 도우려고 면담 자료나 통계 자료로 설명합니다.
기자의 마무리	전체 내용을 요약하거나 핵심 내용을 강조합니다.

5 뉴스의 타당성을 판단하는 방법

① 가치 있고 중요한 뉴스인지 살펴봅니다.
② 뉴스의 관점과 보도 내용이 서로 관련 있는지 살펴봅니다.
③ 활용한 자료들이 뉴스의 관점을 뒷받침하는지 살펴봅니다.
④ 자료의 출처가 명확한지 살펴봅니다.

6 뉴스를 만드는 과정

① 어떤 내용을 보도할지 회의합니다.
② 알리려는 내용을 취재합니다.
③ 뉴스 원고를 씁니다.
④ 취재한 내용을 효과적으로 알릴 수 있게 뉴스 영상을 제작하고 편집합니다.
⑤ 사람들에게 전하고 싶은 내용을 뉴스로 보도합니다.

핵 심 개 념 문 제

정답과 해설 ● 26쪽

1 뉴스가 우리 생활에 미치는 영향이 <u>아닌</u> 것에 ×표를 하시오.
(1) 새로운 정보를 알려 준다. ( )
(2) 어떤 일의 부정적인 면만 부각시킨다. ( )
(3) 여러 사람의 생각에 영향을 주어 여론을 형성하게 한다. ( )

2 광고 표현의 특성을 살펴볼 때에는 사진이나 그림, 글, 소리 등을 찾아봅니다.
(○ , ×)

3 광고 내용을 비판적으로 볼 때에는 광고 문구에서 □□하거나 감추는 내용이 무엇인지 살펴봅니다.

4 뉴스의 타당성을 판단할 때에 자료의 출처는 살펴볼 필요가 없습니다.
(○ , ×)

5 텔레비전 뉴스를 만들 때 먼저 어떤 내용을 □□할지 회의합니다.

준비 뉴스와 광고를 보고 세계에 관심 가지기

○ 뉴스가 우리 생활에 미치는 영향을 생각하며 뉴스 보기

파리 기후 협약 체결, 기온 상승 폭 2도 제한

파리 기후 협약 체결, 기온 상승 폭 2도 제한

지구 온난화를 막기 위해 전 세계가 참가한 보편적 기후 변화 협정이 프랑스 파리에서 체결됐습니다.

31쪽 분량의 '파리 협정' 최종 합의문 핵심은 지구의 기온 상승 폭을 산업화 이전 대비 섭씨 2도 아래로 억제하고, 가능하면 섭씨 1.5도까지 낮추는 것입니다.

또 온실가스 감축을 위해 선진국들이 2020년까지

• 글의 특징: 프랑스 파리에서 '파리 협정'이 체결되었다는 소식과 '파리 협정'의 핵심 내용을 전달하는 뉴스입니다.

매년 천억 달러, 우리 돈 118조 원의 기금을 개발 도상국에 지원하도록 하는 내용도 담겼습니다.

파리 협정은 선진국만 온실가스 감축 의무가 있었던 교토 의정서와는 달리, 개발 도상국을 포함한 195개 당사국 모두가 지켜야 하는 구속력 있는 첫 합의입니다.

● 「파리 기후 협약 체결, 기온 상승 폭 2도 제한」을 본 사람들의 반응과 뉴스가 우리 생활에 미치는 영향 알아보기 예

뉴스를 본 사람들의 반응	뉴스가 우리 생활에 미치는 영향
기후 협약은 지구 온난화를 막으려고 여러 나라가 체결한 협약이다.	사람들에게 새로운 정보를 알려 준다.
기후 협약에 참여하지 않는 나라는 비판받을 만하다.	어떤 일을 긍정적이거나 비판적인 시각으로 보게 한다.
우리가 실천할 수 있는 방법을 찾아봐야겠다.	여러 사람의 생각에 영향을 주어 여론을 형성하게 한다.

체결 계약이나 조약 따위를 공식적으로 맺음.
예 양국이 조약을 체결했다.

보편적 모든 것에 공통되거나 들어맞는 것.
예 보편적이고 예외 없는 규칙.

1 파리 기후 협약은 무엇을 막기 위해 체결되었습니까?

( )

2 뉴스를 보고 든 생각을 바르게 말하지 못한 사람은 누구인지 쓰시오.

교과서 문제

승찬: 미세먼지의 심각성을 깨닫게 되었다.
은진: 온실가스를 줄이려면 우리가 무엇을 해야 하는지 생각하게 되었다.
희원: 전 세계가 지구 온난화를 막으려고 함께 노력하는 모습이 인상 깊었다.

( )

3 뉴스를 본 다음 사람들의 반응은 뉴스가 우리 생활에 미치는 영향 중 무엇과 관련 있는지 알맞은 것에 ○표를 하시오.

핵심

기후 협약이 체결되면 우리나라에서도 온실가스 배출 규정이 강화되어 사람들의 생활이 불편해질 수 있어.

참여하지 않는 나라는 비판받을 만해.

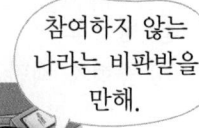

(1) 사람들에게 새로운 정보를 알려 준다.

( )

(2) 여러 사람의 생각에 영향을 주어 여론을 형성하게 한다.

( )

(3) 어떤 일을 긍정적이거나 비판적인 시각으로 보게 한다.

( )

기본 1 광고에 나타난 표현의 적절성 살펴보기

● 광고에 드러난 의도와 표현 특성을 생각하며 광고 보기

> • **광고의 내용:** 음식물 쓰레기를 중형차와 비교하여 음식물 쓰레기를 줄이자는 내용을 전합니다.

뭘 이렇게 많이 시켜?
다 못 먹으면 남기면 되지.

❶

냉장고의 음식들은 다 어쩔 거니?
다 버릴 거예요.

❷

남은 음식 싸 달라고 할까?
싸 가긴 뭘 싸 가, 창피하게.

❸

음식물 쓰레기 경제적 손실
연간 약 20조 원

❹

중형차 100만 대를 버리는 것과 같습니다.

❺

버려야 할 것은
잘못된 음식 문화입니다.

음식물 쓰레기

❻

> ●**광고에 드러난 의도와 표현 특성 이야기하기** 예
>
> • 이 광고 처음 부분에서 자동차가 바다에 빠지는 모습이 인상 깊었어.
> • 자동차를 버리는 것과 음식을 버리는 것이 같다고 표현했어.

핵심

---

1 한 해에 버려지는 음식물 쓰레기를 무엇과 비교했습니까? ( )

교과서
문제

① 동전　　　　　② 지폐
③ 냉장고　　　　④ 비닐봉지
⑤ 중형차 백만 대

2 자동차가 바다에 떨어지는 장면을 보여 준 까닭은 무엇인지 쓰시오.

교과서
문제

_____

_____

3 광고를 눈에 쉽게 띄게 하려고 광고의 글자와 색깔을 어떻게 표현했는지 빈칸에 알맞은 말을 보기 에서 찾아 쓰시오.

교과서
문제

보기	배경	모양	크기

• 중요한 글자의 ( )을/를 빨간색으로 표시하고 더 크게 하여 강조했다.

핵심 역량

4 이 광고를 다음의 방법으로 다시 한번 살펴보고 광고에 드러난 의도와 표현의 특성을 한 가지 쓰시오.

> • 인상 깊은 그림, 글 따위를 찾아본다.
> • 광고 내용을 두드러지게 하려고 사용한 글씨체, 글씨 크기와 색 따위를 살펴본다.

( )

● 광고를 보고 표현이 적절한지 생각해 보기

무료하고, 따분하고, 재미있는 일이 없을 때, 당신의 일상에 신바람이 일어납니다.

건강해지려고 아령도 들고 줄넘기도 해 보지만 체력이 여전히 바닥일 때, 당신의 건강에 신바람이 일어납니다.

㉠당신의 즐거운 일상과 건강한 체력을 책임져 줄 단 한 가지!
신바람 자전거!

소비자 만족도 1위
독보적인 디자인   튼튼한 내구성
독보적인 디자인과 튼튼한 내구성을 인정받아 소비자 만족도 1위를 달성했습니다.

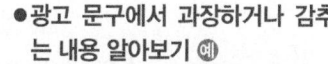

신바람 자전거
기분 최고, 건강 최고, 기술력 최고!
신바람 자전거가 선사합니다.

• 광고의 특징: '신바람 자전거'를 사람들이 사도록 설득하는 광고로, 광고 문구에서 과장하거나 감추는 내용을 찾을 수 있습니다.

● 광고 문구에서 과장하거나 감추는 내용 알아보기 예

광고 문구	과장하거나 감추는 내용
당신의 일상에 신바람이 일어납니다.	자전거를 탄다고 누구나 신바람이 나는 것은 아니므로 과장되었다.
소비자 만족도 1위	언제, 어떤 조사에서 소비자 만족도가 1위였는지에 대한 정보를 감추고 있다.
기분 최고, 건강 최고, 기술력 최고! 신바람 자전거가 선사합니다.	기분, 건강, 기술력에 각각 '최고'라는 표현이 과장되었다.

핵심 6단원

---

5 무엇을 광고하고 있는지 쓰시오.
교과서 문제
(   )

6 광고하는 제품의 어떤 점이 좋다고 했는지 두 가지를 고르시오.   (,   )
① 빠른 속도   ② 저렴한 가격
③ 가벼운 무게   ④ 튼튼한 내구성
⑤ 독보적인 디자인

핵심 서술형
7 ㉠의 문구가 과장하거나 감추는 내용은 무엇인지 쓰시오.

_____

_____

8 광고에서 비판적으로 보아야 할 표현이 아닌 것은 무엇입니까?   (   )
교과서 문제
① 최고   ② 추천
③ 무조건   ④ 절대로
⑤ 100퍼센트

○ 광고에서 과장하거나 감추는 내용을 알아보기

• 광고의 특징: 책가방을 사라는 내용의 광고로, 비판적으로 읽어야 할 부분을 찾을 수 있습니다.

핵심

● 광고 문구에서 과장하거나 감추는 내용 알아보기 ⑩

광고 문구	과장하거나 감추는 내용
이보다 가벼울 수는 없다!	더 가벼운 책가방이 있을 수 있기 때문에 과장되었다.
교과서를 모두 넣어도 찢어질 염려 없는	교과서를 모두 넣을 때 무거우면 찢어질 수도 있기 때문에 과장되었다.
해외로 수출하는 우수 제품입니다.	어떤 나라로 수출하는지와 관련 있는 자세한 정보를 감추고 있다.

9 무엇을 광고하고 있는지 쓰시오.

( )

핵심

10 광고 문구 ㉠~㉢에서 과장하거나 감추는 내용을 바르게 찾은 친구는 누구누구인지 쓰시오.

> 현수: ㉠은 더 가벼운 책가방이 있을 수 있기 때문에 과장되었다.
> 혜영: ㉡은 교과서를 모두 넣을 때 무거우면 찢어질 수도 있기 때문에 과장되었다.
> 진규: ㉢에서 해외로 수출하는 제품이라는 것을 보니 믿을 수 있는 제품이다.

( )

논술형

11 광고 내용을 그대로 믿으면 어떤 문제점이 생길지 자신의 경험을 떠올려 쓰시오.

_____

_____

12 광고에 나타난 표현의 적절성을 알아보면 어떤 점이 좋은지 생각해 보고, 빈칸에 어울리는 말을 각각 찾아 ○표를 하시오.

• 상품이 잘 팔리게 하려고 상품 기능을 실제보다 부풀리기도 하는 (1)(과장 광고 , 허위 광고)나 있지도 않은 상품 기능을 있는 것처럼 설명하는 (2)(과장 광고, 허위 광고)가 무엇인지 판단하며 광고를 볼 수 있다.

기본2 뉴스에 나타난 정보의 타당성 알기

❍ 뉴스의 짜임을 알아보고 뉴스의 타당성을 판단해 보기

스마트 기부 확산

진행자의 도입 즐거운 성탄절이지만 어려움 속에서 도움을 기다리는 곳도 적지 않습니다. 다행히 기부가 늘어나고 있는데요. 올해 구세군에 모금된 금액은 44억 원으로 지난해보다

5 4억 원이 많아졌습니다. 사랑의 열매에는

1700억 원 넘게 모여서 목표액의 절반 이상을 채웠고 사랑의 온도 탑도 수은주가 50도를 넘어섰습니다. 어려운 경기 속에도 이렇게 기부가 늘어난 데는 재미와 감동이 함께하는 이른바 '스마트 기부'가 한몫을 하고 있습니다. 신방실 기자가 전해 드립니다.

10 기자의 보도 거리에 등장한 자선냄비가 뭔가 색다릅니다. 한 시민이 돼지저금통을 갈라 모금함에 돈을 넣는가 했더니, 먼저 주사위를 모니터 위에 놓습니다. 선택한 것은 여성과 다문화, 기부 대상을 직접 고를 수 있는 스마트 자선냄비입니다.

〈면담〉 ○○○(서울시 용산구)

15 "자기가 마음 가는 단체에 기부할 수 있어서 편리한 것 같습니다. 좋은 것 같습니다."

> • 뉴스의 내용: 기부의 방식이 예전과 달라지고 있으며 기부가 늘어난 데는 스마트 기부가 한몫을 하고 있다는 내용으로, 다양한 형태의 스마트 기부 방법을 설명합니다.

● 뉴스 「스마트 기부 확산」을 보고 뉴스의 타당성 판단하기 ① 예

방법	의견
가치 있고 중요한 뉴스인지 살피기	이 뉴스는 스마트 기부가 우리 사회에서 가치 있고 중요하기 때문에 이를 보도 내용으로 다루었다.

경기(景 볕 경, 氣 기운 기) 매매나 거래에 나타나는 호황·불황 따위의 경제 활동 상태.

한몫 한 사람이 맡은 역할.
예 그는 우리 팀이 승리하는 데에 한몫을 톡톡히 했다.

---

1 다음 빈칸에 알맞은 말을 쓰시오.
• (   )은/는 사람들에게 중요하거나 흥미로운 사건을 때에 알맞게 보도하는 것을 말한다.

2 다음 중 이 뉴스에서 보도하는 내용을 찾아 ○표를 하시오.
(1) 기부에 참여해야 한다는 내용 (   )
(2) 기부가 점점 줄어들고 있다는 내용 (   )
(3) 재미와 감동이 함께하는 '스마트 기부'가 확산된다는 내용 (   )

3 진행자와 기자의 역할에 맞게 각각 선을 이으시오.

(1) 진행자 • • ① 취재한 내용을 뉴스로 보도한다.
(2) 기자 • • ② 뉴스의 핵심 내용을 요약해 안내한다.

4 '진행자의 도입' 부분에는 어떤 내용을 써야 하는지 쓰시오.
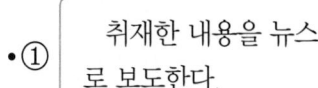

_____

기부 자판기도 새로 등장했습니다. 메뉴판엔 물이나 신발, 약이 있고 2천5백 원부터 만 원까지 금액도 있어, 원하는 것을 고르면 지구 반대편 어린이에게 그대로 전달됩니다.

이렇게 걷는 것만으로도 기부할 수 있는 스마트폰 앱도 있습니다. 100미
5 터에 10원씩 기부금이 쌓이는 동안 건강까지 챙길 수 있습니다.

게임을 하고 광고 동영상을 시청하면서 기부할 수 있는 앱도 등장했습니다.

〈면담〉 ○○○(△△△병원 정신건강의학과 교수)

"기부에 있어서 마일리지나 포인트 등을 이용할 수 있게 유도한다는 것은 조금 더 사람들이 기부
10 에 손쉽게 다가갈 수 있는 방법 중 하나입니다."

이타적인 동정심으로 기부를 결심하기도 하지만, 기부하면서 느끼는 재미와 보람 같은 개인적 욕구를 채워 주는 점이 요즘 기부의 특징입니다.

기자의 마무리 디지털 기술의 진화가 이웃 사랑을 실천하는 촉매제가 되고
15 있습니다. KBS 뉴스 신방실입니다.

스마트 기부 콘텐츠 '동기' 분석
자료: ○○학회
이타형 < 이기형(재미, 보람)
▲ 통계 자료

● 뉴스 「스마트 기부 확산」을 보고 뉴스의 타당성 판단하기 ② 예

방법	의견
뉴스의 관점과 보도 내용이 서로 관련 있는지 살피기	뉴스의 관점에 맞게 스마트 기부의 종류를 소개하고, 스마트 기부의 장점과 특징을 소개했다.
활용한 자료들이 뉴스의 관점을 뒷받침하는지 살피기	뉴스의 관점을 뒷받침하려고 시민·전문가와의 면담 자료, 통계 자료를 활용했다.
자료의 출처가 명확한지 살피기	스마트 기부를 하는 사람들의 동기를 분석한 통계 자료의 출처를 정확히 밝혔다.

등장 어떤 사건이나 분야에서 새로운 제품이나 현상, 인물 등이 세상에 처음으로 나옴.

동정심 남의 어려운 처지를 안타깝게 여기는 마음.
예 현우는 동정심이 많다.

---

5 요즘 기부의 특징이 무엇이라고 했는지 쓰시오.

_____

_____

6 뉴스에서 면담이나 통계 자료를 보여 주는 까닭을 세 가지 고르시오. (, ,)
_{교과서 문제}
① 사람들의 이해를 돕기 위해
② 사람들에게 재미를 주기 위해
③ 사람들에게 감동을 주기 위해
④ 뉴스 내용을 체계적으로 보여 주기 위해
⑤ 뉴스 내용을 일목요연하게 보여 주기 위해

7 다음의 내용으로 구성되는 뉴스의 짜임을 쓰시오.
_{교과서 문제}

> 전체 내용을 요약하거나 핵심 내용을 강조한다.

( )

핵심
8 혜진이는 이 뉴스에 나타난 정보의 타당성을 어떤 방법으로 판단하였는지 알맞은 것을 찾아 ○표를 하시오.

> 혜진: 스마트 기부를 하는 사람들의 동기를 분석한 통계 자료의 출처를 정확히 밝혔어.

(1) 자료의 출처가 명확한가? ( )
(2) 가치 있고 중요한 뉴스인가? ( )
(3) 활용한 자료들이 뉴스의 관점을 뒷받침하는가? ( )
(4) 뉴스의 관점과 보도 내용이 서로 관련 있는가? ( )

● 선주네 학교 방송반에서 만들려고 하는 뉴스 살펴보기

'30초의 기적' ······
올바른 손 씻기 방법은?

진행자의 도입 독감 때문에 요즘 감염 걱정이 많죠? 하지만 '30초 손 씻기'만 제대로 실천해도 웬만한 감염병은 막을 수 있다고 합니다. '30초의 기적'이라고까지 하는 올바른 손 씻기 방법을 이선주 기자가 알려 드립니다.

기자의 보도 하루에도 몇 번씩 씻는 손, 손을 씻는 방법은 제각각입니다.

〈면담〉[박윤철 6학년 1반 학생]

"평소에는 그냥 물로 씻는 편이에요."

〈면담〉[금성혜 6학년 3반 학생]

"그냥 물휴지 정도로 닦는 편이에요."

손을 어떻게 씻어야 손에 번식하는 세균을 없앨 수 있을지 알아보려고 손에 형광 물질을 바르고 실험했습니다. 10초 동안 비누로 손바닥과 손가락을 비벼 가며 열심히 씻는 것이 중요합니다. 이렇게 수시로 30초 동안 손을 씻으면 감염병의 70퍼센트는 예방할 수 있습니다.

〈면담〉[하영은 보건 선생님]

"감기를 비롯해 장염, 식중독 따위도 모두 손을 깨끗이 씻으면 예방할 수 있습니다."

기자의 마무리 특히 중요한 것은 손으로 얼굴을 자주 만지지 않는 겁니다. 우리는 평균 한 시간에 3.6회나 얼굴을 만진다는 연구 결과도 있는데요, 이렇게 자주 얼굴을 만지면 눈, 코, 입으로 세균이 들어가 감염되기 쉽습니다. △△△ 뉴스 이선주입니다.

● 선주네 학교 방송반에서 만들려는 뉴스가 타당성이 있도록 의견 더하기 (예)

타당성을 판단하는 방법	의견 더하기
활용한 자료들이 뉴스의 관점을 뒷받침하는지 살피기	뉴스의 관점을 뒷받침하려고 관련 실험, 전문가 면담, 주제와 관련한 연구 결과를 활용했는데, 조금 더 자세하고 타당하게 실험 결과나 연구 결과를 밝히면 좋을 것 같다.
자료의 출처가 명확한지 살피기	• 전문가와 관련 있는 정보를 정확히 밝혔다. • 기자의 마무리 부분에 제시한 연구 결과의 출처가 없으므로 출처를 명확하게 제시해야 한다.

감염 병원체인 미생물이 동물이나 식물의 몸 안에 들어가 증식하는 일. 예 독감이 유행이니 감염되지 않도록 주의하자.

예방 질병이나 재해 따위가 일어나기 전에 미리 대처하여 막는 일. 예 전염병 예방을 위해 물은 꼭 끓여 마셨다.

9 뉴스를 보고 알 수 있는 내용은 무엇인지 쓰시오.
교과서 문제 ( )

10 다음 중 뉴스의 관점을 뒷받침하려고 활용한 자료가 아닌 것을 두 가지 고르시오. (,)
교과서 문제
① 책의 내용 ② 관련 실험
③ 자신의 경험 ④ 전문가 면담
⑤ 주제와 관련한 연구 결과

11 핵심 논술형
선주네 학교 방송반에서 만들려는 뉴스가 타당한지 다음 방법으로 판단하여 빈칸에 내 의견을 각각 쓰시오.

타당성을 판단하는 방법	내 의견
(1) 가치 있고 중요한 뉴스인지 살피기	
(2) 뉴스의 관점과 보도 내용이 서로 관련 있는지 살피기	

기본 ③ + 실천 《역량 활동》 관심 있는 내용으로 뉴스 원고 쓰고, 우리 반 뉴스 발표회 하기

⊙ 뉴스를 만드는 과정을 살펴보기

• **그림 설명**: 텔레비전 뉴스를 만드는 과정을 알기 쉽게 나타냈습니다.

❶ 어떤 내용을 보도할지 회의한다.

❷ 알리려는 내용을 취재한다.

❸ 뉴스 원고를 쓴다.

❹ 취재한 내용을 효과적으로 알릴 수 있게 뉴스 영상을 제작하고 편집한다.

❺ 사람들에게 전하고 싶은 내용을 보도한다.

---

1 뉴스를 만들 때 가장 먼저 할 일은 무엇입니까?
( )

① 뉴스 원고 쓰기
② 알리려는 내용 취재하기
③ 어떤 내용을 보도할지 회의하기
④ 취재한 내용으로 뉴스 영상 제작하기
⑤ 사람들에게 전하고 싶은 내용 보도하기

핵심 **논술형**

2 자신이 만들고 싶은 뉴스 주제를 정하고 어떤 관점으로 뉴스를 만들고 싶은지 쓰시오.

_____

_____

3 뉴스를 만들고 발표할 때 다음의 역할을 하는 사람은 누구인지 쓰시오.
〔교과서 문제〕

> 뉴스에서 전문가를 면담하거나 뉴스 내용을 취재해 보도하는 역할을 한다.

( )

역량

4 뉴스를 발표할 때 주의할 점이 아닌 것에 ×표를 하시오.
(1) 말하는 빠르기가 적절해야 한다. ( )
(2) 정확한 내용을 간결하게 전달해야 한다.
( )
(3) 뉴스의 내용에 어울리는 다양한 표정을 지어야 한다. ( )

단원 마무리

광고에 나타난
표현의 적절성
살펴보기

예 광고에서 과장하거나 감추는 내용 알아보기

더 가벼운
책가방이 있을 수
있기 때문에
❶ [ ][ ]되었다.

교과서를
모두 넣을 때
무거우면 찢어질
수도 있기 때문에
과장되었다.

깃털 책가방

이보다 가벼울 수는 없다! 초경량 책가방
교과서를 모두 넣어도 찢어질 염려 없는 튼튼한 재질
거품 없는 가격과 최고의 품질
한국에서 직접 디자인하고 직접 만든 책가방
멘 듯 안 멘 듯 깃털처럼 가벼운 깃털 책가방

책가방을 살 때에는 깃털 책가방을 사세요.
세련된 디자인과 특수한 가공으로 품질을 인정받아 해외로 수출하는 우수 제품입니다.
깃털 책가방 회사

어떤 나라로 수출하는지와
관련 있는 자세한 ❷ [ ][ ]을/를
감추고 있다.

뉴스에 나타난
정보의 타당성
알기

예 「스마트 기부 확산」을 읽고 뉴스의 타당성 판단하기

	뉴스의 타당성을 판단하는 방법
이 뉴스는 스마트 기부가 우리 사회에서 가치 있고 중요하기 때문에 이를 보도 내용으로 다루었어.	❸ [ ][ ] 있고 중요한 뉴스인지 살피기
뉴스의 관점에 맞게 스마트 기부의 종류를 소개하고, 스마트 기부의 장점과 특징을 소개했어.	뉴스의 관점과 보도 내용이 서로 관련 있는지 살피기
뉴스의 관점을 뒷받침하려고 시민·전문가와의 면담 자료, 통계 자료를 활용했어.	활용한 자료들이 뉴스의 관점을 뒷받침하는지 살피기
스마트 기부를 하는 사람들의 동기를 분석한 통계 자료의 출처를 정확히 밝혔어.	자료의 ❹ [ ][ ]이/가 명확한지 살피기

단원 평가

1 자신이 관심 있는 세계 뉴스를 찾아 친구들에게 소개하고 싶은 내용을 쓰시오.

_____

_____

[2~3] 뉴스를 읽고, 물음에 답하시오.

> 지구 온난화를 막기 위해 전 세계가 참가한 보편적 기후 변화 협정이 프랑스 파리에서 체결됐습니다.
>
> 31쪽 분량의 '파리 협정' 최종 합의문 핵심은 지구의 기온 상승 폭을 산업화 이전 대비 섭씨 2도 아래로 억제하고, 가능하면 섭씨 1.5도까지 낮추는 것입니다.
>
> 또 온실가스 감축을 위해 선진국들이 2020년까지 매년 천억 달러, 우리 돈 118조 원의 기금을 개발 도상국에 지원하도록 하는 내용도 담겼습니다.
>
> 파리 협정은 선진국만 온실가스 감축 의무가 있었던 교토 의정서와는 달리, 개발 도상국을 포함한 195개 당사국 모두가 지켜야 하는 구속력이 있는 첫 합의입니다.

2 '파리 협정' 최종 합의문의 내용으로 알맞지 <u>않은</u> 것의 기호를 쓰시오.

> ㉠ 선진국만 온실가스 감축 의무가 있다.
> ㉡ 지구의 기온 상승 폭을 산업화 이전 대비 섭씨 2도 아래로 억제한다.
> ㉢ 온실가스 감축을 위해 선진국들이 2020년까지 매년 천억 달러 기금을 개발 도상국에 지원한다.

(   )

서술형

3 이와 같은 뉴스가 우리 생활에 미치는 영향을 한 가지 쓰시오.

_____

_____

[4~6] 광고를 보고, 물음에 답하시오.

소비자 만족도 **1**위

독보적인 디자인   튼튼한 내구성

독보적인 디자인과 튼튼한 내구성을 인정받아 ㉠소비자 만족도 1위를 달성했습니다.

신바람 자전거

㉡기분 최고, 건강 최고, 기술력 최고! 신바람 자전거가 선사합니다.

4 이 광고에서 반복되는 표현은 무엇입니까?

(   )

① 최고   ② 기분   ③ 건강
④ 기술력   ⑤ 선사합니다

5 광고 화면을 밝고 긍정적으로 표현한 까닭을 알맞게 말한 사람을 쓰시오.

> 혜정: 오래 기억되도록 하기 위해
> 준열: 신바람 자전거가 가볍다는 것을 표현하기 위해
> 은우: 신바람 자전거의 이미지를 소비자에게 긍정적으로 전달하기 위해

(   )

6 ㉠과 ㉡ 문구 중 과장된 표현을 찾아 기호를 쓰시오.

(   )

[7~10] 광고를 보고, 물음에 답하시오.

깃털 책가방

이보다 가벼울 수는 없다! **초경량** 책가방
㉠교과서를 모두 넣어도 찢어질 염려 없는
튼튼한 재질
거품 없는 가격과 **최고의 품질**
한국에서 직접 디자인하고 직접 만든 책가방
멘 듯 안 멘 듯 깃털처럼 가벼운 깃털 책가방

7 무엇을 광고하는지 쓰시오.

( )

8 7번 문제에서 답한 제품에 대해 광고하는 내용이 아닌 것은 무엇입니까? ( )
① 가볍다.
② 튼튼하다.
③ 가격 거품이 없다.
④ 한국에서 직접 디자인했다.
⑤ 다양한 용도로 활용할 수 있다.

9 이 광고에 그림을 넣는다면 어떤 그림이 어울릴지 알맞은 것을 찾아 ○표를 하시오.
(1) 아이들이 가방을 메고 펄쩍 뛰는 모습
( )
(2) 아이들이 무거운 책가방을 메고 힘들어하는 모습
( )

서술형
10 ㉠의 광고 문구가 과장하거나 감추는 내용은 무엇인지 쓰시오.

_____

_____

11 다음 중 뉴스로 다루기에 알맞지 **않은** 내용은 어느 것입니까? ( )
① 날씨 예보   ② 스포츠 뉴스
③ 문화 행사 소식   ④ 나라 안팎의 사건
⑤ 자신이 하루 동안 겪은 일

[12~14] 뉴스를 읽고, 물음에 답하시오.

㉮ 진행자의 도입 올해 구세군에 모금된 금액은 44억 원으로 지난해보다 4억 원이 많아졌습니다. 사랑의 열매에는 1700억 원 넘게 모여서 목표액의 절반 이상을 채웠고 사랑의 온도 탑도 수은주가 50도를 넘어섰습니다. 어려운 경기 속에도 이렇게 기부가 늘어난 데는 재미와 감동이 함께하는 이른바 '스마트 기부'가 한몫을 하고 있습니다. 신방실 기자가 전해 드립니다.

기자의 보도 거리에 등장한 자선냄비가 뭔가 색다릅니다. 한 시민이 돼지 저금통을 갈라 모금함에 돈을 넣는가 했더니, 먼저 주사위를 모니터 위에 놓습니다. 선택한 것은 여성과 다문화, 기부 대상을 직접 고를 수 있는 스마트 자선냄비입니다.

㉯ ㉠ 디지털 기술의 진화가 이웃 사랑을 실천하는 촉매제가 되고 있습니다. KBS 뉴스 신방실입니다.

12 뉴스의 짜임을 생각할 때 ㉠에 들어갈 알맞은 말을 쓰시오.

( )

13 사람들의 이해를 돕기 위해 '기자의 보도' 부분에 어떤 내용을 넣으면 좋겠는지 **두 가지**를 고르시오. (,)
① 취재 모습   ② 면담 자료
③ 통계 자료   ④ 기자의 의견
⑤ 진행자의 의견

14 이와 같은 뉴스의 타당성을 판단하는 방법을 한 가지 쓰시오.

( )

[15~16] 뉴스를 읽고, 물음에 답하시오.

진행자의 도입 독감 때문에 요즘 감염 걱정이 많죠? 하지만 '30초 손 씻기'만 제대로 실천해도 웬만한 감염병은 막을 수 있다고 합니다. '30초의 기적'이라고까지 하는 올바른 손 씻기 방법을 이선주 기자가 알려 드립니다.

기자의 보도 하루에도 몇 번씩 씻는 손, 손을 씻는 방법은 제각각입니다.
〈면담〉 [박윤철 6학년 1반 학생]
  "평소에는 그냥 물로 씻는 편이에요."
〈면담〉 [금성혜 6학년 3반 학생]
  "그냥 물휴지 정도로 닦는 편이에요."
  손을 어떻게 씻어야 손에 번식하는 세균을 없앨 수 있을지 알아보려고 손에 형광 물질을 바르고 실험했습니다. 10초 동안 비누로 손바닥과 손가락을 비벼 가며 열심히 씻는 것이 중요합니다. 이렇게 수시로 30초 동안 손을 씻으면 감염병의 70퍼센트는 예방할 수 있습니다.

15 뉴스의 내용을 생각하며 빈칸에 알맞은 말을 쓰시오.

• '30초 손 씻기'만 제대로 실천해도 감염병의 (   )은/는 예방할 수 있다.

16 뉴스의 타당성을 **잘못** 판단한 친구는 누구인지 쓰시오.

지혜: 감염병을 예방할 수 있는 올바른 손 씻기 방법을 알려 주어서 가치 있고 중요한 뉴스라고 생각해.
혜정: 뉴스 관점과 관련해 사람들의 손 씻는 방법이 제각각임을 소개하고, 올바른 손 씻기 방법을 제시했어.
희원: 뉴스의 관점을 뒷받침하려고 관련 실험을 활용했는데 자세하고 타당하게 실험 결과를 밝혀서 좋았어.

(   )

17 뉴스를 만드는 과정에 맞게 순서대로 기호를 쓰시오.

㉠ 뉴스 원고를 쓴다.
㉡ 알리려는 내용을 취재한다.
㉢ 어떤 내용을 보도할지 회의한다.
㉣ 사람들에게 전하고 싶은 내용을 보도한다.
㉤ 취재한 내용을 효과적으로 알릴 수 있게 뉴스 영상을 제작하고 편집한다.

(   ) ➡ (   ) ➡ (   ) ➡ (   ) ➡ (   )

18 다음 그림의 상황에 어울리는 뉴스 주제는 무엇입니까?
(   )

운동장에서 안전하게 노는 방법을 알려 주면 좋겠어.

① 운동장에서 안전하게 노는 방법
② 줄넘기를 잘할 수 있는 방법
③ 독서를 즐겁게 할 수 있는 방법
④ 점심시간을 효율적으로 쓰는 방법
⑤ 등하굣길을 안전하게 다닐 수 있는 방법

19 뉴스 주제를 정하기 위해 생각할 것으로 알맞지 **않은** 것에 ×표를 하시오.

(1) 자신이 잘 아는 내용인지 생각해 본다.
(   )
(2) 여러 사람이 함께 볼 만한 내용인지 따져 본다.
(   )
(3) 친구들에게 알려 주기에 가치 있는 내용인지 생각해 본다.
(   )

20 뉴스를 발표할 때 주의할 점을 한 가지 쓰시오.

_____

_____

서술형 평가

[1~2] 광고를 보고, 물음에 답하시오.

무료하고, 따분하고, 재미있는 일이 없을 때, 당신의 일상에 신바람이 일어납니다.

건강해지려고 아령도 들고 줄넘기도 해 보지만 체력이 여전히 바닥일 때, 당신의 건강에 신바람이 일어납니다.

㉠당신의 즐거운 일상과 건강한 체력을 책임져 줄 단 한 가지!
신바람 자전거!

1 이 광고에서 '신바람'이라는 말을 반복해서 표현한 까닭은 무엇일지 쓰시오.

_____

_____

2 ㉠의 광고 문구가 과장하거나 감추는 내용을 쓰시오.

_____

_____

[3~4] 뉴스를 읽고, 물음에 답하시오.

가 진행자의 도입 올해 구세군에 모금된 금액은 44억 원으로 지난해보다 4억 원이 많아졌습니다. 사랑의 열매에는 1700억 원 넘게 모여서 목표액의 절반 이상을 채웠고 사랑의 온도 탑도 수은주가 50도를 넘어섰습니다. 어려운 경기 속에도 이렇게 기부가 늘어난 데는 재미와 감동이 함께하는 이른바 '스마트 기부'가 한몫을 하고 있습니다. 신방실 기자가 전해 드립니다.

기자의 보도 거리에 등장한 자선냄비가 뭔가 색다릅니다. 한 시민이 돼지 저금통을 갈라 모금함에 돈을 넣는가 했더니, 먼저 주사위를 모니터 위에 놓습니다. 선택한 것은 여성과 다문화, 기부 대상을 직접 고를 수 있는 스마트 자선냄비입니다.

나 기자의 마무리 디지털 기술의 진화가 이웃 사랑을 실천하는 촉매제가 되고 있습니다. KBS 뉴스 신방실입니다.

3 뉴스에서 진행자의 역할은 무엇인지 쓰시오.

_____

_____

4 '기자의 마무리' 부분에는 어떤 내용을 써야 하는지 쓰시오.

_____

_____

5 뉴스를 만들 때, 가장 먼저 할 일을 쓰시오.

_____

_____

6
단
원

● 다음 교과서 문장의 파란색 낱말 중에서 알맞은 것을 골라 인물들이 한 말을 완성하시오.

- 당신의 즐거운 일상과 건강한 **체력**을 책임져 줄 단 한 가지!
- 교과서를 모두 넣어도 찢어질 **염려** 없는 튼튼한 재질
- 다행히 **기부**가 늘어나고 있는데요.
- 독감 때문에 요즘 **감염** 걱정이 많죠?

물이 더러워서 병균에 ❶_____되기 쉬워요.

❷_____마. 우리가 깨끗한 물을 먹을 수 있게 우물을 파 줄게.

너희를 위해 사람들이 ❸_____한 물이야.

파 파 팟

헉 헉

더 이상은 못하겠어. ❹_____이 완전히 바닥났어.

정답 | ❶ 감염 ❷ 염려 ❸ 기부 ❹ 체력

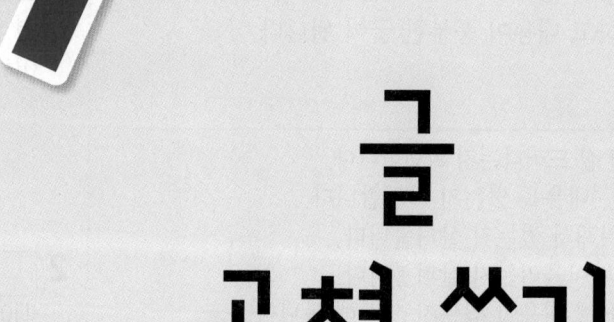

7 글 고쳐 쓰기

무엇을 배울까요?

 준비
- 글을 고쳐 쓰면 좋은 점 알기

 기본
- 글을 고쳐 쓰는 방법 알기
- 자료를 활용해 글 쓰기
- 자신이 쓴 글을 고쳐 쓰고 공유하기

 실천
- 우리 모둠 글 모음집 만들기

7 글 고쳐 쓰기

1 글을 고쳐 쓰면 좋은 점

① 적절하지 않은 낱말이나 틀린 문장이 없으면 읽는 사람이 글을 더 쉽게 이해할 수 있습니다.

② 군더더기 없는 글을 쓰면 자신의 생각을 더 잘 전달할 수 있습니다.

③ 필요한 내용을 더 쓰면 자세하고 내용이 풍부한 글이 됩니다.

2 글을 고쳐 쓰는 방법

글 수준	• 글 전체의 주제가 잘 드러나는지 확인합니다. • 글의 목적에 맞는 내용을 썼는지 확인합니다. • 읽는 사람을 고려해서 썼는지 살펴봅니다. • 제목이 글 내용과 어울리는지 살펴봅니다. • 글에서 더하거나 뺄 내용이 있는지 생각해 봅니다.
문단 수준	• 한 문단에 하나의 중심 생각만 있는지 확인합니다. • 중심 문장과 뒷받침 문장이 자연스럽게 연결되는지 확인합니다. • 필요 없는 문장이 있는지 생각해 봅니다.
문장 수준	• 문장 호응이 잘 이루어지는지 확인합니다. • 분명하지 않거나 지나치게 단정적인 표현이 있는지 살펴봅니다. • 지나치게 긴 문장을 사용하지 않았는지 살펴봅니다.
낱말 수준	• 알맞은 낱말을 사용했는지 살펴봅니다.

3 글을 고칠 때 사용하는 교정 부호

교정 부호	쓰임	사용한 예
∨	띄어 쓸 때	기분 좋은∨하루
⌒	붙여 쓸 때	사랑 하는 사람을
⌒	한 글자를 고칠 때	^만나라 간다.
⌣	여러 글자를 고칠 때	온 가족이 모여서 ^{맛있게}마신게 먹었다.
⸜	글자를 뺄 때	가족과 함께 저녁 음식을 먹었다.
Ⅴ	글의 내용을 추가할 때	내가 사랑하는 사람은 ^{바로}가족이다.

4 자료를 활용해 글 쓰기

① 문제에 대한 자신의 주장을 정합니다.

② 자료를 읽고 자신의 주장에 대한 근거와 뒷받침 자료로 쓸 내용을 정리합니다.

③ 주장하는 글의 짜임에 맞게 자신의 생각을 글로 씁니다.
└ 서론에는 문제 상황과 문제에 대한 자신의 주장을 쓰고, 본론에는 주장의 근거와 뒷받침 자료를 쓰고, 결론에는 지금까지 쓴 내용을 정리하고 주장을 다시 한번 강조합니다.

---

1 적절하지 않은 낱말이나 틀린 문장이 없도록 글을 고쳐 쓰면 읽는 사람이 글을 더 쉽게 이해할 수 있습니다.

(○ , ×)

2 ☐☐ 수준에서 고쳐 쓸 때에 한 문단에 하나의 중심 생각만 있는지 확인합니다.

3 다음 문장에서 알맞은 낱말을 골라 ○표를 하시오.

> 단순히 재미있으려고 은 어나 비속어를 사용했다가 친구들끼리 (투쟁 , 싸움) 으로 이어지는 경우도 있습니다.

4 다음 교정 부호의 쓰임으로 알맞은 것에 ○표를 하시오.

(1) 띄어 쓸 때 ( )
(2) 글자를 뺄 때 ( )
(3) 한 글자를 고칠 때
( )

5 주장하는 글을 쓰려면 먼저 문제에 대한 자신의 주장을 정하고, ☐☐과/와 관련해 알고 있는 것을 떠올리거나 자료를 찾아봅니다.

 **글을 고쳐 쓰면 좋은 점 알기**

◉ 지혜의 동생 도현이가 글을 쓰게 된 과정 살펴보기

> **그림 설명**: 도현이가 불량 식품을 먹지 말자는 글을 쓰게 된 과정이 나타나 있습니다.

❶ 불량 식품을 먹으면 안 된다고 말하고 싶어.

❷ 불량 식품을 먹으면 아플 수도 있어.

❸ 불량 식품을 먹고 쓰레기를 함부로 버리는구나.

❹ 불량 식품을 먹지 말자는 주장을 글로 쓰고 싶어.

❺ 불량 식품에는 유통 기한도 적혀 있지 않구나.

❻ 내가 본 내용과 찾아본 내용을 바탕으로 하여 글을 써야지.

1 그림 ❶에서 도현이는 어떤 장면을 떠올리며 글을 쓰려고 했는지 빈칸에 알맞은 말을 쓰시오.

• 친구들이 (   )을/를 먹는 모습을 떠올렸다.

2 이 그림에서 도현이가 경험한 것으로 알맞은 것을 <u>두 가지</u> 고르시오.   (,   )

① 불량 식품을 먹고 아픈 친구를 보았다.
② 텔레비전에서 불량 식품 광고를 보았다.
③ 학교 앞에서 파는 불량 식품을 친구들과 사 먹었다.
④ 불량 식품이 건강에 해롭지 않다는 이야기를 들었다.
⑤ 불량 식품을 먹고 쓰레기를 아무 데나 버린 친구를 보았다.

3 도현이가 쓰려는 글에서 말하려는 것은 무엇인지 쓰시오.

(   )

4 도현이가 글을 쓰려고 더 알아본 것은 무엇인지 찾아 기호를 쓰시오.

> ㉠ 학생들이 좋아하는 불량 식품의 종류
> ㉡ 불량 식품에는 유통 기한이 적혀 있지 않다는 사실
> ㉢ 우리 학교 주변에서 불량 식품을 많이 팔고 있다는 사실

(   )

● 도현이가 쓴 글에 어떤 문제가 있는지 찾아보기

쓰레기가 되는 불량 식품

여러분, 불량 식품을 먹지 맙시다. 불량 식품을 먹고 나서 쓰레기를 버리는 사람이 많습니다. 그렇게 버린 쓰레기들이 우리 학교 주변을 더럽혀 보기에도 좋지 않고, 악취도 납니다. 불량 식품에는 무엇이 들어갔는지, 그리고 유통 기한은 언제까지인지 정확히 적혀 있지 않습니다. 불량 식품을 먹으면 해로운 물질이 몸에 들어가 병에 걸리기 쉽습니다. 불량 식품은 아무리 맛있어서 먹으면 안 됩니다.

글을 쓰고 나서 내용과 표현이 알맞도록 다시 쓰는 것을 고쳐쓰기라고 해요.

불량 식품을 먹는 친구들이 이 글을 읽으면 좋겠어.

이 글에서 ㉠ 이/가 잘 이해하기 어려운 부분이 있어.

이 글에서 불량 식품을 먹지 말자고 말하고 싶었어.

㉡ 과/와 관련 없거나 보충할 내용을 찾아보면 좋겠어.

도현   지혜

핵심

● 도현이가 쓴 글에 나타난 문제점 알기

• 읽는 사람이 잘 이해하기 어려운 부분이 있습니다.
• 주제와 관련 없는 내용이 있습니다.
• 제목에 주제가 잘 드러나지 않습니다.
• 어색한 문장이 있습니다.

5 도현이는 이 글을 누가 읽으면 좋겠다고 했습니까? ( )

① 불량 식품을 파는 어른들
② 불량 식품을 먹는 친구들
③ 불량 식품을 만드는 어른들
④ 학교 주변을 더럽히는 사람들
⑤ 쓰레기를 함부로 버리는 사람들

7 핵심
다음은 지혜가 도현이를 도와 이 글을 고치기 위해 해야 할 일입니다. 지혜가 할 일로 알맞지 <u>않은</u> 것의 번호를 쓰시오.

① 어색한 문장을 고쳐야 한다.
② 필요 없는 내용을 삭제해야 한다.
③ 어려운 낱말을 많이 사용해야 한다.
④ 주제를 생각해서 제목을 바꾸어야 한다.

( )

6 교과서 문제
㉠과 ㉡에 들어갈 알맞은 말을 찾아 선으로 이으시오.

(1) ㉠ • • ① 주제
(2) ㉡ • • ② 읽는 사람

8 글을 쓰고 나서 내용과 표현이 알맞도록 다시 쓰는 것을 무엇이라고 하는지 쓰시오.

( )

● 도현이를 도와 지혜가 고쳐 쓴 글을 보고 어떻게 고쳐 썼는지 알기

> • 글의 특징: 도현이가 처음에 쓴 글과 고쳐 쓴 글을 비교해 글을 고쳐 쓰는 방법과 글을 고쳐 쓰면 좋은 점을 알 수 있습니다.

7 단원

핵심

㉠쓰레기가 되는 불량 식품

여러분, 불량 식품을 먹지 맙시다. ㉡불량 식품을 먹고 나서 쓰레기를 버리는 사람이 많습니다. 그렇게 버린 쓰레기들이 우리 학교 주변을 더럽혀 보기에도 좋지 않고, 악취도 납니다. 불량 식품에는 무엇이 들어갔는지, 그리고 유통 기한은 언제까지인지 정확히 적혀 있지 않습니다. 불량 식품을 먹으면 해로운 물질이 몸에 들어가 병에 걸리기 쉽습니다. 불량 식품은 ㉢아무리 맛있어서 먹으면 안 됩니다.

↓

㉮

여러분, 불량 식품을 먹지 맙시다. 불량 식품에는 무엇이 들어갔는지, 그리고 유통 기한은 언제까지인지 정확히 적혀 있지 않습니다. 불량 식품을 먹으면 해로운 물질이 몸에 들어가 병에 걸리기 쉽습니다. ㉣그리고 유통 기한을 알 수 없어 신선하지 않은 식품을 먹게 될 수도 있습니다. 불량 식품은 아무리 맛있어도 먹지 말아야 합니다.

● 도현이가 쓴 글 고쳐 쓰기

고쳐 쓴 방법	• ㉠: 제목 바꾸기 • ㉡: 내용 삭제하기 • ㉢: 문장 호응에 맞게 고치기 • ㉣: 내용 추가하기
고쳐 쓴 까닭	• ㉠: 주제를 잘 드러내는 제목이 아니어서 • ㉡: 글의 주제와 관련 없는 내용이기 때문에 • ㉢: '아무리'는 '~아도/어도'와 호응하기 때문에 • ㉣: 앞 문장을 더 자세히 설명하려고

9 ㉠을 주제가 잘 드러나는 제목으로 바꾸려면 ㉮에 어떤 제목을 써야 알맞은지 ○표를 하시오.

(1) 불량 식품의 유통 과정 ( )
(2) 건강을 해치는 불량 식품 ( )
(3) 쓰레기는 쓰레기통에 버립시다 ( )

핵심

10 ㉡과 ㉢을 고쳐 쓴 방법과 고쳐 쓴 까닭이 무엇인지 각각 빈칸에 알맞은 말을 쓰시오.

	고쳐 쓴 방법	고쳐 쓴 까닭
㉡	내용 삭제하기	글의 (1)( ) 과/와 관련 없는 내용이기 때문에
㉢	문장 (2)( ) 에 맞게 고치기	'아무리'는 '~아도/어도'와 호응하기 때문에

11 ㉣과 같이 필요한 내용을 추가하여 고쳐 쓰면 좋은 점으로 알맞은 것은 무엇입니까? ( )

① 글을 길게 쓸 수 있다.
② 예의 바르게 쓸 수 있다.
③ 자세하고 내용이 풍부한 글을 쓸 수 있다.
④ 한 문단에 여러 개의 중심 생각을 쓸 수 있다.
⑤ 읽는 사람이 이해하기 어려운 글을 쓸 수 있다.

12 글을 고쳐 쓰면 좋은 점으로 알맞지 <u>않은</u> 것을 골라 번호를 쓰시오.

교과서 문제

① 자신의 생각을 더 잘 전달할 수 있다.
② 읽는 사람이 글을 더 쉽게 이해할 수 있다.
③ 하고 싶은 말이 글에 잘 드러나지 않게 쓸 수 있다.

( )

기본 ① 글을 고쳐 쓰는 방법 알기

○ 고쳐 써야 할 부분을 생각하며 글 읽기

> • 글의 내용: 요즘 많은 어린이가 이야기할 때 은어나 비속어를 사용하는 문제 상황을 제시하면서 고운 말을 사용하자고 주장하는 글입니다.

다른 사람을 존중하자

❶ ㉠요즘 많은 어린이가 이야기할 때 은어나 비속어를 사용했다. 국립국어원 조사에 따르면 조사 대상 초등학생의 93퍼센트가 비속어를 사용한 적이 있다고 한다. ㉡만약 학생 열 명이 있기 때문에 적어도 아홉 명은 비속어를 사용한 적이 있는 것이다. 비속어가 아닌 고운 말을 사용해야 하는 까닭은
5 무엇일까?

❷ 고운 말을 사용하면 서로 존중하는 마음을 전할 수 있다. 흔히 말이 눈에 보이지 않는 마음임을 표현할 때 "말은 마음의 거울"이라는 격언을 사용한다. 고운 말을 사용해야 하는 것은 어린이만이 아니다. 존중하는 마음이 없다면 고운 말도 나오지 않는다.

> ●글을 고쳐 쓰는 방법
>
> | 글 수준 | • 글쓴이의 생각이 잘 드러나도록 제목 바꾸기: ⑩ 고운 말을 사용합시다
 • 글에서 더하거나 뺄 내용 생각하기: ⑩ 인터넷 매체에서 비속어를 접하는 학생들의 실태를 추가함. |

> 은어(隱 숨을 은, 語 말씀 어) 어떤 계층이나 부류의 사람들이 다른 사람들이 알아듣지 못하도록 자기네 구성원들끼리만 빈번하게 사용하는 말.

> 격언(格 격식 격, 言 말씀 언) 오랜 역사적 생활 체험을 통하여 이루어진 인생에 대한 교훈이나 경계 따위를 간결하게 표현한 짧은 글. ⑩ '시간은 금이다.'라는 말은 시간의 소중함을 뜻하는 격언이다.

1 (교과서 문제) 글쓴이가 이 글을 쓴 목적은 무엇인지 빈칸에 알맞은 말을 쓰시오.

• ( )
(이라)고 주장하려는 것이다.

2 (핵심) 글 내용과 글쓴이의 주장이 잘 드러나도록 제목을 알맞게 바꾸어 쓴 것은 무엇입니까? ( )

① 책을 많이 읽자
② 고운 말을 사용하자
③ 다른 사람을 배려하자
④ 높임말을 바르게 사용하자
⑤ 은어의 뜻을 정확히 알고 사용하자

3 이 글에서 더하거나 뺄 내용이 있는지에 대해 잘못 생각하여 말한 것을 골라 번호를 쓰시오.

> ① 고운 말을 사용해야 하는 근거가 아닌 내용을 빼면 좋겠다.
> ② 꿈이나 도전과 관련 있는 속담이나 격언을 추가하면 좋겠다.
> ③ 인터넷 매체에서 비속어를 접하는 학생들의 실태를 추가하면 좋겠다.

( )

4 (교과서 문제) 문단 ❷에서 필요 없는 문장을 찾아 쓰시오.

( )

5 (교과서 문제) 문장 ㉠, ㉡에서 다음을 문장 호응이 잘 이루어지도록 바르게 고쳐 쓰시오.

(1) 사용했다 ➡ ( )
(2) 있기 때문에 ➡ ( )

❸ 고운 말은 다른 사람을 존중하는 마음을 전할 수 있게 하고, 다른 사람과 대화를 원활하게 할 수 있게 한다. 또 ㉠무조건 고운 말을 사용하는 것만이 우리말을 아름답게 가꾸고 지키는 일이다. ㉡이제라도 고운 말을 사용하는 바른 언어 습관을 기르려고 노력하면 좋을 수도 있다.

5 ❹ 고운 말을 사용하면 다른 사람과 원활하게 대화할 수 있다. 은어나 비속어는 [㉢   ] 대화를 어렵게 하고 오해를 불러일으킨다. ㉣단순히 재미있으려고 은어나 비속어를 사용했다가 친구들끼리 투쟁으로 이어지는 경우도 있고, 어른과 어린이의 일상적인 대화가 어려워지는 경우도 있다.

❺ ㉤고운 말을 사용하면 친구 관계가 좋아진다. 말은 우리 민족의 혼이 담
10 긴 소중한 문화유산이다. 은어나 비속어를 사용한다면 그것이 우리 후손에게 그대로 전해질 것이다. 고운 말을 사용해 아름다운 우리말을 지켜야 한다.

●글을 고쳐 쓰는 방법	
문단 수준	• 글의 흐름에 맞게 문단 순서 정하기: ❶ ➡ ❷ ➡ ❹ ➡ ❺ ➡ ❸ • 중심 문장 내용과 관련 없는 문장 찾기 • 중심 문장을 뒷받침 문장들과 어울리게 고치기
문장 수준	• 문장 호응이 이루어지지 않거나 표현이 적절하지 않은 문장 고치기: 예 노력하면 좋을 수도 있다 ➡ 노력하자 • 지나치게 긴 문장 고치기
낱말 수준	• 알맞은 낱말 추가하거나 어색한 낱말 고치기: 예 투쟁 ➡ 싸움

원활(圓 둥글 원, 滑 미끄러울 활)하게 거침이 없이 잘 나가는 상태에 있게.

혼(魂 넋 혼) 사람의 몸 안에서 몸과 정신을 다스린다는 비물질적인 것. 예 그녀는 혼이 나간 사람처럼 멍하니 있었다.

6 [교과서 문제] 글의 흐름에 맞게 문단 ❶~❺의 순서를 정하여 번호를 쓰시오.

❶ ➡ ❷ ➡ (   ) ➡ (   ) ➡ (   )

7 [핵심] 문장 ㉠과 ㉡에서 표현이 적절하지 않은 부분을 고쳐 쓰는 방법에 대해 알맞게 말한 친구를 쓰시오.

> 동주: ㉠에서 '무조건'은 지나치게 단정적인 표현이므로 '기필코'로 고쳐야 해.
> 나윤: ㉡에서 '노력하면 좋을 수도 있다'는 시 나치게 불확실한 표현이므로 '노력하자'로 고쳐야 해.

(   )

8 [교과서 문제] ㉢에 들어갈 알맞은 낱말을 찾아 ○표를 하시오.

편리한	지나친	원활한

9 [교과서 문제] 문장 ㉣에서 어색한 낱말을 찾아 쓰고, 바르게 고쳐 쓰시오.

(   ) ➡ (   )

10 [역량] 문단 ❺의 중심 문장 ㉤을 뒷받침 문장들과 어울리게 고쳐 쓴 것은 어느 것입니까? (   )

① 고운 말을 사용하면 인기가 높아진다.
② 은어보다 고운 말이 더 이해하기 쉽다.
③ 고운 말을 사용하면 설득력이 높아진다.
④ 우리 민족의 혼이 문화유산에 담겨 있다.
⑤ 고운 말을 사용하는 것은 우리말을 지키는 것과 같다.

11 글을 고쳐 쓰는 방법으로 알맞지 <u>않은</u> 것을 골라 번호를 쓰시오.

> ① 글에 인상적인 표현이 있는지 찾아본다.
> ② 어색한 문장이나 낱말이 있는지 살펴본다.
> ③ 문단 흐름이 자연스러운지, 중심 생각이 잘 나타났는지 살펴본다.

(   )

○ 교정 부호를 사용해 글을 고쳐 써 보기

아침밥의 중요성

하루 세끼 가운데에서 가장 중요한것이 아침밥이다. 부모님께서는 건강
하려면 아침밥을 먹어야 한다고 말씀하신다. 비록 한 끼라서 아침밥을 거르
거나 대충 때우면 하루 온종일 열량과 영양소가 부족해 건강을 잃게 된다.
아침밥을 거르면 영양소가 부족 해 몸도 마음도 힘들어진다. 그렇다면 아침
5 밥을 먹어야 하는 까닭은 무엇일까?

아침밥은 장수의 필수 조건이다. 날마다 아침밥을 거르면 밤새 분비된 위
산이 중화되지 않아 위가 ㉠불편해졌다. 이런 습관이 ㉡오래지속되면 위염
이나 위궤양으로 진행될 수 있다. ㉢또 밤새 써 버린 수분을 물을 보충하기
어렵고 체내에 저장해 두었던 영양소가 소모된다. 그래서 ㉣피부는 푸석 푸
10 석해지고 주름에 빈혈까지 생겨 건강이 나빠진다.

아침밥을 먹으면 몸도 건강해지고 하루를 활기차게 시작할 수 있다. 우리
모두 아침밥을 거르지 말고 꼭 먹자.

●글을 고칠 때 사용하는 교정 부호

교정 부호	쓰임
∨	띄어 쓸 때
⌢	붙여 쓸 때
⊙	한 글자를 고칠 때
⌣	여러 글자를 고칠 때
⌒	글자를 뺄 때
∀	글의 내용을 추가할 때

열량(熱 더울 열, 量 헤아릴 량) 열에너지의 양. 단위는 보통 칼로리
(cal)로 표시한다.

장수(長 길 장, 壽 목숨 수) 오래도록 삶.
㉮ 그 노인은 잠을 잘 자는 것이 장수의 비결이라고 했다.

핵심

12 교정 부호와 그 쓰임이 잘못 연결된 것은 무엇입
니까? ( )

	교정 부호	쓰임
①	∨	띄어 쓸 때
②	⌢	붙여 쓸 때
③	⊙	글자를 뺄 때
④	⌣	여러 글자를 고칠 때
⑤	∀	글의 내용을 추가할 때

13 ㉠을 고칠 때 사용할 교정 부호로 알맞은 것은 무
교과서 엇입니까? ( )
문제
① ∨   ② ⌢   ③ ⌣
④ ⊙   ⑤ ⌒

14 ㉡을 교정 부호를 사용하여 바르게 고친 것에 ○표
를 하시오.
(1) 오래지속되면 ( )
(2) 오래지속되면 ( )
(3) 오래지속되면 ( )

15 ㉢과 ㉣의 초록색 글씨를 교정 부호를 사용하여 고
교과서 쳐 쓰시오.
문제

(1) ㉢ 또 밤새 써 버린 수분을 물을 보충
하기 어렵고 체내에 저장해 두었던 영양
소가 소모된다.

(2) ㉣ 피부는 푸석 푸석해지고 주름에 빈
혈까지 생겨 건강이 나빠진다.

기본 2 자료를 활용해 글 쓰기

○ 자료를 읽고 자신의 생각을 글로 쓸 때 활용할 수 있는 내용 찾기

7 단원

자료 1	동물의 희생, 동물 실험을 반대한다

> • **자료 1과 자료 2의 특징**: 동물 실험에 대해 찬성 또는 반대 입장을 정해 글을 쓸 때 활용할 수 있는 자료입니다.

의약품 따위를 만드는 실험으로 전 세계에서 해마다 약 6억 마리의 동물이 희생되고 있다. 개발한 약품을 사람에게 바로 사용하지 않고 동물을 대상으로 먼저 실험해 보기 때문이다. 예를 들면 피부에 사용하는 약품을 개발할 때 토끼의 눈에 화학 물질을 넣어 **부작용**이 생기는지 확인한다. 토끼는 눈 깜빡임과 눈물이 적어 실험 결과를 오래 관찰할 수 있기 때문이다. 눈에 화학 물질이 들어간 토끼는 눈에서 피가 나기도 하고 심한 경우 눈이 멀기도 한다.

동물 실험을 반대하는 사람들이 늘어나고 있다. 사람과 동물의 몸은 차이가 크기 때문에 이러한 동물 실험은 소용이 없다고 주장한다. 실제로 동물 실험을 통과한 신약 후보 열 개 가운데 아홉 개는 사람에게 효과가 없거나 부작용을 일으킨다고 한다. / 동물 실험을 다른 방법으로 대체해야 한다는 목소리도 높다. 한 국민 의식 조사에 따르면 동물 실험을 대체할 수 있도록 사회적 지원을 하는 데 응답자 대부분이 찬성했다. 특히 동물 실험을 대체하는 연구에 자신이 내는 **세금**을 사용할 수 있도록 하는 데 85퍼센트가 동의했다.

> ● **자료를 활용해 주장에 대한 근거와 뒷받침 자료 정리하기 ①** 〔핵심〕
>
> | 주장 | ⑩ 동물 실험을 해서는 안 된다. |
> | --- | --- |
> | 근거 | ⑩ 동물의 생명도 똑같이 소중하다. |
> | 뒷받침 자료 | ⑩ "전 세계에서 해마다 약 6억 마리의 동물이 희생되고 있다."는 사실을 인용해 얼마나 많은 동물이 고통받고 있는지 씀. |

부작용(副 버금 **부**, 作 지을 **작**, 用 쓸 **용**) 약이 지닌 그 본래의 작용 이외에 부수적으로 일어나는 작용.

세금(稅 세금 **세**, 金 쇠 **금**) 국가 또는 지방 공공 단체가 필요한 경비로 사용하기 위하여 국민이나 주민으로부터 강제로 거두어들이는 금전.

---

1 피부에 사용하는 약품을 개발하기 위해 토끼의 눈에 화학 물질을 넣었을 때 토끼에게 나타난 증세를 두 가지 고르시오. (,)

① 눈에서 피가 난다.
② 눈을 뜨고 잠을 잔다.
③ 심한 경우 눈이 먼다.
④ 눈을 깜박이지 않는다.
⑤ 시력이 점점 좋아진다.

2 동물 실험을 통과한 신약 후보 열 개 가운데 아홉 개는 왜 사람에게 효과가 없거나 부작용을 일으킨다고 했습니까? ( )

① 동물 실험을 한 번만 해서
② 희생된 동물의 수가 적어서
③ 병에 걸린 동물로 실험해서
④ 사람과 동물의 몸은 차이가 커서
⑤ 여러 종류의 동물로 실험하지 않아서

3 [자료 1]의 글쓴이의 주장으로 알맞은 것에 ○표를 하시오.

(1) 동물 실험을 해야 한다. ( )
(2) 동물 실험을 해서는 안 된다. ( )

4 [자료 1]에 나타난 주장에 대한 근거로 알맞은 것을 모두 찾아 기호를 쓰시오.

> ㉠ 동물 실험을 대체할 수 있는 방법도 있다.
> ㉡ 동물 실험에 사용되는 동물을 잘 돌보고 있다.
> ㉢ 동물과 사람에게 나타나는 반응이 똑같지 않다.

( )

| 자료 2 | 동물 실험을 없애도 괜찮을까 |

최근 미국 ○○대학교 연구진은 전 세계적으로 680여 명이 희생된 중동호흡기증후군[메르스]의 백신을 개발했다. 연구진이 동물 실험으로 그 효과를 확인하려고 백신을 원숭이에게 **투여**했다. 그리고 이 백신이 중동호흡기증후군[메르스]을 예방할 수 있다는 확신을 가졌다. 이렇게 동물 실험은 새로운 약 개발에 중요한 역할을 한다.

동물 실험도 하지 않고 개발한 약을 사람들에게 사용하면 부작용이 발생할 수 있다. 1937년에 한 제약 회사에서 술파닐아미드라는 약을 새롭게 개발했다. 그런데 동물 실험을 거치지 않고 사람들에게 이 약을 판매했다. 그 결과, 이 약을 복용한 많은 사람이 부작용으로 사망하는 불행한 일이 일어났다.

일부 사람들은 동물 실험을 당장 다른 방법으로 대체해야 한다고 주장한다. 그러나 대체 방법을 개발하는 데 6년 이상의 시간과 약 400억 원 이상의 비용이 필요하다. 이처럼 오랜 개발 기간과 막대한 비용 때문에 빠른 시일 안에 동물 실험을 대체하기는 어렵다.

● 자료를 활용해 주장에 대한 근거와 뒷받침 자료 정리하기 ②

주장	📖 동물 실험을 해야 한다.
근거	📖 동물의 생명보다 인간의 생명이 더 소중하다.
뒷받침 자료	📖 "대체 방법을 개발하는 데 6년 이상의 시간과 약 400억 원 이상의 비용이 필요하다."는 사실을 인용해 대체 실험이 쉽지 않다는 것을 강조함.

백신 전염병에 대하여 인공적으로 면역을 주기 위해 생체에 투여하는 항원의 하나.

투여(投 던질 투, 與 더불 여) 약 따위를 환자에게 복용시키거나 주사함. 📖 새로운 약물 투여로 질병을 치료했다.

---

5 자료 2 의 글쓴이의 주장은 무엇인지 쓰시오.
(   )

6 자료 2 에서 주장을 뒷받침하는 근거로 알맞은 것을 세 가지 고르시오. (,   ,   )

① 동물 실험을 대체하는 연구가 활발히 이루어지고 있다.
② 동물 실험은 새로운 약 개발에 중요한 역할을 한다.
③ 동물 실험의 대체 방법을 개발하는 데는 시간과 비용이 많이 든다.
④ 전 세계적으로 680여 명이 중동호흡기증후군[메르스]으로 희생되었다.
⑤ 동물 실험을 하지 않고 개발한 약을 사람들에게 사용하면 부작용이 발생할 수 있다.

핵심 **논술형**

7 동물 실험과 관련해 자신의 생각을 글로 쓰려고 합니다. 자료 1 과 자료 2 를 활용해 빈칸에 쓸 내용을 각각 정리해 쓰시오.

(1) 주장	
(2) 근거	
(3) 뒷받침 자료	

8 주장하는 글을 쓸 때 서론, 본론, 결론에 어떤 내용이 들어가야 하는지 빈칸에 알맞은 말을 쓰시오.

• 서론에는 문제 상황과 문제에 대한 자신의 (1)(   )을/를 쓴다.
• 본론에는 주장의 (2)(   )과/와 뒷받침 자료를 쓴다.
• 결론에는 지금까지 쓴 내용을 정리하고 주장을 다시 한번 강조한다.

기본 3 자신이 쓴 글을 고쳐 쓰고 공유하기

○ 점검 기준표를 만들고 자신이 쓴 글에서 고쳐 쓸 점을 생각하기

점검 내용	점검 질문	점검 결과 (○/×)
글	무엇을 쓴 글인지 알 수 있는가?	
	읽는 사람을 고려했는가?	
	제목이 글 내용과 어울리는가?	
문단	한 문단에 하나의 중심 생각만 있는가?	
	중심 문장과 뒷받침 문장이 자연스럽게 연결되는가?	
	필요 없는 문장이 있는가?	
문장	문장 호응이 잘 이루어지는가?	
낱말	알맞은 낱말을 사용했는가?	

• **표 설명**: 글을 고쳐 쓸 때 글, 문단, 문장, 낱말 수준에서 무엇을 살펴봐야 하는지 알 수 있습니다.

● **낱말 수준에서 자신의 글 점검하기 예**

알맞은 낱말을 사용하지 않아서 낱말 수준 점검 결과에 ×표를 하고, 어려운 낱말을 쉽게 바꾸어 썼어.

---

1 고쳐쓰기를 할 때 글 수준에서 점검할 내용으로 알맞지 <u>않은</u> 것은 무엇입니까? ( )

① 읽는 사람을 고려해서 썼는지 살펴본다.
② 제목이 글 내용과 어울리는지 확인한다.
③ 문장 호응이 잘 이루어지는지 확인한다.
④ 글 전체 주제가 잘 드러나는지 확인한다.
⑤ 무엇을 쓴 글인지 알 수 있는지 확인한다.

2 은호는 자신이 쓴 글을 점검하고 있습니다. 어떤 수준에서 점검한 내용인지 알맞은 것에 ○표를 하시오.

한 문단에 두 개의 중심 생각이 있어서 고쳐야겠어.

은호

(글 , 문단 , 문장 , 낱말)

3 자신이 쓴 글을 점검할 때 문장 수준에 추가할 점검 질문으로 알맞은 것을 골라 기호를 쓰시오.

> ㉠ 타당한 근거를 들어 썼는가?
> ㉡ 문단의 중심 생각이 잘 나타나 있는가?
> ㉢ 분명하지 않거나 지나치게 단정적인 표현이 있는가?

( )

핵심

4 다음 중 고쳐쓰기를 할 때 낱말 수준에서 점검한 것을 찾아 기호를 쓰시오.

> ㉠ 어려운 낱말이 있어서 좀 더 쉽게 풀어 썼어.
> ㉡ 두 번째 문단에서 주제와 관련 없는 문장을 뺐어.
> ㉢ 문장이 지나치게 길어서 두 문장으로 나누어 썼어.
> ㉣ 어떤 내용인지 한눈에 알 수 있도록 제목을 바꾸어 썼어.

( )

실천 우리 모둠 글 모음집 만들기

역량 활동

○ 인간과 자연이 조화를 이루며 발전할 수 있는 실천 방안을 생각하기

오염된 하천들을 복원하고 있습니다.

▲ 오염된 하천을 복원한 모습

실내에서 난방을 지나치게 하지 않고 적정 온도를 유지합니다.

▲ 창문에 단열 용품을 붙인 모습

• 사진 설명: 인간과 자연이 조화를 이루며 발전하기 위해 우리가 해야 할 일이 나타난 사진입니다.

● 인간과 자연이 조화를 이루며 발전할 수 있는 실천 방안을 글로 쓰기

글 제목	예 함께 행복한 삶
자연과 조화를 이루며 발전해야 하는 까닭	예 지구는 인간만의 것이 아니기 때문이다.
실천 방안	예 친환경 제품을 사용한다.
자료	예 친환경 제품의 예

↓

글을 고쳐 쓰는 방법에 따라 자신의 글 점검하기

예 한 문단에 두 개의 중심 생각이 있어서 두 문단으로 나누어 써야겠다.

1 이 사진에 나타난 인간과 자연이 조화를 이루며 발전하기 위해 우리가 해야 할 일을 **두 가지** 고르시오. (,)

① 집안 환기를 자주 한다.
② 오염된 하천들을 복원한다.
③ 하천에 우리말 이름을 붙인다.
④ 악취가 나는 하천을 콘크리트로 덮는다.
⑤ 실내에서 난방을 지나치게 하지 않고 적정 온도를 유지한다.

2 인간과 자연이 조화를 이루며 발전할 수 있는 또 다른 실천 방안으로 알맞은 것을 **모두** 골라 기호를 쓰시오.

교과서 문제

> ㉠ 친환경 제품을 사용한다.
> ㉡ 일회용 비닐봉지를 사용한다.
> ㉢ 동물들의 삶의 터전을 보전한다.

( )

핵심 논술형

3 인간과 자연이 조화를 이루며 발전할 수 있는 실천 방안을 글로 쓰려고 합니다. 빈칸에 쓸 내용을 정리하시오.

(1) 글 제목	
(2) 인간과 자연이 조화를 이루며 발전해야 하는 까닭	
(3) 실천 방안	
(4) 자료	

역량

4 글을 고쳐 쓸 때 점검할 질문으로 알맞지 **않은** 것은 무엇입니까? ( )

① 읽는 사람을 고려했는가?
② 누구나 알고 있는 내용인가?
③ 문장 호응이 잘 이루어지는가?
④ 무엇을 쓴 글인지 알 수 있는가?
⑤ 한 문단에 하나의 중심 생각만 있는가?

단원 마무리

글을 고쳐 쓰는
방법 알기

예 「다른 사람을 존중하자」를 읽고 글, 문단, 문장, 낱말 수준에서 고쳐쓰기

점검 내용	고쳐 쓰는 방법	고쳐쓰기 예
❶ ☐ 수준	제목이 글 내용과 어울리는지 살펴봅니다.	다른 사람을 존중하자 ➡ 고운 말을 사용합시다
	글에서 더하거나 뺄 내용이 있는지 생각해 봅니다.	인터넷 매체에서 비속어를 접하는 학생들의 실태 추가하기
문단 수준	글의 짜임에 맞게 문단 흐름이 자연스러운지 살펴봅니다.	❶ ➡ ❷ ➡ ❹ ➡ ❺ ➡ ❸
	필요 없는 문장이 있는지 생각해 봅니다.	'고운 말을 사용해야 하는 것은 어린이만이 아니다.'라는 문장 삭제하기
	중심 문장과 뒷받침 문장이 자연스럽게 연결되는지 확인합니다.	'고운 말을 사용하면 친구 관계가 좋아진다.' ➡ '고운 말을 사용하는 것은 우리말을 지키는 것과 같다.'
문장 수준	문장 ❷ ☐☐이/가 잘 이루어지는지 확인합니다.	'요즘 ~ 사용했다.' ➡ '요즘 ~ 사용한다.' / '만약 ~ 있기 때문에' ➡ '만약 ~ 있다면'
	분명하지 않거나 지나치게 단정적인 표현이 있는지 살펴봅니다.	'무조건 ~ 것만이' ➡ '무조건'은 삭제, '것만이' ➡ '것은' / '노력하면 좋을 수도 있다' ➡ '노력하자'
	지나치게 긴 문장을 사용하지 않았는지 살펴봅니다.	'고운 말은 ~ 있게 하고, 다른 ~' ➡ '고운 말은 ~ 있게 한다. 그리고 다른 ~'
낱말 수준	알맞은 낱말을 사용했는지 살펴봅니다.	대화 ➡ 원활한 대화 / 투쟁 ➡ 싸움

자료를 활용해
글 쓰기

예 동물 실험과 관련해 자신의 주장을 정하고 자료 1 , 자료 2 를 활용해 쓸 내용 정리하기

주장 1	❸ ☐☐ 실험을 해서는 안 된다.
근거	동물의 생명도 똑같이 소중하다. / 동물 실험을 대신할 수 있는 대체 실험도 가능하다. / 동물과 사람에게 나타나는 반응이 똑같지 않다.
뒷받침 자료	"전 세계에서 해마다 약 6억 마리의 동물이 희생되고 있다."는 사실을 인용해 얼마나 많은 동물이 고통받고 있는지 씀.

주장 2	동물 실험을 해야 한다.
근거	동물의 생명보다 인간의 생명이 더 소중하다. / 대체 실험에 비용이 많이 든다. / 동물 실험에 사용되는 동물을 잘 돌보면 문제가 없다.
뒷받침 자료	"대체 방법을 개발하는 데 6년 이상의 시간과 약 400억 원 이상의 비용이 필요하다."는 사실을 인용해 대체 실험이 쉽지 않다는 것을 강조함.

단원 평가

★ 단원 평가 더 풀기 ≫ 평가 교재 38~43쪽

[1~4] 글을 읽고, 물음에 답하시오.

쓰레기가 되는 불량 식품

여러분, 불량 식품을 먹지 맙시다. ㉠불량 식품을 먹고 나서 쓰레기를 버리는 사람이 많습니다. ㉡그렇게 버린 쓰레기들이 우리 학교 주변을 더럽혀 보기에도 좋지 않고, 악취도 납니다. ㉢불량 식품에는 무엇이 들어갔는지, 그리고 유통 기한은 언제까지인지 정확히 적혀 있지 않습니다. 불량 식품을 먹으면 해로운 물질이 몸에 들어가 병에 걸리기 쉽습니다. 불량 식품은 ㉣아무리 맛있어서 먹으면 안 됩니다.

---

1 이 글에서 주장하는 내용으로 알맞은 것은 무엇입니까? ( )

① 불량 식품을 먹지 말자.
② 학교 주변을 깨끗이 하자.
③ 쓰레기 분리수거를 잘 하자.
④ 불량 식품을 필요 이상으로 먹지 말자.
⑤ 유통 기한이 적혀 있는 불량 식품만 먹자.

2 이 글의 제목을 주제가 잘 드러나도록 고쳐 쓰시오.
( )

3 ㉠~㉢ 중 삭제해야 하는 문장을 모두 찾아 기호를 쓰시오.
( )

서술형

4 ㉣을 바르게 고쳐 쓰고, 왜 그렇게 고쳐 써야 하는지 까닭을 쓰시오.

(1) 고쳐 쓴 문장	
(2) 고쳐 쓴 까닭	

---

5 글을 고쳐 쓰면 좋은 점으로 알맞지 않은 것은 무엇입니까? ( )

① 글쓴이의 성격을 드러낼 수 있다.
② 자신의 생각을 더 잘 전달할 수 있다.
③ 읽는 사람이 더 이해하기 쉬운 글을 쓸 수 있다.
④ 읽는 사람의 반응을 잘 이끌어 내는 글을 쓸 수 있다.
⑤ 필요한 내용을 더 쓰면 자세하고 내용이 풍부한 글을 쓸 수 있다.

[6~7] 글을 읽고, 물음에 답하시오.

㉠요즘 많은 어린이가 이야기할 때 은어나 비속어를 사용했다. 국립국어원 조사에 따르면 조사 대상 초등학생의 93퍼센트가 비속어를 사용한 적이 있다고 한다. 만약 학생 열 명이 있기 때문에 적어도 아홉 명은 비속어를 사용한 적이 있는 것이다. 비속어가 아닌 고운 말을 사용해야 하는 까닭은 무엇일까?

고운 말을 사용하면 서로 존중하는 마음을 전할 수 있다. 흔히 말이 눈에 보이지 않는 마음임을 표현할 때 "말은 마음의 거울"이라는 격언을 사용한다.

---

6 글쓴이가 말하려는 것은 무엇인지 쓰시오.
( )

7 ㉠에서 고쳐 써야 할 부분을 바르게 고쳐 쓴 것은 무엇입니까? ( )

① 어린이가 ➡ 어린이께서
② 이야기할 ➡ 말씀하실
③ 은어나 ➡ 은어와
④ 사용했다 ➡ 사용한다
⑤ 사용했다 ➡ 사용하겠다

[8~9] 글을 읽고, 물음에 답하시오.

㉠고운 말을 사용하면 친구 관계가 좋아진다. 말은 우리 민족의 혼이 담긴 소중한 문화유산이다. 은어나 비속어를 사용한다면 그것이 우리 후손에게 그대로 전해질 것이다. 고운 말을 사용해 아름다운 우리말을 지켜야 한다.

고운 말은 다른 사람을 존중하는 마음을 전할 수 있게 하고, 다른 사람과 대화를 원활하게 할 수 있게 한다. 또 ㉡무조건 고운 말을 사용하는 것만이 우리말을 아름답게 가꾸고 지키는 일이다.

(서술형)

8 첫 번째 문단의 중심 문장 ㉠을 뒷받침 문장들과 어울리게 고쳐 쓰시오.

_____

_____

9 ㉡을 고쳐 써야 하는 까닭으로 알맞은 것에 ○표를 하시오.

(1) 불확실한 표현을 사용했기 때문에 (   )

(2) 알맞은 높임법을 사용하지 않았기 때문에 (   )

(3) 지나치게 단정적인 표현을 사용했기 때문에 (   )

10 다음 중 교정 부호를 바르게 사용하여 글을 고친 것은 어느 것입니까? (   )

①	만 바나러 간다.
②	기분 좋은∨하루
③	사랑∨하는 사람을
④	가족과 함께 저녁 음식을 먹었다.
⑤	온 가족이 모여서 맛있게 마신게 먹었다.

11 다음 문장을 고칠 때 사용할 교정 부호로 알맞은 것을 두 가지 고르시오. (,   )

비록 한 끼라서 아침밥을 거르거나 대충 때우면 하루 온종일 열량과 영양소가 부족해 건강을 잃게 된다.

① ∨   ② ♀   ③ Y
④ ⌒   ⑤ ⌞⌟

[12~13] 글을 읽고, 물음에 답하시오.

㉮ 의약품 따위를 만드는 실험으로 전 세계에서 해마다 약 6억 마리의 동물이 희생되고 있다. 개발한 약품을 사람에게 바로 사용하지 않고 동물을 대상으로 먼저 실험해 보기 때문이다.
㉯ 눈에 화학 물질이 들어간 토끼는 눈에서 피가 나기도 하고 심한 경우 눈이 멀기도 한다.

동물 실험을 반대하는 사람들이 늘어나고 있다. 사람과 동물의 몸은 차이가 크기 때문에 이러한 동물 실험은 소용이 없다고 주장한다. 실제로 동물 실험을 통과한 신약 후보 열 개 가운데 아홉 개는 사람에게 효과가 없거나 부작용을 일으킨다고 한다.

12 이 글에서 알 수 있는 사실로 알맞지 않은 것은 무엇입니까? (   )

① 사람과 동물의 몸은 차이가 크다.
② 실험에는 수많은 동물이 사용된다.
③ 실험 때문에 수많은 동물이 고통받고 희생된다.
④ 동물 실험에 사용되는 동물은 고통을 느끼지 않는다.
⑤ 동물 실험을 통과한 약도 사람에게 효과가 없거나 부작용을 일으킬 수 있다.

13 이 글은 동물 실험에 찬성과 반대 중 어떤 입장에서의 근거와 자료로 활용할 수 있을지 알맞은 것에 ○표를 하시오.

(찬성 , 반대)

[14~15] 글을 읽고, 물음에 답하시오.

> ㉮ 미국 ○○대학교 연구진은 전 세계적으로 680여 명이 희생된 중동호흡기증후군[메르스]의 백신을 개발했다. 연구진이 동물 실험으로 그 효과를 확인하려고 백신을 원숭이에게 투여했다. 그리고 이 백신이 중동호흡기증후군[메르스]을 예방할 수 있다는 확신을 가졌다. 이렇게 동물 실험은 새로운 약 개발에 중요한 역할을 한다.
> ㉯ 대체 방법을 개발하는 데 6년 이상의 시간과 약 400억 원 이상의 비용이 필요하다. 이처럼 오랜 개발 기간과 막대한 비용 때문에 빠른 시일 안에 동물 실험을 대체하기는 어렵다.

14 이 글에서 동물 실험은 무엇에 중요한 역할을 한다고 했는지 빈칸에 알맞은 말을 찾아 쓰시오.

• 새로운 (   ) 개발

15 다음 주장에 대한 근거로 활용할 수 있는 내용을 모두 찾아 기호를 쓰시오.

> 주장: 동물 실험을 해야 한다.

> ㉠ 대체 실험에 시간과 비용이 많이 든다.
> ㉡ 동물의 생명보다 인간의 생명이 더 소중하다.
> ㉢ 동물과 사람에게 나타나는 반응이 똑같지 않다.

(   )

16 다음 점검할 내용과 관련 있는 고쳐쓰기의 점검 수준은 무엇인지 골라 ○표를 하시오.

> • 읽는 사람을 고려했는가?
> • 제목이 글 내용과 어울리는가?
> • 무엇을 쓴 글인지 알 수 있는가?

글   문단   문장   낱말

17 자신이 쓴 글을 고쳐 쓸 때, 문장 수준에서 점검할 내용을 한 가지 쓰시오.

(   )

18 인간과 자연이 조화를 이루며 발전할 수 있는 실천 방안을 글로 쓰려고 합니다. 글에 쓸 수 있는 실천 방안으로 알맞은 것에 ○표를 하시오.

(1) 장바구니를 사용한다. (   )
(2) 야생 동물을 잡아 시설에서 보호한다. (   )
(3) 악취가 나는 하천을 콘크리트로 덮는다.
(   )

19 인간과 자연이 조화를 이루며 발전할 수 있는 실천 방안을 글로 쓰는 방법으로 알맞지 <u>않은</u> 것은 무엇입니까? (   )

① 글 제목을 생각한다.
② 글을 고쳐 쓰는 방법에 따라 자신의 글을 점검한다.
③ 서론, 본론, 결론에 들어갈 내용을 생각하며 글을 쓴다.
④ 정리한 내용과 관련이 없더라도 자신이 잘 아는 자료를 활용한다.
⑤ 인간과 자연이 조화를 이루며 발전해야 하는 까닭과 실천 방안을 정리한다.

20 다음은 고쳐쓰기를 할 때 '글', '문단', '문장', '낱말' 중 어떤 수준에서 점검할 내용인지 각각 쓰시오.

점검 내용	수준
(1) 알맞은 낱말을 사용했는가?	
(2) 문장 호응이 잘 이루어지는가?	
(3) 글 내용에 어울리는 제목을 붙였는가?	
(4) 한 문단에 하나의 중심 생각만 있는가?	

서술형 평가

1 글 **가**를 글 **나**와 같이 ㉠을 넣어 고쳐 쓰면 좋은 점을 쓰시오.

> **가** 불량 식품을 먹으면 해로운 물질이 몸에 들어가 병에 걸리기 쉽습니다. 불량 식품은 아무리 맛있어도 먹지 말아야 합니다.
>
> **나** 불량 식품을 먹으면 해로운 물질이 몸에 들어가 병에 걸리기 쉽습니다. ㉠그리고 유통 기한을 알 수 없어 신선하지 않은 식품을 먹게 될 수도 있습니다. 불량 식품은 아무리 맛있어도 먹지 말아야 합니다.

_____

_____

[2~3] 글을 읽고, 물음에 답하시오.

> **가** 요즘 많은 어린이가 이야기할 때 은어나 비속어를 사용했다. 국립국어원 조사에 따르면 조사 대상 초등학생의 93퍼센트가 비속어를 사용한 적이 있다고 한다. 만약 학생 열 명이 있기 때문에 적어도 아홉 명은 비속어를 사용한 적이 있는 것이다. 비속어가 아닌 고운 말을 사용해야 하는 까닭은 무엇일까?
>
> **나** ㉠고운 말은 다른 사람을 존중하는 마음을 전할 수 있게 하고, 다른 사람과 대화를 원활하게 할 수 있게 한다. 또 무조건 고운 말을 사용하는 것만이 우리말을 아름답게 가꾸고 지키는 일이다.

2 글 **가**에 어떤 내용을 더하면 좋을지 쓰시오.

_____

_____

3 ㉠을 두 문장으로 나누어 고쳐 쓰시오.

_____

_____

_____

4 다음 글을 읽고 동물 실험에 반대하는 입장에서 활용할 수 있는 근거와 뒷받침 자료를 정리하시오.

> **가** 의약품 따위를 만드는 실험으로 전 세계에서 해마다 약 6억 마리의 동물이 희생되고 있다. 개발한 약품을 사람에게 바로 사용하지 않고 동물을 대상으로 먼저 실험해 보기 때문이다. 예를 들면 피부에 사용하는 약품을 개발할 때 토끼의 눈에 화학 물질을 넣어 부작용이 생기는지 확인한다. 토끼는 눈 깜빡임과 눈물이 적어 실험 결과를 오래 관찰할 수 있기 때문이다. 눈에 화학 물질이 들어간 토끼는 눈에서 피가 나기도 하고 심한 경우 눈이 멀기도 한다.
>
> **나** 동물 실험을 다른 방법으로 대체해야 한다는 목소리도 높다. 한 국민 의식 조사에 따르면 동물 실험을 대체할 수 있도록 사회적 지원을 하는 데 응답자 대부분이 찬성했다.

(1) 근거	
(2) 뒷받침 자료	

5 인간과 자연이 조화를 이루며 발전할 수 있는 실천 방안을 글로 쓰기 위해 정리한 다음 표의 내용을 보고, 글에 활용할 수 있는 자료를 <u>두 가지</u> 생각하여 쓰시오.

인간과 자연이 조화를 이루며 발전해야 하는 까닭	지구는 인간만의 것이 아니기 때문이다.
실천 방안	• 동물들의 삶의 터전을 보전한다. • 친환경 제품을 사용한다.
자료	• •

● 다음 교과서 문장의 파란색 낱말 중에서 알맞은 것을 골라 인물들이 한 말을 완성하시오.

- 그렇게 버린 쓰레기들이 우리 학교 주변을 더럽혀 보기에도 좋지 않고, 악취도 납니다.
- 불량 식품을 먹으면 해로운 물질이 몸에 들어가 병에 걸리기 쉽습니다.
- 은어나 비속어를 사용한다면 그것이 우리 후손에게 그대로 전해질 것이다.
- 오염된 하천들을 복원하고 있습니다.

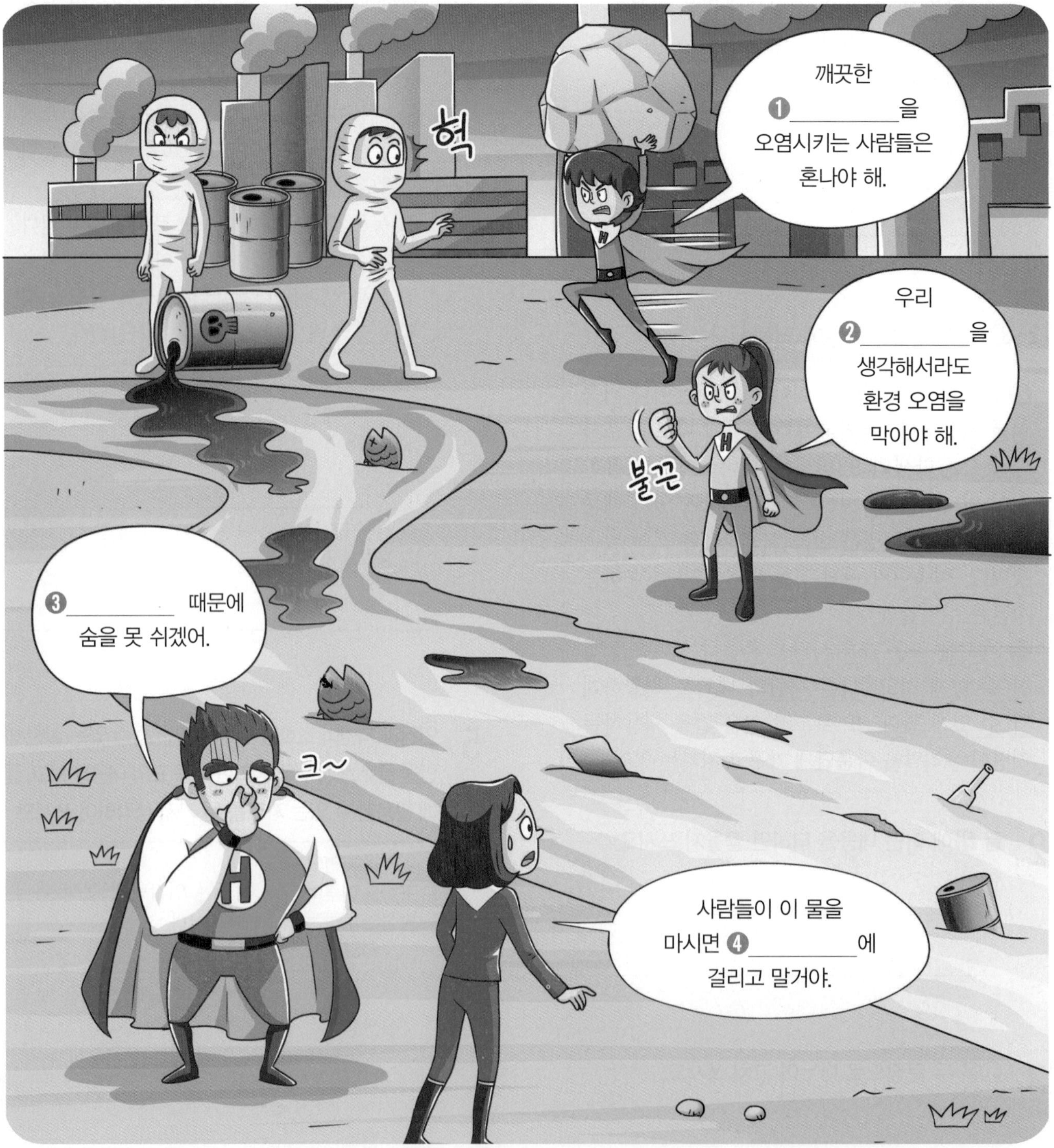

정답 | ❶ 하천 ❷ 후손 ❸ 악취 ❹ 병

8

작품으로 경험하기

무엇을 배울까요?

 준비

- 영상을 보고 경험한 내용 이야기하기

 기본

- 영화 감상문 쓰기
- 자신의 경험을 떠올리며 작품 감상하기

 실천

- 경험한 내용을 영화로 만들기

8 작품으로 경험하기

1 영상을 보고 경험한 내용 이야기하기

① 영상을 보면서 자신이 여행 가고 싶은 곳을 정해 봅니다.

② 도서관에 있는 책, 누리집에 있는 사진 자료와 영상 자료, 지역 소개 자료 따위에서 여행 가고 싶은 곳에 대한 자료를 찾습니다.

③ 여행 계획서를 써 봅니다.

여행 기간과 장소	언제, 어디로 여행 가느냐에 따라 준비물이 달라집니다.
같이 가고 싶은 사람과 준비할 일	여행 가기 전에 누구와 함께 가고, 무엇을 준비해야 할지 알아야 합니다.
여행 일정	여행 일정은 날마다 몇 시쯤, 어디에서 무엇을 할 것인지 써야 합니다.
여행 비용	여행 비용은 여행 일정처럼 날마다 사용할 돈을 입장료, 교통비, 식비 따위로 나누어 생각합니다.

2 영화 감상문 쓰기

① 영화 속 내용과 비슷한 자신의 경험을 떠올려 쓴다.

② 영화를 보게 된 까닭을 쓴다.

③ 감상문의 전체 내용을 잘 드러내거나 읽는 사람의 관심을 끌 수 있는 제목을 쓴다.

④ 영화 줄거리를 쓴다.

⑤ 자신이 본 영화나 책을 함께 떠올려 쓴다.

⑥ 영화를 본 뒤의 전체적인 느낌이나 주제도 쓴다.
└→ 인물에게 하고 싶은 말을 써서 자신의 생각이나 느낌을 나타내도 좋습니다.

3 자신의 경험을 떠올리며 작품 감상하기

① 인물이 겪는 일을 상상하며 작품을 읽고, 작품 속 내용과 비슷한 자신의 경험을 떠올려 봅니다.

② 작품에서 인상 깊은 장면과 떠오르는 자신의 경험을 비교해 봅니다.

③ 자신의 경험을 떠올리며 독서 감상문을 써 봅니다.

4 경험한 내용을 영화로 만들기

주제 정하기 ➡ 자료를 수집하고 정리하기 ➡ 설명할 내용 정하기 ➡ 사진이나 영상 넣기 ➡ 음악과 자막 넣기 ➡ 보완하기

핵 심 개 념 문 제

정답과 해설 ● 32쪽

1 여행 ☐☐☐에는 여행 기간과 장소, 같이 가고 싶은 사람과 준비할 일, 여행 일정, 여행 비용을 정리해 씁니다.

2 여행 계획을 세울 때 언제, 어디로 여행 가느냐에 따라 준비물이 달라집니다.
(○ , ×)

3 영화 감상문에 들어갈 내용으로 알맞은 것에 모두 ○표를 하시오.
(1) 영화 줄거리 ( )
(2) 영화 상영 길이 ( )
(3) 영화를 본 느낌과 감상
( )

4 작품을 감상할 때에는 작품 속 내용과 비슷한 자신의 경험을 떠올립니다.
(○ , ×)

5 경험한 내용을 영화로 만들 때에는 먼저 자신의 경험을 떠올려 ☐☐을/를 정합니다.

준비 영상을 보고 경험한 내용 이야기하기

● 자신이 여행 갈 곳을 떠올리며 「나의 여행」을 보기

① 나의 여행

② 여행 가서 난 뭘 했지?

③ 여행은 단순한 장소의 이동이 아니라 자신이 쌓아 온 생각의 성을 벗어나는 것이다.

④ 정말 가고 싶은 곳인가?

⑤ 다른 문화를 존중하고 배려하는 서로 공정한 여행

⑥ 다시 돌아온 삶의 자리에서 오래도록 힘이 되어 주는

지역 경제에 도움이 되기, 현지인의 인권을 존중하기, 동물을 학대하는 쇼와 투어에 참여하지 않기, 지구를 아끼고 돌보며 그 지역의 문화와 종교를 존중하기, 사진을 찍을 땐 허락을 구하기 등 다른 문화를 존중하고 배려하는 서로 공정한 여행을 해야 합니다.

• **영상 설명**: 자신이 어떤 여행을 했는지를 되돌아보게 한 후 다른 문화를 존중하고 배려하는 서로 공정한 여행을 해야 한다고 말하고 있습니다.

8 단원

핵심

● **영상 자료를 보고 자신의 여행을 떠올려 이야기하기**

자신이 갔던 여행과 「나의 여행」에서의 여행을 비교하기

예 나는 여행을 가서 무엇을 먹고 무엇을 할 것인지에만 관심을 기울였던 것 같다. 하지만 「나의 여행」에서는 현지 문화를 체험해 보고 그 체험으로 다른 문화를 존중하고 배려하는 여행을 하는 것이 다른 것 같다.

자신이 여행 가고 싶은 곳 정하기

예 중학생이 되기 전에 지리산에 한번 올라가 보고 싶다.

---

1 이 영상에서는 어떤 여행을 해야 한다고 했는지 빈칸에 알맞은 말을 쓰시오.

• 서로 ( ) 여행

2 1번 문제에서 답한 여행을 하는 방법으로 알맞지 않은 것은 무엇입니까? ( )

① 현지인의 인권을 존중한다.
② 지역 경제에 도움이 되도록 한다.
③ 그 지역의 문화와 종교를 존중한다.
④ 현지인이 불편하지 않도록 사진을 몰래 찍는다.
⑤ 동물을 학대하는 쇼와 투어에 참여하지 않는다.

핵심 **논술형**

3 자신이 갔던 여행과 「나의 여행」에서의 여행을 비교하여 쓰시오.

_____

_____

4 자신이 여행 가고 싶은 곳을 정해 여행 계획서를 쓸 때 생각할 점을 잘못 말한 친구를 쓰시오.
교과서 문제

슬비: 여행 비용은 총 비용만 생각하면 돼.
재영: 여행 일정은 날마다 몇 시쯤, 어디에서 무엇을 할 것인지 써야 해.
나은: 여행 가기 전에 누구와 함께 가고, 무엇을 준비해야 할지 알아야 해.

( )

기본 1 역량 제재 영화 감상문 쓰기

┌→ 융 에넹 감독이 벨기에에 입양될 당시 그의 입양 서류에 적혀 있던 표현입니다.

● 영화 「피부 색깔=꿀색」의 장면을 보고 어떤 일이 있었는지 이야기하기

꼬맹이 하나가
또 생겼네.

썩은 사과 같으니.

엄마,
누가 내 고향을 물으면.

> 6·25 전쟁으로 고아가 된 남자아이는 고아원에서 지내다가 벨기에로 입양된다. 남자아이는 '융'(한국 이름 전정식)이라는 이름으로 양부모 품에서 자라게 되지만 융은 자신의 정체성에 혼란을 겪으며 힘들어한다. 어느 날 또 다른 한국인 여자아이가 입양되고 온 가족의 관심이 여자아이에게 몰리자 융은 그 아이를 괴롭히는 등 불안한 마음을 감추지 못한다. 학교에 입학한 융은 친구가 흘리고 간 점심 식사 쿠폰을 몰래 훔치기도 하고 성적표를 위조하는 등 본격적인 방황을 시작한다.

• 영화 설명: 6·25 전쟁이 끝나고 벨기에로 입양되었던 융 에넹 감독이 겪었던 실제 자신의 어린 시절 이야기로, 만화와 촬영한 영상을 함께 사용해서 과거와 현재의 모습을 비교해 보여 주고 있습니다.

● 영화 「피부 색깔=꿀색」 감상하기

핵심

영화 줄거리와 인물의 성격, 인물들의 관계 따위를 이해하고, 영상의 특징과 화면 구도도 함께 살펴보기

예 이 영화는 감독이 실제 자신의 이야기를 영화로 만든 거야. / 이 영화는 만화와 촬영한 영상을 함께 사용해서 과거와 현재의 모습을 비교하며 살펴볼 수 있도록 구성했어. / 흑백처럼 표현한 만화를 보고 인물이 겪은 시대의 모습을 더 잘 이해할 수 있었어.

---

1 융에 대한 설명으로 알맞지 <u>않은</u> 것은 무엇입니까? ( )

① 벨기에로 입양되었다.
② 한국 이름은 전정식이다.
③ 6·25 전쟁으로 고아가 되었다.
④ 한국인 여자아이 동생이 생겼다.
⑤ 학교에 가지 않고 부모님 일을 도왔다.

2 융이 힘들어한 까닭으로 알맞은 것을 찾아 기호를 쓰시오.

┌─────────────────────────────┐
│ ㉠ 동네에 동양인이 혼자뿐이라서 │
│ ㉡ 자신의 정체성에 대한 혼란 때문에 │
│ ㉢ 전쟁 때 다리를 다쳐 걷는 게 불편해서 │
└─────────────────────────────┘

( )

역량 논술형
3 자신이 융을 만난다면 어떤 말을 해 주고 싶은지 쓰시오.

_____

_____

핵심
4 영화를 감상하는 방법으로 알맞지 <u>않은</u> 것은 무엇입니까? ( )
교과서 문제
① 영화 줄거리를 이해하며 본다.
② 인물의 성격을 이해하며 본다.
③ 인물들의 관계를 이해하며 본다.
④ 영화에 등장하는 인물의 수를 세어 본다.
⑤ 영상의 특징과 화면 구도를 함께 살펴본다.

● 민호가 영화 「피부 색깔=꿀색」을 보고 쓴 영화 감상
문을 읽고, 영화 감상문을 쓸 때 들어갈 내용 알기

> • 글의 내용: 영화 「피부 색깔=꿀색」을 보고 쓴 영화 감상문으로, 영화를 보게 된 까닭, 줄거리, 비슷한 자신의 경험, 감상 등이 나타나 있습니다.

서로를 따뜻하게 감싸 안는
대한민국이 되자

❶ 「피부 색깔=꿀색」이라는 영화를 보았다. 제목부터가 뭔가 전하고 싶은 이야기가 많은 영화라고 생각했다. 이 영화는 벨기에에 입양된 우리 동포 융이라는 사람이 어린 시절을 회상하며 이야기가 시작된다. → 영화를 보게 된 까닭 쓰기
  지난 일을 돌이켜 생각함.

❷ 융은 다섯 살에 해외로 입양된다. 하지만 융은 벨기에의 가족과 자신의 피부색이 다르다는 사실과 한국에 친부모가 있을지도 모른다는 생각에 잘 적응하지 못하고 힘들어한다. 게다가 융의 가족은 한국에서 여자아이를 한 명 더 입양한다. 융은 한국에서 새로 입양된 여동생과 자신이 닮았다는 말을 듣기 싫어하며 동생과 가족을 멀리한다. 그리고 융은 학교에서 말썽을 일으키고 집에서 거짓말까지 하면서 점점 더 엇나가는 행동을 한다. → 영화 줄거리 쓰기

❸ 융의 장난만큼은 아니지만 나도 가끔은 친구나 동생에게 심한 장난을 한다. 하지만 융의 행동이 주위의 관심과 사랑을 받고 싶고 자신이 누구인지

를 찾으려는 몸부림이라는 것을 알았을 때 마음이
→ 영화 내용과 비슷한 자신의 경험 쓰기
많이 아팠다. 자신이 누구인지 알 수 없어 방황하던 융은 영화의 마지막에 이렇게 말한다. "엄마, 누가 내 고향을 물으면 여기도 되고 거기도 된다고 하세요." 나는 융의 말을 모두 이해할 수는 없지만 '꿀색'이라는 말이 따뜻하게 느껴졌다. → 영화에서 인상 깊은
                                              내용 쓰기

❹ 예전에 「국가 대표」라는 영화를 보았다. 그 영화에서 주인공은 엄마를 찾으려고 국가 대표가 되려고 했다. 해외 입양 문제는 우리나라의 아픈 역사를 보여 주는 한 부분이다. → 예전에 보았던 영화 떠올려 쓰기

❺ 이 영화를 보면서 나는 융이라는 사람에게 이런 말을 해 주고 싶었다. "비록 우리나라의 아픈 역사 때문에 벨기에에서 살지만 우리는 똑같은 한국인입니다."라고 말이다. 영화를 보는 내내 나는 입양된 사람들이 우리 역사에서 겪은 아픔을 생각했다. 본인의 의지와 상관없이 다른 나라에서 살아
     어떠한 일을 이루고자 하는 마음
야 하는 사람들, 그리고 우리나라에 온 사람들까지. 나는 우리가 지금 서로를 따뜻하게 감싸 안아야 할 때라고 생각한다. → 영화를 본 뒤의 전체적인 느낌, 주제 쓰기

서술형
5 글쓴이가 영화 「피부 색깔=꿀색」을 보게 된 까닭은 무엇인지 쓰시오.

_____

_____

6 ❷문단과 ❺문단은 영화 감상문에 들어갈 내용 중 어떤 내용에 해당하는지 알맞게 선으로 이으시오.

(1) ❷문단 •　　　• ① ┌ 영화 줄거리 ┐

(2) ❺문단 •　　　• ② ┌ 영화를 본 뒤의 전체
                          적인 느낌이나 주제 ┘

7 글쓴이가 「피부 색깔=꿀색」을 보고 왜 「국가 대표」를 떠올렸는지 빈칸에 알맞은 말을 찾아 쓰시오.

• 두 영화 모두 해외 (　　　　　) 문제라는 우리나라의 아픈 역사를 보여 주기 때문이다.

핵심
8 영화 감상문을 쓰는 방법으로 알맞지 <u>않은</u> 것은 무엇입니까?　　　　　　(　　)

① 영화 줄거리를 쓴다.
② 영화를 보게 된 까닭을 쓴다.
③ 유행하는 줄임 말을 넣어 제목을 쓴다.
④ 영화를 보며 떠오른 자신의 경험을 쓴다.
⑤ 자신이 본 영화나 책을 함께 떠올려 쓴다.

기본 2 자신의 경험을 떠올리며 작품 감상하기

○ 인물이 겪는 일을 상상하며 글 읽기

대상주 홍라

이현

• 글의 종류: 이야기
• 글의 내용: 어머니를 대신해서 상단을 구하기 위해 교역을 하러 가기로 결심한 홍라는 교역을 떠날 준비를 했습니다.

앞부분 이야기 열세 살인 홍라는 금씨 상단 대상주의 딸이다. 대상주인 어머니를 따라 일본으로 교역을 갔다가 바다에서 풍랑을 만난다. 그래서 홍라는 어머니와 헤어지고 겨우 살아남아 집으로 돌아온다. 상단으로 돌아온 홍라에게 남은 건 교역의 실패로 생긴 엄청난 빚뿐이다. 홍라는 아무 것도 할 수 없다고 생각한다. 그러다가 위급할 때 열어 보라고 어머니께서 주신 묘원의 열쇠를 기억한다. 묘원에는 숨겨 둔 소그드의 은화가 있었다. 이제 홍라는 솔빈으로 가서 그 은화를 바꾸어 이문을 남길 수 있는 교역을 하려고 한다.

(윗부분: 무역을 하기 위해 만든 사람들 단체)

❶ 홍라는 탁자 위에 지도를 펼쳤다. 오래된 가죽 냄새를 맡으니 어머니에 대한 그리움이 밀려들었다. 어머니는 지도를 펼치는 것으로 하루를 시작했다. 어머니의 손길로 반들반들해진 지도였다. 지도에 새겨진 길을 손끝으로 더듬자 어머니의 목소리가 들려오는 것 같았다.

보아라, 길이다. 세상 모든 곳으로 통하는 길이다.

돈피 지도의 윗부분에는 금씨 상단이라는 네 글자와 목단꽃 그림이 새겨져 있었다. 그 아래에는 발해에서 사방으로 뻗어 나가는 교역로가 있었다.

상경에서 동경을 거쳐 뱃길로 가는 일본도, 상경에서 서쪽으로 곧장 뻗어 나가는 거란도, 상경에서 동경을 거쳐 해안을 따라 남하하는 신라도, 그리고 상경에서 출발하여 서경을 지나 압록강 하구의 박작구에서 배를 타고 등주를 거쳐 장안으로 가는 압록도, 상경에서 거란의 영주를 거쳐 육로를 통해 장안으로 가는 영주도가 있었다.

상경성에서 북상한 다음 서쪽으로 사마르칸트까지 가는 길은 담비의 길이라고 했다. 서역 상인들이 초피를 사러 오는 길이라서 그렇게 부르는 것이다. 솔빈도 그 담비의 길 위에 있었다.

홍라는 소그드의 은화를 가만히 들여다보았다. 그러다 다시 지도로 눈길을 돌렸다.

소그드 옛날 이란 사람들을 말함.
돈피(豚 돼지 돈, 皮 가죽 피) 돼지가죽.

초피(貂 담비 초, 皮 가죽 피) 담비 종류 동물의 털가죽을 통틀어 이르는 말.

---

1 홍라에 대한 설명으로 알맞지 <u>않은</u> 것은 무엇입니까? ( )

① 열세 살이다.
② 금씨 상단 대상주이다.
③ 교역의 실패로 엄청난 빚이 생겼다.
④ 어머니를 따라 일본으로 교역을 갔다.
⑤ 바다에서 풍랑을 만나 어머니와 헤어졌다.

2 지도를 보면서 홍라가 어머니를 그리워한 까닭은 무엇일지 알맞은 것에 ○표를 하시오.

(교과서 문제)

(1) 어머니가 지도에 그림을 그려 놓으셨기 때문에 ( )
(2) 어머니의 손길로 반들반들해진 지도의 오래된 가죽 냄새를 맡았기 때문에 ( )

3 돈피 지도에는 무엇이 그려져 있었는지 빈칸에 알맞은 말을 각각 찾아 쓰시오.

(1) 위	( )(이)라는 네 글자와 목단꽃 그림
(2) 아래	발해에서 사방으로 뻗어 나가는 ( )

4 상경성에서 북상한 다음 서쪽으로 사마르칸트까지 가는 길을 무엇이라고 하는지 찾아 쓰시오.

( )

솔빈으로 가서 은화를 팔고……. 그래! 솔빈의 말을 사자!

솔빈의 말은 당나라까지 널리 알려진 명마다. 솔빈의 말을 장안으로 가져가면 비싼 값에 팔 수 있다. 그리고 장안에서 비단을 싸게 사서 온다면……. 가만히 앉아 있으면 묘원의 은화는 비단 오백 필 값. 그러나 길을 나선다면 천 필, 아니 이천 필 값이 될 수 있다.

가자. 교역을 하러 가자. 어머니가 돌아오기 전에 빚을 갚는 거야. 상단을 지키는 거야. 대상주 금기옥의 딸답게.

홍라는 눈물을 닦았다. 언제부터인가 울고 있었던 것이다. 하지만 이제는 울지 않을 생각이었다. 상단을 이끌고 교역을 떠나야 했다. 상단을 지켜야 했다.

중심 내용 홍라는 빚을 갚고 상단을 지키기 위해 교역을 떠나기로 결심했다.

❷ 따로 상단의 일을 배운 적은 없지만, 상단의 딸이다. 나면서부터 교역에 대해 보고 들었다. 어떻게 해야 하는지 알 수 있었다.

"친샤!" / 홍라가 부르자 곧 친샤가 검으로 마루를 툭툭 쳐서 기척을 보냈다. 홍라는 밖으로 나갔다.

"월보는 떠났어?"

상단의 믿음직한 일꾼들은 지난 풍랑으로 거의 잃었다. 상단에 남아 있던 일꾼들은 대상주를 찾기 위해 동경에 가 있었다. 그러고도 남아 있는 일꾼들은 나이가 많거나 혹은 너무 어렸다. 그렇다고 표 나게 사람을 모을 수는 없었다. 빚쟁이들의 눈총이 무서웠다.

다행히 친샤가 고개 저으며 바깥채를 가리켰다. 월보는 아직 금씨 상단에 머무르고 있는 모양이다. 그리고 친샤는 다시 바깥채를 가리키며 손가락을 하나 더 폈다. 월보 말고 또 다른 누군가가 있다는 뜻이다.

곧 친샤가 월보와 어느 소년을 데리고 왔다.

홍라는 소년을 보고서 미간을 찌푸리며 기억을 더듬었다. 분명 낯익은 얼굴인데, 누구인지 잘 기억나지 않았다.

월보가 소년을 소개했다.

"아가씨, 비녕자이옵니다. 동경의 해안에서 우리를 구해 주었던……." / "아!"

기척 누가 있는 줄 짐작하여 알 만한 소리나 기색.
예 문밖에 사람들의 기척은 전혀 없었다.

바깥채 한 집 안에 안팎 두 채 이상의 집이 있을 때, 바깥에 있는 집채.
낯익은 여러 번 보아서 눈에 익거나 친숙한.

---

5 비단 오백 필 값의 은화가 어떻게 비단 이천 필 값이 될 수 있는지 빈칸에 알맞은 말을 각각 쓰시오.

• 은화를 팔아 솔빈의 (1)(   )을/를 산다. ➡ 솔빈의 말을 (2)(   )(으)로 가져가서 비싼 값에 판다. ➡ 장안에서 비단을 싸게 사서 온다.

6 빚을 갚아 상단을 지키기 위해 홍라가 결심한 것은 무엇입니까? (   )

① 교역을 하러 가자.
② 어머니를 직접 찾으러 가자.
③ 친샤에게 상단의 일을 배우자.
④ 빚쟁이들에게 도움을 요청하자.
⑤ 동경으로 상단의 거처를 옮기자.

7 (교과서 문제) 교역을 하러 떠나려는 홍라가 일꾼을 모으기 힘든 까닭을 모두 찾아 기호를 쓰시오.

┌─────────────────────────────┐
│ ㉠ 상단에 남아 있던 일꾼들이 동경으로 도망 │
│   가서 │
│ ㉡ 상단의 믿음직한 일꾼들을 지난 풍랑으로 │
│   거의 잃어서 │
│ ㉢ 상단에는 나이가 많거나 너무 어린 일꾼들 │
│   만 남아 있어서 │
└─────────────────────────────┘

(   )

8 친샤가 데리고 온 소년은 누구인지 찾아 쓰시오.

(   )

홍라는 그제야 기억이 났다. 비녕자. 말값으로 금가락지를 주고 떠나며 금씨 상단으로 찾아오라 했다. 목숨 구해 준 값도 후하게 치르겠다고 약속했다.

"그런데 우리가 떠나고 얼마 되지 않아 비녕자의 아비와 어미가 그만 세상을 버렸다고 합니다. 작은 고깃배를 타고 바다에 나갔다가 풍랑에 휩쓸려서 그만⋯⋯. 그래서 금씨 상단에 의지하고 지낼 수 있을까 해서 왔다고 합니다."

언제든 찾아오라고 큰소리쳤다. 더구나 지금은 한 사람이 아쉬운 상황이었다. 비녕자는 소리 소문 없이 데려가기에 적당한 일꾼이었다. 망설일 이유가 없었다.

"장안으로 교역을 나설 거야. 월보, 비녕자, 같이 갈 수 있지?"

선심 쓰는 듯 말했지만, 속으로 좀 걱정이 되었다. 월보에게도 아직 품삯을 주지 못했다. 상단이 망해 간다는 소문이 파다한데, 월보가 따라나서 줄지 걱정이었다. 비녕자의 불만에 찬 표정도 마음에 걸렸다. / 하지만 월보는 반색해 주었다.

"자, 장안이라고요? 네! 네, 갈게요. 가겠습니다!"

비녕자는 여전히 뚱한 얼굴이지만 그래도 고개를 끄덕였다.

반가워서 손이라도 잡아 주고 싶었다. 하지만 대상주답게 굴어야 했다. 홍라는 애써 엄한 표정을 지었다.

"수선 피우지 마. 요란하게 떠날 입장이 아니야. 그러니 출발할 때까지 입조심해. 교역에 성공하면 둘 다 크게 한몫 챙겨 줄게."

그렇게 교역을 떠날 상단이 꾸려졌다. 대상주의 자격으로 상단을 이끄는 홍라, 무사 친샤, 천문생 월보, 일꾼 비녕자. 초라하기 그지없지만, 중요한 임무를 띠고 있었다. 금씨 상단을 지키기 위한 마지막 기회인지도 몰랐다.

중심 내용 대상주 자격으로 상단을 이끄는 홍라, 무사 친샤, 천문생 월보, 일꾼 비녕자로 이루어진 상단이 꾸려졌다.

품삯 품을 판 대가로 받거나, 품을 산 대가로 주는 돈이나 물건.
수선 사람의 정신을 어지럽게 만드는 부산한 말이나 행동.

무사(武 굳셀 무, 士 선비 사) 무예를 익히어 그 방면에 종사하는 사람.
예 그는 무사로서 전쟁터에서 많은 공을 세웠다.

---

9 홍라가 비녕자에게 약속한 것은 무엇인지 빈칸에 알맞은 말을 쓰시오.

• 금씨 상단으로 찾아오면 (   ) 구해 준 값을 후하게 치르겠다.

10 장안으로 교역을 가자는 말을 들었을 때에 월보의 마음으로 알맞은 것은 무엇입니까? (   )

① 반가운 마음
② 서운한 마음
③ 억울한 마음
④ 귀찮은 마음
⑤ 실망스러운 마음

11 교과서 문제 홍라는 비녕자가 장안에 함께 간다고 하자 왜 애써 엄한 표정을 지었겠습니까? (   )

① 대상주로서의 위엄을 갖추려고
② 비녕자가 요란을 떨며 좋아해서
③ 상단이 망해 간다는 것을 들킬까 봐
④ 월보가 비녕자를 마음에 들지 않아 해서
⑤ 속으로는 비녕자가 함께 가지 않겠다고 하길 바라서

12 교역을 떠나기 위해 꾸려진 상단에 속하지 않은 사람은 누구입니까? (   )

① 홍라
② 친샤
③ 월보
④ 비녕자
⑤ 홍라 어머니

❸ 이틀 동안 길 떠날 준비를 했다. 준비랄 것도 없었다. 집안 일꾼들 모르게 몇 가지를 챙기는 게 전부였다. 창고 점검을 한다는 핑계로 말린 고기며 곡식 가루를 좀 챙겼다. 노숙을 해야 할지도 모르니 음식을 조리할 도구도 필요했다. 집에 있는 걸 가져가려니 일꾼들이 알아챌까 걱정스러웠다. 결국 친샤가 시장에서 몇 가지를 사 왔다. 그리고 돈피도 몇 장 챙겼다. / 말은 모두 다섯 마리를 준비했다. 홍라와 친샤의 말에 월보와 비녕자가 탈 말도 필요했다. 짐 실을 말도 한 마리 있어야 했다.

홍라는 하인들에게 말을 팔 거라는 핑계를 대고 세 마리를 미리 빼돌렸다. 출발하는 날 아침에 조용히 집을 나서려고 미리 준비해 둔 것이다. 월보가 말들을 성문 근처의 객줏집에 맡겨 두었다. 홍라의 말 하늬와 친샤의 말은, 팔 거라는 핑계를 댈 수 없으니 그냥 집에 두었다.

홍라는 월보를 은밀히 불렀다.

"내일 새벽, 성문을 여는 북소리가 울릴 때 만나자. 말을 맡겨 둔 객줏집에서."

비녕자와 월보는 그 객줏집에서 밤을 보내기로 했다.

모든 준비를 마친 뒤, 홍라는 방으로 들어왔다. 탁자 앞에 앉아 옥상자를 열었다. 어머니가 남겨 준 열쇠, 그리고 아버지의 선물인 소동인이 있었다.

홍라는 소동인과 열쇠 두 개를 가죽끈에 꿰어 목에 걸었다. 이제 먼 길을 가는 내내 어머니, 아버지가 함께해 줄 것이다.

드디어 떠난다. 홍라의 가슴이 세차게 고동쳤다. 대상주가 되어 교역을 떠난다. 빚을 갚고 상단을 구할 것이다. 걱정거리가 없지 않지만, 다 이겨 낼 수 있을 것만 같았다. 이겨 내야만 했다.

홍라가 어머니를 따라 먼 교역길에 나서 본 게 세 번이었다. 신라, 일본, 그리고 당나라의 장안이었다.

노숙(露 이슬 노, 宿 잠잘 숙) 방이나 집 안에서가 아니라 한데에서 자는 잠.

객줏집 예전에, 길 가는 나그네들에게 술이나 음식을 팔고 손님을 재우는 영업을 하던 집.

13 홍라 일행이 길을 떠나기 전에 한 일로 알맞지 않은 것은 무엇입니까? ( )

① 돈피를 몇 장 챙겼다.
② 말 다섯 마리를 준비했다.
③ 일꾼들에게 작별 인사를 미리 했다.
④ 말린 고기며 곡식 가루를 좀 챙겼다.
⑤ 음식을 조리할 도구를 시장에서 몇 가지를 사 왔다.

14 글 ❸에서 홍라가 상단을 꾸릴 때의 분위기로 알맞은 것은 무엇입니까? ( )

① 평화롭다.　　② 나른하다.
③ 긴장된다.　　④ 소란스럽다.
⑤ 시끌벅적하다.

15 홍라가 가죽끈에 꿰어 목에 건 것을 두 가지 골라 기호를 쓰시오.

ⓐ 지도　　　　ⓑ 소동인
ⓒ 은화 한 개　　ⓓ 열쇠 두 개

( )

16 교역을 하러 떠나기 전 홍라의 마음은 어떠할지 알맞은 것을 두 가지 고르시오. (,)

① 잘 할 수 있을 것인지 걱정된다.
② 빚을 갚고 상단을 구할 수 있을 것 같다.
③ 금씨 상단의 대상주가 된 것이 부끄럽다.
④ 다른 사람들로 상단을 새로 꾸리고 싶다.
⑤ 교역을 떠나라고 한 어머니가 원망스럽다.

기본 2

서라벌에 갔던 건 너무 어려서라 기억에 남아 있는 게 없었다. 다만 그때 어머니가 사 준 신라 모전이 아직도 홍라 침상에 깔려 있었다. 그리고 이번에 일본에 다녀왔고, 이 년 전에는 장안에 간 적이 있었다.

5 장안. 당나라 황제의 대명궁이 있는 장안은 인구 백 만이 넘는 대도시로 비단처럼 화려한 빛깔로 눈부셨다. 푸른 하늘로 날아오를 듯 맵시 있는 기와지붕들이 물결치며 이어졌고, 밤이면 색색의 등불이 별빛보다 더 아름답게 반짝였다. 온갖 나라의 사람들이 10 저마다의 멋을 뽐내며 거리거리를 수놓았다. 동방의 상인들이 장사하는 동부 시장도 그랬지만, 서역 상인들의 서부 시장은 더욱 경이로웠다. 소그드 상인은 물론이고 페르시아나 로마에서 온 상인들도 진귀한 물건을 내놓고 팔았다. 장안은 세계적인 15 교역 도시였다.

홍라는 장안을 떠나며 언젠가 자신의 상단을 이끌고 다시 오겠다고 다짐했다. 장안까지, 아니 세

상의 끝까지 가 보고 싶었다. 그 누구의 발도 닿지 않은 새로운 길로 떠나고 싶었다.

그런 날이 생각보다 빨리 왔다. 생각했던 것과는 달리 너무도 초라한 출발이었다. 그러나 반드시 금씨 상단에 걸맞은 모습으로 돌아오리라. 홍라는 5 목에 건 소동인과 열쇠를 꼭 쥐었다. 쿵쿵쿵쿵. 힘차게 뛰는 심장 박동이 느껴졌다. 아버지와 어머니가 보내는 응원의 소리인지도 몰랐다.

중심 내용 홍라는 이틀 동안 길 떠날 준비를 했고, 반드시 금씨 상단에 걸맞은 모습으로 돌아오겠다고 생각했다.

● 작품에서 인상 깊은 장면과 떠오르는 자신의 경험 비교하기

인상 깊은 장면	예 홍라가 상단을 꾸려 떠날 결심을 하는 장면이 인상 깊다. 홍라가 울지 않겠다고 다짐하며 상단을 지키려고 노력하는 모습에서 감동받았다.
떠오르는 내 경험	예 나도 태권도 승급 심사에서 떨어졌을 때 다시 열심히 해서 승급 시험에 반드시 붙겠다고 다짐했었고 다음 승급 심사에서 멋지게 승급했다. 절대 좌절하지 않고 다시 이겨 낼 수 있는 방법을 찾아 계획을 세워 실천하면 반드시 이루어질 것이라고 생각한다는 점에서 홍라와 나는 닮은 것 같다.

핵심

모전(毛 털 모, 氈 모전 전) 짐승의 털로 색을 맞추고 무늬를 놓아 두툼하게 짠 부드러운 요.

맵시 아름답고 보기 좋은 모양새.
예 그녀는 언제나 단정하고 맵시 있는 옷차림이었다.

17 장안에 대한 설명으로 알맞지 않은 것은 무엇입니까? ( )

① 세계적인 교역 도시이다.
② 당나라 황제의 대명궁이 있다.
③ 인구 백 만이 넘는 대도시이다.
④ 밤이면 불빛 하나 없이 깜깜하다.
⑤ 맵시 있는 기와지붕들이 물결치며 이어진다.

18 홍라가 이 년 전에 갔던 장안을 떠나며 생각한 것이 아닌 것을 찾아 기호를 쓰시오.

┌─────────────────────────────┐
│ ㉠ 세상의 끝까지 가 보고 싶다. │
│ ㉡ 언젠가 자신의 상단을 이끌고 다시 오겠다. │
│ ㉢ 어머니께서 다니셨던 길을 똑같이 따라가고 싶다. │
└─────────────────────────────┘

( )

핵심 논술형

19 이 글 전체에서 인상 깊은 장면과 떠오르는 자신의 경험을 비교해 쓰시오.

(1) 인상 깊은 장면	
(2) 떠오르는 내 경험	

20 자신의 경험을 떠올리며 독서 감상문을 쓰는 방법으로 알맞지 않은 것에 ×표를 하시오.

(1) 비슷한 책의 내용과 비교해 쓴다. ( )
(2) 작품과 비슷한 자신의 경험을 쓴다. ( )
(3) 줄거리는 모든 사건이 자세히 드러나게 쓴다. ( )

 **역량 활동**

실천 경험한 내용을 영화로 만들기

○ 경험한 내용을 영화로 만드는 방법과 차례를 알기

· 그림 설명: 자신의 경험을 떠올려 영화를 만드는 방법과 차례가 나타나 있습니다.

❶ 주제 정하기

자신의 경험을 떠올려 주제를 정한다.

❷ 자료를 수집하고 정리하기

정한 주제에 맞는 사진이나 그림, 영상을 수집해 영화 장면의 차례대로 나열한다.

❸ 설명할 내용 정하기

사진이나 그림, 영상에 어울리는 설명을 간단히 기록한다.

❹ 사진이나 영상 넣기

편집 프로그램을 활용해 사진이나 그림, 영상을 넣는다.

❺ 음악과 자막 넣기

6학년 축구 대

편집 프로그램을 활용해 음악과 자막을 넣는다.

❻ 보완하기

만든 영화를 보면서 부족한 부분을 찾아 보완해 완성한다.

핵심

● 경험한 내용을 영화로 만들기	예
제목 정하기	예 「우승의 함성」
주제 정하기	예 학교 체육 대회에서 우리 반이 축구 경기에서 우승을 한 것
자료 수집하기	예 우승이 결정되던 순간의 사진
영화 만들기	예 편집 프로그램을 활용해 사진, 그림, 영상, 음악, 자막을 넣음.

---

1 경험한 내용을 영화로 만드는 차례에 알맞게 기호를 쓰시오.

㉠ 보완하기	㉡ 주제 정하기
㉢ 설명할 내용 정하기	㉣ 음악, 자막 넣기
㉤ 사진, 영상 넣기	㉥ 자료 수집, 정리하기

㉡ ➡ ( ) ➡ ( ) ➡ ( ) ➡ ( ) ➡ ㉠

2 영화에 들어갈 사진이나 그림, 영상을 수집할 때 무엇을 고려해야 하는지 빈칸에 알맞은 말을 두 글자로 쓰시오.

· 정한 ( )에 맞는 자료를 수집한다.

핵심 논술형

3 경험한 내용을 영화로 만들 때 자신이 만들 영화의 제목과 주제를 정해 보시오.

(1) 제목	
(2) 주제	

역량

4 3번 문제에서 정한 주제로 영화를 만들 때 어떤 자료를 수집하여 장면을 구성할지 한 가지 쓰시오.

( )

영상을 보고 경험한 내용 이야기하기

예 자신이 여행 갈 곳을 떠올리며 「나의 여행」 감상하기

「나의 여행」	
다른 문화를 존중하고 배려하는 서로 공정한 여행	지역 경제에 도움이 되기, 현지인의 인권을 존중하기, 동물을 학대하는 쇼와 투어에 참여하지 않기, 지구를 아끼고 돌보며 그 지역의 문화와 종교를 존중하기, 사진을 찍을 땐 허락을 구하기 등 다른 문화를 존중하고 배려하는 서로 ❶☐☐☐ 여행을 해야 합니다.

나는 여행을 가서 무엇을 먹고 무엇을 할 것인지에만 관심을 기울였던 것 같습니다. 하지만 「나의 여행」에서는 현지 문화를 체험해 보고 그 체험으로 다른 문화를 존중하고 배려하는 여행을 하는 것이 다른 것 같습니다.

다시 여행을 간다면 어디에서 자고, 어디에서 먹는지를 신경 쓰기보다는 현지 사람들의 모습과 삶을 살펴보고 체험함으로써 그 지역의 문화를 알아 가는 여행을 하고 싶습니다.

예 자신이 여행 가고 싶을 곳을 정하고 여행 계획을 세우기

여행 가고 싶은 곳	지리산
그 까닭	중학생이 되기 전에 지리산에 한번 올라가 보고 싶어서입니다.

↓

여행 계획서	
여행 기간과 장소	• 여행 기간: 졸업한 뒤인 2월 중순 무렵에 2박 3일 동안 • 장소: 지리산
같이 가고 싶은 사람과 준비할 일	• 같이 가고 싶은 사람: 가족 • 준비할 일: 겨울 산을 오르는 데 필요한 비상 식량, 물, 입장료, 지리산 지도 등
여행 ❷☐☐	먼저 성삼재 휴게소까지는 차로 이동해서 노고단까지 가는 길에 도전합니다. 거리상으로 1.1킬로미터라서 왕복 두 시간 정도 걸리므로 크게 힘들이지 않고 겨울에 등반하기 좋기 때문입니다.
여행 비용	입장료는 무료지만 성삼재를 가려면 한 명당 1500원 정도의 문화재 관람료가 있다고 합니다. 주차비와 교통비도 필요합니다.

영화 감상문
쓰기

예 영화 「피부 색깔=꿀색」을 감상하기

이 영화는 감독이 실제 자신의 이야기를 영화로 만든 거야.

이 영화는 만화와 촬영한 영상을 함께 사용해서 과거와 현재의 모습을 비교하며 살펴볼 수 있도록 구성했어.

흑백처럼 표현한 만화를 보고 인물이 겪은 시대의 모습을 더 잘 이해할 수 있어.

예 민호가 「피부 색깔=꿀색」을 보고 쓴 영화 감상문을 읽고 영화 감상문을 쓰는 방법 알기

내용	영화 감상문을 쓰는 방법
서로를 따뜻하게 감싸 안는 대한민국이 되자	감상문의 전체 내용을 잘 드러내거나 읽는 사람의 관심을 끌 수 있는 제목을 씁니다.
「피부 색깔=꿀색」이라는 영화를 보았다. 제목부터가 ~ 이야기가 시작된다.	영화를 보게 된 까닭을 씁니다.
융은 다섯 살에 해외로 입양된다. 하지만 융은 ~ 더 엇나가는 행동을 한다.	영화 ❸ ☐☐☐을/를 씁니다.
융의 장난만큼은 아니지만 ~ 때에는 마음이 많이 아팠다.	영화 속 내용과 비슷한 자신의 경험을 떠올려 씁니다.
자신이 누구인지 알 수 없어 ~ 말이 따뜻하게 느껴졌다.	영화에서 인상 깊은 내용을 씁니다.
예전에 「국가 대표」라는 영화를 보았다. ~ 아픈 역사를 보여 주는 한 부분이다.	자신이 본 ❹ ☐☐(이)나 책을 함께 떠올려 씁니다.
이 영화를 보면서 나는 융이라는 ~ 감싸 안아야 할 때라고 생각한다.	영화를 본 뒤의 전체적인 느낌이나 주제도 씁니다.

자신의 경험을
떠올리며
작품 감상하기

예 「대상주 홍라」에서 인상 깊은 장면과 떠오르는 자신의 경험을 비교하기

인상 깊은 장면	홍라가 "가자. 교역을 하러 가자. 어머니가 돌아오기 전에 빚을 갚는 거야. 상단을 지키는 거야. 대상주 금기옥의 딸답게."라고 다짐하며 상단을 꾸려 떠날 결심을 하는 장면이 인상 깊습니다. 울지 않겠다고 다짐하며 상단을 지키려고 노력하는 홍라의 모습에서 감동을 받았습니다.
떠오르는 내 ❺ ☐☐	나도 태권도 승급 심사에서 떨어져 방에서 혼자 울었던 기억이 있습니다. 그때 다시 열심히 해서 승급 시험에 반드시 붙겠다고, 승급되기 전까지는 절대 울지 않겠다고 다짐했었습니다. 그래서 다음 승급 심사에서 멋지게 승급도 하고 태권도 사범님께 칭찬도 들었습니다. 홍라처럼 절대 좌절하지 않고 다시 이겨 낼 수 있는 방법을 찾아 계획을 세워 실천하면 반드시 이루어질 것이라고 생각합니다. 그런 면에서 홍라와 나는 닮은 것 같습니다.

[1~2] 장면을 보고, 물음에 답하시오.

다른 문화를 존중하고 배려하는 서로 공정한 여행

다른 문화를 존중하고 배려하는 서로 공정한 여행을 해야 합니다.

1 이 영상에서 어떤 여행을 해야 한다고 했는지 알맞은 것에 모두 ○표를 하시오.

(1) 서로 공정한 여행 ( )
(2) 다른 문화를 존중하고 배려하는 여행
( )
(3) 자신이 쌓아 온 생각의 성을 더 키우는 여행
( )

논술형

2 자신이 다시 여행을 간다면 어떤 여행을 하고 싶은지 쓰시오.

_____

_____

_____

3 여행 가고 싶은 곳에 대한 정보를 수집할 수 있는 방법으로 알맞지 않은 것은 무엇입니까? ( )

① 지역 소개 자료를 찾아본다.
② 도서관에 있는 책을 찾아본다.
③ 누리집에 있는 사진 자료를 찾아본다.
④ 누리집에 있는 영상 자료를 찾아본다.
⑤ 여행 가고 싶은 곳의 순위를 정해 본다.

4 여행 계획서를 쓸 때 들어갈 내용으로 알맞지 않은 것은 무엇입니까? ( )

① 여행 일정 ② 여행 비용
③ 준비할 일 ④ 여행 기간과 장소
⑤ 지금까지 여행을 같이 갔던 사람

[5~7] 영화의 내용을 보고, 물음에 답하시오.

썩은 사과 같으니.

6·25 전쟁으로 고아가 된 남자아이는 고아원에서 지내다가 벨기에로 입양된다. 남자아이는 '융'(한국 이름 전정식)이라는 이름으로 양부모 품에서 자라게 되지만 융은 자신의 정체성에 혼란을 겪으며 힘들어한다.

5 남자아이는 왜 먼 나라에 가서 살아야 했습니까?
( )

① 전쟁이 끝나지 않아 위험해서
② 고아원에서 말썽을 많이 피워서
③ 전쟁 중에 다친 눈을 치료하기 위해서
④ 부모님이 벨기에에서 일을 하게 되셔서
⑤ 6·25 전쟁으로 고아가 되어 고아원에서 지내다가 벨기에로 입양되어서

6 양부모가 남자아이에게 붙여 준 이름은 무엇인지 찾아 쓰시오.

( )

7 이와 같은 영화를 감상할 때 살펴볼 점으로 거리가 먼 것을 골라 기호를 쓰시오.

| ㉠ 화면 구도 | ㉡ 영화 줄거리 |
| ㉢ 인물의 성격 | ㉣ 영화 제작 비용 |

( )

[8~10] 글을 읽고, 물음에 답하시오.

⑦ 융은 다섯 살에 해외로 입양된다. 하지만 융은 벨기에의 가족과 자신의 피부색이 다르다는 사실과 한국에 친부모가 있을지도 모른다는 생각에 잘 적응하지 못하고 힘들어한다. 게다가 융의 가족은 한국에서 여자아이를 한 명 더 입양한다.

⑭ 융의 장난만큼은 아니지만 나도 가끔은 친구나 동생에게 심한 장난을 한다. 하지만 융의 행동이 주위의 관심과 사랑을 받고 싶고 자신이 누구인지를 찾으려는 몸부림이라는 것을 알았을 때 마음이 많이 아팠다.

⑮ 예전에 「국가 대표」라는 영화를 보았다. 그 영화에서 주인공은 엄마를 찾으려고 국가 대표가 되려고 했다. 해외 입양 문제는 우리나라의 아픈 역사를 보여 주는 한 부분이다.

8 해외로 입양된 융이 잘 적응하지 못하고 힘들어한 까닭을 <u>두 가지</u> 고르시오.   (,)

① 키가 또래보다 유난히 작아서
② 자신의 피부색이 가족과 달라서
③ 양부모님이 다른 형제와 차별해서
④ 친구들이 말을 더듬는다고 놀려서
⑤ 한국에 친부모가 있을지도 모른다고 생각해서

9 글쓴이는 융의 장난이 어떤 행동임을 알았을 때 마음이 많이 아팠다고 했는지 쓰시오.
(   )

10 영화 감상문에 들어갈 내용 중 글 ⑦~⑮에 나타난 내용을 보기 에서 각각 골라 기호를 쓰시오.

보기 ㉠ 영화 줄거리
    ㉡ 예전에 자신이 본 영화
    ㉢ 영화 속 내용과 비슷한 자신의 경험

(1) 글 ⑦: (   )
(2) 글 ⑭: (   )
(3) 글 ⑮: (   )

11 영화 감상문을 읽고 고쳐 쓸 때 살펴볼 점으로 알맞지 <u>않은</u> 것은 무엇입니까?   ( )

① 제목은 내용을 드러내는가?
② 문장 호응이 잘 이루어지는가?
③ 영화를 본 장소가 잘 드러나는가?
④ 문단에는 중심 문장이 잘 담겨 있는가?
⑤ 영화 내용이나 소개가 잘 담겨 있는가?

8
단원

[12~13] 글을 읽고, 물음에 답하시오.

솔빈으로 가서 은화를 팔고…… 그래! 솔빈의 말을 사자!

솔빈의 말은 당나라까지 널리 알려진 명마다. 솔빈의 말을 장안으로 가져가면 비싼 값에 팔 수 있다. 그리고 장안에서 비단을 싸게 사서 온다면…… 가만히 앉아 있으면 묘원의 은화는 비단 오백 필 값. 그러나 길을 나선다면 천 필, 아니 이천 필 값이 될 수 있다.

가자. 교역을 하러 가자. 어머니가 돌아오기 전에 빚을 갚는 거야. 상단을 지키는 거야. 대상주 금기옥의 딸답게.

홍라는 눈물을 닦았다. 언제부터인가 울고 있었던 것이다. 하지만 이제는 울지 않을 생각이었다. 상단을 이끌고 교역을 떠나야 했다. 상단을 지켜야 했다.

12 홍라가 교역을 하러 가기로 결심한 까닭을 찾아 기호를 쓰시오.

㉠ 어머니를 찾기 위해서
㉡ 빚을 갚아 상단을 지키기 위해서
㉢ 다른 상단의 대상주를 만나기 위해서

(   )

13 이 글에서 인상 깊은 장면을 쓰시오.
(   )

[14~17] 글을 읽고, 물음에 답하시오.

> ㉠ 드디어 떠난다. 홍라의 가슴이 세차게 고동쳤다. 대상주가 되어 교역을 떠난다. 빚을 갚고 상단을 구할 것이다. 걱정거리가 없지 않지만, 다 이겨 낼 수 있을 것만 같았다. 이겨 내야만 했다.
> 홍라가 어머니를 따라 먼 교역길에 나서 본 게 세 번이었다. 신라, 일본, 그리고 당나라의 장안이었다.
> ㉡ 장안. 당나라 황제의 대명궁이 있는 장안은 인구 백 만이 넘는 대도시로 비단처럼 화려한 빛깔로 눈부셨다. 푸른 하늘로 날아오를 듯 맵시 있는 기와지붕들이 물결치며 이어졌고, 밤이면 색색의 등불이 별빛보다 더 아름답게 반짝였다. 온갖 나라의 사람들이 저마다의 멋을 뽐내며 거리거리를 수놓았다. 동방의 상인들이 장사하는 동부 시장도 그랬지만, 서역 상인들의 서부 시장은 더욱 경이로웠다.

14 글 ㉠에는 홍라의 어떤 마음이 나타나 있는지 쓰시오.

(   )

15 홍라가 어머니를 따라 나선 교역길에 가 본 곳을 세 곳 고르시오. (,   ,   )

① 신라   ② 일본   ③ 백제
④ 장안   ⑤ 청나라

16 교역을 하러 떠나려는 홍라에게 해 주고 싶은 말을 알맞게 말한 친구를 쓰시오.

> 예은: 자신감을 가지고 잘할 수 있을 것이라는 격려를 해 주고 싶어.
> 현준: 대상주로서의 자격이 있는지 스스로 되돌아보라고 말해 주고 싶어.

(   )

논술형

17 이 글의 내용과 비슷한 자신의 경험을 떠올려 쓰시오.

_____

_____

18 작품을 읽고 독서 감상문을 쓰는 방법으로 알맞지 않은 것을 골라 기호를 쓰시오.

> ㉠ 작품을 읽게 된 까닭을 쓴다.
> ㉡ 비슷한 영화나 책의 내용과 비교해 쓴다.
> ㉢ 작품 속 내용과 관련 없더라도 읽는 사람의 관심을 끌 수 있는 경험을 떠올려 쓴다.

(   )

19 경험한 내용을 영화로 만들 때 가장 먼저 해야 할 일은 무엇입니까? (   )

① 자신의 경험을 떠올려 주제를 정한다.
② 편집 프로그램을 활용해 음악과 자막을 넣는다.
③ 사진이나 그림, 영상에 어울리는 설명을 간단히 기록한다.
④ 편집 프로그램을 활용해 사진이나 그림, 영상을 넣는다.
⑤ 정한 주제에 맞는 사진이나 그림, 영상을 수집해 영화 장면의 차례대로 나열한다.

20 다음 시를 읽고 친구와의 추억을 떠올려 한 가지 쓰시오.

> 너와 나 헤어질 때
> 너와 나 눈빛
> 해님 속에 담아 두면 좋겠다
> 어디에서나
> 볼 수 있게.

(   )

서술형 평가

1 자신이 여행 가고 싶은 곳을 정하고 다음 여행 계획서의 빈칸에 간단히 정리하여 쓰시오.

(1) 여행 기간과 장소	
(2) 같이 가고 싶은 사람과 준비할 일	
(3) 여행 일정	
(4) 여행 비용	

2 다음 영화 감상문을 읽고 영화 감상문을 쓸 때 들어갈 내용을 쓰시오.

> ㉮ 융은 다섯 살에 해외로 입양된다. 하지만 융은 벨기에의 가족과 자신의 피부색이 다르다는 사실과 한국에 친부모가 있을지도 모른다는 생각에 잘 적응하지 못하고 힘들어한다. 게다가 융의 가족은 한국에서 여자아이를 한 명 더 입양한다.
>
> ㉯ 융의 장난만큼은 아니지만 나도 가끔은 친구나 동생에게 심한 장난을 한다. 하지만 융의 행동이 주위의 관심과 사랑을 받고 싶고 자신이 누구인지를 찾으려는 몸부림이라는 것을 알았을 때 마음이 많이 아팠다.
>
> ㉰ 영화를 보는 내내 나는 입양된 사람들이 우리 역사에서 겪은 아픔을 생각했다. 본인의 의지와 상관없이 다른 나라에서 살아야 하는 사람들, 그리고 우리나라에 온 사람들까지. 나는 우리가 지금 서로를 따뜻하게 감싸 안아야 할 때라고 생각한다.

[3~4] 글을 읽고, 물음에 답하시오.

> 솔빈의 말은 당나라까지 널리 알려진 명마다. 솔빈의 말을 장안으로 가져가면 비싼 값에 팔 수 있다. 그리고 장안에서 비단을 싸게 사서 온다면……. 가만히 앉아 있으면 묘원의 은화는 비단 오백 필 값. 그러나 길을 나선다면 천 필, 아니 이천 필 값이 될 수 있다.
>
> 가자. 교역을 하러 가자. 어머니가 돌아오기 전에 빚을 갚는 거야. 상단을 지키는 거야. 대상주 금기옥의 딸답게.
>
> 홍라는 눈물을 닦았다. 언제부터인가 울고 있었던 것이다. 하지만 이제는 울지 않을 생각이었다. 상단을 이끌고 교역을 떠나야 했다. 상단을 지켜야 했다.

3 이 글을 읽으며 떠오르는 자신의 경험을 쓰시오.

4 이 글과 자신의 경험을 비교하며 독서 감상문을 쓰면 어떤 점이 좋은지 쓰시오.

5 경험한 내용을 영화로 만들려고 합니다. 영화의 제목과 주제를 정하고 어떤 자료를 수집하여 장면을 구성할지 다음 빈칸에 간단히 정리하여 쓰시오.

(1) 제목	
(2) 주제	
(3) 수집할 자료	

8
단원

● 다음 교과서 문장의 파란색 낱말 중에서 알맞은 것을 골라 인물들이 한 말을 완성하시오.

- 다른 문화를 존중하고 배려하는 서로 공정한 여행
- 한때는 자신을 한국 사람이 아닌 일본 사람이라고 억지로 생각하며 자신이 누구인지 고민한다.
- 오래된 가죽 냄새를 맡으니 어머니에 대한 그리움이 밀려들었다.
- "수선 피우지 마. 요란하게 떠날 입장이 아니야."

졸업식

두 어린이는 항상 어려운 사람들을 ❶_____할 줄 아는 따뜻한 마음과 정의감이 넘쳤기에 이 상을 수여합니다.

위기에 처한 사람들을 보면 난 앞으로도 ❷_____하지 않고 도울 거야.

❸_____ 상을 받을 만한 일을 한 것도 아닌데 상을 받게 되어 부끄러워.

한동안 너희들에 대한 ❹_____으로 잠도 잘 못 잘 거야.

짝짝

짝짝

짝짝

짝짝

정답 | ❶ 배려 ❷ 고민 ❸ 요란하게 ❹ 그리움

6-2 교과서에 실린 작품

• 『한끝 초등 국어』는 다음 저작물의 교과서 수록 부분을 재인용하여 만들었습니다.

단원	제재 이름	지은이	나온 곳	한끝 쪽수
1	「의병장 윤희순」	정종숙	『의병장 윤희순』, (주)한솔수북, 2010.	11쪽
	「구멍 난 벼루」	배유안	『구멍 난 벼루』, 토토북, 2016.	14쪽
	「마지막 숨바꼭질」	백승자 글, 신동옥 그림	『열두 사람의 아주 특별한 동화』, 파랑새, 2016.	22쪽
	「이모의 꿈꾸는 집」	정옥 글, 정지윤 그림	『이모의 꿈꾸는 집』, 문학과지성사, 2010.	29쪽
	「떨어져도 튀는 공처럼」	정현종	『노래의 자연』, 시인생각, 2013.	40쪽
2	「도산 안창호 선생의 연설」 (원제목: 「대혁명당을 조직하고 임시 정부를 유지하자는 연설」)	안창호	도산안창호온라인기념관 누리집 (http://www.ahnchangho.or.kr)	54쪽
	「도산 안창호 선생의 연설」에서 생략된 부분	안창호	도산안창호온라인기념관 누리집 (http://www.ahnchangho.or.kr)	60쪽
3	1번 만화 (「'그냥'이 아니라 '왜'」)	노인경	『생각 깨우기』, 푸른숲주니어, 2012.	65쪽
	「'그냥'이 아니라 '왜'」	이어령	『생각 깨우기』, 푸른숲주니어, 2012.	65쪽
	1번 만화 (「가난한 것은 내 잘못이 아니에요!」)	한수정 글, 송하완 그림	『지구촌 아름다운 거래 탐구 생활』, 파란자전거, 2016.	68쪽
	일반 무역 유통 단계와 공정 무역 유통 단계	전국사회교사모임	『사회 선생님이 들려주는 공정 무역 이야기』, (주)살림출판사, 2017.	69쪽
	「초콜릿 감옥」		「배움 너머」, 한국교육방송공사, 2012.	70쪽
	공정 무역 인증 표시		국제공정무역기구, 2018.	71쪽
	자료 2 (「나무가 미세 먼지 흡수 … 도심 숲은 공기 청정기」)		「KBS 뉴스 7」, 한국방송공사, 2017. 5. 29.	72쪽
4	주요 농작물 주산지 이동 변화		통계청, 2018.	86쪽
	매체 자료 ㉮ 공익 광고 「중독」	홍수경 · 박대훈 · 양선일	한국방송광고진흥공사, 2014.	87쪽
	매체 자료 ㉯ 「휴대 전화 관련 교통사고 발생」		국민안전처, 2016.	87쪽
	2번 동영상 (「온라인 언어폭력: 능력자」)		한국방송광고진흥공사, 2017.	88쪽

교과서에 실린 작품

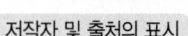

단원	제재 이름	지은이	나온 곳	한끝 쪽수
연극	「배낭을 멘 노인」	박현경·김운기 원작, 김주연 각색	교육연극교사모임, 2018.	100쪽
	「샬럿의 거미줄」	조셉 로비넷 글, 김정호 옮김	『완희와 털복숭이 괴물』, 도서출판 연극, 놀이 그리고 교육, 2011.	101쪽
5	「내가 원하는 우리나라」	김구	『쉽게 읽는 백범 일지』, 돌베개, 2005.	117쪽
	「『열하일기』 소개」	강민경 글, 최현묵 그림	『장복이, 창대와 함께하는 열하일기』, 한국고전번역원, 2013.	122쪽
	「기와 조각과 똥 덩어리」	박지원 원작, 강민경 글	『장복이, 창대와 함께하는 열하일기』, 한국고전번역원, 2013.	123쪽
	1번 영상 (「착한 사마리아인의 법: 필요성」)		「배움 너머」, 한국교육방송공사, 2012.	128쪽
6	「파리 기후 협약 체결, 기온 상승 폭 2도 제한」		「MBC 뉴스투데이」, (주)문화방송, 2015. 12. 13.	139쪽
	「중형차 백만 대를 버렸다」		한국방송광고진흥공사, 2011.	140쪽
	「스마트 기부 확산」 (원제목: 「디지털 자선냄비 등장, 스마트 기부 확산」)		「KBS 뉴스 9」, 한국방송공사, 2015. 12. 25.	143쪽
8	「나의 여행」		「지식 채널 e」, 한국교육방송공사, 2012.	173쪽
	「피부 색깔=꿀색」	융 에냉	「피부 색깔=꿀색」, 2012.	174쪽
	「대상주 홍라」	이현	『나는 비단길로 간다』, (주)도서출판 푸른숲, 2012.	176쪽
	「헤어질 때」	조영미	『식구가 늘었어요』, 청개구리, 2014.	186쪽

한 권으로 끝내기!
교과서 학습부터 평가 대비까지 한 권으로 끝!
국어 공부의 진리입니다.

한끝과 함께 언제, 어디서든 즐겁게 공부해!

한끝으로 끝내고, 이제부터 활짝 웃는 거야!

15개정 교육과정

한끝 정답과 해설

정답있음매~

초등국어

6·2

visang

pionada

visang

피어나다를 하면서 아이가 공부의
필요를 인식하고 플랜도 바꿔가며
실천하는 모습을 보게 되어 만족합니다.
제가 직장 맘이라 정보가 부족했는데,
코치님을 통해 아이에 맞춘 피드백과
정보를 듣고 있어서 큰 도움이 됩니다.

– 조○관 회원 학부모님

공부 습관에도
진단과 처방이
필수입니다

초4부터 중등까지는 공부 습관이 피어날 최적의 시기입니다.

공부 마음을 망치는 공부를 하고 있나요?
성공 습관을 무시한 공부를 하고 있나요?
더 이상 이제 그만

지금은 피어나다와 함께 사춘기 공부 그릇을 키워야 할 때입니다.

강점코칭 무료체험

바로 지금,
마음 성장 기반 학습 코칭 서비스, **피어나다®**로
공부 생명력을 피어나게 해보세요.

상담
문의 **1833-3124**

www.pionada.c

공부 생명력이
pionada

일주일 단 1시간으로 심리 상담부터 학습 코칭까지 한번에!

상위권 공부 전략 체화 시스템	공부력 향상 심리 솔루션	온택트 모둠 코칭	공인된 진단 검사
공부 마인드 정착 및 자기주도적 공부 습관 완성	마음·공부·성공 습관 형성을 통한 마음 근력 강화 프로그램	주 1회 모둠 코칭 수업 및 상담과 특강 제공	서울대 교수진 감수 학습 콘텐츠와 한국심리학회 인증 진단 검사

한끝

정답과 해설

초등
국어 **6·2**

1 작품 속 인물과 나

핵 심 개 념 문 제
10쪽

1 말   **2** ㉢   **3** ×

4 다른   **5** ×

준 비 작품 속 인물의 삶 살펴보기
11~13쪽

1 ②

2 여성들의 독립운동 참여를 촉구하는 내용 등

3 (2) ○ (3) ○   **4** ④   **5** ④

6 비장하였을 것이다. 등

7 ①, ②   **8** (2) ○   **9** ③

10 사기   **11** ④, ⑤

12 예 '정의'이다. 올바른 행동을 하려고 많은 문제
와 어려움을 이겨 냈기 때문이다.

1 윤희순은 가족과 함께 중국으로 망명해 독립운동을
전개했습니다.

2 윤희순은 여성들의 독립운동 참여를 촉구하는 「안사
람 의병가」를 지어 널리 알렸습니다.

3 「안사람 의병가」는 사람들의 마음을 한 덩어리로 모았
을 뿐만 아니라 전에 없던 용기마저 불끈 솟아나게 했
습니다.

4 ㉠을 통해 의병 운동에 자금이 많이 부족했다는 것과
윤희순이 어떻게든 의병을 돕고 싶은 마음이 컸다는
것을 알 수 있습니다.

5 윤희순은 사내들처럼 다 함께 의병 운동에 나서자고
하였습니다.

6 독립운동에 적극적으로 나서자고 한 윤희순은 비장한
마음이었을 것입니다.

7 을사늑약이 강제로 체결된 뒤이고, 남녀 차별이 있던
시대입니다.

8 (2)에서 독립운동을 하려고 하는 윤희순의 삶의 태도
를 알 수 있습니다.

9 안사람 의병대는 집집마다 찾아다니며 모금을 했습니다.

10 안사람 의병대가 밤낮없이 애쓴 덕분에 춘천 의병 부
대는 날로 힘이 세졌고, 덩달아 의병들의 사기도 부
쩍 드높아졌습니다.

11 '살림살이가 어려운 사람들'과 '의병을 돕겠다고 발 벗
고 나섰다.'에서 시대적 배경과 사람들의 삶의 태도를
알 수 있습니다.

12 독립운동을 위해 노력한 윤희순에게 어울리는 낱말과
그 까닭을 써 봅니다.

> **채점 기준** 윤희순이 삶에서 추구한 가치와 관련 있는
> 낱말을 골라 알맞은 까닭을 썼으면 정답으로 합니다.

기 본 ❶ 작품을 읽고 인물이 추구하는 삶 파악하기
14~21쪽

1 (1) 조선 시대 등
(2) 한양의 월성위궁(추사 김정희의 집)

2 ⑤   **3** ②

4 누가 자신의 제자냐며 화를 내고 호통쳤다. 등

5 ⑤

6 "자네는 자네의 스승을 찾게. 나는 내 제자를 찾
을 터이니."   **7** ⑤   **8** ②, ⑤

9 ③   **10** ④   **11** ②

12 예 옳지 않다. 왜냐하면 허드렛일을 한다고 해서
그림 실력이 늘지는 않기 때문이다.

13 ②   **14** ㉡, ㉢   **15** ②

16 (1) 내면 (2) 책 (3) 생각   **17** ②

18 마음은 차분히 가라앉고 내면 깊은 곳에서 그림
에 대한 열정만 오롯이 솟아올랐다. 등

19 이불에다 손가락으로 글씨를 쓰는 연습을 많이
해서 등   **20** ④   **21** ③

22 설렌다. / 기대된다. 등   **23** ⑤

24 (2) ×   **25** ①, ⑤   **26** ②, ⑤

27 ①

28 추사 김정희에게 칭찬을 들어서 등

29 초묵법   **30** ①, ④, ⑤   **31** 현수

32 예 허련이 열정과 끈기를 지니고 노력해서 자신
만의 기법을 완성하는 모습이 멋져 보인다.

1 이 글은 조선 시대 한양의 월성위궁에서 일어난 일을 쓴 글입니다.

2 젊은 허련은 추사 김정희에게 그림을 배우려고 한양으로 찾아왔습니다.

3 추사 김정희는 허련의 그림을 보고 견문이 부족하다고 혹평하였습니다.

4 추사 김정희는 허련이 자신의 제자가 아니라며 화를 내고 호통쳤습니다.

5 "어르신께서 제 그림의 부족함을 일깨워 주셨으니 그것을 채우는 것도 어르신께로부터 배우고 싶습니다."라는 말을 통해 알 수 있습니다.

6 추사 김정희는 허련에게 자네의 스승을 찾으라고 말하며 자신은 자신의 제자를 찾겠다고 하였습니다.

7 허련은 추사 김정희가 거절하여 당황했을 것입니다.

8 허련은 반드시 추사 김정희의 제자가 되겠다며 월성위궁에 남았습니다.

9 추사 김정희의 붓을 씻어 말리고 먹을 갈았지, 그 붓으로 그림을 그린 것은 아닙니다.

10 명필들의 서체를 감상하고 연구하며 자기만의 서체를 만들어 나갔습니다.

11 허련은 추사 김정희의 모습을 보며 배울 게 많아서 우러르는 마음이 절로 생겼습니다.

12 추사 김정희의 행동에 대한 자신의 생각을 그 까닭과 함께 써 봅니다.

13 추사 김정희는 허련의 그림에 정신이 있느냐고 물었고, 허련은 추사 김정희의 물음에 답하지 못했습니다.

14 허련의 그림에는 추사 김정희처럼 그리는 사람의 이상이나 소망이 없었습니다.

15 정신이 없이 기법만 있는 자신의 그림을 본 허련은 절망감에 괴로웠습니다.

16 허련은 추사 김정희의 말을 듣고 책을 더 많이 읽고 생각하는 시간이 많아졌습니다.

17 허련은 먹을 가는 시간이 마음을 닦는 시간이라고 하였습니다.

18 허련은 먹을 가는 동안 마음이 차분히 가라앉고 그림에 대한 열정만 오롯이 솟아올랐다고 하였습니다.

19 이불에다 손가락으로 글씨를 쓰는 연습을 많이 해서 이불이 너덜너덜해진 것입니다.

20 천 개의 붓이 뭉뚝하게 될 정도로 연습을 열심히 해야 한다는 것입니다.

21 추사 김정희는 멀리 문경에서 비석 하나가 발견되었다고 해서 거기에 쓰인 글씨를 탁본하기 위해 행장을 꾸렸습니다.

22 비석에 쓰인 글씨를 탁본하러 가는 추사 김정희는 설레고 기대되었을 것입니다.

23 허련은 서재에서 추사 김정희의 글씨와 그림들을 다시 살폈습니다.

24 추사 김정희는 마음속에 꿈꾸는 이상과 의지, 세상에 대한 생각들을 그림에 담아냈습니다.

25 허련은 자신만의 붓질법을 만들어 나가면서 수십 개의 붓이 뭉뚝해지도록 연습을 했습니다.

26 허련은 추사 김정희가 자신을 제자로 받아 주지 않았는데도 끈기와 열정을 가지고 열심히 노력하였습니다.

27 잎은 생명력이 넘쳤습니다.

28 허련은 추사 김정희의 칭찬에 으쓱했습니다.

29 추사 김정희가 '초묵법'이라고 하였습니다.

30 허련은 자신의 꿈을 위해 열심히 노력하였습니다.

31 추사 김정희는 뛰어난 그림 실력이 있음에도 허련에게서 배우는 '겸손'함이 있었습니다.

32 자신의 꿈을 이루기 위해 노력한 허련에 대한 자신의 의견을 써 봅니다.

1 ⑤

2 안타깝기도 하고 속상하기도 했을 것 같다. 등

3 아버지와 함께 놀고 싶은 것 등   **4** 소방관

5 (3) ○   **6** ④   **7** 목숨

8 ⑤   **9** ⑤

10 자신은 살고 다른 구조 대원이 세상을 떠났기 때문에 등

11 ⑤   **12** 사랑, 생명 존중

13 ①

14 촛불 개수가 누구 나이인지 몰라서 등

15 아버지가 어제 화재 현장의 위험 속에서 살아나 주셔서 다시 태어나신 거나 마찬가지라고 생각하였기 때문이다. 등

16 ①, ③   **17** ⑤   **18** 숨바꼭질

19 ⑤   **20** (1) ○   **21** ③

22 어린 마음에도 동생을 찾아야 한다는 마음 하나로 불꽃이 널름거리는 방문 앞까지 몇 번이나 다가갔다가 물러 나왔다. 등

23 ④

24 아버지의 동생이 촛불을 들고 안방 옷장에 숨어 있다가 옷장에 불이 나서 등

25 (1) ㉠ (2) ㉡   **26** 소방관

27 (1) ○

28 예 나도 다른 사람을 위해 봉사한 적이 있다. 친구가 급식판을 떨어뜨려 당황했을 때 친구를 보건실로 보내고 자리를 대신 정리했다.

1 경민이는 쉬는 날에도 자신과 놀아 주지 않고 잠만 주무시는 아버지에게 섭섭하고 서운한 마음이 들어 한숨을 내쉬었을 것입니다.

2 경민이는 힘든 일을 하고 잠꼬대를 하시며 고단하게 주무시는 아버지를 보고 안타깝고 속상한 마음이 들었을 것입니다.

3 경민이는 모처럼 아버지와 함께 맞은 일요일이므로 아버지와 함께 시간을 보내고 싶었을 것입니다. 인물의 마음을 짐작해 봅니다.

4 불을 끄는 일을 하시고, 소방 호스에 왼쪽 어깨를 부딪히신 것으로 보아, 아버지의 직업이 소방관임을 짐작할 수 있습니다.

5 아버지가 주무셔서 뾰로통해 있는 경민이에게 어머니는 어제 화재 현장에서 아버지에게 있었던 이야기를 들려주셨습니다.

6 예고도 없이 닥치는 화재 현장에 출동하여 불 속에 갇힌 사람을 구해 내는 소방관이라는 직업에 대하여 생각해 봅니다.

7 소방관들은 눈길이 마주칠 때마다 무엇보다 먼저 사람의 목숨을 구한다는 말 없는 약속을 확인합니다.

8 아버지는 불이 난 재래시장의 낡은 건물 속으로 뛰어들었습니다.

9 더 이상의 구조를 중단하였을 때, 한 번 더 사람을 구하겠다고 깨진 창문 사이로 뛰어 들어간 구조 대원이 있었습니다.

10 아버지가 빠져나오신 다음에 불길에 기둥이 무너져 다른 소방관 아저씨가 목숨을 잃으셨습니다.

11 어머니는 아버지가 사고 현장에서 까딱하면 사고가 날 뻔하였는데 멀쩡하게 살아와서 아버지가 다시 태어난 것 같다고 하셨습니다.

12 동료를 사랑하고, 생명을 존중하고 있다는 것을 알 수 있습니다.

13 어머니의 이야기를 들은 경민이는 어머니와 함께 생일상을 차렸습니다.

14 아버지는 큰 초 네 개와 작은 초 두 개가 누구 나이인지 몰라서 고개를 갸웃하며 물으셨습니다.

15 경민이는 어머니가 해 주신 말씀을 듣고 아버지가 다시 태어나신 거나 마찬가지라고 생각하였습니다.

> **채점 기준** '아버지가 살아와 주셔서 다시 태어난 거나 마찬가지라고 생각하였기 때문'이라는 내용을 썼으면 정답으로 합니다.

16 아버지는 자신을 위하는 경민이의 마음을 알게 되자 고마웠고 경민이가 기특하였습니다.

17 아버지는 경민이에게 자신이 소방관이 되고자 결심한 어린 시절 이야기를 들려주셨습니다.

18 아버지와 아버지 동생은 숨바꼭질을 하기로 하고 서로서로 술래를 해 가며 놀았습니다.

19 술래가 된 아버지는 동생을 놀리고 싶은 생각이 들어서 마당의 장독 뒤에 숨었습니다.

20 아버지가 장독 뒤에 숨고 얼마간의 시간이 지난 뒤 보니 안방이 온통 불바다가 되어 있었습니다.

21 집에 불이 났는데 동생이 보이지 않는 상황일 경우 어떤 마음이 들지 생각해 봅니다.

22 아버지는 동생을 찾기 위해 몇 번이나 방문 앞까지 다가갔습니다.

> 채점 기준 '불꽃이 널름거리는 방문 앞까지 몇 번이나 다가갔다가 물러 나왔다.'라는 내용을 썼으면 정답으로 합니다.

23 아버지 집에서 나는 벌건 불기운이 노을처럼 비쳐 보이는 걸 보고 언덕 너머에 사시는 아저씨 두 분이 달려오셨습니다.

24 아버지의 동생이 숨바꼭질을 하기 위하여 촛불을 들고 안방 옷장에 숨어 있다가 불이 옮겨 붙어 불이 난 것입니다.

25 아버지는 어린 시절 동생을 삼켜 버린 불길과 싸워 이기겠다는 결심으로 소방관이 되었지만, 아버지의 부모님은 불이라는 말만 들어도 가슴이 미어진다고 하였습니다.

26 아버지는 동생과 숨바꼭질을 하면서 일어난 일 때문에 소방관이 되기로 하였습니다.

27 아버지는 다른 사람의 안전을 위해 자신의 안전을 희생합니다.

28 아버지가 추구하는 삶이나 이 글의 내용과 관련 있는 자신의 경험을 써 봅니다.

> 채점 기준 글에 나오는 인물이나 상황과 관련 있는 자신의 경험을 썼으면 정답으로 합니다.

기본 ❸ 인물의 삶과 자신의 삶을 비교하며 작품을 읽고 자신의 생각 쓰기   29~39쪽

1 (훌륭한) 피아니스트   **2** ②

3 힘들어도 훌륭한 피아니스트가 되려고 놀거나 쉬는 시간을 아껴 가며 피아노 연습을 해 왔다. 등

4 ⑤

5 피아노 건반   **6** ①   **7** ⑤

8 성실   **9** ①   **10** 정성스러운

---

11 ①

12 바지랑대를 내려 빨랫줄을 눈언저리까지 낮췄다. 등

13 ⑤   **14** 희진   **15** ③

16 초리

17 남들에게는 힘들게 보일지 모르지만, 스스로는 즐겁게 꿈을 꾸고 있기 때문이다. 등

18 ④

19 나는 어기와 같은 상황이었다면 하늘을 나는 연습을 포기했을지도 모른다. 초리는 하늘을 잘만 나는데 나는 아무리 연습해도 되지 않으니 속상하고 힘들 것 같기 때문이다. 등

20 ①   **21** 「백구」   **22** ③

23 ④   **24** 설렌다. / 부끄럽다. 등

25 ⑤   **26** 할머니   **27** ③

28 ③   **29** ④   **30** 꿈

31 성실하게 노력하는 삶 등   **32** 영호

33 예 난 네가 행복한 피아니스트가 되었으면 좋겠어.

34 ②   **35** (1) ○

36 퐁은 자신이 하고 싶은 일을 행복하게 열정적으로 하는 삶을 추구한다. 등

37 ①   **38** 시간   **39** ⑤

40 나는 남들이 그렇다고 하면 실은 그렇지 않은데도 그렇다고 말하는 경우가 많았는데, 앞으로는 이모처럼 내가 정말 좋아하는 것을 찾아 용기 있게 지켜 나가야겠다. 등

41 (1) 책 (2) 아이   **42** (2) ○

43 예시 답안 참고

---

1 상수리는 피아니스트가 되는 게 꿈이며 어렸을 때부터 피아노 연습만 하였습니다.

2 상수리는 피아노 소리가 나지 않아서 고민하고 있습니다.

3 상수리는 훌륭한 피아니스트가 되기 위해 시간을 아껴 가며 피아노 연습을 해 왔습니다.

> 채점 기준 힘들어도 꾸준히 피아노 연습을 했다는 내용을 썼으면 정답으로 합니다.

4 이모는 훌륭한 피아니스트가 되려고 연습만 하는 상수리의 피아노가 우울할 것이라고 하였습니다.

5 이모는 진진과 상수리에게 피아노 건반을 따 오라고 하였습니다.

---

6 이모는 우울할 땐 그저 깨끗한 물에 목욕하고, 따뜻한 햇빛을 듬뿍 쏘이는 게 최고라며 건반들을 깨끗하게 목욕시켜 주라고 하였습니다.

7 진진은 최선을 다했다는 상수리의 혼잣말을 듣고 마음이 아팠습니다.

8 상수리는 훌륭한 피아니스트가 되기 위해 성실하게 연습했습니다.

9 퐁은 구정물이 튈까 봐 멀찌감치 물러나서 지켜보았습니다.

> **오답 피하기**
> ② 상수리는 퐁에게 아무 말도 하지 않았습니다.
> ③ 퐁은 물을 나르는 두레박입니다.
> ④ 이모가 진진과 상수리에게 건반을 닦으라고 하였습니다.
> ⑤ 진진은 퐁에게 아무 말도 하지 않았습니다.

10 상수리는 정성스럽게 건반을 하나하나 닦아 냈습니다.

11 진진에게 쉬라고 하는 것으로 보아 배려심이 있다는 것을 알 수 있습니다.

12 상수리는 건반들을 빨랫줄에 널기 위해 바지랑대를 내려 빨랫줄을 눈언저리까지 낮췄습니다.

13 상수리는 피아노 건반들의 기분이 좋아지지 않을까 봐 걱정하며 바라보았습니다.

14 걱정스러운 표정으로 피아노 건반을 쳐다보는 상수리에게 해 줄 말이 무엇인지 생각해 봅니다.

15 어기는 하늘을 날고 싶은데 날지 못하여 초리를 따라다니며 질문을 하고 있습니다.

16 하늘을 나는 것이 꿈인 어기는 초리를 따라다니며 나는 방법을 물어보고 있습니다.

17 어기가 날마다 연습하면서도 날지 못하는 것이 비록 남들에게는 힘들게 보일지 모르지만, 스스로는 즐겁게 꿈을 꾸고 있기 때문에 ㉠, ㉡과 같이 말했습니다.

18 어기는 날 수 있다는 희망을 가지고 나는 연습을 하는 것 자체를 즐겁게 생각하고 있습니다.

19 어기가 추구하는 삶과 자신의 삶을 비교해 써 봅니다.

> **채점 기준** 희망을 가지고 즐겁게 도전하는 삶을 추구하는 어기의 삶과 자신의 삶을 비교해 썼으면 정답으로 합니다.

20 바람이 피아노 건반들을 흔들면서 음악 소리가 들렸습니다.

21 바람 소리에 처음 들려온 곡의 제목은 「백구」입니다.

22 상수리는 "이렇게 아름다운 소리를 가진 게 있다니, 너무 신기해서."라고 하였습니다.

23 상수리는 첫사랑이던 2학년 때 짝꿍과 함께 연주하던 기억을 떠올렸습니다.

24 상수리는 첫사랑을 떠올리며 설레고 부끄러웠을 것입니다.

25 상수리는 「고향의 봄」 연주가 시작될 때부터 입을 꼭 다물고 담 너머 먼 산만 바라보았습니다.

26 상수리는 「고향의 봄」을 들으며 그 노래를 좋아했던 할머니를 떠올렸습니다.

27 상수리는 돌아가신 할머니가 생각나서 눈물이 툭 떨어진 것입니다.

28 상수리의 말을 들은 진진은 할머니, 할아버지가 생각나 울컥했습니다.

29 피아노 건반을 깨끗하게 씻어서 피아노의 기분이 좋을 것입니다.

30 상수리는 꿈을 이루고 싶은 마음보다 꿈을 꾸는 것이 더 중요하다는 것을 깨달았습니다.

31 상수리는 끊임없이 노력하여 훌륭한 피아니스트가 되는 게 꿈이었습니다.

32 상수리는 훌륭한 피아니스트가 아니라 행복한 피아니스트가 되기로 하였습니다.

33 피아노의 입장이 되어 상수리에게 하고 싶은 말을 써 봅니다.

34 진진의 물음에 퐁은 날마다 신나게 춤추는 것이 꿈이라고 하였습니다.

35 퐁은 현재를 즐겁게 사는 것을 중요하게 생각합니다.

36 퐁은 자신이 하고 싶은 일을 행복하게 열정적으로 하는 삶을 추구합니다.

> **채점 기준** '행복'과 '열정'을 넣어 퐁이 추구하는 삶을 한 문장으로 썼으면 정답으로 합니다.

37 진진은 상수리의 편지를 다시 읽으며 자신의 꿈이 무엇인지 생각하고 있습니다.

38 이모는 자신이 좋아하는 책 읽을 시간이 나지 않는다고 말하고 있습니다.

39 자신이 좋아하는 것을 명확히 이야기하고 지킬 줄 아는 이모는 자신감과 용기가 있습니다.

40 이모의 말에서 알 수 있는 이모가 추구하는 삶과 관련 있는 자신의 삶을 비교해 봅니다.

> **채점 기준** 자신이 좋아하고 가치 있다고 생각하는 것을 꾸준히 하는 즐거움이 있는 이모의 삶과 비교해 썼으면 정답으로 합니다.

41 이모는 재미있는 책들만 오고, 꿈꾸는 아이들만 올 수 있는 꿈꾸는 집이 꿈이라고 하였습니다.

42 진진은 진정으로 자신이 원하는 것이 무엇인지 깨닫게 될 것입니다.

43 인물 중 한 명을 골라 편지를 써 봅니다.

> **예시 답안** 상수리에게
> 안녕? 나는 ○○○이라고 해. 「이모의 꿈꾸는 집」에서 너를 만나게 되어 기뻐.
> 난 네가 피아니스트라는 꿈을 꾸고 있다는 것이 멋져 보였어. 난 아직 내 꿈이 정확하게 무엇인지 찾지 못했거든. 또 그 꿈을 이루려고 네가 열심히 노력하는 삶을 사는 건 더욱 멋지고 대단한 것 같아.
> 비록 피아니스트가 되려고 노력하느라 피아노를 연주할 때 즐거움과 행복을 잠시 잊긴 했지만 다시 찾게 되어 다행이야.
> 나도 너처럼 성실하고 끈기 있게 꿈을 찾아 가고 또 노력하려고 해. 물론 그 과정에서 꿈을 꾸는 즐거움도 잊지 않을게. 고마워.
> 　　　　　　　　　　　20○○년 ○○월 ○○일
> 　　　　　　　　　　　　　　　　　　○○○가

> **채점 기준** 인물 중 한 명을 골라 자신의 생각이나 느낌을 썼으면 정답으로 합니다.

실천 자신이 꿈꾸는 삶을 작품으로 표현하기　　**40쪽**

1 (둥근) 공　　**2** ⑤　　　　**3** 용진
4 **예** 나는 새처럼 자유로운 삶을 살고 싶다. 하고 싶은 일을 하면서 마음껏 꿈을 펼치고 싶다.

1 말하는 이는 떨어져도 튀는 공이 되고 싶다고 하였습니다.

2 말하는 이는 공처럼 포기하지 않고 도전해야겠다는 다짐을 했습니다.

3 자신의 의견만 고집하겠다는 내용은 없습니다.

4 자신이 꿈꾸는 삶의 모습을 다른 대상에 빗대어 표현해 봅니다.

> **채점 기준** 자신이 꿈꾸는 삶의 모습을 빗댈 수 있는 대상을 썼으면 정답으로 합니다.

단원 마무리　　　　　　　　　　　　　　**41쪽**

❶ 꿈　　　　　　❷ 생명

단원 평가　　　　　　　　　　　　**42~44쪽**

1 ①, ②　　　　　**2** 안사람 의병대
3 **예** '도전'이다. 조선 시대는 여자와 남자의 역할이 다르다고 생각하던 때인데, 여자임에도 의병 운동에 적극적으로 나섰기 때문이다.
4 정신　　　　**5** (2) ×　　　　**6** ⑤
7 꿈 등　　　**8** ⑤　　　　**9** (2) ○ (3) ○
10 인희　　　**11** ①
12 자신이 열심히 노력해 왔지만 꿈을 이루는 데 급급한 나머지, 꿈을 꾸는 즐거움을 잊어버렸다는 것을 깨닫게 되어서이다. 등
13 ①　　　　　**14** 날마다 신나게 춤추는 것 등
15 ⑤　　　　　**16** 서은　　　　**17** ①
18 공처럼 쓰러지는 법이 없이 계속해서 도전하고 노력하는 삶 등
19 (1) **예** 새
　　(2) **예** 하고 싶은 일을 하면서 마음껏 꿈을 펼치고 싶기 때문이다.
20 상황

1 조정 대신이 나라를 팔아먹었다는 말에서 을사늑약이 강제로 체결된 뒤라는 것을, 여자들이 나선다고 뭐가 달라지겠냐는 말에서 남녀 차별이 있던 시대라는 것을 알 수 있습니다.

2 윤희순은 마을 아낙네들을 끌어모아 안사람 의병대를 만들어 집집마다 찾아다니며 모금을 했습니다.

3 의병대를 만든 윤희순의 삶의 태도를 살펴봅니다.

> **채점 기준** 독립을 위해 노력하는 윤희순의 삶과 관련 있는 낱말과 그 까닭을 알맞게 썼으면 정답으로 합니다.

4 추사 김정희가 허련에게 그림에 정신이 있느냐고 묻자 허련은 대답하지 못했습니다.

5 허련은 추사 김정희의 말을 듣고 열심히 노력했습니다.

6 허련은 좌절하지 않고 끊임없이 연습했습니다.

7 허련은 꿈을 향해 열심히 노력하고 있습니다.

8 어제 화재 현장에서 아버지에게 있었던 일을 알 수 있습니다.

9 아버지는 불이 난 건물에 들어가 갇힌 사람들을 업고 나왔습니다.

10 아버지는 가정 형편이 어려운 사람들을 보살펴 주고 있지는 않습니다.

11 상수리의 말에서 상수리의 꿈을 알 수 있습니다.

12 상수리는 훌륭한 피아니스트가 되기 위해서만 노력했습니다.

> **채점 기준** 꿈을 꾸는 것을 잊어버렸다는 것을 깨닫게 되었다는 내용을 썼으면 정답으로 합니다.

13 상수리는 훌륭한 피아니스트가 되기 위해 성실하게 노력하였습니다.

14 퐁은 날마다 신나게 춤추는 것이 꿈이라고 하였습니다.

15 퐁은 자신이 하고 싶은 일을 행복하게 열정적으로 하고 싶어 합니다.

16 퐁은 자신이 좋아하고 신나는 일을 하고 싶어 합니다.

17 말하는 이는 둥근 공처럼 살아 봐야겠다고 했습니다.

18 말하는 이는 쓰러지지 않고 계속해서 도전하고 노력하는 삶을 추구합니다.

19 자신이 꿈꾸는 삶의 모습을 빗댈 수 있는 대상을 정해 봅니다.

> **채점 기준** 자신이 꿈꾸는 삶의 모습을 빗댈 수 있는 대상과 그 까닭을 알맞게 썼으면 정답으로 합니다.

20 인물이 추구하는 삶을 파악하려면 인물이 처한 상황과 그 상황에서 한 말과 행동, 그 상황에서 그렇게 말하고 행동한 까닭을 생각해 봐야 합니다.

1 월성위궁을 떠나지 않고 추사 김정희의 시중을 들었으며, 붓 수십 자루가 몽당붓이 되도록 끊임없이 연습했다. 등

2 끈기와 열정을 가지고 끊임없이 꿈을 향해 노력하는 삶을 추구한다. 등

3 **예** '생명 존중', '사랑', 아버지가 동료를 잃고 뜨거운 눈물을 쏟으며 안타까워하는 행동은 '생명 존중'과 동료에 대한 '사랑'과 관련 있기 때문이다.

4 너는 날 수 있다는 희망을 가지고 나는 연습을 하는 것 자체를 즐겁게 생각하고 있는 것 같아. 나도 그런 점을 본받고 싶어. 등

5 **예** 나는 나무 같은 삶을 살고 싶다. 걷다가 힘든 사람들을 쉬어 가게 해 주는 나무처럼 다른 사람에게 도움이 되고 싶다.

1 추사 김정희가 제자로 받아 주지 않은 상황에서 어떤 행동을 했는지 살펴봅니다.

> **채점 기준** '월성위궁을 떠나지 않고 추사 김정희의 시중을 들었다.', '붓 수십 자루가 몽당붓이 되도록 끊임없이 연습했다.' 등의 내용을 썼으면 정답으로 합니다.

2 허련은 추사 김정희가 제자로 받아 주지 않았음에도 끊임없이 노력하고 있습니다.

> **채점 기준** '끈기와 열정을 가지고 끊임없이 노력하는 삶'이라는 내용을 썼으면 정답으로 합니다.

3 아버지는 생명을 존중하고 함께 일하는 다른 동료를 사랑합니다.

> **채점 기준** 생명을 존중하고 동료를 사랑하는 아버지의 삶과 관련 있는 가치를 나타낼 수 있는 낱말을 썼으면 정답으로 합니다.

4 스스로 즐겁게 꿈을 꾸고 있는 어기에게 할 말을 써 봅니다.

> **채점 기준** 희망을 가지고 즐겁게 도전하는 삶을 추구하는 어기에게 하고 싶은 말을 알맞게 썼으면 정답으로 합니다.

5 자신이 꿈꾸는 삶의 모습을 다른 대상에 빗대어 써 봅니다.

> **채점 기준** 자신이 꿈꾸는 삶의 모습을 빗댈 수 있는 대상을 썼으면 정답으로 합니다.

2 관용 표현을 활용해요

핵 심 개 념 문 제　　　　　　48쪽

1 관용　　　　2 ○　　　　3 (1) ✕
4 ✕　　　　　5 상황

준비 관용 표현을 활용하면 좋은 점 알기　　49쪽

1 ①　　　　　2 (1) ㉠ (2) ㉡
3 영철이의 말이다. 일반적인 설명이 아니라 함축적인
의미가 담겨 있기 때문이다. 등　　4 ③, ④, ⑤

1 관용 표현에 대한 설명입니다.

2 ㉠은 '정신이 갑자기 든다.', ㉡은 '말은 비록 발이 없
지만 천 리 밖까지도 순식간에 퍼진다.'는 뜻입니다.

3 관용 표현을 활용하면 듣는 사람의 관심을 불러일으
킬 수 있습니다.

> **채점 기준** 영철이의 말이라고 쓰고 그 까닭으로 '함축적
> 인 의미가 담겨 있기 때문', '한 번 더 생각하게 하는 표
> 현이기 때문'이라는 까닭을 썼으면 정답으로 합니다.

4 관용 표현을 활용한다고 해서 상대의 기분이나 장점
을 파악할 수 있는 것은 아닙니다.

기본❶ 여러 가지 관용 표현의 뜻 알기　　50~52쪽

1 휴대 전화　　2 (1) ② (2) ①　　3 ②
4 ①　　　　　5 꿈을 펼치는 몇 가지 방법 등
6 ④　　　　　7 ⑤　　　　　8 (1) ② (2) ①
9 ①, ③, ④　　10 ①, ③　　　11 ④
12 어릴 때부터 겁이 없어 간이 크다는 말을 많이
들었는데 이와 같은 내 성격에 적합한 탐험가가
되는 게 꿈이다. 등

1 동생이 휴대 전화를 구경해 보자고 하는 상황입니다.

2 ㉠, ㉡이 쓰인 상황에 어울리는 뜻을 생각해 봅니다.

3 '간 떨어지다'는 '매우 놀라다.'의 뜻입니다.

4 '씀씀이가 후하고 크다.'의 뜻을 가진 '손이 크다'가 알
맞습니다.

---

5 꿈을 펼치는 몇 가지 방법을 알려 주고 있습니다.

6 한때 의사를 주인공으로 한 드라마가 큰 인기를 얻
자, 분위기에 휩쓸려 자신의 진로를 의사로 결정하는
사람이 많았습니다.

7 6학년 때 안전 교육을 해 주신 경찰을 직접 만나 이야
기를 들으면서 경찰이 되고 싶다는 꿈을 키웠습니다.

8 '손꼽아 기다리다'와 '천하를 얻은 듯'의 뜻을 찾아봅
니다.

9 말하는 사람은 꿈을 펼치는 방법 세 가지를 알려 주었
습니다.

10 경찰이 되려고 체력을 기르고 지식을 쌓았습니다.

11 ㉣은 '어떤 일이든지 하려고 생각했으면 한창 열이 올
랐을 때 망설이지 말고 곧 행동으로 옮겨야 한다.'는
뜻입니다.

12 '간이 크다'로 자신의 꿈을 말할 문장을 만들어 봅니다.

> **채점 기준** '간이 크다'의 뜻에 맞게 자신의 꿈을 말할 문
> 장을 썼으면 정답으로 합니다.

기본❷ 이야기를 듣고 말하는 사람의 의도
파악하기　　　　　　　53~54쪽

1 ⑤　　　　　2 ④　　　　　3 ⑤
4 ②　　　　　5 (1) ㉡ (2) ㉠ (3) ㉢
6 하나
7 자신의 의견만을 주장하는 마음을 바꾸어야 한
다. / 우리의 의견을 모아 이끌어 줄 지도자가 필
요하다. 등　　　8 ①, ④

1 물이 쏟아지는 수도의 꼭지를 잠그고 있는 그림입니다.

2 '물 쓰듯'은 '아주 헤프게 쓴다.'는 뜻입니다.

3 우리가 평소 물을 아주 헤프게 쓴다는 점을 강조하기
위해서 '물 쓰듯'이라는 관용 표현을 활용한 것입니다.

4 물을 아껴 쓰자는 말을 관용 표현을 활용하여 나타냈
습니다.

5 ㉠~㉢에 쓰인 관용 표현의 뜻을 찾아봅니다.

6 글 앞뒤 내용을 살펴보고, 표현에 쓰인 낱말이 평소
에 어떤 뜻으로 쓰이는지 생각해 본 뒤에, 그러한 표현
을 쓴 의도를 생각해 보면 뜻을 추론할 수 있습니다.

7 글의 앞뒤 내용을 살펴보면 추측할 수 있습니다.

> **채점 기준** '자신의 의견만 주장하는 마음을 바꾸어야 한다.', '우리의 의견을 모아 이끌어 줄 지도자가 필요하다.' 등의 내용을 썼으면 정답으로 합니다.

8 도산 안창호 선생은 사람들의 의견을 하나로 모아 독립운동 단체의 지도자를 뽑자고 하였습니다.

> **정답 친해지기** **이야기를 듣고 말하는 사람의 의도를 파악하는 방법**
> • 말하는 사람이 어떤 상황인지 생각합니다.
> • 말하는 사람이 말한 내용을 차례대로 정리합니다.
> • 말하는 사람이 누구에게 무슨 말을 하려고 하는지 생각합니다.

기본 ❸ 생각이 효과적으로 드러나는 표현을 활용해 말하기　　　55쪽

1 ③　　　**2** ①　　　**3** 전달
4 (1) 공든 탑이 무너지랴 등　(2) "공든 탑이 무너지랴."라는 말이 있습니다. 모둠 과제를 열심히 준비했으니 반드시 좋은 결과가 있을 것입니다. 등

1 친구들은 고운 말 사용에 대해 대화를 나누고 있습니다.

2 말을 시작할 때 관용 표현을 활용하면 듣는 사람의 관심을 끌 수 있습니다.

3 말을 끝낼 때 관용 표현을 활용하면 생각을 효과적으로 전달할 수 있습니다.

4 상황에 어울리는 관용 표현과 하고 싶은 말을 써 봅니다.

> **채점 기준** 사회 수업 시간에 힘들게 준비한 모둠 과제를 발표하는 상황에 알맞은 관용 표현과 하고 싶은 말을 바르게 썼으면 정답으로 합니다.

실천 행복한 우리 반을 위한 약속 정하기　　　56쪽

1 ⓒ, ⓙ, ⓔ　　　　　　**2** ④
3 (1) 손 팻말 등
　　(2) 모둠 친구들과 내용을 나누어 말한다. 등
4 승호
5 예 '천 리 길도 한 걸음부터'라는 말이 있듯이 바르고 고운 말을 쓰려고 조금씩 노력합시다. 등
6 ②

---

1 홍보할 내용을 정리한 뒤, 홍보할 방법을 생각하고, 홍보할 자료를 만든 뒤에 홍보합니다.

2 홍보할 때 주의할 점을 정리할 필요는 없습니다.

3 어떤 자료로 어떻게 홍보할지 생각해 봅니다.

4 말하다가 중요한 부분에서 잠깐 멈추면 듣는 사람을 집중하게 하는 효과가 있습니다.

5 알맞은 관용 표현을 활용하여 주제에 알맞은 내용을 홍보해 봅니다.

> **채점 기준** 관용 표현을 활용하여 '바르고 고운 말을 사용합시다.'에 알맞은 내용을 썼으면 정답으로 합니다.

6 많은 양의 내용을 발표했는지를 평가할 필요는 없습니다.

단원 마무리　　　57쪽

❶ 눈　　　　❷ 쇠뿔　　　　❸ 물
❹ 발

단원 평가　　　58~60쪽

1 관용 표현
2 말은 비록 발이 없지만 천 리 밖까지도 순식간에 퍼진다. 등　　**3** ⑤　　　**4** (1) ✕
5 동생이 오빠에게 휴대 전화를 구경해 보자고 하는 상황 등　　**6** (1) ④ (2) ②　**7** (1) ① (2) ②
8 ①　　　　**9** (1) ⓙ (2) ⓒ
10 "쇠뿔도 단김에 빼라."라는 말이 있듯이 나는 무슨 일이 생기면 반드시 그 순간에 해결을 해야 안심이 된다. 등
11 희진　　　**12** (1) ◯　　**13** ②, ⑤
14 독립운동 단체　　　　**15** ⑤
16 (1) 의견　(2) 지도자 등
17 고운 말을 사용하자는 것이다. 등
18 (1) 듣는 사람의 관심을 끌 수 있다. 등
　　(2) 생각을 효과적으로 전달할 수 있다. 등
19 ③　　　**20** (1) ◯ (3) ◯

1 관용 표현에 대한 설명입니다.

2 발 없는 말이 천 리까지 퍼진다는 관용 표현입니다.

3 말조심하자는 의미의 ⑤가 알맞습니다.

4 관용 표현을 활용한다고 해서 상대의 마음을 알 수 있는 것은 아닙니다.

5 동생이 휴대 전화를 구경해 보자고 하는 상황입니다.

6 대화의 앞뒤 상황을 통해 뜻을 알 수 있습니다.

7 ㉠은 '매우 놀라다.', ㉡은 '양을 많이 준비한다.'를 뜻합니다.

8 말하는 사람은 꿈을 펼치는 몇 가지 방법에 대해 말씀드리려고 이 자리에 섰다고 하였습니다.

9 ㉠은 '매우 짧은 순간.'이라는 뜻이고, ㉡은 '서로의 사이가 벌어지거나 틀어지다.'의 뜻입니다.

10 관용 표현의 뜻에 알맞게 글을 써 봅니다.

> **채점 기준** '쇠뿔도 단김에 빼라'라는 관용 표현의 뜻에 알맞게 자신이 하고 싶은 말을 썼으면 정답으로 합니다.

11 '물 쓰듯'은 '물건을 헤프게 쓰거나, 돈 따위를 흥청망청 낭비하다.'라는 뜻입니다.

12 물 쓰듯 쓴다는 것이 아주 헤프게 쓴다는 뜻으로 쓰이지 않도록 물을 아껴 쓰자는 것입니다.

13 자신의 이야기에 귀 기울여 듣게 하고, 이야기에 흥미를 느끼게 하기 위해 관용 표현을 활용합니다.

14 안창호 선생과 사람들은 독립운동 단체를 조직하려고 모였습니다.

15 글 앞뒤 내용과 표현에 쓰인 낱말의 뜻, 그리고 그러한 표현을 쓴 의도를 생각해 보면 ㉠의 뜻을 추론할 수 있습니다.

16 안창호 선생은 사람들의 의견을 하나로 모으고, 독립운동 단체의 지도자를 뽑으려고 연설했습니다.

17 친구들 모두 고운 말을 사용하자고 말하고 있습니다.

18 말을 시작할 때 관용 표현을 활용하면 듣는 사람의 관심을 끌 수 있고, 말을 끝낼 때 관용 표현을 활용하면 생각을 효과적으로 전달할 수 있습니다.

> **채점 기준** (1)에 '듣는 사람의 관심을 끌 수 있다.', (2)에 '생각을 효과적으로 전달할 수 있다.' 등의 내용을 썼으면 정답으로 합니다.

19 내용에 알맞은 빠르기로 말해야 합니다.

20 발표자의 성격을 평가할 필요는 없습니다.

서술형 평가

1 전하고 싶은 말을 쉽게 표현할 수 있다. / 재미있는 표현이어서 듣는 사람의 관심을 불러일으킬 수 있다. 등

2 (1) 어떤 일이든지 하려고 생각했으면 한창 열이 올랐을 때 망설이지 말고 곧 행동으로 옮겨야 한다. 등
(2) 재미나 의욕이 없어진다. 등

3 선생님께서 제가 눈에 띄게 노래를 잘한다고 칭찬해 주셔서 가수가 되기로 결심했습니다. 등

4 자신의 의견만을 고집하고 더 많은 의견의 장점을 알지 못한다는 뜻일 것이다. 등

5 (1) 머리를 맞대다 등
(2) "머리를 맞대다"라는 말이 있듯이 중요한 일은 함께 의논해서 결정합시다.

---

1 하려는 말을 상대가 쉽게 알아들을 수도 있습니다.

> **채점 기준** '전하고 싶은 말을 쉽게 표현할 수 있다.', '재미있는 표현이어서 듣는 사람의 관심을 불러일으킬 수 있다.' 등 관용 표현을 활용하면 좋은 점을 알맞게 썼으면 정답으로 합니다.

2 '쇠뿔도 단김에 빼라'와 '김이 식다'의 뜻을 각각 써 봅니다.

> **채점 기준** (1)에 '어떤 일이든지 하려고 생각했으면 한창 열이 올랐을 때 망설이지 말고 곧 행동으로 옮겨야 한다.'를, (2)에 '재미나 의욕이 없어진다.'의 내용을 썼으면 정답으로 합니다.

3 '눈에 띄다'의 뜻에 맞게 문장을 씁니다.

> **채점 기준** '눈에 띄다'의 뜻에 알맞게 자신의 꿈을 말하는 문장을 썼으면 정답으로 합니다.

4 글의 앞뒤 내용을 살펴보고 관용 표현을 어떤 뜻으로 활용했을지 생각해 봅니다.

> **채점 기준** '자신의 의견만을 고집하고 더 많은 의견의 장점을 알지 못한다.'와 같은 내용을 썼으면 정답으로 합니다.

5 하고 싶은 말을 관용 표현을 활용해 써 봅니다.

> **채점 기준** '우리 반을 행복하게 하려면 우리가 해야 할 일'에 어울리는 관용 표현을 쓰고, 하고 싶은 말을 적절하게 썼으면 정답으로 합니다.

3 타당한 근거로 글을 써요

1 주장   **2** (1) ×   **3** ○
4 ⓛ

준비 글을 읽고 주장 찾기   65~67쪽

1 예 곰돌이는 생각을 귀찮아하는 성격인 것 같다. / 나도 '그냥'이라고 대답한 적이 많아 곰돌이와 비슷한 것 같다.
2 수염   **3** ⑤
4 이부자리를 펴고 누웠다. 등   **5** (1) ② (2) ①
6 이불 속에 수염을 넣었다 꺼냈다 하느라고 등
7 ④, ⑤   **8** ④, ⑤   **9** (3) ○
10 (1) 그냥 (2) 왜
11 예 나중에 내가 원하는 일을 하려고 공부한다. 지금은 외교관이 되려고 영어 공부를 열심히 하고 있다.

1 모든 질문에 "그냥!"이라고만 대답하는 곰돌이에 대한 자신의 생각을 솔직하게 씁니다.

2 아이는 수염을 길게 기른 할아버지에게 "할아버지! 할아버지는 주무실 때 그 수염을 이불 안에 넣나요, 아니면 꺼내 놓나요?" 하고 여쭈었습니다.

3 할아버지는 수염을 기른 채 몇십 년 동안이나 살아왔지만, 아이가 질문할 때까지 한 번도 그런 궁금증을 지녀 본 적이 없어서 아이가 한 질문에 바로 대답하지 못했습니다.

4 할아버지는 집에 돌아오기 무섭게 이부자리를 펴고 누웠습니다.

5 할아버지는 이불 속에 수염을 넣었을 때는 갑갑하고 거북한 느낌이 들었고, 수염을 이불 밖으로 꺼내 놓았을 때는 왠지 허전하고 썰렁한 느낌이 들었다고 했습니다.

6 할아버지는 밤새도록 수염을 넣었다 꺼냈다 하느라고 한숨도 잘 수가 없었습니다.

7 할아버지는 자신의 수염이지만 아이가 묻기 전까지 그 수염을 어떻게 하고 잤는지 기억할 수 없었고, 다른 사람에게 물어볼 수도 없는 노릇이어서 아이와 한 약속을 지키지 못했습니다.

8 누가 질문을 할 때 깊은 생각 없이 '그냥'이라고 대답하는 것, 자신의 생각을 가지지 않고 어른들이 시키니까 그냥 했던 일이 우리의 '수염'이라고 했습니다.

9 어떤 행동이나 일을 할 때 습관적으로 그냥 하는 것이 아니라 '왜' 또는 '어떻게'를 생각해야 합니다.

10 글쓴이는 '그냥'이라고 생각하지 말고 '왜' 또는 '어떻게'를 생각하고, 습관적으로 그냥 살지 말고 자기 안에 물음표를 가지고 살아가자고 주장하고 있습니다.

11 평소에 깊은 생각 없이 습관적으로 대답했던 질문에 대한 자신만의 답을 생각해 봅니다.

> **채점 기준** '공부는 왜 할까요?'에 대한 자신만의 답을 생각해 썼으면 정답으로 합니다.

기본 ❶ 주장에 대한 근거가 적절한지 판단하며 글 읽기   68~71쪽

1 (2) ○
2 (1) 축구공 (2) 학교 (3) 휴대 전화
3 ⑤   **4** 공정 무역
5 (1) 대가 (2) 자립   **6** ③
7 ②
8 일반 무역 유통 단계와 공정 무역 유통 단계 비교 등
9 ③, ⑤
10 "안전하고 노동력 착취 없는 노동 환경이 유지되어야 한다."라는 조건 등
11 농약   **12** (2) ○
13 (1) 공정 무역 인증 표시는 국제기구가 생산지에서 공정 무역의 주요 원칙이 잘 지켜졌는지를 점검한 물건들에 붙일 수 있다. 등
(2) 우리가 공정 무역에 관심을 기울이고 공정 무역 제품을 사용하자. 등
14 예 근거 4는 공정 무역 제품을 사용해야 하는 까닭이 아니라 공정 무역 인증 표시에 대한 설명만 하고 있어서 주장을 직접적으로 뒷받침하지 못하기 때문에 타당하지 않다.
15 ③

1 옛날에 상민으로 태어난 사람은 아무리 열심히 일하고 공부해도 양반이 되기 힘들었는데, 지금도 옛날의 상민처럼 아무리 열심히 일해도 가난을 벗어날 수 없는 사람들이 있다고 했습니다.

2 하루 종일 축구공을 만드는 아이의 임금은 고작 몇 천 원이며, 가난한 나라의 사람들은 아무리 열심히 일해도 자식들을 학교에 보내기도 어렵다고 했습니다. 또 휴대 전화 하나를 사려면 몇 달치 월급을 모아야 한다고 했습니다.

3 일부 다국적 기업이 가난한 나라의 물건을 제값을 주지 않고 아주 싸게 산 뒤 비싸게 팔아 많은 돈을 벌고 있다고 했습니다.

4 공정 무역(공정한 거래)만이 잘못된 경제 구조를 바로잡을 수 있다고 했습니다.

5 공정 무역이란 생산자의 노동에 정당한 대가를 지불해 생산자가 경제적으로 자립하고 발전하도록 돕는 무역을 말합니다.

6 글쓴이는 공정 무역 제품을 사용해야 하는 까닭을 근거로 들어 공정 무역 제품을 사용하자고 주장하고 있습니다.

7 공정 무역에서는 생산자 조합과 공정 무역 회사를 만들어 중간 유통 단계를 줄이고 실제로 바나나를 재배하는 생산자의 이익을 보장해 주었습니다.

8 일반 무역 유통 단계와 공정 무역 유통 단계를 비교하는 그림을 활용했습니다.

9 문단 **3**에서는 아이들을 위험에서 보호할 수 있다는 근거, 문단 **4**에서는 자연을 보호하고 생산자의 건강을 지키는 방법이 된다는 근거를 들었습니다.

10 공정 무역은 "안전하고 노동력 착취 없는 노동 환경이 유지되어야 한다."라는 조건을 지켜야 하기 때문에 아이들의 노동력 착취를 막을 수 있습니다.

11 공정 무역은 농민들이 농약과 화학 비료를 적게 쓰고 유기농으로 농사를 짓게 하여 농약으로 인한 질병 문제를 해결하려고 노력하고 있다고 했습니다.

12 「초콜릿 감옥」 동영상은 공정 무역을 하지 않는 곳의 아이들이 위험하다는 것을 보여 주므로 근거를 잘 뒷받침합니다.

13 서론, 본론, 결론의 짜임에 맞게 글의 내용을 정리해 봅니다.

> **채점 기준** 본론에서 근거 4에 해당하는 내용과 결론에 해당하는 내용을 모두 알맞게 정리해 썼으면 정답으로 합니다.

14 공정 무역 제품을 사용하자는 주장에 알맞은 근거인지 생각해 봅니다.

> **보충 자료**
> 주장에 대한 근거가 타당한지 판단하려면 근거가 주장과 관련 있는지, 근거가 주장을 뒷받침하는지 판단해 봅니다.

15 기사문, 사진, 그림, 표, 동영상, 지도, 전문가의 말이나 글 등 다양한 종류의 자료를 활용할 수 있습니다.

기본 ❷ 논설문을 쓸 때 알맞은 자료를 활용하는 방법 알기   **72~73쪽**

1 숲
2 예 설문 조사 하기 / 인터넷 검색하기
3 ③   **4** (1) ② (2) ① **5** ②
6 (1) ① (2) ④ (3) ②
7 예 자료 ❸은 근거를 잘 뒷받침하고 믿을 만하다. 나무가 책상이 되는 과정이므로 숲이 소중한 자원이 된다는 것을 뒷받침하고, △△산림박물관의 내용이기 때문에 출처가 믿을 만하기 때문이다.
8 (1) ○ (3) ○

1 숲을 보호해야 한다는 주장을 뒷받침하는 근거들입니다.

2 자료 조사 방법에는 설문 조사 하기, 면담하기, 인터넷 검색하기, 책이나 신문에서 찾기 등이 있습니다.

3 자료 번호, 자료 내용, 자료 종류, 자료 출처, 자료가 알려 주는 것으로 구성되어 있습니다.

4 자료 ❶은 나무를 심으면 나무가 이산화 탄소를 흡수해 지구 온난화 예방에 도움이 된다는 것을, 자료 ❷는 숲이 미세 먼지를 잡아 준다는 것을 알려 줍니다.

5 숲에서 벌목한 나무로 책상을 만드는 과정을 나타낸 그림입니다.

6 근거 ①은 자료 ❷, 근거 ②는 자료 ❹, 근거 ③은 자료 ❶, 근거 ④는 자료 ❸과 관련 있는 내용입니다.

7 근거와 관련 있는 내용인지, 근거를 뒷받침하는지, 믿을 만한 자료인지 살펴봅니다.

> **채점 기준** 수집한 자료 중 한 가지를 골라 근거를 잘 뒷받침하는지, 믿을 만한 자료인지 알맞게 평가해 썼으면 정답으로 합니다.

8 근거에 알맞은 자료를 활용하면 글의 타당성이 생기고 설득력이 높아집니다.

기본 ❸ 상황에 알맞은 자료를 활용해 논설문 쓰기   74~75쪽

1 ④　　　　**2** ③
3 예 실제로 가게를 이용한 사람의 의견과 누리 소통망에 있는 글의 의견이 서로 다르기 때문이다.
4 (1) 단 (2) 장 (3) 장　　**5** (1) ○ (2) ○
6 예 개인 정보가 유출되기 쉽다.
7 예 누리 소통망으로 개인 정보가 유출된 사례(인터넷 기사)
8 ㉢

1 엄마께서 '다들 얼굴 볼 시간도 없이 바쁘구나.'라고 말씀하신 것으로 보아 모일 시간이 없어 한곳에 모여 의논하기 어려웠기 때문에 단체 대화방을 이용한 것입니다.

2 소희 오빠는 누리 소통망에서 식당을 이용한 손님이 쓴 글을 읽었다고 했습니다.

3 소희 오빠가 읽은 누리 소통망의 글은 △△식당 사장님이 불친절하고 음식 맛도 이상하다고 했지만, 엄마께서는 이웃집 아주머니가 △△식당의 짜장면이 맛있다고 하셨고, 식당이 깨끗하며 사장님도 친절해서 동네에서 칭찬이 자자하다고 하셨습니다.

> **채점 기준** 소희가 누구의 말을 믿을지 고민하는 까닭을 알맞게 파악해 썼으면 정답으로 합니다.

4 누리 소통망은 다른 의견을 쉽게 제시할 수 있고 다른 사람이 쓴 정보를 쉽게 접할 수 있다는 장점이 있지만, 잘못된 정보가 쉽게 퍼질 수 있다는 단점이 있습니다.

5 손님이 쓴 글 때문에 성민이네 가게에 손님이 끊겼고, 성민이의 개인 정보가 유출되었습니다.

---

6 '누리 소통망을 올바르게 사용하자'는 주장을 뒷받침하는 적절한 근거를 한 가지 떠올려 씁니다.

7 근거의 타당성을 높이려면 어떤 자료를 수집해야 할지 생각해 봅니다.

8 서론에는 문제 상황이나 주장의 동기, 자신의 주장을 쓰고, 본론에는 주장을 뒷받침하는 근거 두세 가지를 제시하며 결론에는 본론을 요약하고 주장을 다시 한번 강조합니다.

실천 더 좋은 우리 동네를 만들기 위한 논설문 쓰기   76쪽

1 (1) 동네 (2) 논설문
2 예 쓰레기를 아무 곳에나 버린다.
3 (1) 예 쓰레기를 함부로 버리지 맙시다.
　(2) 예 동네가 더러워집니다. / 이웃에게 불쾌감을 줄 수 있습니다.
4 ②　　　　**5** ④

1 더 좋은 우리 동네를 만들기 위해 논설문을 공모하고 있습니다.

2 우리 동네의 문제점을 생각하여 씁니다.

3 더 좋은 우리 동네를 만들기 위해 우리가 실천할 수 있는 주장을 정하고, 자신의 주장을 뒷받침할 수 있는 적절한 근거를 생각해 봅니다.

4 자료 조사 방법에는 설문 조사 하기, 면담하기, 인터넷 검색하기, 책이나 신문에서 찾기 따위가 있습니다.

5 근거가 주장을 뒷받침하는지 살펴봅니다. 호응 관계가 알맞지 않은 문장이 있는지도 확인해 보고, 맞춤법에 맞게 글을 썼는지도 살펴봅니다.

단원 마무리   77쪽

❶ 주장　　　　❷ 이익　　　　❸ 근거
❹ 정보　　　　❺ 결론

1 그냥 **2** ⑤

3 ⓐ '그냥'이라고 생각하지 말고 '왜' 또는 '어떻게'를 생각하자.

4 공정 무역 제품 **5** ⑤

6 ⓐ 자연을 보호하고 생산자의 건강을 지키는 방법이 된다는 근거는 공정 무역 제품을 사용하자는 주장과 관련 있으므로 타당하다.

7 『인간의 얼굴을 한 시장 경제, 공정 무역』이라는 책

8 ㉠

9 국제기구가 생산지에서 공정 무역의 주요 원칙이 잘 지켜졌는지를 점검한 물건 등

10 수민 **11** ① **12** ①

13 ⓐ 믿을 만하다. 과학적 실험 결과를 보여 주는 방송 뉴스이기 때문이다.

14 ①, ② **15** 잘못된 정보가 쉽게 퍼질 수 있다. / 개인 정보가 유출되기 쉽다. 등

16 (3) ○ **17** ④

18 ⓐ 쓰레기는 쓰레기통에 버립시다.

19 ① **20** ㉢, ㉣, ㉤, ㉡, ㉠

---

1 누가 질문을 할 때 '그냥'이라고 대답하는 것이 바로 우리의 '수염'이라고 했습니다.

2 '그냥 수염'을 달지 않으려면 어떤 행동이나 일을 할 때 습관적으로 그냥 하는 것이 아니라 '왜' 또는 '어떻게'를 생각해야 합니다.

3 글쓴이는 '그냥'이라고 생각하지 말고 '왜' 또는 '어떻게'를 생각해야 한다고 말하고 있습니다.

4 공정 무역 제품을 사용해야 하는 까닭을 근거로 들어 공정 무역 제품을 사용하자고 주장하고 있습니다.

5 공정 무역은 친환경 농사법을 권장하여 자연을 보호하고 생산자의 건강을 지키는 방법이 된다고 했습니다.

6 주장에 대한 근거가 타당한지 판단할 때에는 근거가 주장과 관련 있는지, 근거가 주장을 잘 뒷받침하는지 판단합니다.

> **채점 기준** 자연을 보호하고 생산자의 건강을 지키는 방법이 된다는 근거가 공정 무역 제품을 사용하자는 주장에 대한 근거로 타당한지 바르게 판단해 썼으면 정답으로 합니다.

7 『인간의 얼굴을 한 시장 경제, 공정 무역』이라는 책을 활용했습니다.

8 최신 자료를 활용했는지 살펴보아야 합니다.

9 국제기구가 생산지에서 공정 무역의 주요 원칙이 잘 지켜졌는지를 점검한 물건들에 붙일 수 있습니다.

10 공정 무역 제품을 사용해야 하는 까닭이 아니라 공정 무역 인증 표시에 대한 설명만 하고 있어서 주장을 직접적으로 뒷받침하지 못하기 때문에 근거로 타당하지 않습니다.

11 근거 ①~④는 숲을 보호해야 하는 까닭을 이야기하고 있으므로, '숲을 보호하자.' 또는 '숲을 살리자.'는 주장을 뒷받침하는 근거로 알맞습니다.

12 숲은 미세 먼지를 잡아 준다는 내용의 동영상 자료로 근거 ①과 관련 있는 내용입니다.

13 자료가 믿을 만한지 판단할 때에는 출처를 살펴보고 전문가의 의견인지, 객관적인 자료인지, 최신 자료인지 따위를 살펴봅니다.

> **채점 기준** 출처를 보고 자료가 믿을 만한지 바르게 판단해 썼으면 정답으로 합니다.

14 손님이 쓴 글 때문에 글쓴이의 개인 정보가 유출되어 학교에도 소문이 났고, 글쓴이네 가게에는 손님이 뚝 끊겼다고 했습니다.

15 누리 소통망은 잘못된 정보가 쉽게 퍼질 수 있고 개인 정보가 유출되기 쉽다는 단점이 있습니다.

16 (3)이 개인 정보가 유출되기 쉽다는 근거와 관련 있는 자료입니다.

17 '반드시', '절대로', '결코' 같은 단정적인 표현은 조심해서 써야 합니다.

18 그림에 나타난 문제 상황을 살펴보고, 더 좋은 동네를 만들기 위해 우리가 실천할 수 있는 주장을 정해 씁니다.

19 반드시 나와 주장이 같을 필요는 없습니다. 실천할 수 있는 주장인지 살펴봅니다.

20 먼저 문제 상황을 생각하며 주장과 근거를 정하고, 계획을 세워 자료를 수집한 뒤 논설문을 쓰고 고쳐 씁니다.

1 **예** 타당하다. 아이들을 위험에서 보호할 수 있다는 근거는 공정 무역 제품을 사용하자는 주장과 관련 있고, 공정 무역 제품을 사용해야 하는 까닭이어서 주장을 잘 뒷받침하기 때문이다.

2 (1) 카카오 농장에서 일하는 아이들의 실태를 담은 「초콜릿 감옥」 등
(2) 동영상

3 **예** 자료가 근거의 내용과 관련 있는지 살펴본다. / 출처를 보고 믿을 수 있는 자료인지 살펴본다.

4 (1) **예** 근거를 잘 뒷받침하고 믿을 만하다.
(2) **예** 나무가 책상이 되는 과정이므로 숲이 소중한 자원이 된다는 것을 뒷받침하고, △△산림박물관의 내용이기 때문에 믿을 만하다.

5 (1) **예** 누리 소통망을 올바르게 사용하자.
(2) **예** 중독되어 시간을 낭비할 수 있다.

---

1 근거가 주장과 관련 있는지, 주장을 뒷받침하는지 판단해 봅니다.

> **채점 기준** 아이들을 위험에서 보호할 수 있다는 근거가 타당한지 바르게 판단해 썼으면 정답으로 합니다.

2 카카오 농장에서 일하는 아이들의 실태를 담은 「초콜릿 감옥」 동영상을 자료로 활용했습니다.

> **채점 기준** 근거를 뒷받침하려고 활용한 자료의 내용과 종류를 모두 알맞게 썼으면 정답으로 합니다.

3 수를 제시할 때는 정확한 숫자를 사용했는지, 최신 자료를 사용했는지 따위도 살펴봅니다.

> **채점 기준** 자료의 적절성을 판단하는 방법 한 가지를 알맞게 썼으면 정답으로 합니다.

4 자료가 근거와 관련 있는 내용인지, 근거를 뒷받침하는지, 믿을 만한 자료인지 살펴봅니다.

> **채점 기준** 자료가 근거를 잘 뒷받침하고 믿을 만한지 판단하고, 그 까닭을 알맞게 썼으면 정답으로 합니다.

5 누리 소통망의 장점과 단점을 생각해 보고, 누리 소통망 이용과 관련한 자신의 주장과 근거를 정합니다.

> **채점 기준** 누리 소통망 이용과 관련한 자신의 주장을 쓰고, 주장을 뒷받침하는 적절한 근거를 알맞게 썼으면 정답으로 합니다.

---

4 효과적으로 발표해요

1 영상 / 사진 / 표 등   2 표현
3 ㄹ   4 흥미   5 ○

1 독도의 날 기념 율동   2 (1) ② (2) ①
3 ❷   4 민지   5 ㄹ
6 ④
7 **예** 듣는 사람들이 주요 농산물이 주로 생산되는 지역이 바뀌고 있다는 것을 쉽게 이해할 수 있다.
8 ④, ⑤

---

1 세미는 친구에게 학습 발표회에서 독도의 날 기념 율동을 하면 어떨지 말하고 있습니다.

2 대화 ❶은 사진을 보여 주며 설명하고, 대화 ❷는 영상을 보여 주며 설명하고 있습니다.

3 영상으로 보여 주면 사진보다 율동 동작을 더욱 생생하게 잘 알 수 있습니다.

4 어떤 사실이나 정보, 의견을 담아서 듣는 사람에게 전하려고 매체 자료를 활용할 수 있습니다. 매체 자료에는 영상, 사진, 표, 지도, 도표, 그림, 소리, 음악 따위가 있습니다.

5 지구 온난화로 인해 주요 농산물 주산지가 바뀌고 있다는 것을 알려 주고 있습니다.

6 주요 농산물 주산지 이동 변화를 나타낸 그림지도를 활용했습니다.

7 발표 내용과 발표를 듣는 대상의 특성, 발표 상황에 맞는 매체 자료를 알맞게 활용하면 발표 효과를 높일 수 있습니다.

> **채점 기준** 듣는 사람들이 발표 내용을 쉽게 이해할 수 있다는 내용 등으로 답을 썼으면 정답으로 합니다.

8 영상을 활용하면 민속춤의 움직임이나 특징을 더 자세하게 파악할 수 있고, 영상을 보면서 민속춤을 따라 출 수도 있습니다.

1 (1) 휴대 전화 (2) 교통사고   **2** (1) ㉡ (2) ㉠
3 (1) ○ (3) ○
4 예 도표, 도표로 정리하면 한눈에 실태를 파악할 수 있기 때문이다.
5 ③   **6** ③   **7** ④
8 예 온라인 언어폭력 피해를 다룬 도표

1 매체 자료 **가**와 **나**의 내용을 자세히 살펴봅니다.

2 매체 자료 **가**는 휴대 전화에 중독된 사람이 많다는 주제, **나**는 걸을 때나 운전할 때 휴대 전화를 사용하면 위험하다는 주제를 전하고 있습니다.

3 **가**는 휴대 전화가 사람을 꽉 붙잡고 있는 모습을 사진으로 잘 표현했고, **나**는 도표로 나타내니 연도별로 휴대 전화 관련 교통사고 발생량이 크게 늘어난 것을 알 수 있습니다.

4 주제를 효과적으로 표현할 수 있는 매체 자료를 정해 봅니다.

> **채점 기준** 제시된 주제를 발표할 때 활용할 매체 자료의 종류와 그 매체 자료를 정한 까닭을 적절하게 썼으면 정답으로 합니다.

5 이 매체 자료는 공익 광고 영상입니다.

6 온라인 언어폭력을 하지 말고, 읽는 사람을 배려하면서 온라인 댓글을 쓰자고 말하고 있습니다.

7 마지막 장면에서 '온라인 댓글 당신은 어떻게 쓰시겠습니까?'라는 질문을 자막으로 넣어 영상을 보는 사람이 스스로 돌아보게 했습니다.

8 누리 소통망 서비스로 댓글을 직접 제시해 좋은 댓글과 나쁜 댓글의 영향을 비교할 수도 있고, 드라마나 영화를 사용해 온라인 언어폭력의 피해나 고운 말 사용에 대한 내용을 보여 줄 수도 있습니다.

1 건강   **2** ㉠, ㉢   **3** (1) ○ (3) ○
4 ④   **5** ③
6 (1) 동의 (2) 영향 (3) 격식 (4) 출처

1 '건강 주간'을 맞아 건강을 주제로 한 매체 자료를 공모하고 있습니다.

2 학교 방송으로 보여 주므로 주제가 흥미롭고 내용이 새로우면 좋습니다.

3 운동장에서 사람들이 달리기를 하는 장면은 맨발 걷기와 관련이 없습니다.

4 화면을 이동할 때에는 너무 빠르지 않게 합니다.

5 촬영한 영상에서 발표에 사용할 장면을 골라 편집합니다.

6 영상 자료를 만들어서 인터넷에 올릴 때에는 영상에 나오는 사람들의 동의를 얻어야 하고, 보는 사람들에게 좋은 영향을 주는지 생각해야 합니다. 또 영상에 매체 자료를 넣을 때에는 자료의 출처를 밝히고, 격식에 맞지 않는 언어를 사용하지 않아야 합니다.

1 (1) 5 (2) 6   **2** 꿈을 가지고 재능을 꾸준히 키워 가기 때문이다. 등   **3** ①
4 ⑤   **5** 유진   **6** ⑤

1 5분 영상 발표회에서 관심 있는 인물에 대해 발표해야 하고, 듣는 사람은 6학년 친구들입니다.

2 모둠에서는 꿈을 가지고 재능을 꾸준히 키워 가는 친구를 탐구하기로 정했습니다.

> **채점 기준** 꿈을 가지고 재능을 꾸준히 키워 가기 때문이라는 내용으로 답을 썼으면 정답으로 합니다.

3 친구가 다른 사람을 먼저 배려하고 양보하는 모습은 주제인 '꿈을 가지고 재능을 꾸준히 키워 가자.'와 관련이 없습니다.

4 역할, 장면 번호, 촬영 내용, 촬영 일시와 장소, 준비물 등을 정해야 합니다.

5 촬영 대상에게 촬영 목적, 일시, 내용을 미리 알리고 양해를 구해야 합니다.

6 배경 음악, 자막을 모든 장면에 넣을 필요는 없습니다. 필요한 장면에 어울리게 넣습니다.

1 ⑤ **2** (1) ㉢, ㉣ (2) ㉠, ㉢
3 ③, ⑤ **4** (2) ✕

1 요리사가 꿈인 친구들이 요리 연습을 하는 장면을 넣었다는 내용은 없습니다.

2 영상을 보여 주기 전에 듣는 사람들에게 인물과 관련한 것을 물을 수도 있고, 영상을 보여 준 뒤에는 영상을 촬영하면서 겪은 일을 이야기할 수도 있습니다.

3 전하려는 주제를 파악하며 듣고, 촬영이나 편집에서 효과적인 부분을 찾으며 듣습니다.

4 조사한 자료의 출처를 밝혀야 합니다.

단원 마무리
92~93쪽

❶ 영상 ❷ 이해 ❸ 대조
❹ 손가락 ❺ 자막 ❻ 주제
❼ 계획

단원 평가
94~96쪽

1 (1) 사진 (2) 영상 **2** (2) ○
3 예 1학기에 연극 공연을 할 때 음악을 사용하니 장면의 느낌이 더 살아났다.
4 ② **5** 교통사고 **6** ⑤
7 (1) ○ (3) ○ **8** ④
9 (1) 능력자 (2) 손가락 **10** 태형
11 (1) 7 (2) 5 (3) 6 (4) 2 (5) 4 (6) 1 (7) 3
12 전교생
13 예 전교생이 보게 되므로 1~6학년까지 모두 이해하기 쉬워야 한다. / 학교 방송으로 보여 주므로 주제가 흥미롭고 내용이 새로우면 좋다.
14 연서
15 ②, ⑤
16 역할, 촬영 일시와 장소 등
17 ④ **18** ㉡ **19** 수지
20 예 전하려는 주제를 파악하며 듣는다.

1 그림 ❶에서는 사진을, 그림 ❷에서는 영상을 보여 주며 설명하고 있습니다.

2 독도의 날 기념 율동에 대해 설명할 때 사진보다 영상을 활용해 설명하면 듣는 이가 율동 동작을 더욱 생생하게 잘 알 수 있습니다.

3 영상, 사진, 표, 지도, 도표, 그림, 소리, 음악 등 다양한 매체 자료를 활용한 경험을 떠올려 봅니다. 어떤 사실이나 정보, 의견을 담아서 듣는 사람에게 전하려고 매체 자료를 활용할 수 있습니다.

> 채점 기준 여러 가지 매체 자료를 활용한 경험을 알맞게 떠올려 썼으면 정답으로 합니다.

4 베트남의 전통 의상을 소개할 때 매체 자료 없이 설명하면 상상만 해야 하는데 사진을 보면 어떤 전통 의상인지 쉽게 이해할 수 있습니다.

5 휴대 전화 관련 교통사고 발생이 증가하고 있음을 나타낸 도표입니다.

6 걸을 때나 운전할 때 휴대 전화를 사용하면 위험하다는 주제를 전하고 있습니다.

7 도표로 나타내니 연도별로 휴대 전화 관련 교통사고 발생량이 크게 늘어난 것을 알 수 있으며, 교통사고 수치도 넣어 더 정확한 통계를 알 수 있습니다.

8 읽는 사람을 배려하면서 온라인 댓글을 긍정적으로 쓰자고 말하고 있습니다.

9 당신은 누군가를 아프게도 기쁘게도 하는 능력자라고 비유했고, 상대에게 영향을 주는 댓글을 다는 손가락은 악마 또는 천사의 모습으로 비유했습니다.

10 해설자의 해설이 있어서 내용을 더 잘 이해할 수 있습니다.

11 발표 상황에 맞게 발표 주제를 정하고, 주제를 잘 전할 수 있는 내용 및 장면을 정한 후 촬영 계획을 세우고 촬영하고 편집합니다.

12 '건강 주간'을 맞아 건강을 주제로 한 매체 자료를 공모하며, 뽑힌 작품은 전교생에게 발표할 예정이라고 했습니다.

13 이외에도 건강에 도움을 줄 수 있어야 합니다.

> 채점 기준 발표 목적이 무엇인지, 듣는 사람이 누구인지 알고 발표 상황에서 고려할 점을 알맞게 썼으면 정답으로 합니다.

14 발표 상황과 관련 있는 주제를 정해야 합니다.

> **보충 자료** 발표 주제를 정할 때 고려할 점
> • 발표를 듣는 사람들이 흥미를 가질 만한 주제를 정합니다.
> • 친구들과 토의해서 다양한 의견을 나눕니다.
> • 발표 상황과 관련한 자료를 더 찾아봅니다.

15 맨발 걷기가 건강에 좋은 점을 효과적으로 알릴 수 있는 발표 내용을 생각해 봅니다.

16 촬영 계획을 세울 때에는 역할, 장면 번호, 촬영 내용, 촬영 일시와 장소, 준비물 등을 정합니다.

17 면담 촬영은 질문 내용을 미리 준비해야 합니다.

18 배경 음악은 필요한 장면에 어울리게 넣습니다.

19 자막은 필요한 내용만 간단하게 넣습니다.

20 이외에도 촬영이나 편집에서 효과적인 부분을 찾으며 들어야 합니다.

서술형 평가
97쪽

1 (1) 영상
(2) **예** 민속춤의 움직임이나 특징을 더 자세하게 파악할 수 있다.

2 **예** 하루 종일 휴대 전화를 잡고 있는 등 휴대 전화에 중독된 사람이 많다.

3 **예** 주제를 잘 전하고 있다. 공익 광고의 글이 질문 형식이라 더 생각하게 하고, 휴대 전화가 사람을 꽉 붙잡고 있는 모습을 사진으로 잘 표현했다.

4 (1) **예** 맨발 걷기를 꾸준히 한 사람을 면담하는 장면
(2) **예** 발표자가 맨발 걷기를 직접 체험해 보는 장면
(3) **예** 맨발 걷기의 효과를 정리한 내용

5 **예** 영상 자료가 보는 사람들에게 좋은 영향을 주는지 생각한다. / 영상에 나오는 사람의 동의를 얻는다.

6 **예** 영상에 대한 질문을 받는다. / 영상에서 가장 인상 깊은 장면이 무엇인지 물어본다.

1 영상을 보면서 민속춤을 따라 출 수도 있습니다.

> **채점 기준** 진아가 활용하려는 매체 자료의 종류와 그 매체 자료를 활용해 얻을 수 있는 효과를 모두 알맞게 썼으면 정답으로 합니다.

2 이 매체 자료는 사람이 휴대 전화를 붙잡고 있고, 휴대 전화가 사람을 꽉 붙잡고 있는 모습을 보여 주며 휴대 전화에 중독된 사람이 많다는 주제를 전하고 있습니다.

> **채점 기준** '휴대 전화에 중독된 사람이 많다. / 휴대 전화를 알맞게 사용하자.' 등의 주제를 알맞게 파악해 썼으면 정답으로 합니다.

3 매체 자료가 주제를 잘 전하는지 판단해 보고, 그렇게 생각한 까닭을 매체 자료의 종류나 효과와 관련지어 써 봅니다.

> **채점 기준** 매체 자료가 주제를 잘 전하고 있다고 쓰고, 매체 자료의 표현 효과와 관련 지어 그렇게 생각한 까닭을 잘 썼으면 정답으로 합니다.

4 주제를 효과적으로 전할 수 있는 내용을 생각해 보고, 주제와 발표 내용이 체계적으로 전달되고 이해하기 쉽도록 장면 내용과 차례를 정해 봅니다.

> **채점 기준** 주제를 잘 전할 수 있는 촬영 장면을 알맞게 정해 썼으면 정답으로 합니다.

5 비속어, 은어 같은 격식에 맞지 않는 언어를 사용하지 않아야 하며, 영상에 매체 자료를 넣을 때에는 자료의 출처를 밝힙니다.

> **채점 기준** 영상 자료를 만들어서 인터넷에 올릴 때 주의할 점 한 가지를 알맞게 썼으면 정답으로 합니다.

6 이외에도 영상을 촬영하면서 겪은 일을 이야기할 수도 있습니다.

> **채점 기준** 영상을 보여 준 뒤에 할 수 있는 활동 한 가지를 알맞게 썼으면 정답으로 합니다.

> **보충 자료** 영상을 보여 주기 전에 소개할 내용과 영상을 보여 준 뒤에 할 수 있는 활동
>
> | | |
> |---|---|
> | 영상을 보여 주기 전에 소개할 내용 | • 소개할 인물에 대한 다섯 고개 문제를 내서 듣는 사람의 관심을 불러일으킵니다.
• 듣는 사람들에게 인물과 관련한 것을 묻습니다.
• 한두 문장으로 간단히 인물을 소개합니다. |
> | 영상을 보여 준 뒤에 할 수 있는 활동 | • 영상에 대한 질문을 받습니다.
• 영상에서 가장 인상 깊은 장면이 무엇인지 물어봅니다.
• 영상을 촬영하면서 겪은 일을 이야기합니다. |

연극 단원 함께 연극을 즐겨요

연극 준비 연극의 특성을 생각하며 감상하기   100쪽

1 연극   **2** ○
3 (1) ○ (3) ○ (4) ○   **4** (1) ① (2) ②

연극 연습❶ 극본을 읽고 감상하기   101~107쪽

1 주커만   **2** (1) ② (2) ①   **3** 예 놀랍다.
4 예 사람들이 자신을 잡아 햄으로 만들 것이라고 생각했기 때문이다.
5 상황   **6** 놀란   **7** (1) ② (2) ①
8 예 내가 윌버라면 헛간 안 동물들과 회의를 해서 잡아먹히지 않을 방법을 찾을 것이다.
9 ×   **10** ②   **11** 화가 난
12 ○   **13** (1) ○   **14** 자기
15 글자 (조각)   **16** ㉠
17 사람들이 샬럿이 새겨 넣은 글자를 보려고 찾아왔다. 등
18 예 뿌듯하다. / 안심이 된다.   **19** (2) ○
20 거미줄에 '멋진 돼지'가 나타난 것 등
21 ○   **22** 들뜬   **23** ×
24 (2) ○   **25** (2) ○   **26** 우정
27 새롭고 빛나는 모습
28 예 샬럿이 윌버를 도우려고 밤을 새워 거미줄에 글자를 새기는 모습이 인상 깊었다. 나도 샬럿처럼 좋은 친구가 될 수 있도록 노력해야겠다는 생각이 들었다.

연극 연습❷ 인물이 처한 상황에 알맞게 표현하기   108쪽

1 마음   **2** 은미
3 몸풀기를 꾸준히 한다. / 거울을 보고 표정을 크게 짓는 연습을 한다. 등
4 ○

연극 연습❸ 연극을 공연할 무대 준비하기   109쪽

1 ×   **2** (1) ㉠ (2) ㉢ (3) ㉡
3 연출   **4** 같은

연극 실연 무대에서 연극 공연하기   110쪽

1 집중   **2** 은우
3 예 역할에 알맞은 표정과 몸짓, 목소리로 연기한 친구를 칭찬한다.
4 나도 누군가에게 도움을 주는 사람이 되면 좋겠다고 생각했다. 등

단원 평가   112~113쪽

1 (1) ③ (2) ② (3) ①
2 (1) 음악 (2) 말 (3) 표정
3 예 사람들이 자신을 잡아 햄으로 만들려고 한다고 생각해서
4 ②
5 예 기쁜 표정을 지으며 두 팔을 활짝 펼치고 막 뛰어간다.
6 (1) 쓰레기장 (2) 글자 (조각)
7 ②
8 (1) 예 정확한 입 모양으로 말한다.
   (2) 예 배로 숨을 쉬면서 말한다.
9 ③, ⑤
10 예 떠들지 않고 집중해서 본다. / 친구들이 실수하더라도 손뼉을 치면서 격려해 준다.

1 ㉠은 시간과 장소를 나타내는 해설, ㉡은 인물이 직접 하는 말인 대사, ㉢은 인물의 목소리나 행동 따위를 나타내는 지문입니다.

2 해설에서 시간과 장소의 분위기는 무대 배경과 조명, 음악으로 표현하고, 대사는 배우가 말로 표현하며, 지문은 배우가 목소리와 몸짓, 표정으로 표현합니다.

3 월버는 사람들이 자신을 햄으로 만들지도 모른다는 생각에 돼지우리를 탈출하기로 했습니다.

4 월버는 사람들에게 잡아먹힐까 봐 두렵고 초조했을 것입니다.

5 월버가 처한 상황을 생각하며 어떤 표정과 몸짓으로 표현할지 생각해 봅니다.

> 채점 기준 사람들에게 잡아먹힐까 봐 두려워 돼지우리를 탈출한 상황에서 월버가 한 말에 어울리는 표정과 몸짓을 썼으면 정답으로 합니다.

6 양은 샬럿이 글자를 보고 쓸 수 있도록 템플턴에게 쓰레기장에 갈 때 글자를 좀 가지고 오라고 했습니다.

7 월버를 살리려고 노력하는 것으로 보아 샬럿은 월버를 도와주고 싶다고 생각합니다.

8 정확한 입 모양으로 말하면 발음이 좋아지고, 배로 숨을 쉬면서 말하거나 숨을 크게 들이마시고 천천히 내쉬면서 목소리를 내면 목소리를 훨씬 우렁차게 낼 수 있습니다.

9 ①은 소품, ②는 의상, ④는 음악, 효과음 역할을 맡은 제작진이 할 일입니다.

> 보충 자료 **연극 무대 준비에 필요한 역할 알기**
>
> | 의상 | 인물이 입을 옷들을 미리 준비합니다. |
> |---|---|
> | 소품 | 소품을 미리 준비하고, 공연할 때 소품이 필요한 장면에서 쓸 수 있도록 합니다. |
> | 음악, 효과음 | 소리를 정해진 부분에서 틀 수 있도록 미리 준비해서 연습합니다. |
> | 연출 | • 연기하는 친구들의 목소리가 들리지 않거나 몸짓이 보이지 않는 부분이 있는지 확인합니다.
• 음악이나 효과음이 장면에 맞게 잘 나오는지 살펴봅니다.
• 연기하는 친구들이 연극 무대에 알맞게 표현하는지 점검합니다. |

10 재미있는 장면이 나올 땐 소리 내어 웃을 수도 있습니다.

> 채점 기준 친구들이 준비한 연극을 보는 방법 한 가지를 알맞게 썼으면 정답으로 합니다.

> 보충 자료 **연극을 보는 방법**
> • 떠들지 않고 집중해서 봅니다.
> • 재미있는 장면이 나올 땐 소리 내어 웃을 수도 있습니다.
> • 친구들이 실수하더라도 손뼉을 치면서 격려해 줍니다.

5 글에 담긴 생각과 비교해요

> **핵 심 개 념 문 제** 116쪽
>
> **1** ○ **2** 관점 **3** ×
> **4** 목적 **5** ×

> 준비 글쓴이의 생각을 파악하며 글을 읽어야 하는 까닭 알기 117~119쪽
>
> **1** 관점 **2** ④ **3** ①, ②, ③
> **4** 문화 **5** (1) 정치 양식의 건립 (2) 교육
> **6** 증오를 버리고 화합해야 한다. 등
> **7** (2) ○ (4) ○ **8** 인자하고 어진 덕 등
> **9** ①
> **10** 예 글쓴이의 생각이 나타난 "나는 천하의 교육자와 남녀 학도들이 한번 크게 마음을 고쳐먹기를 빌지 아니할 수 없다." 부분이다.
> **11** 혜린
> **12** 글쓴이가 글을 쓴 의도와 목적을 알 수 있다. 등

1 관점에 대한 설명이며 관점에 따라 같은 사물이나 현상이 다르게 보일 수 있습니다.

2 김구 선생은 우리나라가 세계에서 가장 아름다운 나라가 되기를 원한다고 했습니다.

3 김구 선생은 인의, 자비, 사랑이 부족하여 인류가 현재 불행하다고 했습니다.

4 인류에게 인의, 자비, 사랑 이 세 가지 정신을 배양하는 것은 오직 문화라고 했습니다.

5 문화를 높이려면 사상의 자유를 확보하는 정치 양식의 건립과 국민 교육의 완비가 필요하다고 했습니다.

6 증오의 투쟁을 버리고 화합의 건설을 일삼을 때라고 했습니다.

7 우리 민족의 개개인은 이기적 개인주의가 되어서는 안 된다고 했습니다.

8 ⓒ은 인자하고 어진 덕과 관련 있습니다.

9 공자는 우리 민족을 인을 좋아하는 민족이라고 했습니다.

10 글에서 인상 깊은 부분을 찾아 그 까닭과 함께 써 봅니다.

> 채점 기준 이 글에서 인상 깊은 부분과 그 까닭을 알맞게 썼으면 정답으로 합니다.

11 제목은 글쓴이의 생각을 잘 드러낼 수 있어야 합니다. 글쓴이가 이 글을 쓴 까닭을 생각해 봅니다.

12 글쓴이의 생각을 파악하면 글쓴이가 글을 쓴 의도와 목적을 알 수 있고, 글 내용을 좀 더 깊이 있게 이해할 수 있습니다.

> 정답 친해지기 글 내용만 이해하고 읽을 때와 글쓴이의 생각을 파악하며 읽을 때를 비교해 보기
> • 글 내용만 이해하고 읽으면 제목을 그렇게 정한 까닭을 알기 어렵습니다.
> • 글쓴이의 생각이 담기는 경우가 많은 제목을 살펴보고 글을 읽는 사람은 글에 호기심을 느낄 수 있습니다.
> • 글에서 인상 깊은 부분은 글쓴이의 생각을 파악하며 읽을 때 찾을 수 있습니다.

기본 ❶ 글을 읽고 글쓴이의 생각 파악하기 120~121쪽

1 (2) ○   **2** ㉣   **3** ①, ⑤

4 로봇세 도입에 부정적인 사람들에게 다른 관점으로도 생각할 수 있게 하려고 이 글을 썼을 것 같다. 등

5 ①, ③   **6** 부담, 걸림돌

7 로봇세 도입은 로봇 산업 발전에 걸림돌이 될 수 있으며 지금은 로봇 기술 개발에 더욱 집중할 때이므로 로봇세 도입을 늦추어야 한다. 등

8 ④

1 로봇세 도입의 필요성을 강조하기 위해서 제목을 그렇게 정했습니다.

2 ㉠, ㉡, ㉢과 같은 표현은 글쓴이가 자신의 관점을 드러내기 위해 의도적으로 사용한 표현입니다.

3 글의 내용을 파악해 봅니다.

4 글쓴이는 로봇세 도입이 필요하다고 생각하므로 로봇세 도입에 부정적인 사람들에게 다른 관점으로도 생각할 수 있게 하려고 이 글을 썼을 것입니다.

> 채점 기준 글쓴이가 글을 쓴 의도와 목적을 알맞게 썼으면 정답으로 합니다.

5 글쓴이는 로봇세 도입을 늦추어야 한다는 입장입니다.

6 2문단에 그 까닭이 나타나 있습니다. '부담'과 '걸림돌'은 글쓴이가 자신의 생각을 나타내려고 쓴 낱말입니다.

7 제목, 사용한 표현, 글쓴이가 글을 쓴 의도와 목적 등을 생각해 봅니다.

> 채점 기준 글쓴이의 생각을 제대로 파악하여 썼으면 정답으로 합니다.

8 글쓴이가 글을 쓴 시간과 장소를 살펴본다고 해서 글쓴이의 생각을 알 수 있는 것은 아닙니다.

기본 ❷ 글쓴이의 생각과 자신의 생각을 비교하며 글 읽기 122~127쪽

1 (1) 박지원 (2) 중국   **2** ⑤

3 ④, ⑤

4 예 『열하일기』에 시대를 앞서가는 연암의 어떤 생각이 담겨 있는지 궁금하다.

5 나리, 창대, 장복이

6 ①   **7** ④   **8** ②

9 중국   **10** ①   **11** 명나라

12 (1) 예 장복이 (2) 예 10만 대군으로 오랑캐를 쳐부수면 좋겠다고 한 까닭은 무엇입니까?

13 기와 조각과 똥 덩어리

14 ①, ③   **15** ㉢

16 예 깨진 기와 조각도 알뜰하게 사용했기에 천하의 고운 빛깔을 다 낼 수 있었던 것이다.

17 ④, ⑤   **18** 거름   **19** ①, ⑤

20 자신도 똥오줌이나 깨진 기와 조각처럼 쓸모가 있는지 물었다. 등

21 ④   **22** ㉡, ㉣   **23** (2) ○

24 예 글쓴이가 자신의 가치는 자신이 만드는 것이니 스스로 노력하는 삶을 살아야 한다고 생각한 것처럼 나도 자신의 가치를 찾으려고 노력하고 가치 있는 일을 해야 한다고 생각한다.

1 『열하일기』는 박지원이 중국에 다녀와서 쓴 여행기입니다.

2 당시 중국은 아무나 갈 수 없는 곳이기도 했고, 몇 달간 누런 모래바람을 뒤집어써야 하는 험난한 여행길이라 선뜻 가려고 나서는 사람도 없었습니다.

3 박지원은 호기심이 많고 모험 정신이 가득한 사람이었습니다.

4 이 글을 읽고 『열하일기』나 연암 박지원에 대해 궁금한 점을 생각해 봅니다.

5 나리, 창대, 장복이가 등장합니다.

6 창대는 나리 덕분에 이번 사행길이 흙먼지만 먹고 가는 마부의 길이 아니라 자신을 찾는 여행처럼 느껴졌습니다.

7 연경에서 돌아온 사람에게 이번 여행에서 제일가는 경치가 뭐였는지 물어보았습니다.

8 아기자기한 건물을 제일가는 경치라고 답했다는 내용은 없습니다.

9 '중국은 오랑캐의 나라인데, 볼거리가 뭐가 있겠습니까?'를 통해 알 수 있습니다.

10 이류 선비는 10만 대군을 얻어 오랑캐들을 소탕한 뒤라야 비로소 경치를 이야기할 수 있을 것이라고 했습니다.

11 조선에 청나라나 왜적이 쳐들어왔을 때 도와준 나라는 명나라입니다.

12 어떤 인물에게 어떤 질문을 하고 싶은지 생각해 봅니다.

13 나리는 중국의 제일가는 경치가 기와 조각과 똥 덩어리라고 했습니다.

14 나리의 대답을 듣고 장복이는 배를 잡고 대굴대굴 굴렀고, 창대는 이해할 수 없었습니다.

15 나리의 말을 살펴보면 나리는 백성을 위해 일하는 자들은 백성과 나라에 도움이 될 일이라면 오랑캐에서 나온 법이라도 마땅히 배우고 본받아야 한다고 생각함을 알 수 있습니다.

16 이 글에서 글쓴이의 생각이 담긴 문장을 찾아봅니다.

> **채점 기준** 글쓴이의 생각이 담긴 문장을 알맞게 찾아 썼으면 정답으로 합니다.

17 중국에서 가난한 집들은 뜰 앞에 여러 빛깔의 유리 기와 조각과 둥근 조약돌을 주워다가 꽃, 나무, 새, 동물 모양 등을 아로새겨 깔았습니다.

18 똥오줌도 거름으로 쓸 때는 한 덩어리라도 흘릴까 하여 조심했습니다.

19 창대는 나리의 말을 듣고 똥 누각이 달리 보이고 깨진 기와 조각들이 아름답게 느껴졌습니다.

20 장복이는 자신도 쓸모가 있는지 물어보았습니다.

> **채점 기준** 장복이가 나리에게 물어본 말을 썼으면 정답으로 합니다.

21 창대는 혹여 자신이 똥오줌보다 못할까, 깨진 기와 조각보다 쓸모가 없을까 하여 가슴이 조마조마했습니다.

22 글쓴이의 생각이 담긴 표현은 ⓒ과 ⓔ입니다.

23 글쓴이의 생각을 파악한 후 글을 쓴 의도와 목적도 생각해 봅니다.

24 글쓴이의 생각과 자신의 생각을 비교하며 같은 점과 다른 점을 떠올려 봅니다.

> **채점 기준** 글쓴이의 생각을 바르게 파악하고 자신의 생각과 비교하여 썼으면 정답으로 합니다.

기본 ❸ 자신의 생각과 상대의 생각을 비교하며 토론하기   128쪽

1 ⓒ
2 예 법으로 정해야 한다고 생각한다. 당연히 지켜야 할 도덕적 의무이니 따르지 않는다면 법으로 처벌하는 게 옳다.
3 ⑤
4 예 나와 다른 생각을 알게 되니 내용을 더 깊이 있게 이해할 수 있었다.

1 '착한 사마리아인의 법'은 위험에 처한 사람을 돕지 않으면 처벌할 수 있는 법 제도입니다.

2 '착한 사마리아인의 법'에 대한 자신의 생각을 써 봅니다.

> **채점 기준** '착한 사마리아인의 법'에 대한 자신의 생각을 알맞게 썼으면 정답으로 합니다.

3 자신의 경험이나 책, 신문 기사, 통계 자료, 전문가 의견 같은 다양한 자료를 예로 들 수 있습니다.

4 친구들과 토론하고 느낀 점을 써 봅니다.

> **정답 친해지기** 토론한 뒤에 느낀 점이나 달라진 생각을 친구들과 이야기하기 **예**
> • 토론을 해 보니 다른 사람의 이야기를 잘 듣는 태도가 중요하다는 것을 알겠어.
> • 다른 사람의 이야기를 잘 들었을 때 그 사람의 태도를 이해할 수 있었어.
> • 토론하는 과정에서 나와 다른 생각도 존중해야 한다고 생각했어.

실천 글쓴이와 대화하기   129쪽

1 (1) **예** 연두와 푸른 결계
(2) **예** 사건의 배경이 되는 경복궁과 여러 궁궐의 모습을 상상할 수 있다. 연두가 겪는 문제와 해결하는 과정이 흥미진진하다.
2 **예** 글쓴이의 생각이 드러난 낱말이나 문장 같은 표현에는 무엇이 있나요?
3 가원   **4** (1) ○

1 책을 읽으며 궁금한 점이 많이 생기거나 사회적으로 관심이 있을 만한 주제가 있는 책을 추천하는 것이 좋습니다.

2 책을 읽으면서 자신의 생각과 달랐던 점 또는 궁금했던 점을 중심으로 떠오르는 생각을 자유롭게 써 봅니다.

> **채점 기준** 추천하고 싶은 책에서 떠오르는 생각을 알맞게 썼으면 정답으로 합니다.

3 책이 출판된 시기는 중요하지 않습니다.

4 자음자 'ㅇ'으로 시작하는 질문으로 알맞은 것은 (1)입니다.

단원 마무리   130~131쪽

❶ 주제   ❷ 도입   ❸ 로봇세
❹ 관점   ❺ 생각   ❻ 존중

단원 평가   132~134쪽

1 세계에서 가장 아름다운 나라
2 ③
3 **예** 글쓴이의 생각이 나타난 "나는 우리나라가 세계에서 가장 아름다운 나라가 되기를 원한다." 부분이 가장 인상 깊다.
4 내용   **5** ⓒ   **6** ①, ④, ⑤
7 (1) ○
8 로봇세를 걷으면 일자리를 잃은 사람들이 재교육을 받고 새로운 일자리를 찾는 데 도움을 줄 수 있고, 소득을 재분배함으로써 국민의 복지 향상에 도움을 줄 수 있다. 등
9 중국   **10** ③, ④, ⑤
11 **예** 『열하일기』 외에 박지원이 쓴 책이 궁금하다.
12 ④, ⑤   **13** ⓒ   **14** (2) ○
15 조선 시대 양반이나 관직에 있는 사람 등
16 사람으로 태어나서 어찌 다른 사람의 손길만 기다리겠느냐? / 스스로의 가치는 스스로가 매기는 거야.
17 ⑤   **18** ①, ④, ⑤
19 **예** 착한 사마리아인의 법을 제정해야 한다고 생각한다. 당연히 지켜야 할 도덕적 의무이니 따르지 않는다면 법으로 처벌하는 게 옳다.
20 사회적으로 관심을 가질 만한 주제가 있는 책을 고른다. 등

1 글쓴이는 우리나라가 세계에서 가장 아름다운 나라가 되기를 원한다고 했습니다.

2 글쓴이는 오직 한없이 가지고 싶은 것은 높은 문화의 힘이라고 했습니다.

3 글에서 인상 깊은 부분을 찾아봅니다.

4 글 제목은 글쓴이의 생각을 잘 드러낼 수 있어야 하고, 글 내용을 잘 설명할 수 있어야 합니다.

5 로봇세를 활용하면 소득을 재분배함으로써 국민의 복지 향상에 도움을 줄 수 있다는 것입니다.

6 '도입', '인간과 로봇이 함께 살아가는 방법', '소득을 재분배'와 같은 말에 글쓴이의 생각이 잘 드러나 있습니다.

7 글쓴이는 로봇세 도입에 대해 긍정적인 입장입니다.

8 글쓴이의 생각을 파악하는 방법을 떠올려 봅니다.

> **채점 기준** 글쓴이의 생각을 바르게 파악하여 썼으면 정답으로 합니다.

> **정답 친해지기** **글쓴이의 생각을 파악하는 방법**
> • 제목과 글에 사용한 표현을 보면 글쓴이의 관점을 알 수 있습니다.
> • 글의 내용 파악으로 글쓴이가 알려 주고 싶은 생각을 찾을 수 있습니다.
> • 예상 독자가 누구일지 생각해 봅니다.
> • 글에 포함된 그림이나 사진을 살펴봅니다.
> • 글쓴이가 글을 쓴 의도와 목적을 생각해 봅니다.

9 『열하일기』는 박지원이 중국에 다녀와 쓴 여행기입니다.

10 호기심이 많고 모험 정신이 가득했던 박지원이 중국에 다녀온 경험을 기록한 글이 『열하일기』입니다.

11 박지원에 대해 궁금한 점을 생각해 봅니다.

12 나리는 중국의 제일가는 경치는 기와 조각과 똥 덩어리라고 했습니다.

13 글쓴이의 생각이 담긴 문장은 '깨진 기와 조각도 알뜰하게 사용했기에 천하의 고운 빛깔을 다 낼 수 있었던 것이다.'입니다.

14 글쓴이는 나리가 중국에서 기와 조각과 똥 덩어리를 인상 깊게 봤다고 생각했기 때문에 제목을 「기와 조각과 똥 덩어리」로 했습니다.

15 글쓴이는 조선 시대 양반이나 관직에 있는 사람 등을 예상 독자로 생각하고 글을 썼을 것입니다.

16 글쓴이의 생각이 드러난 문장을 찾아봅니다.

17 글쓴이는 조선 시대 사람들에게 신분 제도, 사물의 가치 등에 대해 다른 관점으로도 생각하게 하려고 이 글을 썼습니다.

18 찬반 토론을 할 때에는 사회자, 찬성편 토론자, 반대편 토론자가 필요합니다.

19 자신의 주장과 그에 따른 근거를 생각해 봅니다.

> **채점 기준** 주제에 알맞은 자신의 주장과 그에 어울리는 근거를 썼으면 정답으로 합니다.

20 책을 읽으며 궁금한 점이 많이 생기는 책을 고르는 것도 좋습니다.

서술형 평가   135쪽

1 사물이나 현상을 관찰할 때 그 사람이 바라보는 태도나 방향 또는 처지를 뜻한다. 등
2 예 우리 같은 학생이나 로봇에 관심 있는 사람들, 기업인 따위를 예상 독자로 생각하고 글을 썼을 것이다.
3 예 로봇세 도입이 필요하다고 생각하는 사람들에게 다른 관점으로도 생각할 수 있게 하려고 이 글을 썼을 것이다.
4 예쁘기도 했지만, 비 올 때 흙이 진창이 되는 것을 막아 주었다. 등
5 깨진 기와 조각도 알뜰하게 사용했기에 천하의 고운 빛깔을 다 낼 수 있었던 것이다.

1 관점에 따라 같은 사물이나 현상도 다르게 보일 수 있습니다.

> **채점 기준** 관점이 무엇인지 정확히 알고 썼으면 정답으로 합니다.

2 글쓴이는 학생, 로봇에 관심 있는 사람들, 기업인 따위를 예상 독자로 생각했을 것입니다.

> **채점 기준** 이 글의 예상 독자를 알맞게 파악하여 썼으면 정답으로 합니다.

3 글쓴이의 생각을 떠올려 봅니다.

> **채점 기준** 글쓴이가 글을 쓴 의도와 목적을 바르게 파악하여 썼으면 정답으로 합니다.

4 글 ㈏의 끝부분을 살펴봅니다.

> **채점 기준** '예쁘기도 했지만, 비 올 때 흙이 진창이 되는 것을 막아 주었다.' 등의 내용으로 썼으면 정답으로 합니다.

5 글쓴이의 생각이 담긴 표현을 찾아봅니다.

> **채점 기준** 글쓴이의 생각이 담긴 표현을 찾아 정확히 썼으면 정답으로 합니다.

6 정보와 표현 판단하기

핵 심 개 념 문 제   138쪽

1 (2) ×   **2** ○   **3** 과장
4 ×   **5** 보도

준비 뉴스와 광고를 보고 세계에 관심 가지기   139쪽

1 지구 온난화 등   **2** 승찬
3 (3) ○

1 파리 기후 협약은 지구 온난화를 막기 위해 체결되었습니다.

2 이 뉴스는 미세먼지에 대한 내용이 아니므로 승찬이가 뉴스를 보고 든 생각을 잘못 말했습니다.

3 제시된 그림의 대화는 뉴스가 우리에게 미치는 영향 중 어떤 일을 긍정적이거나 비판적인 시각으로 보게 하는 것과 관련 있습니다.

기본❶ 광고에 나타난 표현의 적절성 살펴보기   140~142쪽

1 ⑤
2 음식물 쓰레기를 버리는 장면과 비슷하기 때문이다. 등
3 배경
4 예 이 광고 처음 부분에서 자동차가 바다에 빠지는 모습이 인상 깊었다.
5 신바람 자전거   **6** ④, ⑤
7 '단 한 가지'가 신바람 자전거만 될 수 있는 것은 아니므로 과장된 표현이다. 등
8 ②   **9** 깃털 책가방
10 현수, 혜영
11 예 옷을 싸게 판다는 광고를 보고 옷 가게에 들어갔는데 일부 품목만 싸게 팔아서 실망한 적이 있다.
12 (1) 과장 광고 (2) 허위 광고

---

1 한 해에 버려지는 음식물 쓰레기를 중형차 백만 대와 비교했습니다.

2 자동차가 바다에 떨어지는 장면과 음식물 쓰레기를 버리는 장면이 비슷하기 때문입니다.

3 장면 ❹를 보면 '연간 약 20조 원'의 배경을 빨간색으로 하고 글자를 크게 하여 강조했습니다.

4 인상 깊은 그림, 글 등을 찾아보고 광고 내용을 두드러지게 하려고 사용한 글씨체, 글씨 크기와 색, 화면 구도와 색감 따위를 살펴봅니다.

5 이 광고는 '신바람 자전거'를 광고하고 있습니다.

6 독보적인 디자인과 튼튼한 내구성을 인정받았다고 했습니다.

7 광고 표현의 적절성을 생각해 봅니다.

> **채점 기준** 광고 문구가 과장하거나 감추는 내용을 알맞게 썼으면 정답으로 합니다.

보충 자료 광고에서 과장하거나 감추는 내용 알아보기 예

광고 문구	과장하거나 감추는 내용
당신의 일상에 신바람이 일어납니다.	자전거를 탄다고 누구나 신바람이 나는 것은 아니므로 과장되었다.
소비자 만족도 1위	언제, 어떤 조사에서 소비자 만족도가 1위였는지에 대한 정보를 감추고 있다.
기분 최고, 건강 최고, 기술력 최고! 신바람 자전거가 선사합니다.	기분, 건강, 기술력에 각각 '최고'라는 표현이 과장되었다.

8 '무조건, 절대로, 최고, 100퍼센트'와 같은 표현은 과장된 표현이므로 소비자의 판단력을 흐립니다.

9 깃털 책가방을 광고하고 있습니다.

10 ㉢은 어떤 나라로 수출하는지와 관련 있는 자세한 정보를 감추고 있습니다.

11 광고 내용을 그대로 믿어서 실망했던 경험 등을 떠올려 봅니다.

> **채점 기준** 광고 내용을 그대로 믿었을 때 생길 수 있는 문제점을 떠올려 알맞게 썼으면 정답으로 합니다.

12 광고에 나타난 표현의 적절성을 알아보면 과장 광고나 허위 광고가 무엇인지 판단하며 광고를 볼 수 있습니다.

기본 ❷ 뉴스에 나타난 정보의 타당성 알기 143~145쪽

1 뉴스
2 (3) ○　　　**3** (1) ② (2) ①
4 뉴스에서 보도할 내용을 유도하거나 전체를 요약해 안내하는 내용을 쓴다. 등
5 기부하면서 느끼는 재미와 보람 같은 개인적 욕구를 채워 준다. 등
6 ①, ④, ⑤　　　**7** 기자의 마무리 **8** (1) ○
9 올바른 손 씻기 방법 등
10 ①, ③
11 (1) 예 감염병을 예방할 수 있는 올바른 손 씻기 방법을 알려 주어서 가치 있고 중요한 뉴스라고 생각한다.
(2) 예 뉴스의 관점과 관련해 사람들의 손 씻는 방법이 제각각임을 소개하고, 올바른 손 씻기 방법을 제시했다.

1 뉴스에 대한 설명입니다.

2 진행자의 도입을 통해 알 수 있습니다.

3 뉴스에서 진행자는 뉴스의 핵심 내용을 요약하고 기자는 취재한 내용을 뉴스로 보도합니다.

4 '진행자의 도입'에는 보도할 내용을 유도하거나 전체를 요약해 안내하는 내용을 씁니다.

5 '기자의 보도' 끝부분에서 확인할 수 있습니다.

6 사람들의 이해를 돕고 뉴스 내용을 일목요연하게 보여 줄 수 있으며 뉴스 내용을 체계적으로 보여줄 수 있기 때문입니다.

7 '기자의 마무리'에서 전체 내용을 요약하거나 핵심 내용을 강조하며 뉴스를 정리합니다.

8 혜진이는 자료의 출처가 명확한지 살펴보았습니다.

9 올바른 손 씻기와 관련한 뉴스입니다.

10 관련 실험, 전문가 면담, 주제와 관련한 연구 결과를 활용했습니다.

11 뉴스에서 다루는 내용이 가치 있고 중요한지, 뉴스의 관점과 보도 내용이 서로 관련 있는지 생각해 봅니다.

> **채점 기준** 제시된 답과 유사한 내용을 썼으면 정답으로 합니다.

기본＋실천 관심 있는 내용으로 뉴스 원고 쓰고, 우리 반 뉴스 발표회 하기 146쪽

1 ③
2 예 일회용품을 많이 사용해서 일어나는 환경 문제를 알아보는 뉴스를 만들고 싶다. 일회용품의 사용을 줄이자는 관점을 제시하고 싶다.
3 기자　　　**4** (3) ×

1 먼저 어떤 내용을 보도할지 회의하여 정합니다.

2 주변에서 어떤 일이 일어나는지 살펴보고 친구들에게 알려 주기에 가치 있는 내용으로 골라 봅니다.

> **채점 기준** 자신이 만들고 싶은 뉴스 주제와 그와 관련하여 어떤 관점으로 뉴스를 만들고 싶은지 알맞게 썼으면 정답으로 합니다.

3 제시된 역할은 기자가 하는 일입니다.

4 뉴스를 보도할 때에는 진지한 자세로 뉴스 내용을 전해야 합니다.

단원 마무리 147쪽

❶ 과장　　　❷ 정보　　　❸ 가치
❹ 출처

단원 평가 148~150쪽

1 예 지구 온난화가 지속되면 아마존에 사는 생물의 절반이 멸종될 수도 있다는 뉴스를 친구들에게 소개하고 싶다.　　　**2** ㉠
3 사람들에게 새로운 정보를 알려 준다. 등
4 ①　　　**5** 은우　　　**6** ㉡
7 깃털 책가방　　**8** ⑤　　　**9** (1) ○
10 교과서를 모두 넣을 때 무거우면 찢어질 수도 있기 때문에 과장되었다. 등
11 ⑤　　　　**12** 기자의 마무리 **13** ②, ③
14 가치 있고 중요한 뉴스인지 살핀다. 등
15 70 퍼센트　　**16** 회원
17 ㉢, ㉡, ㉠, ㉣, ㉣　　　　　**18** ①
19 (1) ×
20 적절하지 않은 표현이나 부정확한 내용은 뉴스 내용으로 구성하지 않아야 한다. 등

1 관심 있는 세계 뉴스를 찾아봅니다.

2 개발 도상국을 포함한 195개 당사국 모두가 지켜야 하는 구속력이 있는 합의입니다.

3 이외에도 어떤 일을 긍정적이거나 비판적인 시각으로 보게 하고 여러 사람의 생각에 영향을 주어 여론을 형성하게 합니다.

> **채점 기준** 뉴스가 우리 생활에 미치는 영향 중 한 가지를 알맞게 썼으면 정답으로 합니다.

4 '최고'라는 표현이 반복되고 있습니다.

5 신바람 자전거의 이미지를 소비자에게 긍정적으로 전달하기 위해 화면을 밝고 긍정적으로 표현했습니다.

6 ㉠은 언제, 어떤 조사에서 소비자 만족도가 1위였는지에 대한 정보를 감추고 있습니다.

7 깃털 책가방을 광고하고 있습니다.

8 다양한 용도로 활용할 수 있다는 내용은 없습니다.

9 광고의 내용과 어울리는 그림은 (1)입니다.

10 ㉠은 과장된 표현입니다.

> **채점 기준** 광고 문구가 과장하거나 감추는 내용을 알맞게 썼으면 정답으로 합니다.

11 자신이 겪은 일은 뉴스로 다루기에 알맞지 않습니다.

12 뉴스는 '진행자의 도입', '기자의 보도', '기자의 마무리'의 짜임으로 구성됩니다.

13 면담이나 통계 자료를 보여 주면 사람들의 이해를 돕고 뉴스 내용을 일목요연하게 보여 줄 수 있습니다.

14 이외에도 뉴스의 관점과 보도 내용이 서로 관련 있는지, 활용한 자료들이 뉴스 관점을 뒷받침하는지, 자료의 출처가 명확한지 살펴봅니다.

15 '30초 손 씻기'만 제대로 실천해도 감염병의 70퍼센트는 예방할 수 있다고 했습니다.

16 이 뉴스에서는 실험 결과가 자세하지 않습니다.

17 뉴스를 만드는 과정을 생각해 봅니다.

18 그림은 운동장에서 안전하게 노는 방법을 알고 싶어 하는 상황입니다.

19 자신이 잘 아는 내용일 필요는 없습니다.

20 뉴스를 발표할 때 주의할 점을 떠올려 봅니다.

서술형 평가 　　　　　　　　　151쪽

1 광고하는 제품인 '신바람 자전거'가 오래 기억되도록 '신바람'이라는 말을 반복해서 사용했다. 등

2 '단 한 가지'가 신바람 자전거만 될 수 있는 것이 아니므로 과장된 표현이다. 등

3 뉴스의 핵심 내용을 요약해 안내하는 역할을 한다. 등

4 전체 내용을 요약하거나 핵심 내용을 강조해 쓴다. 등

5 어떤 내용을 보도할지 회의한다. 등

1 같은 말을 반복하면 오래 기억되는 효과가 있습니다.

> **채점 기준** '오래 기억되도록 하기 위해' 등과 같은 말을 썼으면 정답으로 합니다.

2 ㉠은 과장된 표현입니다.

> **채점 기준** ㉠의 문구가 과장된 표현임을 알고 그 내용을 알맞게 썼으면 정답으로 합니다.

3 진행자의 역할을 생각해 봅니다.

> **채점 기준** 진행자의 역할을 알맞게 썼으면 정답으로 합니다.

> **보충 자료** 뉴스의 짜임
>
> | 진행자의 도입 | 뉴스에서 보도할 내용을 유도하거나 전체를 요약해 안내합니다. |
> |---|---|
> | 기자의 보도 | 시청자의 이해를 도우려고 면담 자료나 통계 자료로 설명합니다. |
> | 기자의 마무리 | 전체 내용을 요약하거나 핵심 내용을 강조합니다. |

4 '기자의 마무리' 부분은 전체 내용을 요약하거나 핵심 내용을 강조하며 뉴스를 정리하는 내용으로 구성됩니다.

> **채점 기준** 기자의 마무리 부분이 어떤 내용으로 구성되는지 알맞게 썼으면 정답으로 합니다.

5 뉴스를 만들 때에는 가장 먼저 어떤 내용을 보도할지 회의합니다.

> **채점 기준** 뉴스를 만들 때 가장 먼저 할 일을 알맞게 썼으면 정답으로 합니다.

7 글 고쳐 쓰기

1 도현이는 친구들이 불량 식품을 먹는 모습을 떠올리고 있습니다.

2 불량 식품을 먹고 아픈 친구와 불량 식품을 먹고 쓰레기를 함부로 버린 친구를 보았습니다.

3 불량 식품을 먹지 말자는 주장을 글로 쓰고 싶다고 했습니다.

4 도현이는 인터넷에서 불량 식품에는 유통 기한이 적혀 있지 않다는 사실을 알았습니다.

5 불량 식품을 먹는 친구들이 이 글을 읽으면 좋겠다고 했습니다.

6 도현이가 쓴 글을 읽을 사람과 주제에 대해 생각해 보고 있습니다.

7 읽는 사람이 쉽게 이해하도록 글을 써야 하므로 어려운 낱말을 많이 쓸 필요는 없습니다.

8 글을 쓰고 나서 내용과 표현이 알맞도록 다시 쓰는 것을 고쳐쓰기라고 합니다.

9 '건강을 해치는 불량 식품'에 불량 식품을 먹지 말자는 주장이 잘 드러납니다.

10 ㉡은 글의 주제와 관련 없는 내용이므로 삭제했고, ㉢은 문장 호응에 맞게 고쳐 썼습니다.

11 ㉣의 내용을 추가하여 불량 식품을 먹으면 안 되는 까닭이 더 잘 드러나게 되었습니다.

12 하고 싶은 말이 글에 더 잘 드러나게 고쳐 쓸 수 있습니다.

1 고운 말을 사용하자고 읽는 사람을 설득하려고 쓴 글입니다.

2 고운 말을 사용해야 한다고 주장하고 있으므로 제목으로 '고운 말을 사용하자'가 알맞습니다.

3 꿈이나 도전과 관련 있는 속담이나 격언은 고운 말을 사용하자는 주제와 관련이 없습니다.

4 고운 말을 사용하면 서로 존중하는 마음을 전할 수 있다는 중심 문장 내용과 관련 없는 문장을 찾아봅니다.

5 ㉠에서 '요즘'은 현재를 나타내는 말과 호응하고, ㉡에서 '만약'은 '~면'과 호응하는 말입니다.

6 ④와 ⑤는 고운 말을 사용해야 하는 까닭으로 본론에 해당하고, ③은 주장을 강조하고 있으므로 결론에 해당합니다.

7 ㉠에서 '무조건', '것만이'는 지나치게 단정적인 표현이므로 '무조건'은 삭제하고 '것만이'는 '것은'으로 고쳐야 합니다.

8 은어나 비속어를 사용하면 듣는 사람이 잘 이해할 수 없게 되므로 '원활한'이 들어가야 알맞습니다.

9 '투쟁'은 어떤 대상을 극복하려고 싸우거나 집단 간에 싸우는 말을 일컫는 말이므로 '싸움'으로 바꾸는 것이 더 자연스럽습니다.

10 중심 문장은 고운 말을 사용하는 것이 우리말을 지키는 것이라는 뒷받침 내용을 대표하는 문장이어야 합니다.

11 글 수준, 문단 수준, 문장 수준, 낱말 수준에서 살펴봅니다.

12 ⌒는 한 글자를 고칠 때 사용합니다.

13 '불편해졌다'를 '불편해진다'로 고쳐야 하므로 한 글자를 고칠 때 쓰는 교정 부호인 ⌒가 알맞습니다.

14 '오래 지속되면'으로 띄어 써야 합니다.

15 ㉢에서 '수분'은 축축한 물의 성분이라는 뜻이므로 '물을'을 삭제해야 하고, ㉣은 '푸석푸석해지고'로 고쳐야 합니다.

기본 ❷ 자료를 활용해 글 쓰기   161~162쪽

1 ①, ③   **2** ④   **3** (2) ○
4 ㉠, ㉢
5 동물 실험을 해야 한다. 등   **6** ②, ③, ⑤
7 (1) 예 동물 실험을 해서는 안 된다. (2) 예 동물의 생명도 똑같이 소중하다. (3) 예 "전 세계에서 해마다 약 6억 마리의 동물이 희생되고 있다."는 사실을 인용해 얼마나 많은 동물이 고통받고 있는지 쓴다.   **8** (1) 주장 (2) 근거

1 눈에 화학 물질이 들어간 토끼는 눈에서 피가 나기도 하고 심한 경우 눈이 멀기도 합니다.

2 사람과 동물의 몸은 차이가 크기 때문에 동물 실험을 통과한 신약 후보 열 개 가운데 아홉 개는 사람에게 효과가 없거나 부작용을 일으킨다고 했습니다.

3 제목과 자료 1에서 알 수 있는 사실을 통해 글쓴이가 동물 실험에 반대하고 있다는 것을 알 수 있습니다.

4 의약품 따위를 만드는 실험으로 전 세계에서 해마다 약 6억 마리의 동물이 희생되고 있다고 했습니다.

5 동물 실험에 찬성하고 있습니다.

6 동물 실험은 새로운 약 개발에 중요한 역할을 하고 동물 실험의 대체 방법 개발에는 시간과 비용이 많이 든다고 했습니다.

---

7 동물 실험과 관련해 자신의 주장을 정하고, 주장의 근거와 뒷받침 자료를 정리해 봅니다.

> **채점 기준** 동물 실험에 대해 찬성하는지, 반대하는지 정해 근거와 뒷받침 자료를 모두 알맞게 정리하여 썼으면 정답으로 합니다.

8 주장하는 글의 짜임을 생각하며 서론, 본론, 결론에 들어갈 내용을 떠올려 봅니다.

기본 ❸ 자신이 쓴 글을 고쳐 쓰고 공유하기   163쪽

1 ③   **2** 문단   **3** ㉢
4 ㉠

1 문장 호응이 잘 이루어지는지는 문장 수준에서 점검할 내용입니다.

2 한 문단에 하나의 중심 생각만 있는지 확인하는 것은 문단 수준에서 점검한 내용입니다.

3 ㉠과 ㉡은 문단 수준에서 점검할 내용입니다.

4 ㉡은 문단 수준, ㉢은 문장 수준, ㉣은 글 수준에서 고쳐 쓴 것입니다.

실천 우리 모둠 글 모음집 만들기   164쪽

1 ②, ⑤   **2** ㉠, ㉢
3 (1) 예 함께 행복한 삶 (2) 예 지구는 인간만의 것이 아니기 때문이다. (3) 예 친환경 제품을 사용한다. (4) 예 친환경 제품의 예
4 ②

1 사진에서는 오염된 하천들을 복원하고, 실내에서 난방을 지나치게 하지 않고 적정 온도를 유지하고 있습니다.

2 인간과 자연이 조화를 이루며 발전하려면 일회용 비닐봉지가 아니라 장바구니를 사용해야 합니다.

3 인간과 자연이 조화를 이루며 발전해야 하는 까닭과 인간과 자연이 조화를 이루며 발전하려면 우리가 어떻게 해야 하는지 생각해 봅니다.

> **채점 기준** 인간과 자연이 조화를 이루며 발전할 수 있는 실천 방안을 글로 쓸 때, 쓸 내용을 모두 알맞게 정리하여 썼으면 정답으로 합니다.

4 글을 고쳐 쓸 때 누구나 알고 있는 내용인지 점검할 필요는 없습니다.

단원 마무리
165쪽

❶ 글　　　❷ 호응　　　❸ 동물

단원 평가
166~168쪽

1 ①

2 예 건강을 해치는 불량 식품　　**3** ㉠, ㉡

4 (1) 아무리 맛있어도 먹지 말아야 합니다. 등
(2) '아무리'는 '~아도/어도'와 호응하기 때문이다. 등

5 ①　　　　　　　**6** 예 고운 말을 사용해야 한다.

7 ④

8 예 고운 말을 사용하는 것은 우리말을 지키는 것과 같다.

9 (3) ○　　**10** ④　　　**11** ②, ⑤

12 ④　　　　**13** 반대　　**14** 약

15 ㉠, ㉡　　**16** 글

17 예 문장 호응이 잘 이루어지는지 확인한다.

18 (1) ○　　**19** ④

20 (1) 낱말　(2) 문장　(3) 글　(4) 문단

1 불량 식품을 먹지 말자고 말하고 있습니다.

2 불량 식품을 먹지 말자는 주제가 잘 드러나게 고쳐 씁니다.

3 ㉢은 불량 식품을 먹지 말아야 하는 까닭으로 주제와 관련이 있습니다.

4 문장 호응에 맞게 고쳐야 합니다.

> **채점 기준** 문장 호응에 맞게 고쳐 쓰고, 고쳐 써야 하는 까닭도 바르게 썼으면 정답으로 합니다.

5 고쳐쓰기를 하면 하고 싶은 말이 글에 더 잘 드러나게 쓸 수 있고 읽는 사람이 더 이해하기 쉬운 글을 쓸 수 있습니다.

6 고운 말을 사용하자고 읽는 사람을 설득하고 있습니다.

7 '요즘'은 현재를 나타내는 말이고 '사용했다'는 과거를 나타내는 말이므로 '사용했다'를 '사용한다'로 고쳐 씁니다.

8 뒷받침 문장들을 살펴보고 그 내용을 대표하는 문장으로 고쳐 써 봅니다.

> **채점 기준** '고운 말을 사용하는 것은 우리말을 지키는 것과 같다' 등의 내용으로 알맞게 고쳐 썼으면 정답으로 합니다.

9 주장하는 글을 쓸 때에는 '무조건', '것만이'와 같이 지나치게 단정적인 표현을 사용하지 않는 것이 좋습니다.

10 ①은 ⌒, ②는 ∨, ③은 ⌒, ⑤는 ⌐를 사용하여 고쳐 써야 합니다.

11 '한 끼라서'를 '한 끼일지라도'로 고치고, '하루'를 빼야 하므로 ②와 ⑤가 적절합니다.

12 눈에 화학 물질이 들어간 토끼는 눈에서 피가 나고 심한 경우 눈이 멀기도 합니다.

13 글쓴이는 동물 실험을 하면 안 된다고 주장하고 있습니다.

14 동물 실험은 새로운 약 개발에 중요한 역할을 한다고 하였습니다.

15 ㉡은 동물 실험을 해서는 안 된다는 주장의 근거로 알맞습니다.

16 글 수준에서 점검할 내용입니다.

17 이외에도 분명하지 않거나 지나치게 단정적인 표현이 있는지 확인합니다.

18 인간과 자연이 조화를 이루며 발전하려면 동물들의 삶의 터전을 보전하고 콘크리트로 덮여 있던 하천을 복원해야 합니다.

19 책과 인터넷에서 정리한 내용과 관련 있는 통계 자료나 사례, 전문가 의견 등을 찾아 활용합니다.

20 글, 문단, 문장, 낱말 수준에서 고쳐쓰기를 할 때 생각해야 할 점을 떠올려 봅니다.

1 예 필요한 내용을 더 쓰면 자세하고 내용이 풍부한 글이 된다.

2 예 인터넷 매체에서 비속어를 접하는 학생들의 실태를 추가한다.

3 예 고운 말은 다른 사람을 존중하는 마음을 전할 수 있게 한다. 그리고 다른 사람과 대화를 원활하게 할 수 있게 한다.

4 (1) 예 동물의 생명도 똑같이 소중하다. / 동물 실험을 대신할 수 있는 대체 실험도 가능하다.
(2) 예 "전 세계에서 해마다 약 6억 마리의 동물이 희생되고 있다."는 사실을 인용해 얼마나 많은 동물이 고통받고 있는지 쓴다.

5 예 인간과 자연이 조화를 이루며 발전한 나라의 사례 / 전기 차의 사용 현황 / 친환경 제품의 예

1 앞 문장을 더 자세히 설명하려고 내용을 추가했습니다.

> **채점 기준** 앞 문장에 대한 자세한 설명을 추가하여 고쳐 쓰면 좋은 점을 알맞게 썼으면 정답으로 합니다.

2 글을 시작할 때 문제와 관련 있는 실태를 쓰면 읽는 사람의 관심을 끌 수 있습니다.

> **채점 기준** 글을 시작할 때 읽는 사람의 관심을 끌기 위해 추가하면 좋은 내용을 알맞게 썼으면 정답으로 합니다.

3 지나치게 긴 문장은 이해하기 어려우므로 두 문장으로 나누어 쓰는 것이 좋습니다.

> **채점 기준** 두 문장으로 바르게 나누어 썼으면 정답으로 합니다.

4 동물 실험을 해서는 안 된다는 주장을 뒷받침할 수 있는 근거와 자료를 정리해 봅니다.

> **채점 기준** 동물 실험을 해서는 안 된다는 주장에 대한 근거와 뒷받침 자료를 알맞게 정리하여 썼으면 정답으로 합니다.

5 인간과 자연이 조화를 이루며 발전해야 하는 까닭과 실천 방안을 뒷받침할 수 있는 자료를 생각해 봅니다.

> **채점 기준** 인간과 자연이 조화를 이루며 발전할 수 있는 실천 방안을 뒷받침할 수 있는 자료를 알맞게 썼으면 정답으로 합니다.

8 작품으로 경험하기

1 계획서   **2** ○   **3** (1) ○ (3) ○
4 ○   **5** 주제

1 공정한   **2** ④
3 예 나는 여행을 가서 무엇을 먹고 무엇을 할 것인지에만 관심을 기울였던 것 같다. 하지만 「나의 여행」에서는 현지 문화를 존중하고 배려하는 여행을 하는 것이 다른 것 같다.
4 슬비

1 다른 문화를 존중하고 배려하는 서로 공정한 여행을 해야 한다고 했습니다.

2 사진을 찍을 때 허락을 얻는 여행을 공정한 여행이라고 합니다.

3 자신이 갔던 여행을 떠올려 보고 공정한 여행과 비교해 봅니다.

> **채점 기준** 자신이 갔던 여행과 공정한 여행을 비교하여 잘 썼으면 정답으로 합니다.

4 여행 비용은 여행 일정처럼 날마다 사용할 돈을 입장료, 교통비, 식비 따위로 나누어 생각해야 합니다.

1 ⑤   **2** ㉡
3 예 융에게 힘을 내라고 말해 주고 싶다. / 우리 모두는 한국인이라는 말을 해 주고 싶다.
4 ④
5 제목부터가 뭔가 전하고 싶은 이야기가 많은 영화라고 생각했기 때문이다. 등
6 (1) ① (2) ②   **7** 입양   **8** ③

1 학교에 입학한 융은 본격적인 방황을 시작했다고 했습니다.

2 양부모님 밑에서 자랐지만 한국인도 아니고 벨기에인도 아닌 어중간한 상태로 살아가는 것이 힘들었습니다.

3 정체성에 대한 혼란을 겪으며 방황했던 '융'에게 해 주고 싶은 말을 써 봅니다.

> **채점 기준** 융에게 해 주고 싶은 말을 알맞게 썼으면 정답으로 합니다.

4 영화 줄거리, 인물의 성격, 인물들의 관계를 이해하고, 영상의 특징과 화면 구도도 함께 살펴봅니다.

5 첫 번째 문단에 영화를 보게 된 까닭이 나타나 있습니다.

> **채점 기준** 제목부터가 뭔가 전하고 싶은 이야기가 많은 영화라고 생각했기 때문이라는 내용을 알맞게 썼으면 정답으로 합니다.

6 ❷문단은 영화 줄거리, ❺문단은 영화를 본 뒤의 전체적인 느낌이나 주제를 쓴 것입니다.

7 「국가 대표」에서 주인공은 엄마를 찾으려고 국가 대표가 되려고 했습니다.

8 글 제목은 감상문의 전체 내용을 잘 드러내거나 읽는 사람의 관심을 끌 수 있어야 합니다.

기본 ❷ 자신의 경험을 떠올리며 작품 감상하기   176~180 쪽

1 ②   **2** (2) ○

3 (1) 금씨 상단 (2) 교역로   **4** 담비의 길

5 (1) 말 (2) 장안   **6** ①

7 ㉡, ㉢   **8** 비녕자   **9** 목숨

10 ①   **11** ①   **12** ⑤

13 ③   **14** ③   **15** ㉡, ㉣

16 ①, ②   **17** ④   **18** ㉢

19 (1) **예** 홍라가 상단을 지키기 위해 상단을 꾸려 떠날 결심을 하는 장면 (2) 나도 태권도 승급 심사에서 떨어졌을 때 다시 열심히 해서 승급 시험에 반드시 붙겠다고 다짐했었다. 홍라처럼 나도 좌절하지 않고 이겨 낼 수 있는 방법을 찾아 계획을 세워 실천하면 반드시 이루어질 것이라고 생각한다.

20 (3) ✕

---

1 열세 살인 홍라는 금씨 상단 대상주의 딸로 어머니를 따라 일본으로 교역을 갔다가 바다에서 풍랑을 만나 어머니와 헤어지게 되었습니다.

2 어머니의 손길로 반들반들해진 지도의 오래된 가죽 냄새를 맡으니 지도를 펼치는 것으로 하루를 시작하셨던 어머니에 대한 그리움이 밀려들었습니다.

3 돈피 지도의 윗부분에는 금씨 상단이라는 네 글자와 목단꽃 그림이 새겨져 있었고, 그 아래에는 발해에서 사방으로 뻗어 나가는 교역로가 있었습니다.

4 서역 상인들이 초피를 사러 오는 길이라고 해서 '담비의 길'이라고 불렀습니다.

5 솔빈으로 가서 은화를 팔고 솔빈에서 말을 사서 명마인 솔빈의 말을 장안으로 가져가 비싼 값에 팔고 장안에서 비단을 싸게 사서 오면 된다고 했습니다.

6 홍라는 교역을 해서 어머니가 돌아오기 전에 빚을 갚아 상단을 지키기로 결심했습니다.

7 상단에 남아 있던 일꾼들은 대상주를 찾기 위해 동경에 가 있었습니다.

8 월보는 소년을 동경의 해안에서 우리를 구해 주었던 비녕자라고 소개했습니다.

9 홍라는 비녕자에게 말값으로 금가락지를 주고 떠나며 금씨 상단으로 찾아오면 목숨 구해 준 값을 후하게 치르겠다고 약속했습니다.

10 월보는 반색하면서 장안에 가겠다고 했습니다.

11 홍라는 속으로는 좋았지만 대상주로서의 위엄을 갖추고자 했기 때문에 애써 엄한 표정을 지었습니다.

12 상단을 이끄는 홍라, 무사 친샤, 천문생 월보, 일꾼 비녕자로 이루어진 상단이 꾸려졌습니다.

13 집안 일꾼들 모르게 길 떠날 준비를 했습니다.

14 빚쟁이들 몰래 상단을 꾸리고 있어서 긴장감이 돕니다.

15 어머니가 남겨 준 열쇠와 아버지의 선물인 소동인을 가죽끈에 꿰어 목에 걸었습니다.

16 대상주가 되어 교역을 떠난다니 홍라는 걱정되기도 했지만 빚을 갚고 상단을 구할 수 있을 것 같다는 마음에 가슴이 세차게 고동쳤습니다.

17 장안은 밤이면 색색의 등불이 별빛보다 더 아름답게 반짝였습니다.

18 홍라는 그 누구의 발도 닿지 않은 새로운 길로 떠나고 싶다고 생각했습니다.

19 작품에서 인상 깊은 장면과 관련 있는 자신의 경험을 비교해 써 봅니다.

> **채점 기준** 인상 깊은 장면과 떠오르는 자신의 경험을 비교하여 모두 잘 썼으면 정답으로 합니다.

20 줄거리는 간략하게 적습니다.

> **정답 친해지기** 작품을 읽고 독서 감상문을 쓰는 방법
> • 작품 속 내용과 비슷한 경험을 떠올려서 씁니다.
> • 작품을 읽게 된 까닭을 씁니다.
> • 제목은 작품을 읽고 난 뒤 소감을 가장 잘 표현하는 문장이나 문구로 정합니다.
> • 줄거리를 간략하게 적습니다.
> • 비슷한 영화나 책의 내용과 비교해 씁니다.

실천 경험한 내용을 영화로 만들기   181쪽

1 ⓑ, ⓒ, ⓓ, ⓔ   **2** 주제
3 (1) 예 「바다에서의 하루」 (2) 예 여름에 바다로 놀러 가서 물놀이를 한 것
4 예 파도를 타며 동생과 신나게 물놀이를 하는 사진

1 주제를 정해 자료를 수집하고 정리한 후 설명할 내용을 정하고 컴퓨터를 활용해 사진이나 그림, 영상, 음악과 자막을 넣습니다.

2 정한 주제에 맞는 사진이나 그림, 영상을 수집하여 정리합니다.

3 자신의 경험 중 영화로 만들고 싶은 내용을 정해 어울리는 제목을 써 봅니다.

> **채점 기준** 자신이 만들 영화의 제목과 주제를 모두 잘 정리하여 썼으면 정답으로 합니다.

4 주제를 잘 드러낼 수 있는 장면에 쓸 사진이나 그림, 영상 등을 생각해 봅니다.

단원 마무리   182~183쪽

❶ 공정한   ❷ 일정   ❸ 줄거리
❹ 영화   ❺ 경험

단원 평가   184~186쪽

1 (1) ○ (2) ○
2 예 어디에서 자고, 어디에서 먹는지를 신경 쓰기보다는 현지 사람들의 모습과 삶을 살펴보고 체험함으로써 그 지역의 문화를 알아 가는 여행을 하고 싶다.
3 ⑤   **4** ⑤   **5** ⑤
6 융   **7** ⓔ   **8** ②, ⑤
9 주위의 관심과 사랑을 받고 싶고 자신이 누구인지를 찾으려는 몸부림 등
10 (1) ㉠ (2) ㉢ (3) ㉡   **11** ③
12 ㉡
13 예 홍라가 상단을 꾸려 교역을 하러 떠날 결심을 하는 장면
14 예 걱정되는 마음 / 희망이 보이는 듯한 마음
15 ①, ②, ④   **16** 예은
17 예 박지원이 쓴 『열하일기』가 생각난다. 장안에 대한 묘사와 중국에서의 문물을 소개하는 부분이 비슷하기 때문이다.
18 ㉢   **19** ①
20 예 친구와 헤어지기 싫어서 집 앞에서 한참을 이야기하며 서 있던 기억이 난다.

1 다른 문화를 존중하고 배려하는 서로 공정한 여행을 해야 한다고 했습니다.

2 다시 여행을 간다면 어떤 여행을 하고 싶은지 생각해 봅니다.

> **채점 기준** 자신이 하고 싶은 여행을 자세히 썼으면 정답으로 합니다.

3 여행 가고 싶은 곳의 순위를 정한다고 해서 여행 가고 싶은 곳의 정보를 얻을 수는 없습니다.

4 여행 계획서에는 여행을 같이 가고 싶은 사람을 적습니다.

5 6·25 전쟁으로 고아가 되어 고아원에서 지내다가 벨기에로 입양되었습니다.

6 양부모님은 남자아이에게 '융'이라는 이름을 붙여 주었습니다.

7 영화 줄거리와 인물의 성격, 인물들의 관계 따위를 이해하고, 영상의 특징과 화면 구도도 함께 살핍니다.

8 해외로 입양된 융은 자신의 피부색이 가족과 다르다는 사실과 한국에 친부모가 있을지도 모른다는 생각에 잘 적응하지 못하고 힘들어했습니다.

9 융의 장난이 주위의 관심과 사랑을 받고 싶고 자신이 누구인지를 찾으려는 몸부림이라는 것을 알았을 때 마음이 많이 아팠다고 했습니다.

10 글 **가**에는 영화 줄거리, 글 **나**에는 영화 속 내용과 비슷한 자신의 경험, 글 **다**에는 예전에 보았던 영화에 대한 내용이 나타나 있습니다.

11 이외에도 영화를 본 느낌과 감상이 잘 드러나는지 살펴봅니다.

12 홍라는 빚을 갚아 상단을 지키기 위해 교역을 하러 떠나기로 결심했습니다.

13 글에서 인상 깊은 장면을 써 봅니다.

14 빚을 갚고 상단을 구하기 위해 교역을 떠날 때의 마음을 생각해 봅니다. 홍라는 걱정거리가 없지 않지만, 다 이겨 낼 수 있을 것만 같았다고 했습니다.

15 홍라는 신라, 일본, 당나라의 장안으로 어머니를 따라 교역을 갔습니다.

16 상단을 지키기 위해 교역을 하러 떠나려는 홍라에게 응원하는 말을 해 주는 것이 알맞습니다.

17 작품 속 내용과 관련 있는 자신의 경험을 떠올려 봅니다.

> **채점 기준** 작품 속 내용과 관련 있는 자신의 경험을 알맞게 썼으면 정답으로 합니다.

18 작품 속 내용과 비슷한 경험을 떠올려 씁니다.

19 자신의 경험을 떠올려 만들고 싶은 영화의 주제부터 정합니다.

> **보충 자료** 경험한 내용을 영화로 만드는 차례
> 주제 정하기 ➡ 자료를 수집하고 정리하기 ➡ 설명할 내용 정하기 ➡ 사진이나 영상 넣기 ➡ 음악과 자막 넣기 ➡ 보완하기

20 친구와 헤어지기 싫었던 경험을 떠올려 씁니다.

서술형 평가 187쪽

1 (1) 예 •여행 기간: 졸업한 뒤인 2월 중순 무렵에 2박 3일 동안 •장소: 지리산
(2) 예 •같이 가고 싶은 사람: 가족
•준비할 일: 비상 식량, 물, 입장료, 지리산 지도 등
(3) 예 성삼재 휴게소까지는 차로 이동해서 노고단까지 가는 길에 도전한다.
(4) 예 입장료는 무료지만 성삼재를 가려면 한 명당 1500원 정도의 문화재 관람료가 있다고 한다.

2 예 영화 줄거리, 영화 속 내용과 비슷한 자신의 경험, 영화를 본 뒤의 전체적인 느낌이나 주제 등을 쓴다.

3 예 태권도 승급 심사에서 떨어졌을 때 다시 열심히 해서 승급 시험에 붙겠다고, 승급되기 전까지 절대 울지 않겠다고 다짐했던 일이 떠오른다.

4 예 작품을 읽고 새로운 경험을 하게 된다. / 작품을 더 잘 이해하게 된다.

5 (1) 예 「우승의 함성」 (2) 예 학교 체육 대회에서 우리 반이 축구 경기에서 우승을 한 것 (3) 예 우승이 결정되던 순간의 사진

---

1 여행 가고 싶은 곳을 정해 여행 계획서를 써 봅니다.

> **채점 기준** 여행 계획서에 들어갈 내용을 모두 잘 정리하여 썼으면 정답으로 합니다.

2 **가**에는 영화 줄거리, **나**에는 영화 속 내용과 비슷한 자신의 경험, **다**에는 영화를 본 뒤의 전체적인 느낌이나 주제가 나타나 있습니다.

> **채점 기준** 영화 감상문에 들어갈 내용을 알맞게 정리하여 썼으면 정답으로 합니다.

3 작품 속 내용과 비슷한 자신의 경험을 떠올려 봅니다.

> **채점 기준** 글을 읽으며 떠오른 자신의 경험을 자세히 썼으면 정답으로 합니다.

4 경험을 비교하며 독서 감상문을 쓰면 좋은 점을 씁니다.

> **채점 기준** 작품과 자신의 경험을 비교하며 독서 감상문을 쓰면 좋은 점을 알맞게 썼으면 정답으로 합니다.

5 어떤 경험으로 영화를 만들지 생각해 봅니다.

> **채점 기준** 자신이 만들 영화의 제목, 주제, 수집할 자료를 모두 잘 정리하여 썼으면 정답으로 합니다.

정답과 해설

1 작품 속 인물과 나

단원 평가 1회
2~3쪽

1 ①, ⑤

2 예 '도전'이다. 조선 시대는 여자와 남자의 역할이 다르다고 생각하던 때인데, 여자임에도 의병 운동에 적극적으로 나섰기 때문이다.

3 당황했다. / 더 제자가 되고 싶었다. 등

4 ⑤   **5** ①   **6** ①, ④

7 예 강아지를 괴롭히는 동생들에게 모든 생명은 소중하고 존중받아야 한다고 알려 준 적이 있다.

8 행복한 피아니스트

9 ①   **10** 공

---

1 조정 대신이 나라를 팔아먹는다는 말에서 을사늑약이 강제로 체결된 뒤라는 것과, 여자들이 나선다고 뭐가 달라지겠냐는 말에서 남녀 차별이 있던 시대라는 것을 알 수 있습니다. 글의 내용을 통해 시대적 배경을 파악해 봅니다.

2 독립운동을 하려고 하는 것에서 윤희순이 추구한 가치를 알 수 있습니다.

> **채점 기준** 남녀 차별이 있던 시대에 여자로서 독립을 위해 힘썼던 윤희순에게 어울리는 가치를 알맞은 까닭과 함께 썼으면 정답으로 합니다.

3 허련은 자신을 제자로 받아들이지 않는 추사 김정희의 말에 당황했지만, 추사 김정희의 자잘한 시중을 맡은 것에서 추사 김정희의 제자가 되려는 의지를 다졌다는 것을 짐작할 수 있습니다.

4 허련은 추사 김정희의 자잘한 시중을 맡아 하며 계속 노력했습니다.

5 허련은 추사 김정희가 자신을 제자로 받아 주지 않는데도 계속 월성위궁에 미물며 노력합니다. 이 글에 나오는 허련과 같이 열정과 끈기가 없었으면 포기했을 것입니다.

6 동료를 잃고 뜨거운 눈물을 쏟으며 안타까워하는 행동을 통해 생명 존중과 동료에 대한 사랑을 알 수 있습니다.

---

7 이 글의 내용과 관련하여 자신의 경험을 씁니다.

> **채점 기준** 어려운 사람을 도왔던 경험이나 생명과 관련된 경험을 썼으면 정답으로 합니다.

8 피아노는 상수리가 행복한 피아니스트가 되길 꿈꾸었습니다.

9 상수리는 성실하게 노력하는 삶을 추구합니다.

10 힘들어도 포기하거나 좌절하지 않고 다시 일어서서 도전하는 공에 빗대어 표현하였습니다.

단원 평가 2회
4~5쪽

1 안사람 의병대   **2** ⑤

3 정의 / 열정 / 도전 등   **4** ④, ⑤

5 끈기와 열정을 가지고 끊임없이 꿈을 향해 노력하는 삶이다. 등

6 소방관이다. / 화재 현장에서 일을 하신다. 등

7 ②, ⑤   **8** ①

9 지금 당장 이루지 못하더라도 희망을 가지고 즐겁게 도전하는 삶을 추구한다. 등

10 새 등

---

1 윤희순은 마을 아낙네들을 끌어모아 안사람 의병대를 만들어 의병을 도왔습니다.

2 이 밖에도 일제의 침략으로 우리나라 사람들의 경제 상황이 어려웠다는 것을 알 수 있습니다.

3 윤희순은 독립을 위해 끊임없이 도전하고 노력하고 있습니다.

4 허련은 정신을 채우려고 책을 더 많이 읽고 생각을 많이 했으며, 붓 수십 자루가 몽당붓이 되도록 끊임없이 연습했습니다.

5 허련은 추사 김정희의 말을 듣고 끈기와 열정을 가지고 끊임없이 노력하였습니다.

> **채점 기준** 허련이 끈기와 열정을 가지고 끊임없이 노력한다는 내용을 썼으면 정답으로 합니다.

6 화재 현장에 갈 때마다 위기를 맞았다고 했으니 화재 현장에서 일하는 소방관일 것입니다.

7 "우리 아들, 고맙고 기특하구나."라는 말에서 가족에 대한 사랑, 가족에게 감사해한다는 것을 알 수 있습니다.

8 어기는 꿈꾸는 동안 즐겁지 않다면 그건 꿈이 아니라고 했습니다.

9 힘들게 연습하면서도 그것을 즐거워합니다.

> **채점 기준** 희망을 가지고 즐겁게 도전하는 삶을 추구한다는 내용을 썼으면 정답으로 합니다.

10 자유로운 삶을 빗대어 표현할 수 있는 대상을 찾습니다.

서술형평가   6쪽

1 을사늑약이 강제로 체결된 뒤이다. / 남녀 차별이 있던 시대이다. 등
2 윤희순의 삶은 '열정'을 가지고 '정의'를 향해 '도전'하는 삶이다. 등
3 허련은 성실과 정직을 바탕으로 하여 자신을 속이지 않고 최선을 다하는 삶을 추구한다. 등
4 퐁은 자신이 하고 싶은 일을 행복하게 열정적으로 하는 삶을 추구한다. 등
5 나도 퐁처럼 내가 좋아하고 신나는 일을 하고 싶다. 등
6 공처럼 포기하지 않고 도전해야겠다는 다짐을 했다. 등

1 조정 대신이 나라를 팔아먹는다는 말, 여자들이 나선다고 뭐가 달라지겠냐는 말에서 짐작할 수 있습니다.

채점 기준	점수
'을사늑약이 강제로 체결된 뒤이다.', '남녀 차별이 있던 시대이다.' 등과 같은 시대적 배경을 알맞게 쓴 경우	5점

2 올바른 뜻을 향해서 끊임없이 노력하고 도전합니다.

채점 기준	점수
글에서 알 수 있는 윤희순의 삶을 나타낼 수 있는 내용을 알맞게 쓴 경우	5점

3 붓 수십 자루가 몽당붓이 되도록 그림을 그리며 노력을 하는 모습에서 최선을 다하는 성실과 자신을 속이지 않는 정직을 추구한다는 것을 짐작할 수 있습니다.

채점 기준	점수
허련이 추구하는 삶으로 '성실', '정직' 등 글의 내용에 어울리게 쓴 경우	5점

4 퐁은 신나게 춤추는 것이 꿈이라고 하였습니다.

채점 기준	점수
자신이 하고 싶은 일을 행복하게 열정적으로 하는 삶을 추구한다는 내용을 알맞게 쓴 경우	5점

5 인물이 추구하는 삶에 대한 자신의 생각을 씁니다.

채점 기준	점수
자신이 좋아하고 신나는 일을 하는 퐁이 추구하는 삶과 자신의 삶을 알맞게 비교해 쓴 경우	5점

6 '떨어져도 튀는 공'은 힘들어도 포기하거나 좌절하지 않고 다시 일어서서 도전하는 삶의 모습입니다.

채점 기준	점수
떨어져도 튀어 오르는 공처럼 포기하지 않는 말하는 이에 대한 자신의 생각과 느낌을 알맞게 쓴 경우	5점

수행평가   7쪽

1 (1) 허련은 추사 김정희의 말을 듣고 열심히 그림 연습을 했다. 등
    (2) 추사 김정희는 허련으로부터 초묵법을 알게 되어 기뻐했다. 등
2 허련은 끈기와 열정을 가지고 끊임없이 꿈을 향해 노력하는 삶을 추구한다. 등
3 추사 김정희는 이미 뛰어난 그림 실력이 있음에도 제자인 허련에게서도 배우는 겸손한 삶을 추구한다. 등

1 글 ㉮는 허련이 그림 연습을 하는 부분, 글 ㉯는 추사 김정희가 초묵법을 알고 기뻐하는 부분입니다.

채점 기준	점수
(1)에 '허련이 열심히 그림 연습을 했다.'라는 내용을, (2)에 '추사 김정희가 초묵법을 알게 되어 기뻐했다.'라는 내용을 알맞게 쓴 경우	10점
(1), (2) 중 한 가지만 알맞게 쓴 경우	5점

2 허련은 꿈을 향해 끊임없이 노력하였습니다.

채점 기준	점수
끈기와 열정을 가지고 끊임없이 꿈을 향해 노력하는 허련이 추구하는 삶을 알맞게 쓴 경우	10점

3 추사 김정희는 뛰어난 그림 실력을 갖추었지만 제자인 허련에게 새로운 붓질법을 배워 기뻐하고 있습니다.

채점 기준	점수
실력을 키우기 위해 제자에게도 배우는 추사 김정희가 추구하는 삶을 알맞게 쓴 경우	10점

2 관용 표현을 활용해요

1 말   **2** ⑤
3 매우 놀라다. 등   **4** 막을 열(다.)
5 ①   **6** ④
7 자신의 의견만을 고집하고 더 많은 의견의 장점을 알지 못한다. 등
8 고운, 혜선   **9** (1) ㉡ (2) ㉠   **10** ⑤

1 말은 비록 발이 없지만 천 리 밖까지도 순식간에 퍼진 다는 뜻으로, 말을 삼가야 함을 비유적으로 이르는 표현입니다.

2 말을 조심해서 해야 한다는 뜻을 가진 표현을 쓸 수 있습니다.

3 매우 놀랐을 때 '간 떨어지다'와 같은 표현을 사용합니다.

> **채점 기준** '매우 놀라다.'라는 내용을 썼으면 정답으로 합니다.

4 '막을 열다'는 무엇을 시작할 때 쓰는 관용 표현입니다.

5 서로의 사이가 벌어지거나 틀어졌을 때 '금이 가다'라는 관용 표현을 사용합니다.

6 글 앞뒤의 내용을 살펴보거나, 표현에 쓰인 낱말이 평소에 어떤 뜻으로 쓰이는지 생각하거나, 그러한 표현을 쓴 의도를 생각해 봅니다.

7 앞뒤의 내용을 살펴보고 참고할 만한 내용을 찾아서 관용 표현의 뜻을 추론해 봅니다. 이 글에서는 자신의 의견만을 고집하고 더 많은 의견의 장점을 알지 못한 다는 뜻으로 활용했습니다.

> **채점 기준** '한 가지만 알고 두 가지는 모르는'의 뜻을 글 의 상황에 어울리게 추론하여 썼으면 정답으로 합니다.

8 고운이와 혜선이는 관용 표현인 '가는 말이 고와야 오는 말이 곱다'를 활용했습니다.

9 말을 시작할 때 관용 표현을 활용하면 듣는 사람의 관심을 끌 수 있고, 말을 끝낼 때 관용 표현을 활용하면 생각을 효과적으로 전달할 수 있습니다.

10 말의 빠르기는 말하려는 내용에 알맞게 해야 합니다.

1 ②   **2** 쇠뿔도 단김에 빼라 등
3 ④
4 기대에 차 있거나 안타까운 마음으로 날짜를 꼽 으며 기다리다. 등
5 ④   **6** ④
7 물을 아껴 쓰자. 등   **8** ②
9 공든 탑이 무너지랴 / 백지장도 맞들면 낫다 / 말 한마디에 천 냥 빚도 갚는다 등
10 용수, 진아

1 관용 표현을 활용하면 자신의 생각을 쉽게 표현할 수 있습니다.

2 '쇠뿔도 단김에 빼라'는 하려고 생각한 일을 망설이지 말고 행동으로 옮겨야 한다는 뜻으로 쓰는 관용 표현입니다.

3 ①은 '간 떨어지다', ②는 '눈이 번쩍 뜨이다', ③은 '눈에 띄다', ⑤는 '발이 넓다'의 뜻입니다.

4 어떤 날짜가 오기를 기다릴 때 '손꼽아 기다리다'라는 관용 표현을 사용합니다.

> **채점 기준** 기대에 차 있거나 안타까운 마음으로 기다린 다는 내용을 썼으면 정답으로 합니다.

5 '천하를 얻은 듯'의 뜻입니다.

6 '물 쓰듯'은 물건을 헤프게 쓰거나, 돈 따위를 흥청망 청 낭비한다는 뜻입니다.

7 결국 물을 아껴 쓰자는 말을 하기 위해 '물 쓰듯'이라는 관용 표현을 사용한 것입니다.

8 어떤 일을 결정하기 위하여 서로 마주 대하는 것을 '머리를 맞대다'라고 합니다.

9 친구들끼리 힘을 합치거나 말을 조심해서 하는 일 등을 떠올린 후 그와 관련 있는 관용 표현을 씁니다.

> **채점 기준** '우리 반을 행복하게 하려면 우리가 해야 할 일'에 대한 주제에 알맞은 관용 표현을 썼으면 정답으로 합니다.

10 알맞은 표정, 몸짓을 하면 말하려는 내용을 좀 더 정확하게 전할 수 있습니다.

1 정신이 갑자기 든다는 뜻이다. 등
2 전하고 싶은 말을 쉽게 표현할 수 있다. / 재미있는 표현이어서 듣는 사람의 관심을 불러일으킬 수 있다. 등
3 독립운동을 하려고 모인 사람들이 자신의 의견만을 주장해 하나의 의견으로 합하지 못하고 있다. 등
4 자신의 의견만을 주장하는 마음을 바꾸어야 한다. 등
5 (1) 듣는 사람의 관심을 끌 수 있다. 등
   (2) 생각을 효과적으로 전달할 수 있다. 등
6 학생들이 즐거운 학교생활을 할 수 있도록 발 벗고 나서겠습니다. 등

1 정신이 갑자기 들 때 '눈이 번쩍 뜨이다'와 같은 관용 표현을 사용합니다.

채점 기준	점수
정신이 갑자기 든다는 내용을 알맞게 쓴 경우	5점

2 그 밖에도 하려는 말을 상대가 쉽게 알아들을 수 있습니다.

채점 기준	점수
관용 표현을 활용하면 좋은 점 가운데 한 가지 이상을 알맞게 쓴 경우	5점

3 독립운동을 하려고 모인 사람들이 대화를 원하는 자, 전쟁을 원하는 자 등 서로 의견이 다릅니다.

채점 기준	점수
모인 사람들의 의견이 다른 상황을 알맞게 쓴 경우	5점

4 글의 앞뒤 내용을 살펴보고 추측해 봅니다.

채점 기준	점수
'의견을 합해야 한다.'는 내용을 알맞게 쓴 경우	5점

5 관용 표현을 활용하면 어떤 좋은 점이 있는지 생각해 보고, 말을 할 때 언제 관용 표현을 활용하는 것이 효과적인지도 생각합니다.

채점 기준	점수
(1)에 '듣는 사람의 관심을 끌 수 있다.', (2)에 '생각을 효과적으로 전달할 수 있다.'는 내용을 쓴 경우	5점

6 전교 학생회 회장단 선거에서 연설하는 상황을 떠올려 알맞은 관용 표현을 활용해 하고 싶은 말을 써 봅니다.

채점 기준	점수
관용 표현을 활용하여 전교 학생회 회장단 연설에서 하고 싶은 말을 알맞게 활용하여 쓴 경우	5점

1 양을 많이 준비한다. 등
2 (1) 가는 말이 고와야 오는 말이 곱다 등
   (2) "가는 말이 고와야 오는 말이 곱다."라고 했어. 친구에게 좋은 말을 듣고 싶으면 너도 좋은 말을 쓰는 게 좋겠어. 등
3 📝 우리 반은 단체 놀이를 할 때 협동이 잘 안 되는 것 같아. 지난번에도 우리끼리 협동이 안 되어서 옆 반에 졌잖아. 무슨 일이든 손발을 맞춰서 함께하면 좋겠어. 그래야 우리 반이 행복해질 것 같아. / 친구야, "천 리 길도 한 걸음부터"라고 하잖아. 처음에 조금 힘들어도 노력하다 보면 언젠가는 좋은 결과를 얻을 거야. 힘내서 함께 해 보자.

1 '손이 크다'는 양을 많이 준비한다는 뜻으로 쓰이는 관용 표현입니다.

채점 기준	점수
'양을 많이 준비한다.'는 내용을 알맞게 쓴 경우	10점

2 말조심을 경계하는 관용 표현인 "가는 말이 고와야 오는 말이 곱다", "말 한마디에 천 냥 빚도 갚는다" 등을 활용해서 하고 싶은 말을 할 수 있습니다.

채점 기준	점수
(1)의 상황에 어울리는 관용 표현을, (2)에 (1)에서 답한 관용 표현을 활용하여 하고 싶은 말을 알맞게 쓴 경우	10점
(1), (2) 중 한 가지만 알맞게 쓴 경우	5점

3 '손발을 맞추다'는 '함께 일을 하는 데에 마음이나 의견, 행동 방식 따위가 서로 맞다.'는 뜻이고, '천 리 길도 한 걸음부터'는 '무슨 일이나 그 일의 시작이 중요하다.'는 뜻입니다.

채점 기준	점수
관용 표현의 뜻에 맞게 친구들에게 하고 싶은 말을 알맞게 쓴 경우	10점

3 타당한 근거로 글을 써요

1 (3) ○   **2** 문영   **3** ④
4 공정 무역 제품을 사용하자. 등
5 근거가 주장과 관련 있는지 살펴본다. / 근거가 주장을 뒷받침하는지 살펴본다. 등
6 ①
7 예 숲이 홍수와 산사태를 막아 주는 사진이나 그림
8 ①, ③
9 (1) 예 누리 소통망을 올바르게 사용하자.
    (2) 예 개인 정보가 유출되기 쉽다.
10 ⑤

1 할아버지는 수염을 기른 채 몇십 년 동안이나 살아왔지만, 그때까지 한 번도 그런 궁금증을 지녀 본 적이 없었다고 했습니다.

2 '그냥'이라고 생각하지 말고 '왜' 또는 '어떻게'를 생각하자고 말하고 있습니다.

3 공정 무역에서는 중간 유통 단계를 줄임으로써 생산자의 이익을 보장해 주었습니다.

4 생산자에게 돌아갈 정당한 이익을 지켜 준다는 근거를 들어 공정 무역 제품을 사용하자고 주장하고 있습니다.

5 근거의 타당성을 판단할 때에는 근거가 주장과 관련 있는지, 주장을 뒷받침하는지 판단해 봅니다.

> **채점 기준** 근거의 타당성을 판단하는 방법 한 가지를 알맞게 썼으면 정답으로 합니다.

6 최신 자료를 사용했는지 살펴보아야 합니다.

7 숲이 미세 먼지를 잡아 주는 증거, 숲이 지구 온난화를 막아 준다는 증거, 숲이 제공해 주는 자원 등을 찾아볼 수도 있습니다.

8 손님이 쓴 글 때문에 가게에 손님이 끊겼고, 글쓴이의 개인 정보가 유출되어 학교에도 소문이 났습니다.

9 글에 나타난 누리 소통망의 문제점을 파악해 보고, 누리 소통망 이용과 관련한 자신의 주장과 근거를 정해 봅니다.

> **채점 기준** 누리 소통망 이용과 관련한 자신의 주장과 근거를 잘 정해 썼으면 정답으로 합니다.

10 재미있는 자료가 아니라 믿을 만한 자료를 활용했는지 살펴보아야 합니다.

1 그냥   **2** ⑤   **3** ⑤
4 예 타당하지 않다. ㉠의 근거는 공정 무역 제품을 사용해야 하는 까닭이 아니라 공정 무역 인증 표시에 대한 설명만 하고 있어서 주장을 직접적으로 뒷받침하지 못하기 때문이다.
5 공정 무역 인증 표시 그림 등
6 예 숲을 보호하자. / 숲을 살리자.
7 ③   **8** (1) ○
9 예 이른 시간이나 늦은 시간에 시끄럽게 하거나 악기를 연주하지 맙시다.
10 ⑤

1 누가 질문을 할 때 '그냥'이라고 대답하는 것이 우리의 수염이라고 했습니다.

2 '그냥'이라고 생각하지 말고 '왜' 또는 '어떻게'를 생각하면서 자기 안에 물음표를 가지고 살아가자는 것이 글쓴이의 주장입니다.

3 공정 무역 인증 표시는 국제기구가 생산지에서 공정 무역의 주요 원칙이 잘 지켜졌는지를 점검한 물건들에 붙일 수 있습니다.

4 근거는 주장과 관련이 있어야 하고, 주장을 뒷받침해야 합니다.

> **채점 기준** 근거의 타당성을 판단하는 방법을 알고 근거가 타당한지 알맞게 판단해 썼으면 정답으로 합니다.

5 공정 무역 인증 표시 그림을 활용했습니다.

6 숲이 우리에게 주는 이로운 점을 근거로 들고 있으므로 '숲을 보호하자.' 또는 '숲을 살리자.'는 주장이 알맞습니다.

7 나무를 심으면 나무가 이산화 탄소를 흡수해 지구 온난화 예방에 도움이 된다는 내용으로, 근거 ③을 뒷받침하는 자료로 알맞습니다.

8 주장을 뒷받침하는 근거인 '잘못된 정보가 쉽게 퍼질 수 있다.'를 뒷받침할 자료 내용으로는 (1)이 알맞습니다.

9 옆집을 생각하지 않고 시끄럽게 악기를 연주하는 상황을 해결하기 위한 주장을 생각해 봅니다.

> **채점 기준** 그림에 나타난 문제 상황을 해결하기 위해 실천할 수 있는 주장을 알맞게 썼으면 정답으로 합니다.

10 논설문은 '문제 상황을 생각하며 주장 정하기 – 근거 생각하기 – 계획을 세워 자료 수집하기 – 논설문 쓰기 – 고쳐쓰기'의 차례로 씁니다.

서술형평가 18쪽

1 **예** 자연을 보호하고 생산자의 건강을 지키는 방법이 된다는 근거는 공정 무역 제품을 사용하자는 주장과 관련이 있으므로 타당하다.

2 (1) 『인간의 얼굴을 한 시장 경제, 공정 무역』
(2) 책
(3) **예** 공정 무역에 대한 책으로 근거의 내용과 관련 있고, 출처가 믿을 수 있는 자료이므로 적절하다.

3 **예** 근거를 잘 뒷받침하고 믿을 만하다. 나무가 미세 먼지를 잡아 준다는 증거가 되고, 방송 뉴스이기 때문이다.

4 **예** 누리 소통망으로 개인 정보가 유출된 사례(인터넷 기사)

5 **예** 밤늦게 아파트 공원에서 시끄럽게 하지 맙시다.

1 공정 무역 제품을 사용하면 자연을 보호하고 생산자의 건강을 지키는 방법이 된다는 근거는 공정 무역 제품을 사용하자는 주장에 어울립니다.

채점 기준	점수
자연을 보호하고 생산자의 건강을 지키는 방법이 된다는 근거가 타당한지 알맞게 판단해 쓴 경우	6점

2 자료가 근거의 내용과 관련이 있어야 하며, 믿을 수 있는 자료를 활용했는지 살펴보아야 합니다.

채점 기준	점수
근거를 뒷받침하려고 활용한 자료의 내용, 종류를 알맞게 쓰고, 자료의 적절성을 알맞게 판단해 쓴 경우	6점
자료의 내용과 종류를 알맞게 썼으나 적절성을 알맞게 판단하지 못한 경우	3점

3 근거와 관련 있는 내용인지, 근거를 뒷받침하는지, 믿을 만한 자료인지 살펴봅니다.

채점 기준	점수
자료가 주장과 근거를 뒷받침하고 믿을 만한지 판단하고, 그 까닭을 알맞게 쓴 경우	6점

4 근거를 뒷받침할 수 있는 적절한 자료를 생각해 봅니다.

채점 기준	점수
개인 정보가 유출되기 쉽다는 근거를 뒷받침할 수 있는 자료를 알맞게 쓴 경우	6점

5 더 좋은 우리 동네가 되려면 바꾸어야 할 우리 동네의 문제점을 생각해 봅니다.

채점 기준	점수
더 좋은 우리 동네를 만들기 위해 실천할 수 있는 주장을 알맞게 정해 쓴 경우	6점

수행평가 19쪽

1 **예** 생산자의 노동에 정당한 대가를 지불해 생산자가 경제적 자립과 발전을 하도록 돕는 무역이다.

2 (1) **예** 근거가 타당하다. 생산자에게 돌아갈 정당한 이익을 지켜 준다는 근거는 공정 무역 제품을 사용하자는 주장과 관련 있고 주장을 잘 뒷받침하기 때문이다.
(2) **예** 근거가 타당하지 않다. 공정 무역 제품을 사용해야 하는 까닭이 아니라 공정 무역 인증 표시에 대한 설명만 하고 있어서 주장을 직접적으로 뒷받침하지 못하기 때문이다.

3 **예** 표어 만들기 – 다 함께 행복한 세상, 공정 무역 제품 사용이 만든다

1 공정 무역은 생산자의 노동에 정당한 대가를 지불해 생산자의 이익을 보장하려는 무역입니다.

채점 기준	점수
공정 무역이란 무엇일지 알맞게 파악해 쓴 경우	10점

2 **가**는 공정 무역 제품을 사용해야 하는 까닭을 근거로 제시했고, **나**는 공정 무역 인증 표시에 대해서만 설명했습니다.

채점 기준	점수
가와 **나**에서 제시한 근거의 타당성을 모두 알맞게 판단해 쓴 경우	10점
가와 **나**에서 제시한 근거의 타당성을 한 가지만 알맞게 판단해 쓴 경우	5점

3 표어 만들기, 정의 만들기, 그림이나 포스터 그리기 등으로 공정 무역 제품을 사용하자는 내용을 표현해 봅니다.

채점 기준	점수
공정 무역 제품을 사용하자는 내용을 글이나 그림으로 잘 표현한 경우	10점

4 효과적으로 발표해요

1 (1) ② (2) ①   **2** ❷
3 휴대 전화
4 예 하루 종일 휴대 전화를 잡고 있는 등 휴대 전화에 중독된 사람이 많다.
5 ①, ⑤   **6** 건강   **7** 은지
8 ②   **9** ②
10 듣는 사람들에게 인물과 관련한 것을 묻는다. / 한두 문장으로 간단히 인물을 소개한다. 등

1 대화 ❶에서는 사진을 보여 주며 설명하고, 대화 ❷에서는 영상을 보여 주며 설명하고 있습니다.

2 사진보다 영상을 보면 율동 동작을 더욱 생생하게 잘 알 수 있습니다.

3 사람이 휴대 전화를 붙잡고 있는데 휴대 전화도 사람을 꽉 붙잡고 있는 모습이 나타난 공익 광고입니다.

4 휴대 전화에 중독된 사람이 많다는 주제를 전하고 있습니다.

> **채점 기준** 공익 광고에서 전하려는 주제를 알맞게 파악해 썼으면 정답으로 합니다.

5 공익 광고의 글이 질문 형식이라 더 생각하게 하고, 휴대 전화가 사람을 꽉 붙잡고 있는 모습을 사진으로 표현해 주제를 잘 전하고 있습니다.

6 학교 방송국에서 '건강 주간'을 맞아 건강을 주제로 한 매체 자료를 공모한다고 했습니다.

7 전교생이 보게 되므로 1~6학년까지 모두 이해하기 쉬워야 합니다.

8 영상을 촬영할 때에는 전하려는 내용이 잘 드러나게 촬영해야 합니다.

9 촬영한 장면을 전부 사용할 필요는 없습니다. 발표에 사용할 장면을 골라 차례에 맞게 편집합니다.

10 소개할 인물에 대한 다섯 고개 문제를 내서 듣는 사람의 관심을 불러일으킬 수도 있습니다.

> **채점 기준** 인물을 소개하는 영상을 보여 주기 전에 할 수 있는 활동 한 가지를 알맞게 썼으면 정답으로 합니다.

1 ②   **2** ③
3 예 듣는 사람들이 주요 농산물이 주로 생산되는 지역이 바뀌고 있다는 것을 쉽게 이해할 수 있다.
4 ④   **5** (1) 능력자 (2) 해설 (3) 자막
6 ④, ⑦, ⑤, ②, ③
7 ①, ③, ⑤   **8** ㉣
9 예 역할을 정하고, 장면 번호, 촬영 내용, 촬영 일시와 장소, 준비물 등을 정한다.
10 (3) ✕

1 수지는 제주도에서 봤던 주상 절리의 사진을 보여 주었다고 했습니다.

2 제주도에서 생산되던 감귤이 고흥, 진주, 통영 등 내륙에서도 재배된다는 것을 알 수 있습니다.

3 그림지도를 보면 주요 농산물이 주로 생산되는 지역이 바뀌고 있다는 것을 쉽게 이해할 수 있습니다.

> **채점 기준** 지구 온난화로 생긴 변화를 발표할 때 그림지도를 활용하면 좋은 점을 알맞게 썼으면 정답으로 합니다.

4 읽는 사람을 배려하면서 온라인 댓글을 긍정적으로 쓰자는 내용을 담고 있습니다.

5 이밖에도 상대에게 영향을 주는 댓글을 다는 손가락을 악마 또는 천사의 모습으로 비유하는 등 주제를 효과적으로 표현했습니다.

6 발표 상황을 파악하여 발표 주제를 정하고, 내용 및 장면을 정한 뒤 촬영 계획을 세워 촬영하고 편집하여 발표합니다.

7 누구나 다 아는 내용보다는 발표를 듣는 사람들이 흥미를 가질 만한 주제를 정하고, 친구들과 토의해서 다양한 의견을 나눕니다.

8 비속어, 은어 같은 격식에 맞지 않는 언어를 사용하지 않아야 합니다.

9 촬영 계획에는 어떤 것이 필요할지 생각해 봅니다.

> **채점 기준** 촬영 계획을 세울 때 정해야 할 것을 두 가지 이상 썼으면 정답으로 합니다.

10 전하려는 주제를 파악하며 듣고, 촬영이나 편집에서 효과적인 부분을 찾으며 듣습니다.

1 📵 1학기에 연극 공연을 할 때 음악을 사용하니 장면의 느낌이 더 살아났다.

2 📵 걸을 때나 운전할 때 휴대 전화를 사용하면 위험하다.

3 (1) 📵 잘 전하고 있다.
(2) 📵 도표로 나타내니 연도별로 휴대 전화 관련 교통사고 발생량이 크게 늘어난 것을 알 수 있기 때문이다.

4 📵 발표를 듣는 사람들이 흥미를 가질 만한 주제를 정한다. / 친구들과 토의해서 다양한 의견을 나눈다.

5 📵 맨발 걷기를 하는 모습 / 맨발 걷기의 효과(관련 있는 신문 기사 참고)

6 영상에서 가장 인상 깊은 장면이 무엇인지 물어본다. / 영상을 촬영하면서 겪은 일을 이야기한다. 등

1 매체 자료를 활용한 경험을 떠올려 씁니다.

채점 기준	점수
매체 자료를 활용한 경험을 알맞게 떠올려 쓴 경우	5점

2 걸을 때나 운전할 때 휴대 전화를 사용하면 위험하다는 주제를 전하고 있습니다.

채점 기준	점수
도표에서 전하려는 주제를 알맞게 파악해 쓴 경우	5점

3 도표를 매체 자료로 사용하면 한눈에 실태를 파악할수 있고, 정확한 통계를 알 수 있습니다.

채점 기준	점수
도표가 주제를 잘 전하는지 판단하고, 그 까닭을 알맞게 쓴 경우	5점
도표가 주제를 잘 전하는지 판단해 썼지만 그 까닭을 알맞게 쓰지 못한 경우	2점

4 발표 상황과 관련한 자료도 더 찾아봅니다.

채점 기준	점수
발표 주제를 정할 때 고려할 점 한 가지를 알맞게 쓴 경우	5점

5 맨발 걷기를 하는 사람과 면담을 한 내용, 맨발 걷기를 직접 체험해 보는 내용 따위를 넣을 수도 있습니다.

채점 기준	점수
맨발 걷기가 건강에 좋은 점을 효과적으로 알릴 수 있는 내용 한 가지를 알맞게 쓴 경우	5점

6 영상에 대한 질문을 받을 수도 있습니다.

채점 기준	점수
영상 발표회에서 우리 모둠이 제작한 영상을 보여 준 뒤에 할 수 있는 활동 한 가지를 알맞게 쓴 경우	5점

1 (1) 폴란드의 민속춤 등
(2) 베트남의 전통 의상 등

2 (1) 영상 (2) 📵 민속춤의 움직임이나 특징을 더 자세하게 파악할 수 있고, 영상을 보면서 민속춤을 따라 출 수 있다.
(3) 사진 (4) 📵 매체 자료 없이 설명하면 상상만 해야 하는데 사진을 보면 어떤 전통 의상인지 쉽게 이해할 수 있다.

3 (1) 📵 아프리카 원주민의 의식주 문화
(2) 📵 책에 있는 사진과 설명
(3) 📵 말로만 설명하는 것보다 사진과 설명을 함께 보여 주면 듣는 사람이 이해하기 쉬울 것 같기 때문이다.

1 진아는 폴란드의 민속춤을, 별이는 베트남의 전통 의상을 소개하려고 합니다.

채점 기준	점수
진아와 별이가 소개하려는 내용을 모두 알맞게 쓴 경우	10점
(1)과 (2) 중 한 가지만 알맞게 쓴 경우	5점

2 진아와 별이가 각각 영상과 사진을 활용해 얻을 수 있는 효과를 생각해 봅니다.

채점 기준	점수
진아와 별이가 활용하려는 매체 자료의 종류와 그 매체 자료를 활용해 얻을 수 있는 효과를 모두 알맞게 쓴 경우	10점
(1)~(4) 중 세 가지만 알맞게 쓴 경우	7점
(1)~(4) 중 두 가지만 알맞게 쓴 경우	4점
(1)~(4) 중 한 가지만 알맞게 쓴 경우	2점

3 어느 나라의 문화를 어떤 매체 자료를 활용해 소개하고 싶은지, 그 매체 자료를 활용하고 싶은 까닭은 무엇인지 생각해 봅니다.

채점 기준	점수
소개할 문화와 활용할 매체 자료, 그 매체 자료를 선택한 까닭을 모두 알맞게 쓴 경우	10점
소개할 문화는 썼지만 활용할 매체 자료를 알맞게 고르지 못하거나, 매체 자료를 선택한 까닭을 알맞게 쓰지 못한 경우	3점

5 글에 담긴 생각과 비교해요

1 ⑤   **2** 아영, 윤후   **3** ③
4 ④, ⑤
5 로봇세 도입이 필요하다고 생각하는 사람들에게 다른 관점으로도 생각할 수 있게 하려고 이 글을 썼다. 등
6 깨진 기와 조각도 알뜰하게 사용했기에 천하의 고운 빛깔을 다 낼 수 있었던 것이다.
7 ⑤
8 위험에 처한 사람을 돕지 않으면 처벌할 수 있는 법 제도 등
9 (1) ㉡ (2) ㉠   **10** ④, ⑤

1 우리나라가 세계에서 가장 아름다운 나라가 되기를 원한다고 했습니다.

2 김구 선생의 생각을 잘 드러낼 수 있는 제목이기 때문이기도 할 것입니다.

3 글쓴이는 로봇세를 도입하는 것에 대해 부정적인 입장으로, 로봇세 도입이 로봇 산업 발전을 더디게 한다고 생각합니다.

4 글쓴이는 자신의 생각을 나타내기 위해 '부담, 걸림돌'과 같은 부정적인 표현을 사용했습니다.

5 글쓴이는 로봇세 도입을 늦추어야 한다는 생각을 가지고 있습니다.

> **채점 기준** 글쓴이가 글을 쓴 의도와 목적을 정확히 파악하여 썼으면 정답으로 합니다.

6 글쓴이의 생각이 담긴 표현은 '깨진 기와 조각도 알뜰하게 사용했기에 천하의 고운 빛깔을 다 낼 수 있었던 것이다.'입니다.

> **채점 기준** 글쓴이의 생각이 담긴 표현을 찾아 썼으면 정답으로 합니다.

7 조선 시대 사람들에게 사물의 가치 등에 대해 다른 관점으로도 생각할 수 있게 하려고 이 글을 썼습니다.

8 '착한 사마리아인의 법'은 위험에 처한 사람을 돕지 않으면 처벌을 할 수 있는 법 제도를 말합니다.

---

9 각각의 의견에 어울리는 근거를 생각해 봅니다.

10 그 밖에도 사회적으로 관심이 있을 만한 주제가 있는 책을 추천할 수 있습니다.

1 관점   **2** 제목   **3** (2) ○ (3) ○
4 학생, 로봇에 관심 있는 사람들, 기업인 등
5 ⑤   **6** 사람의 손길
7 ⑤
8 예 '착한 사마리아인의 법'은 법으로 정하지 않아도 된다. 도덕까지 법으로 규제하는 것은 강압에 가깝기 때문이다.   **9** ③
10 예 작품에 대해 궁금한 것이 많은 책

1 관점에 대한 설명입니다. 관점에 따라 사물이나 현상이 다르게 보일 수 있습니다.

2 제시된 내용은 모두 제목에 대한 설명입니다.

3 글쓴이의 생각을 파악하며 글을 읽으면 글 내용을 깊이 있게 이해할 수 있고, 글쓴이가 글을 쓴 의도와 목적을 알 수 있습니다.

4 로봇에 관심 있는 사람들이나 로봇과 관련된 기업인 등을 예상 독자로 생각했을 것입니다.

> **채점 기준** 글쓴이가 예상한 독자를 알맞게 썼으면 정답으로 합니다.

5 로봇세를 도입하자는 것이 이 글에 나타난 글쓴이의 생각입니다.

6 똥과 기와 조각은 더럽고 쓸모없는 물건이지만 사람의 손길에 따라 쓰임새가 정해지기도 하고 버려지기도 합니다.

7 스스로의 가치는 다른 사람에게 맡길 것이 아니라 스스로가 매기는 것이라고 했습니다.

8 '착한 사마리아인의 법'에 대해 어떻게 생각하는지 자신의 생각을 써 봅니다.

> **채점 기준** '착한 사마리아인의 법을 제정해야 한다'에 대한 자신의 생각을 타당하게 썼으면 정답으로 합니다.

9 근거가 사실인지, 주장을 뒷받침하는지를 판단해야지 근거의 수가 중요한 것은 아닙니다.

10 작품을 읽고 궁금한 것이 많은 책, 사회적으로 관심이 있을 만한 주제가 있는 책 등을 선정할 수 있습니다.

서술형평가 30쪽

1 글 내용을 좀 더 깊이 있게 이해할 수 있다. 등 / 글쓴이가 글을 쓴 의도와 목적을 알 수 있다. 등

2 로봇 개발자가 마음의 부담을 느껴 혁신적인 생각을 발전시키거나 과감한 투자를 하는 데에 걸림돌이 되기 때문이다. 등

3 예 로봇세 도입은 로봇 산업 발전에 걸림돌이 될 수 있으며 지금은 로봇 기술 개발에 더욱 집중할 때이므로 로봇세 도입을 늦추어야 한다.

4 예 성곽이나 궁실, 사찰과 벌판보다 아름답다고 생각한다.

5 예 조선 시대 사람들에게 사물의 가치 등에 대해 다른 관점으로도 생각해 볼 수 있게 하려고 이 글을 썼다.

1 글에는 글쓴이의 생각이 담겨 있습니다. 그리고 글쓴이는 글을 읽는 사람에게 자신의 생각을 전하려고 노력합니다.

채점 기준	점수
글쓴이의 생각을 파악하며 글을 읽어야 하는 까닭을 두 가지 모두 알맞게 쓴 경우	6점
글쓴이의 생각을 파악하며 글을 읽어야 하는 까닭을 한 가지만 알맞게 쓴 경우	3점

2 로봇세가 이제 발전하려는 로봇 산업에 방해가 된다고 한 까닭을 찾습니다.

채점 기준	점수
제시된 답의 내용을 쓴 경우	6점

3 글 제목과 글에 사용된 표현을 보면 글쓴이의 생각을 알 수 있습니다.

채점 기준	점수
글쓴이의 생각을 알맞게 파악하여 쓴 경우	6점

4 쓸모없는 깨진 기와 조각과 더러운 똥 덩어리도 다른 관점에서 볼 수 있다는 내용이 나타나 있습니다.

채점 기준	점수
글쓴이가 깨진 기와 조각과 똥 덩어리에 대해 어떻게 생각하는지 글의 내용을 통해 파악하여 쓴 경우	6점

5 사물의 가치에 대해 다시 생각해 볼 수 있는 내용의 글입니다.

채점 기준	점수
글쓴이가 이 글을 쓴 의도와 목적을 알맞게 쓴 경우	6점

수행평가 31쪽

1 도입, 인간과 로봇이 함께 살아가는 방법, 소득을 재분배 등

2 예 로봇세를 걷는 것이 필요하다고 생각하기 때문이다.

3 예 나도 로봇세를 도입해야 한다고 생각한다. 로봇세 수익으로 다른 산업 발전에 투자하면 더 많은 기술 발전을 이룰 수 있기 때문이다. / 나는 글쓴이의 생각과는 달리 로봇세 도입을 늦추어야 한다고 생각한다. 로봇세를 도입하면 로봇으로 만들어진 물건의 물건 값이 그만큼 올라가서 사람들의 생활이 더 어려워질 수 있기 때문이다.

1 글쓴이가 자신의 생각을 드러내기 위해 의도적으로 사용한 표현을 찾습니다.

채점 기준	점수
글쓴이의 생각이 드러난 표현을 두 가지 이상 찾아 쓴 경우	5점
글쓴이의 생각이 드러난 표현을 한 가지만 찾아 쓴 경우	2점

2 제목을 보면 글쓴이의 생각을 파악할 수 있습니다. 이 글은 제목을 통해 로봇세를 도입해야 한다는 글쓴이의 생각을 알 수 있습니다.

채점 기준	점수
제시된 답의 내용을 쓴 경우	10점

3 로봇세 도입에 대한 글쓴이의 생각을 먼저 파악한 후, 그 생각에 대한 자신의 생각을 근거와 함께 씁니다.

채점 기준	점수
자신의 생각과 그에 대한 근거를 모두 알맞게 쓴 경우	15점
자신의 생각과 그에 대한 근거 중 한 가지만 알맞게 쓴 경우	10점

6 정보와 표현 판단하기

1 ①   **2** 다
3 중형차 백만 대
4 음식물 쓰레기를 버리는 장면과 비슷하기 때문이다. 등
5 (2) ○ (3) ○   **6** (1) ㉢ (2) ㉠
7 ③, ⑤   **8** ㉢, ㉡, ㉠, ㉣, ㉣
9 ④
10 뉴스를 촬영하는 역할을 한다. 등

1 ㉮의 대화를 통해 뉴스가 사람들에게 새로운 정보를 알려 준다는 것을 알 수 있습니다.

2 ㉯는 뉴스가 우리 생활에 미치는 영향 중에서 어떤 일을 긍정적이거나 비판적인 시각으로 보게 하는 것과 관련이 있습니다.

3 음식물 쓰레기 경제적 손실을 중형차 백만 대를 버리는 것에 비교해서 표현했습니다.

4 실제로 자동차가 바다에 떨어지는 것이 아니라, 자동차가 바다에 떨어지는 장면을 음식물 쓰레기를 버리는 것에 비교하여 표현한 것입니다.

> **채점 기준** 자동차가 바다에 떨어지는 장면을 보여 준 까닭을 알맞게 썼으면 정답으로 합니다.

5 광고는 알리려는 내용이나 대상을 사람들이 오래 기억하도록 표현한 것으로, 사람들이 잘 기억하게 하려면 인상 깊게 표현해야 합니다.

6 뉴스에서 진행자와 기자의 역할을 알아봅니다. 진행자는 뉴스의 핵심 내용을 요약해서 안내하고, 기자는 취재한 내용을 뉴스로 보도합니다.

7 면담이나 통계 자료를 넣으면 뉴스 내용을 체계적으로 보여 줄 수 있고, 보는 사람의 이해를 도울 수 있습니다.

8 어떤 내용을 보도할지 결정하는 것이 가장 먼저 할 일이고, 취재하고 원고를 쓴 후 편집하고 보도하는 순서로 이루어집니다.

9 모호한 표현을 지우고 내용이 분명하게 전달될 수 있는 표현을 사용합니다.

10 뉴스를 발표할 때 필요한 역할에는 진행자, 기자, 촬영 기자 등이 있습니다. 각각 어떤 일을 하는지 알아봅니다.

> **채점 기준** 촬영 기자가 하는 일을 알맞게 썼으면 정답으로 합니다.

1 ㉠
2 어떤 일을 긍정적이거나 비판적인 시각으로 보게 한다. 등
3 신바람 자전거
4 예 '단 한 가지'가 신바람 자전거만 될 수 있는 것은 아니므로 과장된 표현이다.
5 (3) ○   **6** ④
7 예 감염병을 예방할 수 있는 올바른 손 씻기 방법을 알려 주어서 가치 있고 중요한 뉴스라고 생각한다.
8 ③   **9** 진행자   **10** ④

1 ㉠은 뉴스의 내용을 잘못 파악하고 생각을 말했습니다.

2 뉴스는 어떤 일을 긍정적이거나 비판적인 시각으로 보게 합니다.

3 '신바람 자전거'를 광고하고 있습니다.

4 즐거운 일상과 날씬한 몸매를 책임져 줄 '단 한 가지'가 신바람 자전거만 될 수 있는 것은 아닙니다.

> **채점 기준** ㉠에서 과장하거나 감추는 내용을 알맞게 썼으면 정답으로 합니다.

5 광고 내용을 비판적으로 바라보려면 과장하거나 감추는 내용이 무엇인지 살펴봐야 합니다.

6 올바른 손 씻기 방법을 알려 주고 있는 뉴스입니다.

7 사람들에게 알릴 만한 가치가 있고 중요한 내용을 담은 뉴스인지 판단하여 씁니다.

> **채점 기준** 뉴스가 가치 있고 중요한 내용인지 판단하여 알맞게 썼으면 정답으로 합니다.

8 어떤 내용을 보도할지 먼저 정해야 취재하고 보도할 수 있습니다.

9 제시된 내용은 진행자의 역할입니다.

10 뉴스 원고를 단순히 따라 읽는 것이 아니라 자연스럽게 말해야 합니다.

서술형평가 36쪽

1 여러 사람의 생각에 영향을 주어 여론을 형성하게 한다. 등

2 예 교과서를 모두 넣을 때 무거우면 찢어질 수도 있기 때문에 과장되었다.

3 예 광고 내용을 모두 믿고 제품을 구입하면 피해를 입을 수 있다.

4 뉴스에서 보도할 내용을 유도하거나 전체를 요약해 안내한다. 등

5 예 등하굣길을 안전하게 다닐 수 있는 방법

6 예 뉴스를 보도할 때에는 진지한 자세로 뉴스 내용을 전한다. / 누구나 알아들을 수 있도록 말하는 빠르기가 적절해야 한다.

1 이외에도 뉴스는 사람들에게 새로운 정보를 알려 주거나, 어떤 일을 긍정적이거나 비판적인 시각으로 보게 하기도 합니다.

채점 기준	점수
두 사람의 대화를 보고 알 수 있는 뉴스가 우리 생활에 미치는 영향을 쓴 경우	5점

2 짐을 많이 넣어 무거울 경우 가방이 찢어질 가능성이 있는데 찢어질 염려 없다고 한 것은 과장입니다.

채점 기준	점수
⊙의 문구에서 과장하거나 감추는 내용을 정확히 파악하여 쓴 경우	5점

3 광고의 내용은 비판적으로 봐야 합니다. 비판하지 않고 광고를 보면 그 내용을 모두 사실이라고 믿을 수 있기 때문에 위험합니다.

채점 기준	점수
광고 내용을 그대로 믿으면 생기는 문제점을 알맞게 쓴 경우	5점

4 뉴스의 짜임은 '진행자의 도입 – 기자의 보도 – 기자의 마무리'로 구성되는데, '진행자의 도입'은 뉴스로 보도할 내용을 유도하거나 전체를 요약해 안내합니다.

채점 기준	점수
진행자의 도입에 어떤 내용을 써야 하는지 알맞게 쓴 경우	5점

5 그림과 관련이 있는 내용으로, 친구들에게 알려 주기에 가치 있는 주제를 떠올려 봅니다.

채점 기준	점수
그림에 알맞은 뉴스 주제를 쓴 경우	5점

6 정확한 내용을 간결하게 전달하고, 자연스럽게 말하듯이 전합니다.

채점 기준	점수
뉴스를 발표할 때 주의할 점을 알맞게 쓴 경우	5점

수행평가 37쪽

1 예 사람들에게 자전거에 대해 알려 주어 '신바람 자전거'를 사게 하려는 목적이다.

2 예 자전거의 이미지를 긍정적으로 전달하기 위해 광고 화면을 밝고 긍정적으로 표현했다.

3 (1) 예 기분 최고, 건강 최고, 기술력 최고! 신바람 자전거가 선사합니다.
(2) 예 기분, 건강, 기술력에 각각 '최고'라는 표현이 과장되었다.

1 광고는 상품이나 생각을 널리 알리려고 정보를 제공할 뿐만 아니라 사람들이 상품을 선택하도록 설득합니다.

채점 기준	점수
광고의 목적을 정확히 쓴 경우	10점

2 광고에서는 내용을 두드러지게 하려고 인상 깊은 사진이나 그림, 글, 글씨체, 글씨 크기와 색, 화면의 구도와 색감, 반복되는 말 등의 효과를 넣어 표현합니다.

채점 기준	점수
광고에 드러난 표현의 특성을 알맞게 쓴 경우	10점

3 광고를 볼 때에는 과장된 부분은 없는지, 제공하는 정보가 믿을 수 있는지, 광고에서 감추고 있는 내용은 무엇인지 등을 꼼꼼히 따져봐야 합니다.

채점 기준	점수
(1)과 (2)를 모두 알맞게 쓴 경우	10점
(1)과 (2) 중 한 가지만 알맞게 쓴 경우	5점

7 글 고쳐 쓰기

1 불량 식품   **2** ⑤   **3** ③
4 예 고운 말을 사용합시다
5 ②   **6** ③   **7** (1) ② (2) ①
8 ㉠, ㉢   **9** ③
10 예 장바구니를 사용한다. / 동물들의 삶의 터전을 보전한다. / 친환경 제품을 사용한다.

1 글쓴이는 불량 식품을 먹지 말자고 설득하기 위해 이 글을 썼습니다.

2 고칠 부분이 많은 글이지만 글 전체가 한 문장으로 되어 있는 것은 아닙니다.

3 이 글은 고운 말을 사용해야 한다고 주장하고 있습니다.

4 글 내용과 글쓴이의 주장이 잘 드러날 수 있는 제목을 붙여야 합니다.

> **채점 기준** 고운 말을 사용하자는 내용이 잘 드러나게 제목을 바꾸어 썼으면 정답으로 합니다.

5 '만약'은 '~면'과 호응하는 말입니다. 문장의 호응을 생각하며 고쳐야 합니다.

6 ①은 띄어 쓸 때, ②는 글의 내용을 추가할 때, ④는 한 글자를 고칠 때, ⑤는 글자를 뺄 때 사용하는 교정 부호입니다.

7 글 ㉮의 글쓴이는 동물 실험을 해서는 안 된다고 말하고 있고, 글 ㉯의 글쓴이는 동물 실험을 해야 한다고 말하고 있습니다.

8 ㉡과 ㉣은 동물 실험에 반대하는 입장의 근거로 알맞습니다.

9 ①은 낱말 수준, ②는 문장 수준, ④와 ⑤는 문단 수준에서 점검할 내용입니다.

10 글의 주제와 관련하여 실천 방안을 여러 가지 떠올려 봅니다.

> **채점 기준** 인간과 자연이 조화를 이루며 발전할 수 있는 실천 방안을 알맞게 썼으면 정답으로 합니다.

1 ⑤   **2** ㉡
3 고운 말을 사용해야 한다. 등
4 ②   **5** 투쟁, 싸움 등
6 ③   **7** ①   **8** (2) ○
9 (1) ④ (2) ② (3) ③ (4) ①
10 예 인간과 자연이 조화를 이루며 발전한 나라의 사례 / 친환경 제품의 예

1 글의 제목은 주제를 잘 드러낼 수 있는 것으로 붙여야 합니다.

2 이 글은 불량 식품을 먹지 말자는 글인데 ㉡은 쓰레기를 버리는 문제에 대해 이야기하고 있습니다.

> **보충 자료**
> ㉤은 문장 호응이 맞지 않습니다. '아무리'는 '~아도/어도'와 호응하기 때문에 ㉤은 '불량 식품은 아무리 맛있어도 먹지 말아야 합니다.' 등으로 고쳐야 합니다.

3 고운 말을 사용하면 서로 존중하는 마음을 전할 수 있고 다른 사람과 원활하게 대화할 수 있다는 까닭을 들어 고운 말을 사용하자고 말하고 있습니다.

> **채점 기준** 고운 말을 사용해야 한다는 내용 등을 알맞게 썼으면 정답으로 합니다.

4 '고운 말을 사용해야 하는 것은 어린이만이 아니다.'는 고운 말을 사용하면 서로 존중하는 마음을 전할 수 있다는 중심 문장의 내용과 관련 없으므로 뺍니다.

5 '투쟁'은 어떤 대상을 극복하려고 싸우거나 집단 간에 싸우는 일을 일컫는 말이므로 '싸움'으로 바꾸는 것이 더 자연스럽습니다.

6 한 글자를 고칠 때 사용하는 교정 부호입니다.

7 동물 실험에 비용이 많이 든다는 내용은 나타나 있지 않습니다.

8 동물 실험으로 수많은 동물이 희생되고 있고 그렇게 만든 약이 사람에게 효과가 없거나 부작용을 일으킨다는 내용이므로 동물 실험에 반대하는 주장의 자료로 알맞습니다.

9 글을 고쳐 쓸 때에는 글 수준, 문단 수준, 문장 수준, 낱말 수준에서 내용을 점검하여 고쳐 씁니다.

10 인간과 자연이 조화를 이루며 발전할 수 있는 실천 방안을 떠올리고 그것을 뒷받침하기에 알맞은 자료를 찾습니다.

> **채점 기준** 실천 방안을 쓴 글에 활용할 수 있는 자료를 알맞게 썼으면 정답으로 합니다.

서술형평가   42쪽

1 예 필요한 내용을 더 쓰면 자세하고 내용이 풍부한 글이 된다.

2 예 '요즘'은 현재를 나타내는 말이고 '사용했다'는 과거를 나타내는 말이어서 어울리지 않기 때문이다.

3 예 고운 말을 사용하는 것은 우리말을 지키는 것과 같다.

4 (1) **예** 대체 실험에 오랜 개발 기간과 막대한 비용이 든다.

(2) **예** "대체 방법을 개발하는 데 6년 이상의 시간과 약 400억 원 이상의 비용이 필요하다."는 사실을 인용해 대체 실험이 쉽지 않다는 것을 강조하면 좋을 것 같다.

5 예 중심 문장과 뒷받침 문장이 자연스럽게 연결되는가?

1 글을 고쳐 쓸 때 더 필요한 내용을 넣어야 하는 까닭은 무엇일지 생각하여 씁니다.

채점 기준	점수
자세하고 내용이 풍부한 글이 된다는 내용 등을 알맞게 쓴 경우	6점

2 '요즘 많은 어린이가 이야기할 때 은어나 비속어를 사용한다.'로 고쳐 써야 합니다.

채점 기준	점수
'요즘'과 '사용했다'가 문장 호응에 어울리지 않기 때문이라는 내용을 알맞게 쓴 경우	6점

3 문단 ㉯의 뒷받침 문장을 대표하는 문장을 생각합니다.

채점 기준	점수
고운 말을 사용해 우리말을 지켜야 한다는 내용을 대표하는 문장으로 알맞게 바꾸어 쓴 경우	6점

4 이외에도 동물의 생명보다 인간의 생명이 더 소중하다는 등의 근거를 들어 동물 실험에 찬성할 수 있습니다.

채점 기준	점수
동물 실험을 해야 한다는 근거와 뒷받침 자료를 모두 잘 정리하여 쓴 경우	6점
(1)과 (2) 중 한 가지만 알맞게 쓴 경우	3점

5 이외에 문단의 중심 생각이 잘 나타나 있는지도 점검할 수 있습니다.

채점 기준	점수
문단 수준에서 점검할 내용을 알맞게 쓴 경우	6점

수행평가   43쪽

1 (1) **예** 은어나 비속어를 사용하지 말고 고운 말을 사용하자.

(2) **예** 고운 말을 사용합시다

2 • 요즘 많은 어린이가 이야기할 때 은어나 비속어를 사용한다. 등

• 만약 학생 열 명이 있다면 적어도 아홉 명은 비속어를 사용한 적이 있는 것이다. 등

3 (1) **예** 중심 문장의 내용과 관련 없는 문장이므로 삭제해야 한다.

(2) **예** 지나치게 단정적인 표현은 좋지 않으므로 '무조건'은 삭제하고 '것만이'는 '것은'으로 고쳐야 한다.

(3) **예** '노력하면 좋을 수도 있다'는 지나치게 불확실한 표현이므로 '노력하자'로 고쳐야 한다.

1 이 글은 요즘 많은 어린이가 은어나 비속어를 사용하는 문제점을 들며 고운 말을 사용하자는 주장을 펼치고 있습니다.

채점 기준	점수
글쓴이의 주장을 한 문장으로 쓰고, 주장이 잘 드러나게 제목을 바꾸어 쓴 경우	5점
(1)과 (2) 중 한 가지만 알맞게 쓴 경우	2점

2 '요즘'은 현재를 나타내는 말과 호응하고, '만약'은 '~면'과 호응하는 말입니다.

채점 기준	점수
문장 호응이 어색한 부분 두 가지를 모두 찾아 바르게 고쳐 쓴 경우	10점
한 가지만 바르게 고쳐 쓴 경우	5점

3 중심 문장의 내용과 관련 없는 문장은 삭제하고, 주장하는 글에는 지나치게 단정적이거나 불확실한 표현은 사용하지 않아야 합니다.

채점 기준	점수
㉠~㉢을 고쳐 써야 하는 까닭과 고쳐 쓰는 방법을 모두 바르게 쓴 경우	15점
㉠~㉢ 중 두 가지만 바르게 쓴 경우	10점
㉠~㉢ 중 한 가지만 바르게 쓴 경우	5점

8 작품으로 경험하기

1 ④

2 예 현지 사람들의 모습과 삶을 살펴보고 체험함으로써 그 지역의 문화를 알아 가는 여행을 하고 싶다.

3 지호   **4** (1) 입양 (2) 융

5 (1) 영화 줄거리 등

(2) 영화 속 내용과 비슷한 자신의 경험 등

6 ②

7 교역을 떠나기 위해 준비를 하였다. 등

8 예 자신감을 가지고 잘할 수 있을 것이라는 격려를 해 주고 싶다.

9 ③   **10** ③

---

1 현지인의 인권을 존중하는 등 다른 문화를 존중하고 배려하는 서로 공정한 여행을 해야 한다고 했습니다.

2 자신이 했던 여행을 떠올려 보고 앞으로 어떤 여행을 하고 싶은지 써 봅니다.

> **채점 기준** 다시 여행을 간다면 어떤 여행을 하고 싶은지 잘 썼으면 정답으로 합니다.

3 영상의 특징과 화면 구도 따위도 함께 살펴보면 좋습니다.

4 이 영화는 벨기에에 입양된 우리 동포 융이라는 사람이 어린 시절을 회상하는 이야기입니다.

5 글 ❹는 영화 줄거리를 쓴 것이고, 글 ❺는 영화 속 내용과 비슷한 자신의 경험을 떠올려 쓴 것입니다.

6 홍라는 대상주로서 위엄을 갖추기 위해 애써 엄한 표정을 지었습니다.

7 홍라는 몰래 교역을 떠나기 위해 준비를 하였습니다.

8 금씨 상단을 지키기 위해 몰래 교역을 하러 떠나려는 홍라에게 어떤 말을 해 주고 싶은지 씁니다.

> **채점 기준** 상단을 지키기 위해 교역을 하러 떠나려는 홍라에게 해 주고 싶은 말을 알맞게 썼으면 정답으로 합니다.

9 제목은 작품을 읽고 난 뒤 소감을 가장 잘 표현하는 문장이나 문구로 정합니다.

---

10 영화를 만들 때 사진이나 그림, 영상에 어울리는 설명을 간단히 기록하는 과정입니다.

1 다른 문화를 존중하고 배려하는 서로 공정한 여행을 해야 한다. 등

2 ①   **3** 「피부 색깔=꿀색」

4 ❹   **5** ④   **6** ④

7 예 의지가 강하다. / 용기가 있다.

8 보민

9 예 홍라가 솔빈으로 가서 은화를 팔아 솔빈의 말을 사고 그것을 장안에서 팔아 장안의 비단을 싸게 사 오는 등의 계획을 세우며 상단을 꾸려 떠날 결심을 하는 장면이 인상 깊다. 상단을 지키려고 노력하는 홍라의 모습에서 감동을 받았다.

10 ②

---

1 다른 문화를 존중하고 배려하는 서로 공정한 여행을 해야 한다고 했습니다.

> **채점 기준** 다른 문화를 존중하고 배려하는 서로 공정한 여행을 해야 한다는 내용을 알맞게 썼으면 정답으로 합니다.

2 ①은 여행을 계획할 때 미리 쓸 수 없는 내용입니다.

3 「피부 색깔=꿀색」이라는 영화를 보고 영화 감상문을 쓴 것입니다.

4 글 ②는 영화를 보게 된 까닭, 글 ④는 예전에 보았던 영화를 떠올려 쓴 것입니다.

5 영화의 장면을 소개할 수는 있지만 모든 장면을 빼놓지 않고 쓸 필요는 없습니다.

6 홍라는 어머니가 돌아오기 전에 빚을 갚고 상단을 지켜야겠다고 생각했습니다.

7 교역을 해서 상단을 지키려고 생각하는 것, 힘든 일에도 울지 않으려고 하는 것에서 짐작할 수 있습니다.

8 홍라는 따로 상단의 일을 배운 적은 없다고 했습니다.

9 글을 읽으며 가장 기억에 남는 부분, 감동적인 부분 등을 찾아봅니다.

> **채점 기준** 글을 읽으며 인상 깊은 장면과 그 까닭을 자세히 썼으면 정답으로 합니다.

10 가장 먼저 주제를 정해야 합니다. 자신의 경험을 떠올려 주제를 정할 수 있습니다.

5 중국에 갔던 경험이나 중국과 관련된 책을 읽었던 경험 등을 떠올려 쓸 수 있습니다.

채점 기준	점수
작품을 읽으며 떠오른 작품 속 내용과 비슷한 자신의 경험을 알맞게 쓴 경우	6점

서술형평가 48쪽

1 예 나는 여행을 가서 무엇을 먹고 무엇을 할 것인지에만 관심을 기울였는데 이 영상에서는 현지 문화를 체험해 보고 그 체험으로 다른 문화를 존중하고 배려하는 여행을 하는 것이 다른 것 같다.

2 "비록 우리나라의 아픈 역사 때문에 벨기에에서 살지만 우리는 똑같은 한국인입니다."

3 예 영화를 본 뒤의 전체적인 느낌이나 주제를 썼다.

4 예 화려하고 경이로웠다. / 세계적인 교역 도시답게 상인들과 진귀한 물건들로 가득했다.

5 예 박지원이 쓴 『열하일기』가 생각난다. 장안에 대한 묘사와 중국에서의 문물을 소개하는 부분이 비슷하기 때문이다. / 중국 베이징에 갔던 기억이 떠오른다.

1 자신의 여행 경험을 떠올려 보고, 영상에 나온 여행과 비교하여 자유롭게 씁니다.

채점 기준	점수
자신이 갔던 여행과 공정한 여행을 비교하여 잘 쓴 경우	6점

2 영화 감상문에는 영화의 인물에게 하고 싶은 말을 쓸 수도 있습니다.

채점 기준	점수
"비록 우리나라의 아픈 역사 때문에 벨기에에서 살지만 우리는 똑같은 한국인입니다."라는 내용을 잘 찾아 쓴 경우	6점

3 영화를 보고 나서 전체적인 느낌과 영화의 주제에 대해 쓴 부분입니다.

채점 기준	점수
영화를 본 뒤의 전체적인 느낌과 주제가 나타나 있다는 내용을 알맞게 쓴 경우	6점

4 인구 백 만이 넘는 대도시이자 세계적인 교역 도시인 장안의 모습이 나타나 있습니다.

채점 기준	점수
첫 번째 문단에 나타난 홍라가 본 장안의 모습을 알맞게 쓴 경우	6점

수행평가 49쪽

1 (1) **예** 장안 (2) **예** 대상주가 되어 상단의 빚을 갚기 위해 교역을 떠나는 것이다.

2 예 큰 역할을 맡고 교역길에 오르는 홍라가 매우 용감하고 책임감이 강하다는 생각이 들었다. / 어린 나이에 스스로 상단을 꾸려 대상주로서 교역에 나서는 모습에 감동을 받았다.

3 예 태권도 승급 심사를 앞두고 반드시 합격하겠다고 다짐한 적이 있다. 연습할 때에는 힘들었지만 절대 좌절하지 않고 이겨내려고 노력했다. 승급 심사에서 긴장되고 떨리기도 했지만 열심히 노력한 대로 심사를 잘 봐서 승급 심사에서 합격했다. 그때는 노력한 만큼의 결과를 얻어서 정말 기분이 좋았다.

1 홍라는 어머니를 대신해서 상단을 지키고자 대상주가 되어 장안으로 교역을 떠나려고 합니다.

채점 기준	점수
홍라가 떠나는 곳과 떠나는 까닭을 모두 알맞게 쓴 경우	10점
(1)과 (2) 중 한 가지만 바르게 쓴 경우	5점

2 어머니를 대신하여 상단을 구하기 위해 먼 교역길에 오르는 홍라를 보고 어떤 생각이나 느낌이 드는지 써 봅니다.

채점 기준	점수
상단을 지키기 위해 교역을 떠나기로 결심한 홍라를 보고 든 생각이나 느낌을 자세히 쓴 경우	10점

3 새로운 일을 앞두고 긴장했던 마음, 열심히 노력한 일, 그 일을 성공하기 위해 다짐했던 마음 등을 떠올려 자세히 써 봅니다.

채점 기준	점수
홍라처럼 새로운 일을 앞두고 성공을 위해 굳게 다짐했던 경험을 알맞게 쓴 경우	10점
홍라와 비슷한 경험을 썼으나 다소 부족한 경우	5점

1 ①, ③ **2** 예 용기 **3** ①

4 (3) ○

5 예 이모는 자신이 좋아하는 것을 명확히 이야기하고 지킬 줄 아는 자신감과 용기가 있다. 나도 내가 정말 좋아하는 것을 찾아 용기 있게 지켜 나가야겠다. **6** 은수

7 전하고 싶은 말을 쉽게 표현할 수 있다. 등

8 (3) ○

9 매우 기쁘고 만족스러움. 등

10 매우 자주. 등

11 ①, ② **12** ㉠

13 예 공정 무역이 자연을 보호하고 생산자의 건강을 지키는 방법이 된다는 근거는 공정 무역 제품을 사용하자는 주장을 잘 뒷받침하므로 타당하다.

14 ④ **15** ⑤, ③, ④, ②, ①

16 (1) ② (2) ① **17** 나

18 (1) ㉠, ㉢ (2) ㉡, ㉣

19 발표 상황 파악하기 **20** ①

1 여자들도 왜놈들을 몰아내는 데 한몫을 해야 한다는 말에서 짐작할 수 있습니다.

2 당시 어려운 시대 상황에도 큰일을 한 것에서 윤희순이 추구한 가치를 알 수 있습니다.

3 이모는 책 읽는 게 즐겁다고 하였습니다.

4 자신이 좋아하고 가치 있다고 생각하는 것을 꾸준히 하는 즐거움이 있는 삶을 추구합니다.

5 이모가 추구하는 삶을 파악한 뒤 자신의 삶과 비교해 봅니다.

채점 기준 이모가 추구하는 삶을 알맞게 파악하여 자신의 삶과 비교해 썼으면 정답으로 합니다.

6 관용 표현에는 함축적인 의미가 담겨 있습니다.

7 그밖에 재미있는 표현이어서 듣는 사람의 관심을 불러일으킬 수 있고, 하려는 말을 상대가 쉽게 알아들을 수 있습니다.

8 '손꼽아 기다리다'의 뜻입니다.

9 '매우 기쁘고 만족스러움.'이라는 뜻입니다.

10 딱 열두 번 노력하라는 말이 아니라, 그만큼 자주 노력하라는 뜻입니다.

11 공정 무역 제품을 사용하는 것은 자연을 보호하고 생산자의 건강을 지키는 방법이 된다고 했습니다.

12 자연을 보호하고 생산자의 건강을 지키는 방법이 된다는 근거를 들어 공정 무역 제품을 사용하자고 주장하고 있습니다.

13 근거가 주장과 관련 있는지, 근거가 주장을 뒷받침하는지 판단합니다.

채점 기준 근거의 타당성을 판단하는 방법을 알고 글에 나타난 근거가 타당한지 알맞게 판단해 썼으면 정답으로 합니다.

14 인터넷에서 인기 있는 자료가 아니라 출처를 보고 믿을 수 있는 자료를 활용해야 합니다.

15 가장 먼저 문제 상황을 생각하며 주장과 근거를 정해야 하고, 근거에 맞게 자료를 수집해 논설문을 씁니다.

16 가는 공익 광고 사진, 나는 도표입니다.

17 가는 '하루 종일 휴대 전화를 잡고 있는 등 휴대 전화에 중독된 사람이 많다.'는 주제를 전하고 있습니다.

18 공익 광고 사진과 도표가 각각 주제를 효과적으로 표현하려고 어떤 방법을 사용했는지 살펴봅니다.

19 가장 먼저 발표 상황을 파악해야 합니다.

20 ①은 '촬영 계획 세우기'에서 할 일입니다.

1 ③ **2** ⑤ **3** (1) ○

4 ⑤ **5** ⑤ **6** ㉡

7 사람들에게 새로운 정보를 알려 준다. 등

8 ④

9 예 광고 내용을 모두 믿고 제품을 구입하면 피해를 입을 수 있다.

10 기자의 보도 **11** ⑤ **12** 기자

13 예 건강을 해치는 불량 식품

14 ② **15** ③, ④ **16** 홍구

17 노력하자. 등 **18** ⑤ **19** ①, ②

20 예 영화 속 내용과 비슷한 자신의 경험을 떠올려 쓴다.

1 관점에 대한 설명입니다.

2 로봇세는 이제 발전하려는 로봇 산업에 방해가 된다고 했습니다.

3 로봇세에 대해 부정적인 생각이 나타나 있습니다.

4 글에 포함된 그림이나 사진도 글쓴이의 생각을 파악하는 데 도움이 됩니다.

5 천하에 쓸모없는 물건이지만 어떻게 쓰느냐에 따라 천하의 고운 빛깔을 낼 수 있다고 했습니다.

6 글쓴이의 생각이 드러난 문장은 ⓒ입니다.

7 이 외에도 어떤 일을 긍정적이거나 비판적인 시각으로 보게 하거나, 여러 사람의 생각에 영향을 주어 여론을 형성하게 합니다.

8 이 광고는 신바람 자전거를 파는 것이 목적입니다.

9 비판하지 않고 광고를 보면 그 내용을 모두 사실이라고 믿을 수 있기 때문에 위험합니다.

> **채점 기준** 광고를 그대로 믿을 경우 생기는 문제점을 알맞게 썼으면 정답으로 합니다.

10 뉴스는 진행자의 도입, 기자의 보도, 기자의 마무리 순서로 진행됩니다.

11 '진행자의 도입'에서 자막은 뉴스에서 보도할 내용을 유도하거나 전체를 요약해 안내합니다.

12 뉴스에서 전문가를 면담하거나 취재해 보도하는 역할을 하는 것은 기자입니다.

13 불량 식품은 건강을 해치니 먹지 말자는 주제에 어울리는 제목으로 고쳐 씁니다.

14 '아무리'는 '~아도/어도'와 호응하기 때문에 '아무리 맛있어도 먹지 말아야 합니다.'와 같이 고쳐야 합니다.

15 이외에도 고운 말을 사용하면 우리말을 아름답게 가꾸고 지킬 수 있습니다.

16 '무조건', '것만이'와 같은 지나치게 단정적인 표현은 사용하지 않는 것이 좋습니다.

17 주장하는 글에는 불확실한 표현은 사용하지 않는 것이 좋습니다.

18 고쳐쓰기를 할 때 한 문단에 하나의 중심 생각만 있는지 살펴봐야 합니다.

19 영화를 보게 된 까닭과 영화 줄거리가 나타나 있습니다.

20 영화 줄거리나 영화를 보게 된 까닭을 쓰고, 자신이 본 영화나 책을 함께 떠올려 쓸 수도 있습니다.

> **채점 기준** 영화 감상문을 쓸 때 들어갈 내용을 생각하여 영화 감상문을 쓰는 방법을 한 가지 알맞게 썼으면 정답으로 합니다.

전 범위 **기말 평가** 56~58쪽

1 ⑤　　　　　　**2** 생명 존중 / 사랑 등
3 어떤 일이든지 하려고 생각했으면 한창 열이 올랐을 때 망설이지 말고 곧 행동으로 옮겨야 한다. 등
4 ①　　　　　　**5** 공든 탑이 무너지랴 등
6 ④
7 ⓔ 잘못된 정보가 쉽게 퍼질 수 있다.
8 ②　　　　　**9** 촬영하기　　　**10** ⓒ, ⓔ
11 도입해야　　**12** 깃털 책가방　　**13** 혜진, 현준
14 ⓔ 과장 광고나 허위 광고가 무엇인지 판단하며 광고를 볼 수 있어서 좋다. / 광고를 그대로 수용하지 않고 비판적으로 볼 수 있어서 좋다.
15 ③　　　　　**16** ⑤
17 고운 말을 사용하는 것은 우리말을 지키는 것과 같다. 등
18 ③　　　　　**19** ①
20 ⓔ 매우 불안하지만 뭔가 희망이 보이는 듯한 느낌일 것 같다.

1 아버지가 불이 난 건물에 들어가 건물에 갇힌 사람들을 업고 나왔습니다.

2 동료를 잃고 뜨거운 눈물을 쏟으며 안타까워하시는 행동을 보면 '생명 존중', 동료에 대한 '사랑'과 관련 있습니다.

3 하려고 하는 일을 곧 행동에 옮길 때 쓰는 관용 표현입니다.

4 '재미나 의욕이 없어진다.'의 뜻으로 사용하는 관용 표현은 '김이 식다'입니다.

5 '힘을 다하고 정성을 다하여 한 일은 그 결과가 헛되지 않는다.'는 뜻의 관용 표현이 어울립니다.

6 다른 사람이 쓴 정보를 쉽게 접할 수 있다는 것이 이 글에서 알 수 있는 누리 소통망의 장점입니다.

7 '누리 소통망을 올바르게 사용하자'는 주장을 뒷받침할 수 있는 적절한 근거를 생각해 봅니다.

> **채점 기준** '누리 소통망을 올바르게 사용하자'는 주장을 뒷받침할 수 있는 근거 한 가지를 알맞게 썼으면 정답으로 합니다.

8 영상 자료를 보여 주면 민속춤의 움직임을 더 자세하고 생생하게 파악할 수 있습니다.

9 촬영 계획을 세운 후 촬영을 하고 촬영한 영상을 편집합니다.

10 글쓴이의 생각이 담긴 표현은 ⓒ, ⓒ입니다.

11 글쓴이는 로봇세를 도입해야 한다고 생각합니다.

12 깃털 책가방을 광고하고 있습니다.

13 광고에는 과장된 내용이 포함될 수 있으므로 비판적으로 봐야 합니다.

14 광고는 허위나 과장이 있을 수 있는데 적절성을 판단하면 비판적으로 볼 수 있습니다.

> **채점 기준** 광고에 나타난 표현의 적절성을 판단하면 좋은 점을 알맞게 썼으면 정답으로 합니다.

15 뉴스가 재미있는지, 내용이 긴지는 중요하지 않습니다.

16 중심 문장과 뒷받침 문장이 어울리지 않습니다. 중심 문장은 뒷받침 문장들의 내용을 대표하는 문장이어야 합니다.

17 뒷받침 문장들을 읽어 보고 그 내용을 대표하는 문장으로 고쳐 써 봅니다.

18 글자를 뺄 때 사용하는 교정 부호입니다.

19 장안은 건물들이 화려하고 온갖 나라의 사람들이 많은 세계적인 교역 도시였습니다.

20 큰 도시인 장안으로 자신의 상단을 이끌고 가게 되었을 때의 마음을 생각해 봅니다.

한·끝·시·리·즈   교과서 학습부터 평가 대비까지 한 권으로 끝! 국어 공부의 진리입니다.

대표전화 1544-0554
주소 경기도 과천시 과천대로2길 54
협의 없는 무단 복제는 법으로 금지되어 있습니다.

비상 누리집에서 더 많은 정보를 확인해 보세요.
http://book.visang.com/

평가 교재는 본책에서 쉽게 분리할 수 있도록 제작되었으므로
유통 과정에서 분리될 수 있으나 파본이 아닌 정상제품입니다.

한솔 평가
교재

단원 평가 대비

• 단원 평가 2회
• 서술형 평가
• 수행 평가

중간·기말 평가 대비

• 중간 평가
• 기말 평가 (중간 이후)
• 기말 평가 (전 범위)

초등국어

6·2

 책 속의 가접 별책 (특허 제 0557442호)

visang

ABOVE IMAGINATION

우리는 남다른 상상과 혁신으로
교육 문화의 새로운 전형을 만들어
모든 이의 행복한 경험과 성장에 기여한다

한끝

평가 교재

초등
국어 **6·2**

[1~2] 글을 읽고, 물음에 답하시오.

마을 아낙네들의 눈길이 모두 윤희순에게 쏠렸다.

"여태껏 우리 여자들은 집안을 돌보는 데 온 힘을 다해 왔습니다. 하지만 이제 왜놈들이 이 나라를 집어삼키려는 마당에 우리가 가만히 집 안에만 틀어박혀 있을 순 없는 노릇입니다. 그러니 우리도 사내들처럼 다 함께 의병 운동에 나서야 할 것입니다."

그때 누군가가 말꼬리를 걸고 나섰다.

㉠"아니, 조정 대신이란 놈들이 나라를 팔아먹으려 드는데 우리 같은 여자들이 나선다고 뭐가 달라지겠소? 자칫 괜한 목숨만 버릴 뿐이오."

그 말이 떨어지기가 무섭게 여기저기서 술렁거렸다. 기껏 뜨겁게 달아오른 열기가 금세 차갑게 식을 판이었다.

"그럼 나라를 빼앗기고 왜놈들 종으로 살자는 것입니까?"

윤희순이 다시 마음을 가다듬고 큰 소리로 부르짖자 마을 아낙네들의 눈길이 또다시 윤희순에게 쏠렸다.

1 ㉠에서 알 수 있는 시대적 배경을 **두 가지** 고르시오.
(,)

① 남녀 차별이 있던 시대이다.
② 대신들이 굶주리던 시대이다.
③ 여자들이 정치를 하던 시대이다.
④ 조정 대신들이 의병 운동을 하던 시대이다.
⑤ 을사늑약이 강제로 체결된 뒤라는 것을 알 수 있다.

논술형

2 윤희순이 삶에서 추구한 가치와 관련 있는 낱말을 정하여 그 까닭과 함께 쓰시오.

_____

_____

[3~5] 글을 읽고, 물음에 답하시오.

⑦ 추사 선생은 못마땅한 표정으로 허련을 쏘아보았다. 애당초 흔쾌한 대답을 기대하지 않은 터였다. 허련은 개의치 않고 고개를 깊이 숙였다. 추사 선생이 심드렁하게 말했다.

"그러시게. 자네는 자네의 스승을 찾게. 나는 내 제자를 찾을 터이니."

⑭ 허련은 월성위궁을 떠날 생각은 완전히 접고 아예 추사 선생의 자잘한 시중을 맡아 했다. 새벽에 일어나 마당을 쓸고, 서재를 활짝 열어 신선한 공기를 넣었다. 그러면 허련의 새 하루도 시작되었다. 사랑채를 청소하고 추사 선생의 붓을 씻어 말리고 먹을 갈았다. 얼마 안 가서 하인이 아예 허련에게 일을 미루어 버렸다. 추사 선생도 언제부턴가 허련이 월성위궁에 머무는 걸 당연하게 여겼다.

3 추사 김정희가 "자네는 자네의 스승을 찾게."라고 했을 때 허련의 마음은 어땠는지 쓰시오.

( )

4 추사 김정희가 자신을 제자로 받아 주지 않은 상황에서 허련이 한 행동은 무엇입니까? ( )

① 다른 스승을 찾아 떠났다.
② 추사 김정희를 말로 설득했다.
③ 추사 김정희에게 하인을 구해 주었다.
④ 추사 김정희에게 자신의 실력을 보여 주었다.
⑤ 월성위궁을 떠나지 않고 추사 김정희의 시중을 들었다.

5 허련이 추구하는 삶과 관련 있는 가치는 무엇입니까?
( )

① 열정과 끈기
② 희생과 사랑
③ 안전과 평화
④ 이익과 성공
⑤ 욕심과 변화

[6~7] 글을 읽고, 물음에 답하시오.

> 네 아버지가 빠져나오고 뒤를 돌아보았을 때, 불길에 무너지는 커다란 기둥이 그 구조 대원의 몸을 휩싸 안고 바닥으로 꺼져 버렸단다.
> 자기 목숨보다 남의 목숨을 먼저 생각한 용감한 소방관 아저씨의 최후……
> 그 이야기를 하시면서 아버지는 정말 뜨거운 눈물을 쏟으셨단다.
> "만약에 빠져나오는 차례가 나와 바뀌었더라면 그가 살고 나는 지금 이 자리에 없는 거야……"

6 아버지가 한 말이나 행동을 통해 알 수 있는 아버지의 삶과 관련 있는 가치를 <u>두 가지</u> 고르시오.
(,   )

① 생명 존중
② 편안한 삶
③ 자신의 안전
④ 동료에 대한 사랑
⑤ 최고가 되고자 하는 욕심

논술형

7 이 글의 인물이나 내용과 관련 있는 자신의 경험을 쓰시오.

_____

_____

[8~9] 글을 읽고, 물음에 답하시오.

> 상수리는 피아노 건반을 살포시 어루만졌다.
> "피아노야, 넌 내가 훌륭한 피아니스트가 되길 바란 게 아니었지? 넌 아마 내가 행복한 피아니스트가 되길 꿈꾸었을 거야. 근데 나는 그것도 모르고 너와 함께하는 시간이 지긋지긋해지도록 연습만 하는 게 최선인 줄 알았으니……. 그동안 네가 얼마나 힘들었을까? 미안해. 정말 미안해."
> 상수리는 피아노 의자를 당겨 앉았다.

8 상수리는, 피아노가 자신이 무엇이 되기를 꿈꾸었다고 생각하는지 쓰시오.

(   )

9 상수리가 추구하는 삶은 무엇입니까? (   )

① 성실하게 노력하는 삶
② 부유하고 인기 많은 삶
③ 다른 사람에게 인정받는 삶
④ 어떤 것이든 일 등이 되는 삶
⑤ 당장 이루어질 일만을 찾아 하는 삶

10 다음 시에서 말하는 이는 자신이 추구하는 삶의 모습을 무엇에 빗대어 표현하였는지 쓰시오.

> 그래 살아 봐야지
> 너도 나도 공이 되어
> 떨어져도 튀는 공이 되어
>
> 살아 봐야지
> 쓰러지는 법이 없는 둥근
> 공처럼, 탄력의 나라의
> 왕자처럼
>
> 가볍게 떠올라야지
> 곧 움직일 준비 되어 있는 꼴
> 둥근 공이 되어
>
> 옳지 최선의 꼴
> 지금의 네 모습처럼
> 떨어져도 튀어 오르는 공
> 쓰러지는 법이 없는 공이 되어.

(   )

[1~3] 글을 읽고, 물음에 답하시오.

마침내 윤희순은 마을 아낙네들을 끌어모아 안사람 의병대를 만들었다.

"의병을 도와 나라를 구합시다!"

맨 먼저 안사람 의병대는 집집마다 찾아다니며 모금을 했다.

"왜놈들이 우리나라를 집어삼키려 합니다. 의병을 도와주십시오."

안사람 의병대의 눈물 어린 하소연은 많은 사람의 마음을 움직였다. 어떤 사람은 무기를 만들 수 있는 놋쇠와 구리를 내놓았고, 어떤 사람은 가진 돈을 몽땅 내놓기도 했다.

"우린 고구마밖에 없는데 괜찮다면 이거라도 내놓겠네."

㉠살림살이가 어려운 사람들도 의병을 돕겠다고 발 벗고 나섰다.

1 윤희순이 마을 아낙네들을 끌어모아 만든 것은 무엇인지 쓰시오.

( )

2 ㉠에서 알 수 있는 시대적 배경은 무엇입니까?

( )

① 우리나라 사람들이 부유하게 살았다.

② 자신들의 욕심만 채우려는 사람이 많았다.

③ 나라를 잃은 충격으로 사람들이 의욕을 잃었다.

④ 여자들이 대우를 받고 어려운 일을 많이 했다.

⑤ 어려운 상황 속에서도 우리나라 사람들의 위기 극복 의지가 대단했다.

3 윤희순이 삶에서 추구한 가치와 관련 있는 낱말을 떠올려 하나만 쓰시오.

( )

[4~5] 글을 읽고, 물음에 답하시오.

㉮ 마당에서 종이를 들고 그림을 말리고 있는데 뒤에서 추사 선생의 목소리가 들렸다.

"그 나무는 자네의 나무인가?"

"예?"

"자네의 정신이 거기 있는가?"

"……."

"나무와 바위 말고 뭐가 있는가?"

'뭐가 있나'라니? 허련이 미처 질문의 뜻을 생각하기도 전에 추사 선생은 돌아서 가 버렸다.

㉯ '내 내면을 깊고 그윽한 무엇으로 채우지 않고서는 제대로 된 그림을 그릴 수 없겠구나.'

허련은 그림보다 책을 더 많이 읽었다. 그리는 시간보다 생각하는 시간이 더 많아졌다.

㉰ 허련은 화첩에서 배운 필법을 바탕으로 연구와 실험을 해 가며 나름의 붓질법을 만들어 나갔다. 수십 개의 붓이 뭉뚝해졌다. 점차 허련만의 그림이 나왔다.

4 자신의 그림에 정신이 없다는 말을 들은 상황에서 허련이 한 행동을 두 가지 고르시오.

(,)

① 유명한 화첩을 찾으러 다녔다.

② 새로운 붓질법을 배우기 시작했다.

③ 추사 김정희의 그림을 따라 그렸다.

④ 책을 더 많이 읽고 생각하는 시간이 많아졌다.

⑤ 붓 수십 자루가 몽당붓이 되도록 끊임없이 연습했다.

논술형

5 이 글에서 알 수 있는 허련이 추구하는 삶은 무엇인지 쓰시오.

_____

_____

[6~7] 글을 읽고, 물음에 답하시오.

> "경민이에게 당신이 어제 화재 현장에서 고생하신 얘기를 들려주었어요. 그랬더니 글쎄, 우리 아버지가 다시 태어나신 거나 마찬가지라고 저렇게 야단이랍니다."
>
> 경민이는 아버지의 잔과 자기의 콜라 잔을 부딪치며 힘차게 "브라보!"를 외쳤다.
>
> "우리 아들, 고맙고 기특하구나. 이 아빠가 막 눈물이 날 것 같아."
>
> 화재 현장에 갈 때마다 얼마나 많은 위기를 맞았던가!

6 글의 내용으로 볼 때 아버지가 하시는 일은 무엇인지 쓰시오.

(   )

7 아버지가 한 말이나 행동을 보며 아버지의 삶과 관련 있는 가치를 두 가지 고르시오.

(,   )

① 부유한 삶
② 가족에 대한 사랑
③ 안전을 추구하는 마음
④ 이기고 싶다는 경쟁심
⑤ 가족이 이해해 주는 것에 대한 감사

[8~9] 글을 읽고, 물음에 답하시오.

> "어기, 힘들지? 그래도 기운 내."
>
> 어기는 고개를 가로저으며 씩씩하게 되물었다.
>
> "하나도 안 힘들어. 꿈꾸는 게 왜 힘드니?"
>
> "그래도 날마다 그렇게 열심히 연습했는데, 못 날면 속상하잖아."
>
> "아니, 속상하지 않아. 난 늘 즐거워. 만약 꿈꾸는 동안 즐겁지 않다면 그게 무슨 꿈이니?"
>
> 어기는 물을 다 마시고 날개를 푸드덕푸드덕 힘차게 털어 냈다.
>
> "자, 쉬었으니 또 신나게 날아오르러 가 볼까?"

8 어기는 나는 연습을 하는 것에 대해 어떻게 생각합니까?

(   )

① 꿈꾸는 일이므로 힘들지 않다.
② 열심히 연습했는데 못 날면 속상하다.
③ 연습을 할 때는 힘들지만 지나고 나면 괜찮다.
④ 어차피 안 되는 일이라면 열심히 할 필요가 없다.
⑤ 별로 하고 싶지 않지만 응원해 주는 사람들을 위해 열심히 하려고 한다.

논술형
9 어기가 추구하는 삶은 무엇인지 쓰시오.

_____

_____

10 다음은 꿈꾸는 삶의 모습을 머릿속에 그려 보고 그 모습을 다른 대상에 빗대어 표현한 것입니다. 빈칸에 들어갈 알맞은 말을 떠올려 쓰시오.

> 나는 (   )처럼 자유로운 삶을 살고 싶어. 하고 싶은 일을 하면서 마음껏 꿈을 펼치고 싶어.

(   )

서술형평가 · 1. 작품 속 인물과 나

6학년   반   점수
이름   / 30점

[1~2] 글을 읽고, 물음에 답하시오.

그때 누군가가 말꼬리를 걸고 나섰다.

"아니, 조정 대신이란 놈들이 나라를 팔아먹으려 드는데 우리 같은 여자들이 나선다고 뭐가 달라지겠소? 자칫 괜한 목숨만 버릴 뿐이오."

그 말이 떨어지기가 무섭게 여기저기서 술렁거렸다. 기껏 뜨겁게 달아오른 열기가 금세 차갑게 식을 판이었다.

"그럼 나라를 빼앗기고 왜놈들 종으로 살자는 것입니까?"

윤희순이 다시 마음을 가다듬고 큰 소리로 부르짖자 마을 아낙네들의 눈길이 또다시 윤희순에게 쏠렸다.

1 이 글의 시대적 배경은 어떠하겠는지 쓰시오. [5점]

_____

_____

2 윤희순의 삶과 관련 있는 가치는 무엇인지 생각하여 쓰시오. [5점]

_____

_____

3 다음 글에 나타난 행동으로 볼 때 허련이 추구하는 삶은 무엇이겠는지 쓰시오. [5점]

허련은 화첩에서 배운 필법을 바탕으로 연구와 실험을 해 가며 나름의 붓질법을 만들어 나갔다. 수십 개의 붓이 뭉뚝해졌다. 점차 허련만의 그림이 나왔다.

_____

_____

[4~5] 글을 읽고, 물음에 답하시오.

"꿈이야 있지. 근데 꿈이란 게 꼭 뭐가 되어야 하는 거야? 뭐가 안 되면 어때? 그냥 하면 되지. 내 꿈은 춤추는 거지. 신나게 춤추는 것. 그게 내 꿈이야."

퐁은 진진의 물음에 꼬박꼬박 대답하면서도 허리를 흔들며 춤을 췄다. 퐁의 몸짓을 따라 물결이 찰랑찰랑 일었다. 진진은 그런 퐁을 잠시 지켜보다 다시 물었다.

"넌 이미 충분히 즐겁게 춤추고 있잖아?"

"오늘보다 내일은 더 즐겁게, 내일보다 모레는 더, 더 즐겁게. 모레보다 글피는 더, 더, 더 즐겁게, 글피보다 그글피는 더, 더, 더, 더 즐겁게. 내 꿈은 절대로 끝나지 않지."

4 퐁이 추구하는 삶은 무엇인지 쓰시오. [5점]

_____

_____

5 퐁이 추구하는 삶과 자신의 삶을 비교해 쓰시오. [5점]

_____

_____

6 다음 시에서 말하는 이가 추구하는 삶의 모습을 떠올리며 어떤 생각이나 느낌이 들었는지 쓰시오. [5점]

옳지 최선의 꼴
지금의 네 모습처럼
떨어져도 튀어 오르는 공
쓰러지는 법이 없는 공이 되어.

_____

_____

수행평가 1. 작품 속 인물과 나

6학년	반	점수
이름		/30점

관련 성취 기준	인물의 말과 행동을 통해 인물이 추구하는 삶을 파악한다.
평가 목표	작품을 읽고 인물이 추구하는 삶을 파악할 수 있다.

1
단원

[1~3] 인물이 추구하는 삶을 생각하며 글을 읽어 봅시다.

> 가 "뭐든 미친 듯이 하지 않고서는 큰 성취를 얻을 수 없네."
> 허련은 깊이 알아듣고 고개를 숙였다.
> "붓을 천 개쯤은 뭉뚝하게 만들어 봐야 그림이 뭔가를 알게 될 걸세."
> 추사 선생이 흘리듯 말하고는 돌아서 갔다. 허련은 몽당붓을 들고 물끄러미 보았다. 이제 겨우 한 걸음을 더 뗀 것 같았다.
> '천 개 넘어 붓이 닳으면…….' / 허련은 쓰고 또 썼다. 그리고 또 그렸다.
> 나 추사 선생이 이번엔 가로로 선을 그었다. 가는 선 굵은 선을 번갈아 그리다가 사선으로 짧은 선들을 무수히 그었다. 둥근 선으로 한 장을 또 채웠다.
> 추사 선생이 돌아보며 싱긋 웃었다.
> "이게 바로 초묵법이구나." / "초묵법요?"
> "마르고 건조한데 윤기가 있어 보이는 붓질. 오랫동안 풀지 못한 것을 오늘 자네한테 배우는구나."
> 추사 선생의 얼굴에 환희가 차올랐다. 초묵법. 허련은 자기가 먹을 쓴 방법이 그것인 줄 몰랐다. 추사 선생이 기뻐하는 것을 보고 그저 어리둥절할 뿐이었다. 그 뒤로 추사 선생은 산수화를 그릴 때에 이런 붓질법을 즐겨 사용했다.

1 글 가와 나에서 인물에게 일어난 일을 각각 쓰시오. [10점]

(1) 글 가의 허련	
(2) 글 나의 추사 김정희	

2 이 글에서 허련이 추구하는 삶은 어떠한지 쓰시오. [10점]

_____

3 이 글에서 추사 김정희가 추구하는 삶은 어떠한지 쓰시오. [10점]

_____

_____

[1~2] 대화를 읽고, 물음에 답하시오.

> 남자아이: 소진아, 제주도에 다녀왔다며? 재미있었어?
>
> 소진: 제주도에 다녀온 것 말이야? 아까 민진이에게만 말했는데 넌 어떻게 알았어? 정말 ⊙발 없는 말이 천 리 가는구나.

1 ⊙은 어떤 뜻일지 빈칸에 알맞은 말을 쓰시오.

> (   )은/는 비록 발이 없지만 천 리 밖까지도 순식간에 퍼진다는 뜻

2 ⊙ 표현 대신에 쓸 수 있는 표현은 어느 것입니까?

(   )

① 말 갈 데 소 간다
② 호랑이도 제 말 하면 온다
③ 세 살 적 버릇이 여든까지 간다
④ 사공이 많으면 배가 산으로 간다
⑤ 낮말은 새가 듣고 밤말은 쥐가 듣는다

논술형

3 다음 ⊙의 뜻은 무엇인지 쓰시오.

> 지현: 안나야!
>
> 안나: 아이고, 깜짝이야! ⊙간 떨어질 뻔했잖니.
>
> 지현: 미안해. 문구점에 같이 가자! 내일 미술 시간에 필요한 준비물을 사야 하지? 일단 어떤 준비물이 있는지 확인해 보자. 난 색 도화지 두 장, 색종이 한 묶음, 딱풀을 사야겠다.

_____

_____

[4~5] 글을 읽고, 물음에 답하시오.

> 구체적인 목표를 세웁시다. 여러분이 꿈을 결정한 뒤 구체적인 목표가 없다면 꿈을 이루려는 노력에 [⊙] 쉽습니다. 저는 경찰이 되려고 '하루 30분 운동, 한 분야 공부'처럼 쉬운 목표부터 시작해 운동하고 공부하는 시간과 양을 조금씩 늘려 나갔습니다. 초등학생 때 할 일, 중학생 때 할 일, 그리고 고등학생 때 할 일을 나누어 정하거나, 단계적으로 실천할 행동 목표를 정한다면 언젠가는 꿈꾸던 인생의 막을 열 수 있을 것입니다.

4 이 글에서 '무대의 공연이나 어떤 행사를 시작하다.'의 뜻을 가진 관용 표현을 찾아 쓰시오.

(   )

5 ⊙에 들어가기에 알맞은, 다음과 같은 뜻을 가진 관용 표현은 무엇입니까?

(   )

> 서로의 사이가 벌어지거나 틀어지다.

① 금이 가다
② 쇠뿔도 단김에 빼라
③ 백지장도 맞들면 낫다
④ 쥐구멍에도 볕 들 날 있다
⑤ 콩 심은 데 콩 나고 팥 심은 데 팥 난다

[6~7] 글을 읽고, 물음에 답하시오.

그러나 어려운 점이 있습니다. 누구나 자기가 한 가지 생각을 하면 다른 이의 생각을 무엇이든지 반대한다는 것입니다. 예를 들어 말하면 전쟁을 원하는 자가 대화를 원하는 자를 반대해 말하기를 "대화가 무엇이냐, 지금이 어느 때라고! 우리는 폭탄을 들고 나가야 한다."라고 떠듭니다. 또 대화를 원하는 자는 말하기를 "공연히 젊은 놈들이 ㉠애간장이 타서 당장 폭탄을 들고 나가면 우리 독립이 되는가?"라고 합니다. 우리가 서로 자기 생각만 옳은 줄 알고 그것만 해야 한다고 하는 것은 ㉡한 가지만 알고 두 가지는 모르는 까닭이외다.

6 ㉠의 뜻은 무엇입니까? ( )

① 아주 헤프게 쓰다.
② 기쁘고 만족스럽다.
③ 겁이 없고 매우 대담하다.
④ 몹시 초조하고 안타까워서 속을 많이 태우다.
⑤ 고통이나 분노 따위를 참으려고 이를 악물어 굳은 의지를 나타내다.

논술형
7 ㉡'한 가지만 알고 두 가지는 모르는'의 뜻을 추론하여 쓰시오.

[8~9] 대화를 읽고, 물음에 답하시오.

규영: 우리 반 친구들이 고운 말을 사용하면 좋겠습니다.
고운: "가는 말이 고와야 오는 말이 곱다."라는 말이 있습니다. 내가 남에게 말이나 행동을 좋게 해야 남도 나에게 좋게 한다는 뜻입니다. 우리 반 친구들도 고운 말을 사용하면 좋겠습니다.
혜선: 우리 반 친구들이 고운 말을 사용하면 좋겠습니다. 친구에게 나쁜 말을 했다가 자신도 나쁜 말을 들은 경험, 반대로 친구를 칭찬하고 자신도 칭찬을 들은 경험이 있을 것입니다. 가는 말이 고와야 오는 말이 곱습니다.

8 친구들 중 관용 표현을 활용해서 말한 친구의 이름을 모두 쓰시오.

( )

9 말을 시작할 때와 끝낼 때 관용 표현을 활용하면 각각 어떤 효과를 얻을 수 있는지 선으로 이으시오.

| (1) 말을 시작할 때 관용 표현을 활용 | • | • ㉠ 생각을 효과적으로 전달할 수 있다. |
| (2) 말을 끝낼 때 관용 표현을 활용 | • | • ㉡ 듣는 사람의 관심을 끌 수 있다. |

10 여러 사람 앞에서 말할 때 주의할 점으로 알맞지 않은 것은 무엇입니까? ( )

① 알맞은 표정, 몸짓을 한다.
② 말의 빠르기를 알맞게 한다.
③ 듣는 사람을 자연스럽게 바라본다.
④ 목소리의 크기나 높낮이도 생각한다.
⑤ 계속 느리게 말하여서 듣는 사람이 내 말에 집중하도록 한다.

1 관용 표현을 활용하면 좋은 점이 <u>아닌</u> 것은 무엇입니까? ( )

① 재미있게 표현할 수 있다.
② 아는 내용을 더 복잡하게 말할 수 있다.
③ 전하고 싶은 말을 쉽게 표현할 수 있다.
④ 듣는 사람의 관심을 불러일으킬 수 있다.
⑤ 하려는 말을 상대가 쉽게 알아들을 수 있다.

[2~3] 대화를 읽고, 물음에 답하시오.

> 동생: 오빠, 나도 이제 휴대 전화를 사 달라고 할 거야. [㉠]고 당장 구경해 보자.
> 오빠: 안 돼. 아직 부모님과 의논도 안 했잖아. 다음에 보자.
> 동생: 에이, 당장 어떤 걸로 할지 결정하고 싶었는데, 오빠 때문에 ㉡김이 식어 버렸잖아.

2 ㉠에 들어갈, 다음과 같은 뜻을 가진 관용 표현은 무엇인지 쓰시오.

> 어떤 일이든지 하려고 생각했으면 한창 열이 올랐을 때 망설이지 말고 곧 행동으로 옮겨야 한다.

( )

3 ㉡'김이 식다'의 뜻은 무엇입니까? ( )

① 매우 놀라다.
② 정신이 갑자기 들다.
③ 두드러지게 드러나다.
④ 재미나 의욕이 없어진다.
⑤ 사귀어 아는 사람이 많아서 활동하는 범위가 넓다.

[4~5] 글을 읽고, 물음에 답하시오.

> 저는 얼마 전부터 오늘을 ㉠손꼽아 기다렸습니다. 아마 여러분은 학교를 졸업하면 천하를 얻은 듯 신나서 바로 멋진 어른이 될 수 있으리라 생각할 것입니다. 하지만 자신의 꿈을 향해 달려가는 일은 결코 쉬운 일도, 마음대로 되는 일도 아니었습니다. 저는 여러분께 꿈을 펼치는 세 가지 방법을 말씀드리려고 합니다.
> 첫째, 자신의 진짜 꿈을 찾으려고 노력합시다. 한때 의사를 주인공으로 한 드라마가 큰 인기를 얻자, 분위기에 휩쓸려 자신의 진로를 의사로 결정하는 사람이 많았습니다. 하지만 시간이 지나자 대부분은 자신이 정말 하고 싶은 일은 따로 있다는 사실을 깨닫고 후회했습니다.

(논술형)

4 ㉠'손꼽아 기다리다'의 뜻은 무엇인지 쓰시오.

_____

_____

5 이 글에서 '매우 기쁘고 만족스러움.'의 뜻으로 쓰인 관용 표현은 어느 것입니까? ( )

① 꿈을 펼치는
② 시간이 지나자
③ 자신의 진짜 꿈
④ 천하를 얻은 듯
⑤ 학교를 졸업하면

6학년	반	점수
이름		

[6~7] 광고를 보고, 물음에 답하시오.

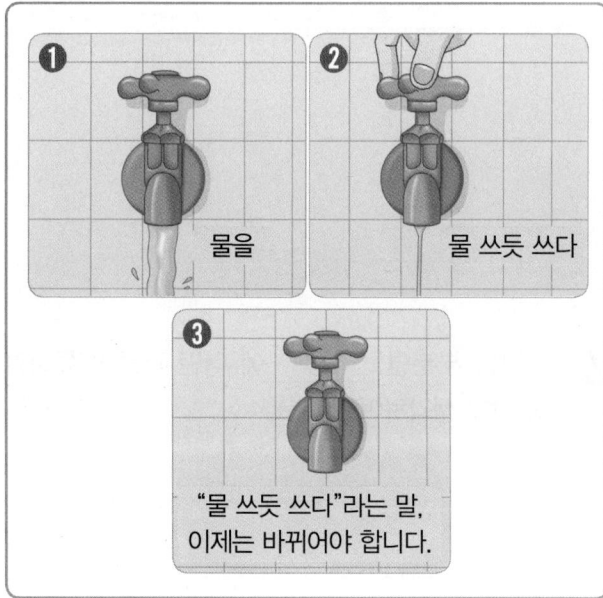

6 '물 쓰듯'이라는 말의 뜻은 무엇입니까? (　　)

① 매우 싫어하다.
② 소중하게 아끼다.
③ 조심해서 다루다.
④ 물건을 헤프게 쓰다.
⑤ 두려워하여 멀리하다.

7 이 광고에서 하고 싶은 말은 무엇인지 쓰시오.

(　　　　　　　　　　　　　)

8 다음 상황에 가장 어울리는 관용 표현은 무엇입니까? (　　)

> 학급 회의에서 학예회 발표 종목을 함께 정하는 상황

① 발이 넓다
② 머리를 맞대다
③ 벼 이삭은 익을수록 고개를 숙인다
④ 낮말은 새가 듣고 밤말은 쥐가 듣는다
⑤ 얌전한 고양이 부뚜막에 먼저 올라간다

논술형

9 우리 반을 행복하게 하려면 우리가 해야 할 일을 떠올려 보고, 활용할 관용 표현을 생각하여 쓰시오.

주제	우리 반을 행복하게 하려면 우리가 해야 할 일
활용할 관용 표현	

10 여러 사람 앞에서 말할 때 주의할 점을 바르게 말한 친구의 이름을 모두 쓰시오.

> 용수: 목소리의 크기나 높낮이, 말의 빠르기를 생각해야 해.
> 진아: 말하다가 중요한 부분에서 잠깐 멈추면 듣는 사람을 내 말에 집중하게 할 수 있어.
> 민철: 말을 할 때에는 절대 움직이지 말고 표정도 변하지 않아야 말하려는 내용을 좀 더 정확하게 전할 수 있어.

(　　　　　　　　　　　　　)

서술형평가   2. 관용 표현을 활용해요

6학년	반	점수
이름		/30점

1 다음 대화에서 ㉠은 어떤 뜻일지 쓰시오.   [5점]

> 남자아이: 정민아, 내일이 벌써 개학이야. 정말 시간이 빠르지 않니?
> 정민: 내일이 개학이라고? ㉠눈이 번쩍 뜨인다! 해야 할 일이 아직도 많은데 큰일이네.

_____

_____

2 다음 대화의 은수처럼 관용 표현을 활용하면 좋은 점은 무엇인지 쓰시오.   [5점]

> 영철: 너희는 네 명이 함께 그리는데도 문제가 전혀 없네.
> 은수: 너희는 역시 손발이 잘 맞아.

_____

_____

[3~4] 글을 읽고, 물음에 답하시오.

> ㉠예를 들어 말하면 전쟁을 원하는 자가 대화를 원하는 자를 반대해 말하기를 "대화가 무엇이냐, 지금이 어느 때라고! 우리는 폭탄을 들고 나가야 한다."라고 떠듭니다. 또 대화를 원하는 자는 말하기를 "공연히 젊은 놈들이 애간장이 타서 당장 폭탄을 들고 나가면 우리 독립이 되는가?"라고 합니다. 우리가 서로 자기 생각만 옳은 줄 알고 그것만 해야 한다고 하는 것은 한 가지만 알고 두 가지는 모르는 까닭이외다.
>
> _____ ㉡ _____
>
> 오늘 이 자리에 모인 여러분, 우리는 이제부터 누구의 장단점을 말하지 말고 단결해 나갑시다. 모두 함께 독립운동을 할 배포를 기릅시다.

3 ㉠은 어떤 상황을 설명하는 것일지 쓰시오.   [5점]

_____

_____

4 생략된 부분인 [㉡]에 어떤 내용이 들어가야 할지 생각하여 쓰시오.   [5점]

_____

_____

5 말을 시작할 때와 끝낼 때 관용 표현을 활용하면 각각 어떤 효과를 얻을 수 있는지 쓰시오.   [5점]

(1) 말을 시작할 때 관용 표현을 활용하면 좋은 점	
(2) 말을 끝낼 때 관용 표현을 활용하면 좋은 점	

6 다음 상황에 어울리는 관용 표현을 한 가지 생각하여 하고 싶은 말을 쓰시오.   [5점]

> 전교 학생회 회장단 선거에서 후보자로 연설하는 상황

_____

_____

수행평가

2. 관용 표현을 활용해요

6학년   반   점수

이름   / 30점

관련 성취 기준	관용 표현을 이해하고 적절하게 활용한다.
평가 목표	관용 표현을 활용해 생각을 효과적으로 말할 수 있다.

1 다음 상황에서 ㉠은 무슨 뜻일지 쓰시오.   [10점]

> 지현: 미안해. 문구점에 같이 가자! 내일 미술 시간에 필요한 준비물을 사야 하지? 일
> 단 어떤 준비물이 있는지 확인해 보자. 난 색 도화지 두 장, 색종이 한 묶음, 딱풀
> 을 사야겠다.
> 안나: 난 좀 넉넉하게 사야겠어. 색 도화지 열 장, 색종이 여덟 묶음, 딱풀이랑 물 풀
> 이랑…….
> 지현: 너 정말 ㉠손이 크구나.

---

2 다음 상황에 어울리는 관용 표현을 생각해서 하고 싶은 말을 쓰시오.   [10점]

상황	(1) 어울리는 관용 표현	(2) 하고 싶은 말
험한 말을 자주하는 친구에게 조언하는 경우		

3 보기 의 관용 표현 가운데 하나를 활용하여 우리 반 친구들에게 하고 싶은 말을 쓰시오.
                                                    [10점]

보기	손발을 맞추다 천 리 길도 한 걸음부터

[1~2] 글을 읽고, 물음에 답하시오.

가 ㉠"할아버지! 할아버지는 주무실 때 그 수염을 이불 안에 넣나요, 아니면 꺼내 놓나요?"

할아버지는 "예끼! 이 버릇없는 놈." 하고 소리치려다가 문득 자기도 궁금해졌단다. 왜냐하면 수염을 기른 채 몇십 년 동안이나 살아왔지만, 그때까지 한 번도 그런 궁금증을 지녀 본 적이 없었거든.

'허허, 그러고 보니 내가 정말 수염을 꺼내 놓고 잤나, 넣고 잤나?'

아무리 생각해 봐도 알쏭달쏭하기만 했지.

나 가만히 생각해 보렴, 혹시 너에게도 그런 수염이 있는지 말이야. 아이들한테 무슨 수염이 있냐고? 아니야, 그렇지 않아. 너도 누가 질문을 할 때 가끔 '그냥'이라고 대답한 적이 있을 거야. 바로 그 '그냥'이라는 말이 너의 수염이란다.

다 '그냥 수염'을 달고 있는 사람은 어느 날 누가 "왜?" 또는 "어떻게?" 하고 물으면 아무 대답도 하지 못해. 아무리 자기가 한 일을 뒤돌아보고 생각해 내려고 애써도 지나온 날들은 이미 멀리 사라져 버려서 흔적조차 찾을 길이 없기 때문이지. 어느 날엔가 너한테도 누군가가 물어 올지 몰라. 그때를 위해서라도 '그냥'이라는 대답이 아닌 무언가를 준비해야겠지?

1 할아버지가 ㉠의 질문에 바로 대답하지 못하신 까닭을 찾아 ○표를 하시오.

(1) 자기의 수염이 아니어서 ( )

(2) 수염을 기른 지 얼마 되지 않아서 ( )

(3) 한 번도 그런 궁금증을 지녀 본 적이 없어서 ( )

2 글쓴이의 주장을 알맞게 이야기한 친구는 누구인지 쓰시오.

명선: 모르는 질문에 억지로 대답하지 말자.
문영: '그냥'이라고 생각하지 말고 '왜' 또는 '어떻게'를 생각하자.

( )

[3~5] 글을 읽고, 물음에 답하시오.

공정 무역 제품을 사용해야 하는 까닭은 다음과 같습니다. 첫째, 생산자에게 돌아갈 정당한 이익을 지켜 줍니다. 흔히 볼 수 있는 과일 가운데 하나인 바나나의 경우, 우리가 3천 원짜리 바나나 한 송이를 산다면 약 45원만이 생산자인 농민에게 이익으로 돌아갑니다. 그 까닭은 바나나 생산국에서 우리 손에 오기까지 바나나 농장 주인, 수출하는 회사, 수입하는 회사, 슈퍼마켓 등이 총수익의 98.5퍼센트를 가져가기 때문입니다. 공정 무역에서는 생산자 조합과 공정 무역 회사를 만들어 이러한 중간 유통 단계를 줄이고 실제로 바나나를 재배하는 생산자의 이익을 보장해 주었습니다.

3 공정 무역에서 중간 유통 단계를 줄이려는 까닭은 무엇입니까? ( )

① 제품 생산을 늘리기 위해서
② 바나나의 가격을 높이기 위해서
③ 농민들의 일자리를 늘리기 위해서
④ 생산자의 이익을 보장하기 위해서
⑤ 소비자가 더 빨리 상품을 받게 하기 위해서

4 이 글에서 주장하는 내용은 무엇일지 쓰시오.

( )

논술형

5 이 글의 주장에 대한 근거가 타당한지 판단하는 방법을 한 가지 쓰시오.

_____

_____

6 자료가 근거를 잘 뒷받침하는지 판단하는 방법으로 알맞지 <u>않은</u> 것은 무엇입니까? (　　)

① 오래된 자료를 사용했는지 살펴본다.

② 자료의 출처가 분명한지 확인한다.

③ 자료가 근거의 내용과 관련 있는지 살펴본다.

④ 출처를 보고 믿을 수 있는 자료인지 살펴본다.

⑤ 수를 제시할 때에는 정확한 숫자를 사용했는지 살펴본다.

7 다음 주장과 근거로 논설문을 쓰려고 합니다. 주장과 근거를 뒷받침할 수 있는 자료에는 무엇이 있을지 한 가지만 쓰시오.

주장	숲을 보호하자.
근거	① 숲은 미세 먼지를 잡아 주어 공기를 깨끗하게 해 준다. ② 숲은 홍수와 산사태를 막아 준다. ③ 숲은 지구 온난화를 막아 준다. ④ 숲은 소중한 자원을 제공해 준다.

(　　　　　　　　　　　)

[8~9] 글을 읽고, 물음에 답하시오.

　며칠 뒤, 친구에게 연락이 왔습니다. 걱정스러운 목소리로 "성민아, 인터넷 누리 소통망에 너희 가게 이야기가 있는데, 너도 한번 보는 게 좋을 것 같아."라며 인터넷 글을 보내 주더군요. 그 글에는 며칠 전 있었던 일이 사실과는 다르게 적혀 있었습니다.

　△△식당에서 짜장면을 먹었는데 맛이 이상한 짜장면을 그냥 먹으라고 하고 사과는커녕 자신을 밀치며 불친절하게 말했다는 겁니다. 사람들은 댓글에 모두 저희 가게를 욕하며 불매 운동을 벌이고 있었습니다. 게다가 저를 아는 누군가가 제 이름과 다니는 학교까지 인터넷에 올리는 바람에 학교에도 소문이 났습니다. 그리고 그 사건 뒤 저희 가게에는 정말 손님이 뚝 끊겨 저희 가족은 힘든 나날을 보내고 있습니다.

8 누리 소통망에 올라온 글 때문에 글쓴이와 글쓴이네 가게에 어떤 일이 생겼는지 <u>두 가지</u>를 고르시오. (　　,　　)

① 가게에 손님이 끊겼다.

② 가게의 음식 맛이 변했다.

③ 글쓴이의 개인 정보가 유출되었다.

④ 글쓴이의 학교에 손님이 직접 찾아와 화를 냈다.

⑤ 가게에 구경 오는 사람들이 많아 방해가 되고 있다.

^{논술형}

9 이 글을 읽고 누리 소통망 이용과 관련한 자신의 주장을 정해 쓰고, 주장을 뒷받침할 수 있는 적절한 근거를 한 가지 쓰시오.

(1) 주장	
(2) 근거	

10 '더 좋은 우리 동네 만들기' 공모에 참여할 논설문을 썼습니다. 글을 평가할 때 살펴볼 내용이 <u>아닌</u> 것은 무엇입니까? (　　)

① 사용한 표현이 적절한지 살펴본다.

② 실천할 수 있는 주장인지 살펴본다.

③ 근거가 주장을 뒷받침하는지 살펴본다.

④ 자료가 내용을 뒷받침하는지 살펴본다.

⑤ 재미있는 자료를 활용했는지 살펴본다.

[1~2] 글을 읽고, 물음에 답하시오.

㉮ 너도 누가 질문을 할 때 가끔 '그냥'이라고 대답한 적이 있을 거야. 바로 그 '그냥'이라는 말이 너의 수염이란다. 아직도 잘 모르겠다고?

우리는 아무 생각 없이 '그냥' 지내는 날이 얼마나 많은지 몰라. 그냥 먹고, 그냥 자고, 그냥 노는 날 말이야.

㉯ 자신에게 또는 남들에게 궁금한 일을 몇 번이나 질문해 보았니? 남들이 하니까 그냥 따라 하고, 어른들이 시키니까 그냥 했던 일은 없었니?

자기 안에 물음표가 없어서 아무것도 묻지 못하는 사람은 건전지를 넣고 단추를 누르면 그냥 북을 쳐 대는 곰 인형과 별로 다를 것이 없어.

㉰ '그냥 수염'을 달고 있는 사람은 어느 날 누가 "왜?" 또는 "어떻게?" 하고 물으면 아무 대답도 하지 못해. 아무리 자기가 한 일을 뒤돌아보고 생각해 내려고 애써도 지나온 날들은 이미 멀리 사라져 버려서 흔적조차 찾을 길이 없기 때문이지. 어느 날엔가 너한테도 누군가가 물어 올지 몰라. 그때를 위해서라도 '그냥'이라는 대답이 아닌 무언가를 준비해야겠지?

1 우리에게 있는 '수염'은 무엇이라고 했는지 빈칸에 들어갈 알맞은 말을 쓰시오.

> 누가 질문을 할 때 깊은 생각 없이 '(　　　　)' (이)라고 대답하는 것

(　　　　　　　　　　)

2 글쓴이의 주장으로 알맞은 것은 무엇입니까?

(　　)

① '그냥'이라는 생각을 자주 하자.
② 질문을 들으면 바로 대답을 하자.
③ 다른 사람들과 비슷한 생각을 하자.
④ 어른들이 시키는 일은 그대로 따르자.
⑤ 습관적으로 그냥 살지 말고 자기 안에 물음표를 가지고 살아가자.

[3~5] 글을 읽고, 물음에 답하시오.

넷째, ㉠공정 무역 인증 표시는 국제기구가 생산지에서 공정 무역의 주요 원칙이 잘 지켜졌는지를 점검한 물건들에 붙일 수 있습니다. 국제

공정 무역 인증 표시

■ 출처: 국제공정무역기구, 2018.

공정무역기구의 조사원들은 농장과 관련 기관들을 찾아가서, 그들이 공정 무역의 규칙에 맞게 생산 활동을 하는지 평가합니다. 소비자들은 이 인증 표시를 보고 윤리적인 소비를 할 수 있습니다. 하지만 요즘은 공정 무역의 조건을 지키지 않고 공정 무역을 흉내 낸 인증 표시를 만들어 소비자들에게 혼란을 주는 기업들도 있습니다.

3 공정 무역 인증 표시는 어떤 물건들에 붙일 수 있다고 하였습니까?

(　　)

① 가격이 저렴한 물건
② 생산자가 직접 파는 물건
③ 국제공정무역기구에서 만든 물건
④ 소비자가 사는 나라에서 생산한 물건
⑤ 국제기구가 생산지에서 공정 무역의 주요 원칙이 잘 지켰는지를 점검한 물건

논술형

4 글쓴이의 주장이 다음과 같다면, ㉠의 근거가 타당한지 판단해 쓰시오.

> 공정 무역 제품을 사용하자.

_____

_____

5 글쓴이가 ㉠의 근거를 뒷받침하려고 활용한 자료는 무엇인지 쓰시오.

(　　　　　　　　　　)

[6~7] 다음을 보고, 물음에 답하시오.

주장	
근거	① 숲은 미세 먼지를 잡아 주어 공기를 깨끗하게 해 준다. ② 숲은 홍수와 산사태를 막아 준다. ③ 숲은 지구 온난화를 막아 준다. ④ 숲은 소중한 자원을 제공해 준다.

6 논설문을 쓰려고 생각한 근거 ①~④로 보아 빈칸에 들어갈 주장은 무엇일지 쓰시오.

(   )

7 근거 ①~④ 가운데에서 다음 자료와 관련 있는 내용은 무엇인지 빈칸에 알맞은 번호를 쓰시오.

내용	○○ 신문 20○○년 ○○월 ○○일 **이산화 탄소 먹는 하마는 상수리나무** 국립산림과학원의 연구 결과 우리나라의 가정이나 기업에서 1인당 평생 배출하는 이산화 탄소는 약 12.7톤이다. 개인이 배출한 이산화 탄소를 흡수하려면 평생 나무를 심어야 할지도 모른다. 이산화 탄소를 특히 잘 흡수하는 것은 상수리나무이다. 많은 양의 이산화 탄소를 흡수하고 지구 온난화 예방에도 큰 역할을 하는 나무 심기에 관심을 가지자. (◇◇◇ 기자)
종류	기사문
출처	『○○ 신문』, 20○○. ○○. ○○.
알려 주는 것	나무를 심으면 나무가 이산화 탄소를 흡수해 지구 온난화 예방에 도움이 된다.

근거 (   )

8 누리 소통망 이용과 관련한 논설문을 쓰려고 합니다. 다음 주장에 대한 근거를 뒷받침할 자료로 알맞은 것을 찾아 ○표를 하시오.

주장	누리 소통망을 올바르게 사용하자.
근거	잘못된 정보가 쉽게 퍼질 수 있다.

(1) 누리 소통망으로 잘못된 정보가 퍼진 사례

(   )

(2) 학교 수업에서 누리 소통망을 활용한 사례

(   )

(3) 누리 소통망으로 친구 간의 사이가 좋아진 사례 (   )

논술형

9 다음 그림에 나타난 문제 상황을 생각하며 더 좋은 동네를 만들기 위해 우리가 실천할 수 있는 주장을 정해 쓰시오.

_____

_____

10 논설문을 쓸 때 가장 먼저 할 일은 무엇입니까?

(   )

① 고쳐쓰기
② 논설문 쓰기
③ 근거 생각하기
④ 계획을 세워 자료 수집하기
⑤ 문제 상황을 생각하며 주장 정하기

서술형평가

3. 타당한 근거로 글을 써요

[1~2] 글을 읽고, 물음에 답하시오.

㉮ 셋째, ㉠자연을 보호하고 생산자의 건강을 지키는 방법이 됩니다. 공정 무역에서는 지구 환경을 보호하는 친환경 농사법을 권장합니다. 일반적으로 카카오나 바나나, 목화 같은 것은 재배할 때 많은 양을 싸고 빠르게 수확하려고 농약과 화학 비료를 사용합니다. 생산지에서는 농약 회사에서 권장하는 장갑과 마스크를 살 여유가 없기 때문에 해마다 가난한 나라의 농민 2만 명 이상이 작물 재배용 농약에 노출되어 여러 가지 질병을 앓고 있습니다.『인간의 얼굴을 한 시장 경제, 공정 무역』이라는 책에 따르면 바나나를 재배하는 대부분의 대농장은 원가를 절감하느라 위험한 농약을 대량으로 살포합니다. 대농장 가까이에 사는 노동자들의 음식과 식수는 이 독극물로 오염됩니다. 한 코스타리카 농장을 대상으로 한 연구에서 남성 노동자 가운데 20퍼센트가 그런 화학 물질을 다룬 뒤 불임이 되었다고 합니다.

㉯ 하지만 공정 무역은 농민들이 농약과 화학 비료를 적게 쓰고 유기농으로 농사를 짓게 하여 이러한 문제를 해결하려고 노력하고 있습니다.

1 글쓴이의 주장이 다음과 같다면, ㉠의 근거가 타당한지 판단해 쓰시오. [6점]

> 공정 무역 제품을 사용하자.

_____

_____

2 ㉠의 근거를 뒷받침하려고 활용한 자료의 내용과 종류를 쓰고, 자료가 적절한지 판단해 쓰시오. [6점]

(1) 내용	
(2) 종류	
(3) 적절성 판단하기	

3 다음 자료가 **보기** 의 주장과 근거를 뒷받침하고 믿을 만한지 판단해 그 까닭과 함께 쓰시오. [6점]

보기	주장	숲을 보호하자.
	근거	숲은 미세 먼지를 잡아 주어 공기를 깨끗하게 해 준다.

내용	종류
	동영상
	출처
나무의 미세 먼지 흡수	KBS 뉴스
한 그루 미세 먼지 35.7그램 흡수	알려 주는 것
	숲은 미세 먼지를 잡아 준다.

_____

_____

_____

4 다음 주장과 근거로 논설문을 쓰려고 합니다. 근거를 뒷받침하기 위해 어떤 자료를 수집하면 좋을지 빈칸에 쓰시오. [6점]

주장	누리 소통망을 올바르게 사용하자.
근거	개인 정보가 유출되기 쉽다.
수집할 자료 내용	

5 우리 동네의 문제점을 생각해 보고, 더 좋은 우리 동네를 만들기 위해 우리가 실천할 수 있는 주장을 정해 쓰시오. [6점]

_____

_____

수행평가

3. 타당한 근거로 글을 써요

6학년	반	점수
이름		/ 30점

관련 성취 기준	글을 읽고 내용의 타당성과 표현의 적절성을 판단한다.
평가 목표	주장에 대한 근거가 적절한지 판단하며 글을 읽을 수 있다.

3단원

[1~3] 근거가 알맞은지 생각하며 글을 읽어 봅시다.

> ㉮ 생산자에게 돌아갈 정당한 이익을 지켜 줍니다. 흔히 볼 수 있는 과일 가운데 하나인 바나나의 경우, 우리가 3천 원짜리 바나나 한 송이를 산다면 약 45원만이 생산자인 농민에게 이익으로 돌아갑니다. 그 까닭은 바나나 생산국에서 우리 손에 오기까지 바나나 농장 주인, 수출하는 회사, 수입하는 회사, 슈퍼마켓 등이 총수익의 98.5퍼센트를 가져가기 때문입니다. 공정 무역에서는 생산자 조합과 공정 무역 회사를 만들어 이러한 중간 유통 단계를 줄이고 실제로 바나나를 재배하는 생산자의 이익을 보장해 주었습니다.
>
> ㉯ 공정 무역 인증 표시는 국제기구가 생산지에서 공정 무역의 주요 원칙이 잘 지켜졌는지를 점검한 물건들에 붙일 수 있습니다. 국제공정무역기구의 조사원들은 농장과 관련 기관들을 찾아가서, 그들이 공정 무역의 규칙에 맞게 생산 활동을 하는지 평가합니다.

1 이 글에서 말하는 '공정 무역'이란 무엇일지 쓰시오.　　　　　　　　　　[10점]

_____

_____

2 글쓴이의 주장이 '공정 무역 제품을 사용하자.'라면, ㉮와 ㉯에서 제시한 근거가 타당한지 각각 판단하여 그 까닭과 함께 쓰시오.　　　　　　　　　　[10점]

(1) ㉮	
(2) ㉯	

3 공정 무역 제품을 사용하자는 내용을 글이나 그림으로 자유롭게 표현해 보시오.　　[10점]

[1~2] 그림을 보고, 물음에 답하시오.

1 대화 ①과 ②에서 세미가 활용한 매체 자료는 무엇인지 각각 선으로 이으시오.

(1) 대화 ① •   •① 영상

(2) 대화 ② •   •② 사진

2 대화 ①과 ② 가운데 듣는 사람이 율동 동작을 더욱 생생하게 잘 알 수 있는 것의 번호를 쓰시오.

대화 (   )

[3~5] 다음을 보고, 물음에 답하시오.

3 다음은 이 매체 자료에 나타난 내용을 정리한 것입니다. 빈칸에 공통으로 들어갈 말을 쓰시오.

> • 사람이 (   )을/를 붙잡고 있다.
> • (   )이/가 사람을 꽉 붙잡고 있다.

(   )

논술형
4 이 매체 자료에서 전하려는 주제는 무엇인지 쓰시오.

_____

_____

5 이 매체 자료는 주제를 효과적으로 표현하려고 어떤 방법을 사용했는지 알맞은 것을 <u>두 가지</u> 고르시오. (,   )

① 글이 질문 형식이라 더 생각하게 한다.
② 휴대 전화를 사용하는 과정을 생생하게 볼 수 있다.
③ 휴대 전화 사용 수치를 넣어 더 정확한 통계를 알 수 있다.
④ 연도별로 휴대 전화 사용량이 크게 늘어난 것을 알 수 있다.
⑤ 휴대 전화가 사람을 꽉 붙잡고 있는 모습을 사진으로 잘 표현했다.

6학년   반   점수
―――――――――――――
이름

[6~7] 그림을 보고, 물음에 답하시오.

학교 방송국에서 '건강 주간'을 맞아 건강을 주제로 한 매체 자료를 공모합니다. 뽑힌 작품은 전교생에게 발표할 예정입니다. 많이 참여해 주세요.

우리 반도 '건강한 생활을 위해 실천하면 좋은 일'을 직접 영상으로 만들어 보자!

6 이 그림에 나타난 발표 목적은 무엇인지 빈칸에 들어갈 알맞은 말을 쓰시오.

> '건강 주간'을 맞아 (   )을/를 주제로 한 작품을 발표하는 것이다.

(   )

7 이 발표 상황에서 고려할 점을 알맞지 <u>않게</u> 말한 친구는 누구인지 쓰시오.

> 지호: 건강에 도움을 줄 수 있어야 해.
> 은지: 전교생이 보게 되니 어려운 낱말을 많이 사용하는 게 좋겠어.
> 수정: 학교 방송으로 보여 주니 주제가 흥미롭고 내용이 새로우면 좋아.

(   )

8 영상 자료를 직접 제작하려고 합니다. 영상을 촬영하는 방법으로 알맞지 <u>않은</u> 것은 어느 것입니까?
(   )

① 면담 촬영은 질문 내용을 미리 준비한다.
② 전하려는 내용이 드러나지 않게 촬영한다.
③ 화면을 이동할 때에는 너무 빠르지 않게 한다.
④ 삼각대를 이용하거나 흔들림 없이 안정된 자세로 촬영한다.
⑤ 보완할 점이 있으면 다시 촬영하거나 여러 번 촬영해 알맞은 장면을 골라 사용한다.

9 촬영한 영상을 편집하고 편집 과정을 점검할 때 살펴볼 점이 <u>아닌</u> 것은 어느 것입니까? (   )

① 장면을 차례에 맞게 편집했는가?
② 촬영한 장면을 전부 사용했는가?
③ 인용한 자료의 출처를 밝혔는가?
④ 알맞은 영상 편집 프로그램을 정했는가?
⑤ 배경 음악을 필요한 장면에 어울리게 넣었는가?

서술형

10 영상 발표회에서 주변 인물을 탐구해 제작한 영상 자료를 발표하려고 합니다. 영상을 보여 주기 전에 할 수 있는 활동을 한 가지 쓰시오.

―――――――――――――――――――――

―――――――――――――――――――――

4
단원

1 수지는 제주도에서 봤던 주상 절리의 모습을 설명하려고 어떤 매체 자료를 활용했습니까? ( )

> 수지: 방학 때 제주도에서 봤던 주상 절리의 기이한 모습을 말로만 설명할 때에는 친구가 이해하기 어려워했는데, 사진을 보여 주었더니 금세 이해했어.

① 영상   ② 사진   ③ 도표
④ 그림지도   ⑤ 공익 광고

[2~3] 다음을 보고, 물음에 답하시오.

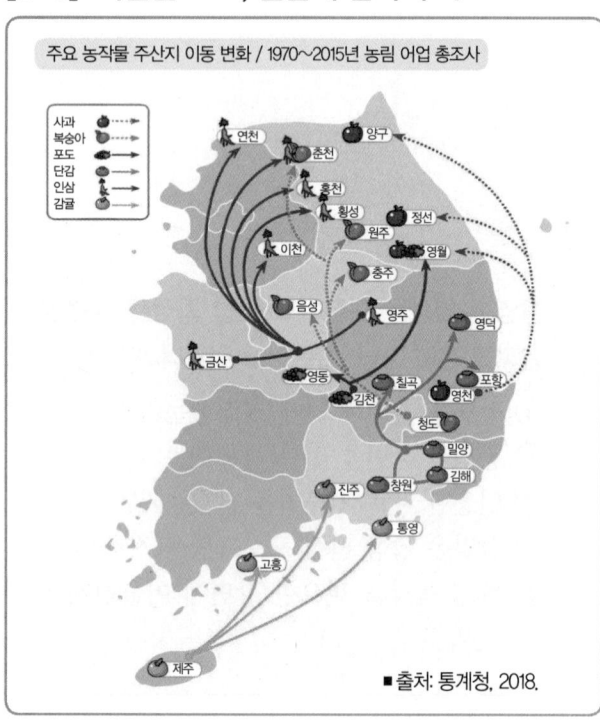

2 제주에서 고흥, 진주, 통영으로 주산지가 이동한 과일은 무엇입니까? ( )

① 포도   ② 사과   ③ 감귤
④ 단감   ⑤ 복숭아

논술형

3 지구 온난화로 인한 주요 농산물 주산지 이동 변화를 발표할 때, 이와 같은 그림지도를 활용하면 좋은 점을 쓰시오.

_____

_____

[4~5] 다음을 보고, 물음에 답하시오.

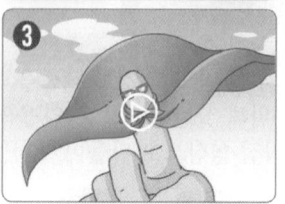
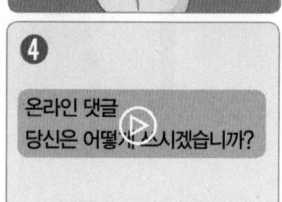

> 해설: 당신은 능력자입니다. 손가락만 까딱하면 누군가를 울릴 수도, 아프게 할 수도, 포기하게 할 수도 있습니다. 하지만 당신은 누군가를 기쁘게 할 수도, 행복하게 할 수도 있으며, 다시 뛰게 할 수도 있습니다. 손가락만 까딱하면. 온라인 댓글, 당신은 어떻게 쓰시겠습니까?

4 이 영상 자료에서 전하고 싶은 주제는 무엇이겠습니까? ( )

① 인터넷을 사용하지 말자.
② 온라인 댓글을 달지 말자.
③ 휴대 전화를 알맞게 사용하자.
④ 온라인 댓글을 긍정적으로 쓰자.
⑤ 누리 소통망에 올라온 정보를 전부 믿지 말자.

5 이 영상 자료에서 주제를 효과적으로 표현하려고 사용한 방법은 무엇인지 빈칸에 알맞은 말을 각각 쓰시오.

(1) 당신은 누군가를 아프게도 기쁘게도 하는 ( )(이)라고 비유했다.
(2) 해설자의 ( )(으)로 내용을 더 잘 이해할 수 있다.
(3) 마지막 장면에서 질문을 ( )(으)로 넣어 영상을 보는 사람이 스스로를 돌아보게 했다.

6학년   반   점수

이름

6 영상 자료를 제작하고 발표하는 과정에 맞게 차례대로 번호를 쓰시오.

① 발표하기
② 촬영하기
③ 편집하기
④ 주제 정하기
⑤ 촬영 계획 세우기
⑥ 발표 상황 파악하기
⑦ 내용 및 장면 정하기

⑥ ➡ (   ) ➡ (   ) ➡ (   ) ➡ (   )
➡ (   ) ➡ ①

7 영상 자료를 제작하려고 발표 주제를 정할 때 고려할 점으로 알맞은 것을 세 가지 고르시오.
(,   ,   )

① 발표 상황과 관련한 자료를 더 찾아본다.
② 누구나 다 아는 내용으로 주제를 정한다.
③ 친구들과 토의해서 다양한 의견을 나눈다.
④ 발표를 듣는 사람들이 이해하기 어려운 주제를 정한다.
⑤ 발표를 듣는 사람들이 흥미를 가질 만한 주제를 정한다.

8 영상 자료를 만들어서 인터넷에 올릴 때 주의할 점으로 알맞지 않은 것을 골라 기호를 쓰시오.

㉠ 영상에 나오는 사람들의 동의를 얻는다.
㉡ 보는 사람들에게 좋은 영향을 주는지 생각한다.
㉢ 영상에 매체 자료를 넣을 때에는 자료의 출처를 밝힌다.
㉣ 재미를 위해 비속어, 은어 같은 격식에 맞지 않는 언어를 사용한다.

(   )

서술형
9 영상 촬영을 하려고 촬영 계획을 세울 때에는 무엇을 정해야 하는지 두 가지 이상 쓰시오.

_____

_____

10 영상 발표회에서 다른 모둠의 발표를 들을 때 주의할 점이 아닌 것에 ×표를 하시오.

(1) 전하려는 주제를 파악하며 듣는다. (   )
(2) 촬영이나 편집에서 효과적인 부분을 찾으며 듣는다. (   )
(3) 영상에 등장하는 사람이 몇 명인지 세어가며 듣는다. (   )

서술형평가

4. 효과적으로 발표해요

6학년	반	점수
이름		/30점

1 여러 가지 매체 자료를 활용한 경험을 떠올려 쓰시오. [5점]

_____

_____

[2~3] 다음을 보고, 물음에 답하시오.

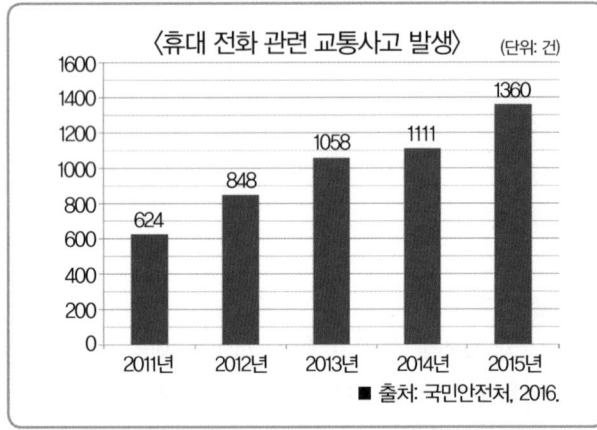

〈휴대 전화 관련 교통사고 발생〉 (단위: 건)

2011년 624
2012년 848
2013년 1058
2014년 1111
2015년 1360

■ 출처: 국민안전처, 2016.

2 이 매체 자료에서 전하려는 주제를 쓰시오. [5점]

_____

_____

3 이 매체 자료가 주제를 잘 전하는지 생각해 쓰고, 그렇게 생각한 까닭을 쓰시오. [5점]

(1) 주제를 잘 전하는가?	
(2) 그렇게 생각한 까닭	

[4~5] 그림을 보고, 물음에 답하시오.

㉠'맨발 걷기'가 새로운 주제라서 흥미롭다는 의견이 많았습니다. 따라서 우리 반은 맨발 걷기를 주제로 영상 자료를 만들어 봅시다.

건강한 생활을 위해 실천하면 좋은 일
줄넘기, 손 씻기, 맨발 걷기,
긍정적 생각

4 이 그림과 같이 영상 자료를 제작하려고 발표 주제를 정할 때 고려할 점을 한 가지 쓰시오. [5점]

_____

_____

5 ㉠'맨발 걷기'를 주제로 영상 자료를 만들 때, 맨발 걷기가 건강에 좋은 점을 효과적으로 알릴 수 있는 내용을 한 가지 쓰시오. [5점]

_____

_____

6 영상 발표회에서 우리 모둠이 제작한 영상을 보여 준 뒤에 할 수 있는 활동을 한 가지 쓰시오. [5점]

_____

_____

수행평가 4. 효과적으로 발표해요

6학년		반	점수
이름			/ 30점

관련 성취 기준	매체 자료를 활용하여 내용을 효과적으로 발표한다.
평가 목표	여러 가지 매체 자료를 살펴볼 수 있다.

[1~3] 다른 나라의 문화를 친구들에게 소개할 때 매체 자료를 어떻게 활용할 수 있을지 생각하며 대화를 살펴봅시다.

폴란드의 민속춤을 소개할 때 영상을 보여 줘야지.

진아 ▶

베트남의 전통 의상을 소개하고 싶어. 베트남의 옷 사진을 찾아봐야겠어.

◀ 별이

1 진아와 별이가 소개하려는 내용은 무엇인지 각각 쓰시오. [10점]

(1) 진아	
(2) 별이	

2 진아와 별이가 활용하려는 매체 자료의 종류와 그 매체 자료를 활용해 얻을 수 있는 효과를 다음 표에 정리해 쓰시오. [10점]

	매체 자료의 종류	매체 자료를 활용해 얻을 수 있는 효과
진아	(1)	(2)
별이	(3)	(4)

3 나라면 어느 나라의 문화를 어떤 매체 자료를 활용해 소개하고 싶은지 다음 표에 정리해 쓰시오. [10점]

(1) 소개할 문화	(2) 활용할 매체 자료	(3) 그 매체 자료를 선택한 까닭

[1~2] 글을 읽고, 물음에 답하시오.

내가 원하는 우리나라

김구

나는 우리나라가 세계에서 가장 아름다운 나라가 되기를 원한다. 가장 부강한 나라가 되기를 원하는 것은 아니다. 내가 남의 침략에 가슴이 아팠으니, 내 나라가 남을 침략하는 것을 원치 아니한다. 우리의 부는 우리 생활을 풍족히 할 만하고, 우리의 힘은 남의 침략을 막을 만하면 족하다. 오직 한없이 가지고 싶은 것은 높은 문화의 힘이다. 문화의 힘은 우리 자신을 행복하게 하고, 나아가서 남에게도 행복을 주기 때문이다. 지금 인류에게 부족한 것은 무력도 아니요, 경제력도 아니다. 자연 과학의 힘은 아무리 많아도 좋으나 인류 전체로 보면 현재의 자연 과학만 가지고도 편안히 살아가기에 넉넉하다.

1 김구 선생은 어떤 나라를 원한다고 했습니까?
( )

① 풍족한 생활을 하는 나라
② 세계에서 가장 부강한 나라
③ 남의 침략을 받지 않는 나라
④ 자연 과학의 힘이 강한 나라
⑤ 세계에서 가장 아름다운 나라

2 김구 선생이 「내가 원하는 우리나라」라고 제목을 정한 까닭을 바르게 짐작한 친구의 이름을 모두 쓰시오.

> 아영: 글 내용을 잘 설명할 수 있는 제목이기 때문이야.
> 윤후: 읽는 사람의 관심을 끌 수 있는 제목이기 때문이야.
> 석민: 글의 첫 번째 문장을 제목으로 정해야 하기 때문이야.

( )

[3~5] 글을 읽고, 물음에 답하시오.

로봇세 도입을 늦추어야 한다

로봇 산업이 본격적으로 발전하면 로봇은 인간을 대신하여 일을 하게 된다. 이럴 경우에 인간은 위험하거나 단순한 일, 반복적인 일에서 해방될 수 있다. 그런데 인간을 대신하여 일을 할 로봇에게 성급하게 세금을 부과한다면 로봇 산업 발전을 더디게 할 것이다. 특히 로봇 개발자는 개발 비용에 세금까지 더하여 마음의 부담을 느낄 수 있다. 로봇 개발자가 느끼는 마음의 부담은 로봇을 개발하는 과정에서 혁신적인 생각을 발전시키거나 과감한 투자를 하는 데에 걸림돌이 될 수 있다.

3 글쓴이는 로봇세를 도입하면 어떻게 된다고 했습니까? ( )

① 인간의 일거리가 늘어날 것이다.
② 인간이 로봇의 일을 대신할 것이다.
③ 로봇 산업 발전을 더디게 할 것이다.
④ 로봇을 개발하려는 사람이 늘어날 것이다.
⑤ 인간은 위험하거나 단순한 일을 하게 될 것이다.

4 다음 중 글쓴이가 자신의 생각을 나타내려고 쓴 낱말을 두 가지 고르시오. (,)

① 소유   ② 기업
③ 개발   ④ 부담
⑤ 걸림돌

서술형

5 글쓴이가 이 글을 쓴 의도와 목적을 쓰시오.

_____

_____

5
단원

[6~7] 글을 읽고, 물음에 답하시오.

"깨진 기와 조각은 천하에 쓸모없는 물건이다. 그러나 백성들의 집에 담을 쌓을 때 깨진 기와 조각을 둘씩 짝을 지어 물결무늬를 만들기도 하고, 혹은 네 조각을 모아 쇠사슬 모양이나 엽전 모양을 만들지 않느냐? 깨진 기와 조각도 알뜰하게 사용했기에 천하의 고운 빛깔을 다 낼 수 있었던 것이다."

그러고 보니, 창대도 중국에서 뜰 앞에 벽돌을 깔 형편이 안되는 가난한 집들도 여러 빛깔의 유리 기와 조각과 둥근 조약돌을 주워다가 꽃, 나무, 새, 동물 모양 등을 아로새겨 깔아 놓은 것을 본 적이 있었다. 이는 예쁘기도 했지만, 비 올 때 흙이 진창이 되는 것을 막아 주기도 했다.

서술형

6 이 글에서 글쓴이의 생각이 담긴 표현을 찾아 쓰시오.

_____

_____

7 글쓴이가 이 글을 쓴 의도와 목적은 무엇이겠습니까? ( )

① 백성들의 집에 담을 쌓는 방법을 알려 주려고

② 깨진 기와 조각이 쓸모없는 물건임을 알리려고

③ 집을 아름답게 꾸미는 것이 중요하다는 것을 알리려고

④ 비 올 때 흙이 진창이 되는 것을 막는 방법을 알려 주려고

⑤ 사물의 가치에 대해 다른 관점으로도 생각할 수 있게 하려고

[8~9] 영상의 내용을 보고, 물음에 답하시오.

❶ 젊은이를 상대로 소송을 낸 익사자 가족 "그때 도와줬다면 내 아들은 죽지 않았어요."

❷ 소송 기각 현재 법률엔 구조의 의무가 명시돼 있지 않다.

❸ 만약 1928년 '착한 사마리아인의 법'이 있었다면?

❹ 착한 사마리아인의 법: 위험에 처한 사람을 돕지 않으면 처벌할 수 있는 법 제도

8 '착한 사마리아인의 법'은 무엇인지 쓰시오.

( )

9 '착한 사마리아인의 법'에 대한 각각의 의견에 어울리는 까닭을 선으로 이으시오.

(1) 법으로 정해야 한다. •

•㉠ 도덕까지 법으로 규제하는 것은 강압에 가깝다.

(2) 법으로 정하지 않아도 된다. •

•㉡ 당연히 지켜야 할 도덕적 의무이니 따르지 않는다면 법으로 처벌하는 게 옳다.

10 친구들에게 책을 추천할 때 고려할 점으로 가장 알맞은 것을 두 가지 고르시오. (,)

① 아직 읽지 않은 책

② 가격이 비싸고 유명한 책

③ 두껍고 내용이 어려운 책

④ 작품에 대해 궁금한 것이 많은 책

⑤ 비슷한 주제를 가진 다른 책과 비교할 수 있는 책

1 사물이나 현상을 관찰할 때 그 사람이 바라보는 태도나 방향 또는 처지를 무엇이라고 하는지 쓰시오.

(   )

2 빈칸에 공통으로 들어갈 말은 무엇인지 쓰시오.

> • (   )은/는 글쓴이의 생각을 잘 드러낼 수 있어야 한다.
> • 글쓴이의 생각이 담기는 경우가 많아서 글을 읽는 사람은 (   )을/를 보고 글에 호기심을 느낄 수 있다.

(   )

3 글쓴이의 생각을 파악하며 글을 읽어야 하는 까닭으로 알맞은 것을 <u>모두</u> 찾아 ○표를 하시오.

(1) 글에서 잘못된 부분을 찾아 고칠 수 있다.

(   )

(2) 글 내용을 좀 더 깊이 있게 이해할 수 있다.

(   )

(3) 글쓴이가 글을 쓴 의도와 목적을 알 수 있다.

(   )

[4~5] 글을 읽고, 물음에 답하시오.

로봇세를 도입해야 한다

㉮ 인공 지능 기술이 발전하면서 로봇이 사람을 대신해 일하는 영역이 늘어나고, 그 규모도 커지고 있다. 이에 따라 외국에서는 로봇을 소유한 기업이나 로봇에게 세금을 부과하자는 주장이 나오고 있다. 우리도 로봇세를 도입하여 인간과 로봇이 함께 살아가는 방법을 찾아야 한다.

㉯ 로봇에게 세금을 부과하려면 법적 근거를 마련해야 한다. 법적인 의미에서 자연인과 법인에게만 세금을 부과할 수 있다. 현행법으로는 기계인 로봇에게 세금을 부과할 수 없다. 그래서 2017년에 유럽 의회는 장기적으로 로봇에게 '특수한 권리와 의무를 가진 전자 인간'으로 법적 지위를 부여하는 입법을 집행 위원회가 추진하도록 결의했다. 이는 로봇을 소유하고 이용하는 사람뿐만 아니라 로봇에게도 세금을 부과할 수 있는 근거가 된다. 또 로봇세를 활용하면 소득을 재분배함으로써 국민의 복지 향상에 도움을 줄 수 있다.

서술형

4 글쓴이는 자신의 글을 누가 읽을 거라고 생각했을지 쓰시오.

_____

_____

5 이 글에 나타난 글쓴이의 생각은 무엇입니까?

(   )

① 로봇을 많이 개발하자.
② 세금은 인간에게만 부과하자.
③ 새로운 일자리를 많이 만들자.
④ 로봇을 소유하고 이용하는 사람에게만 세금을 부과하자.
⑤ 로봇세를 걷어 소득을 재분배함으로써 국민의 복지 향상에 도움을 주자.

[6~7] 글을 읽고, 물음에 답하시오.

"똥과 기와 조각은 사람의 손길에 따라 쓰임새가 정해지기도 하고, 버려지기도 하는 거다. 사람으로 태어나서 어찌 다른 사람의 손길만 기다리겠느냐? 스스로 쓰임새를 찾는다면 어찌 똥오줌이나 깨진 기와 조각의 쓰임새에 비하겠으며, 그렇지 못하다면 그야말로 길거리에 굴러다니는 개똥보다 못할 것이니라."

"에이, 그게 뭡니까? 맞으면 맞는다, 아니면 아니다 명확히 대답을 해 주셔야지요."

장복이의 응석에 나리는 다시 한번 꼬집어 말하였다.

"스스로의 가치는 스스로가 매기는 거야. 다른 사람에게 맡길 것이 아닌 거야."

6 똥과 기와 조각은 무엇에 따라 쓰임새가 정해지거나 버려진다고 했는지 쓰시오.

(   )

7 이 글에서 알 수 있는 글쓴이의 생각은 무엇입니까? (   )

① 모든 사람들의 가치는 같다.
② 다른 사람들의 평가가 중요하다.
③ 자신의 쓰임새를 찾는 일은 어렵다.
④ 누구나 다른 사람의 도움을 받으며 살아간다.
⑤ 자신의 가치는 자신이 만드는 것이니 스스로 노력하는 삶을 살아야 한다.

[8~9] 영상의 내용을 보고, 물음에 답하시오.

❶ 젊은이를 상대로 소송을 낸 익사자 가족 "그때 도와줬다면 내 아들은 죽지 않았어요."

❷ 소송 기각 현재 법률엔 구조의 의무가 명시돼 있지 않다.

❸ 만약 1928년 '착한 사마리아인의 법'이 있었다면?

❹ 착한 사마리아인의 법: 위험에 처한 사람을 돕지 않으면 처벌할 수 있는 법 제도

(논술형)

8 이 영상의 내용을 보고 '착한 사마리아인의 법을 제정해야 한다'에 대한 자신의 생각을 쓰시오.

_____

_____

9 '착한 사마리아인의 법을 제정해야 한다'를 논제로 토론을 하려고 합니다. 근거를 마련할 때 생각할 점과 거리가 먼 것은 무엇입니까? (   )

① 근거가 사실인지 판단해 본다.
② 근거가 주장을 뒷받침하는지 판단해 본다.
③ 근거를 세 가지 이상 들었는지 확인한다.
④ 자신이 내세우는 근거에 알맞은 예를 들어 설명하면 설득력이 높아진다.
⑤ 근거를 설명하려고 신문 기사, 통계 자료 같은 다양한 매체를 예로 들 수 있다.

10 친구들에게 책을 추천할 때 무엇을 고려하여 정하고 싶은지 쓰시오.

(   )

서술형평가

5. 글에 담긴 생각과 비교해요

6학년   반   점수

이름   / 30점

1 글쓴이의 생각을 파악하며 글을 읽어야 하는 까닭을 <u>두 가지</u> 쓰시오.   [6점]

  •
_____

_____

  •
_____

_____

[2~3] 글을 읽고, 물음에 답하시오.

로봇세 도입을 늦추어야 한다

  로봇을 소유한 기업이나 로봇에게 세금을 부과하자는 주장이 나오고 있다. 로봇이 인간의 일거리를 대신 할 수 있기 때문에 인간에게 필요한 비용을 로봇세로 보충하려는 것이다. 하지만 로봇세 도입은 로봇 산업의 발전과 국가의 미래 경쟁력에 부정적인 영향을 끼칠 수 있다.

  로봇 산업이 본격적으로 발전하면 로봇은 인간을 대신하여 일을 하게 된다. 이럴 경우에 인간은 위험하거나 단순한 일, 반복적인 일에서 해방될 수 있다. 그런데 인간을 대신하여 일을 할 로봇에게 성급하게 세금을 부과한다면 로봇 산업 발전을 더디게 할 것이다. 특히 로봇 개발자는 개발 비용에 세금까지 더하여 마음의 부담을 느낄 수 있다. 로봇 개발자가 느끼는 마음의 부담은 로봇을 개발하는 과정에서 혁신적인 생각을 발전시키거나 과감한 투자를 하는 데에 걸림돌이 될 수 있다. 로봇세는 이제 발전하려는 로봇 산업에 방해가 된다.

2 로봇세 도입이 로봇 산업 발전에 도움이 되지 않는다고 한 까닭을 쓰시오.   [6점]

_____

_____

3 이 글에 나타난 글쓴이의 생각은 무엇인지 쓰시오.   [6점]

_____

_____

[4~5] 글을 읽고, 물음에 답하시오.

  "똥오줌을 생각해 보아라. 세상에 둘도 없이 더러운 것들이다. 하지만 거름으로 쓸 때는 한 덩어리라도 흘릴까 하여 조심하고, 말똥을 모으려 삼태기를 들고 말 꽁무니를 따라다니기도 하지 않느냐. 똥을 모아 그냥 두는 법도 없다. 네모반듯하게 쌓거나 팔각, 육각 등의 누각으로 쌓아 올려 똥거름 또한 모양을 만들어 두지 않느냐. 그러니 나는 저 깨진 기와 조각과 똥 덩어리야말로 가장 볼만한 것이라 꼽을 것이다. 높디높은 성곽이나 궁실, 웅장한 사찰과 광활한 벌판보다 이것들이 더 아름답다 하지 않겠느냐."

4 글쓴이는 깨진 기와 조각과 똥 덩어리에 대해 어떻게 생각하는지 쓰시오.   [6점]

_____

_____

5 이 글은 조선 후기의 실학자 연암 박지원이 쓴 글입니다. 글쓴이가 이 글을 쓴 의도와 목적이 무엇이겠는지 쓰시오.   [6점]

_____

_____

수행평가

5. 글에 담긴 생각과 비교해요

관련 성취 기준	글을 읽고 글쓴이가 말하고자 하는 주장이나 주제를 파악한다.
평가 목표	글을 읽고 글쓴이의 생각을 파악할 수 있다.

[1~3] 글쓴이의 생각을 파악하며 글을 읽어 봅시다.

로봇세를 도입해야 한다

　우리도 로봇세를 도입하여 인간과 로봇이 함께 살아가는 방법을 찾아야 한다.

　세계 경제 포럼은 로봇이나 인공 지능이 이끄는 4차 산업 혁명으로 수많은 사람이 일자리를 잃을 것이라고 전망했다. 로봇 때문에 일자리를 잃고 소득을 얻지 못하는 사람들은 새로운 일자리를 찾기 위해 재교육을 받아야 한다. 로봇세를 도입하면 그 세금으로 일자리를 잃은 사람들에게 진로 상담이나 적성 검사, 기술 교육 등을 할 수 있다. 또 로봇세를 활용하면 일자리를 잃은 사람들이 재교육을 받고 새로운 일자리를 찾는 데 도움을 줄 수 있다.

　미래 사회에는 소수의 사람이 로봇으로 소득을 독점할 수 있다. 로봇을 소유하고 이용하는 사람이나 로봇에게 세금을 부과하면 소득의 독점을 막을 수 있다. 그런데 로봇에게 세금을 부과하려면 법적 근거를 마련해야 한다. 법적인 의미에서 자연인과 법인에게만 세금을 부과할 수 있다. 현행법으로는 기계인 로봇에게 세금을 부과할 수 없다. 그래서 2017년에 유럽 의회는 장기적으로 로봇에게 '특수한 권리와 의무를 가진 전자 인간'으로 법적 지위를 부여하는 입법을 집행 위원회가 추진하도록 결의했다. 이는 로봇을 소유하고 이용하는 사람뿐만 아니라 로봇에게도 세금을 부과할 수 있는 근거가 된다. 또 로봇세를 활용하면 소득을 재분배함으로써 국민의 복지 향상에 도움을 줄 수 있다.

1 이 글에서 글쓴이의 생각이 드러난 표현을 <u>두 가지</u> 이상 찾아 쓰시오.　[5점]

（　　　　　　　　　　　　　　　　　　　　　　　　　　　　　）

2 글쓴이가 「로봇세를 도입해야 한다」라고 제목을 정한 까닭은 무엇이겠는지 쓰시오. [10점]

_____

3 이 글에 나타난 글쓴이의 생각에 대해 자신은 어떻게 생각하는지 근거와 함께 쓰시오.
[15점]

[1~2] 그림을 보고, 물음에 답하시오.

1 뉴스를 본 사람이 ㉮와 같은 반응을 보인 것에서 알 수 있는, 뉴스가 우리 생활에 미치는 영향은 무엇입니까? ( )

① 사람들에게 새로운 정보를 알려 준다.
② 어떤 일을 긍정적인 시각으로 보게 한다.
③ 어떤 일을 비판적인 시각으로 보게 한다.
④ 생활에서 문제가 되는 일을 해결해 준다.
⑤ 사람들이 모두 같은 생각을 하도록 만들어 준다.

2 ㉯와 ㉰ 가운데, 보기 와 관련이 있는 것의 기호를 쓰시오.

> 보기 여러 사람의 생각에 영향을 주어 여론을 형성하게 한다.

( )

[3~5] 광고를 보고, 물음에 답하시오.

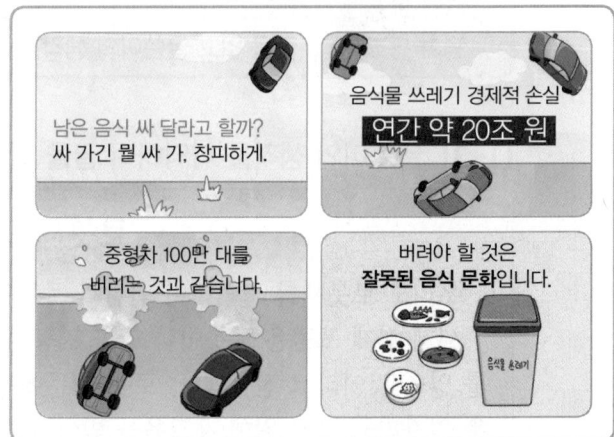

3 한 해에 버려지는 음식물 쓰레기를 무엇과 비교했는지 쓰시오.

( )

서술형
4 자동차가 바다에 떨어지는 장면을 보여 준 까닭은 무엇이겠는지 쓰시오.

_____

_____

5 이 광고에 드러난 의도와 표현 특성으로 맞는 것에 모두 ○표를 하시오.

(1) 광고 내용을 두드러지게 하려고 한 가지의 색만 사용했다. ( )
(2) 주제가 잘 드러나도록 글, 그림을 효과적으로 사용했다. ( )
(3) 광고를 눈에 쉽게 띄게 하려고 중요한 글자의 배경을 빨간색으로 표시하고 더 크게 하여 강조했다. ( )

[6~7] 뉴스를 읽고, 물음에 답하시오.

> 진행자의 도입 올해 구세군에 모금된 금액은 44억 원으로 지난해보다 4억 원이 많아졌습니다. 사랑의 열매에는 1700억 원 넘게 모여서 목표액의 절반 이상을 채웠고 사랑의 온도 탑도 수은주가 50도를 넘어섰습니다. 어려운 경기 속에도 이렇게 기부가 늘어난 데는 재미와 감동이 함께하는 이른바 '스마트 기부'가 한몫을 하고 있습니다. 신방실 기자가 전해 드립니다.
>
> 기자의 보도 거리에 등장한 자선냄비가 뭔가 색다릅니다. 한 시민이 돼지 저금통을 갈라 모금함에 돈을 넣는가 했더니, 먼저 주사위를 모니터 위에 놓습니다. 선택한 것은 여성과 다문화, 기부 대상을 직접 고를 수 있는 스마트 자선냄비입니다.
>
> 〈면담〉 ○○○(서울시 용산구)
> "자기가 마음 가는 단체에 기부할 수 있어서 편리한 것 같습니다. 좋은 것 같습니다."

6 뉴스에서 진행자와 기자는 각각 어떤 역할을 하는지 알맞게 선으로 이으시오.

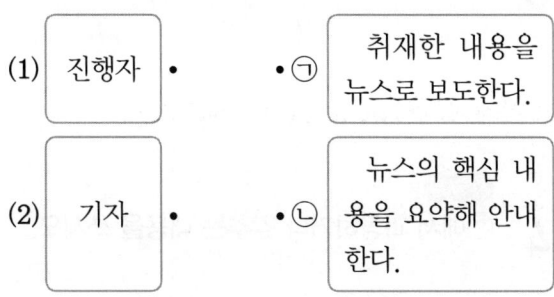

(1) 진행자 •   • ㉠ 취재한 내용을 뉴스로 보도한다.

(2) 기자 •   • ㉡ 뉴스의 핵심 내용을 요약해 안내한다.

7 이와 같은 뉴스에서 면담이나 통계 자료를 보여 주는 까닭은 무엇인지 두 가지 고르시오.
(,   )

① 기자가 할 말을 줄이기 위해서
② 뉴스의 길이를 길게 만들고 싶어서
③ 뉴스 내용을 체계적으로 보여 줄 수 있어서
④ 많은 사람들이 참여했다는 것을 알리기 위해서
⑤ 사람들의 이해를 돕고 뉴스 내용을 일목요연하게 보여 줄 수 있어서

8 뉴스를 만드는 과정에 맞게 기호를 쓰시오.

> ㉠ 뉴스 원고를 쓴다.
> ㉡ 알리려는 내용을 취재한다.
> ㉢ 어떤 내용을 보도할지 회의한다.
> ㉣ 사람들에게 전하고 싶은 내용을 뉴스로 보도한다.
> ㉤ 취재한 내용을 효과적으로 알릴 수 있게 뉴스 영상을 제작하고 편집한다.

(   ) ➡ (   ) ➡ (   ) ➡ (   ) ➡ (   )

9 뉴스 원고를 쓸 때 주의할 점으로 알맞지 않은 것은 무엇입니까? (   )

① 타당한 자료를 활용한다.
② 짧고 간결한 표현을 사용한다.
③ 누구나 쉽게 이해할 수 있도록 한다.
④ 사람들이 집중해서 보도록 모호한 표현을 사용한다.
⑤ 사람들이 쉽고 분명하게 그 내용을 느낄 수 있도록 정확한 표현을 사용한다.

서술형
10 뉴스를 발표할 때 '촬영 기자'가 하는 일은 무엇인지 쓰시오.

_____

_____

[1~2] 뉴스를 읽고, 물음에 답하시오.

지구 온난화를 막기 위해 전 세계가 참가한 보편적 기후 변화 협정이 프랑스 파리에서 체결됐습니다.

31쪽 분량의 '파리 협정' 최종 합의문 핵심은 지구의 기온 상승 폭을 산업화 이전 대비 섭씨 2도 아래로 억제하고, 가능하면 섭씨 1.5도까지 낮추는 것입니다.

또 온실가스 감축을 위해 선진국들이 2020년까지 매년 천억 달러, 우리 돈 118조 원의 기금을 개발 도상국에 지원하도록 하는 내용도 담겼습니다.

파리 협정은 선진국만 온실가스 감축 의무가 있었던 교토 의정서와 달리, 개발 도상국을 포함한 195개 당사국 모두가 지켜야 하는 구속력 있는 첫 합의입니다.

1 이 뉴스에 대한 생각을 알맞게 말하지 <u>못한</u> 것을 찾아 기호를 쓰시오.

㉠ 개발 도상국이 빠르게 성장할 수 있도록 하려면 선진국의 지원이 필요하다.
㉡ 온실가스를 줄이려면 우리가 무엇을 해야 하는지 생각하게 되었다.
㉢ 전 세계가 지구 온난화를 막으려고 함께 노력하는 모습이 인상 깊다.

(   )

2 이 뉴스를 본 다음 친구들의 반응을 보고, 뉴스가 우리 생활에 미치는 영향 가운데 무엇과 관련 있는지 쓰시오.

채원: 기후 협약이 체결되면 우리나라에서도 온실가스 배출 규정이 강화되어 사람들의 생활이 불편해질 수 있어.
태하: 참여하지 않는 나라는 비판받을 만해.

(   )

[3~4] 광고를 보고, 물음에 답하시오.

건강해지려고 아령도 들고 줄넘기도 해 보지만 체력이 여전히 바닥일 때, 당신의 건강에 신바람이 일어납니다.

㉠당신의 즐거운 일상과 건강한 체력을 책임져 줄 단 한 가지!
신바람 자전거!

3 무엇을 광고하고 있는지 쓰시오.

(   )

서술형
4 ㉠에서 과장하거나 감추는 내용을 쓰시오.

_____

_____

5 광고를 볼 때 비판적으로 보아야 할 부분에 ○표를 하시오.

(1) 상품의 이름 (   )
(2) 상품을 만든 곳 (   )
(3) 과장하거나 감추는 내용을 담은 부분
(   )

[6~7] 뉴스를 읽고, 물음에 답하시오.

> **가** 진행자의 도입 독감 때문에 요즘 감염 걱정이 많죠? 하지만 '30초 손 씻기'만 제대로 실천해도 웬만한 감염병은 막을 수 있다고 합니다. '30초의 기적'이라고까지 하는 올바른 손 씻기 방법을 이선주 기자가 알려 드립니다.
>
> **나** 기자의 보도 손을 어떻게 씻어야 손에 번식하는 세균을 없앨 수 있을지 알아보려고 손에 형광 물질을 바르고 실험했습니다. 10초 동안 비누로 손바닥과 손가락을 비벼 가며 열심히 씻는 것이 중요합니다. 이렇게 수시로 30초 동안 손을 씻으면 감염병의 70퍼센트는 예방할 수 있습니다.
> 〈면담〉 [하영은 보건 선생님]
> "감기를 비롯해 장염, 식중독 따위도 모두 손을 깨끗이 씻으면 예방할 수 있습니다."

6 이 뉴스를 보고 알 수 있는 내용은 무엇입니까?
( )

① 독감의 증상
② 감염병의 종류
③ 형광 물질의 위험성
④ 올바른 손 씻기 방법
⑤ 좋은 비누를 고르는 법

논술형
7 이 뉴스가 가치 있고 중요한 뉴스인지 판단하여 쓰시오.

_____

_____

8 뉴스를 만드는 과정에서 가장 먼저 할 일은 무엇입니까? ( )

① 뉴스 원고를 쓴다.
② 알리려는 내용을 취재한다.
③ 어떤 내용을 보도할지 회의한다.
④ 사람들에게 전하고 싶은 내용을 뉴스로 보도한다.
⑤ 취재한 내용을 효과적으로 알릴 수 있게 뉴스 영상을 제작하고 편집한다.

9 뉴스를 발표할 때 다음과 같은 역할을 하는 사람은 누구인지 쓰시오.

> 뉴스를 소개하고 다양한 뉴스를 차례에 따라 전달하는 역할을 한다.

( )

10 뉴스를 발표할 때 주의할 점으로 알맞지 <u>않은</u> 것은 어느 것입니까? ( )

① 진지한 자세로 뉴스 내용을 전한다.
② 정확한 내용을 간결하게 전달한다.
③ 누구나 알아들을 수 있도록 적절한 빠르기로 말한다.
④ 말하는 것처럼 하지 말고 뉴스 원고를 단순히 따라 읽어야 한다.
⑤ 적절하지 않은 표현이나 부정확한 내용은 뉴스 내용으로 구성해서는 안 된다.

6
단원

서술형평가

6. 정보와 표현 판단하기

6학년	반	점수
이름		/30점

1 다음에서 알 수 있는, 뉴스가 우리 생활에 미치는 영향은 무엇인지 쓰시오. [5점]

지금은 힘들겠지만 다음 세대를 위해 환경을 보전하는 일은 꼭 필요해요.

그럼요. 우리가 실천할 수 있는 방법을 찾아봐야겠어요.

_____

_____

[2~3] 광고를 보고, 물음에 답하시오.

깃털 책가방

이보다 가벼울 수는 없다! **초경량** 책가방
㉠교과서를 모두 넣어도 찢어질 염려 없는
튼튼한 재질
거품 없는 가격과 **최고의 품질**
한국에서 직접 디자인하고 직접 만든 책가방
멘 듯 안 멘 듯 깃털처럼 가벼운 깃털 책가방

2 ㉠의 문구에서 과장하거나 감추는 내용은 무엇인지 쓰시오. [5점]

_____

_____

3 이와 같은 광고 내용을 그대로 믿으면 어떤 문제점이 생길지 쓰시오. [5점]

_____

_____

4 뉴스에서 '진행자의 도입'에는 어떤 내용을 써야 하는지 쓰시오. [5점]

_____

_____

5 다음 상황에 알맞은 뉴스 주제를 쓰시오. [5점]

등하굣길을 안전하게 다닐 수 있는 방법을 알려 주면 좋겠어.

_____

_____

6 뉴스를 발표할 때 주의할 점을 한 가지만 쓰시오. [5점]

_____

_____

수행평가
6. 정보와 표현 판단하기

6학년   반   점수

이름   / 30점

관련 성취 기준	글을 읽고 내용의 타당성과 표현의 적절성을 판단한다.
평가 목표	광고에 나타난 표현의 적절성을 살필 수 있다.

[1~3] 표현의 적절성을 살피며 광고를 봅시다.

1 이 광고의 목적은 무엇인지 쓰시오.   [10점]

_____

2 이 광고에 드러난 표현의 특성을 찾아 한 가지 쓰시오.   [10점]

_____

_____

3 이 광고를 보고 광고에 나타난 표현의 적절성을 평가해 빈칸에 알맞은 말을 각각 쓰시오.
[10점]

(1) 광고 문구	(2) 과장하거나 감추는 내용

[1~2] 글을 읽고, 물음에 답하시오.

쓰레기가 되는 불량 식품

여러분, 불량 식품을 먹지 맙시다. 불량 식품을 먹고 나서 쓰레기를 버리는 사람이 많습니다. 그렇게 버린 쓰레기들이 우리 학교 주변을 더럽혀 보기에도 좋지 않고, 악취도 납니다. 불량 식품에는 무엇이 들어갔는지, 그리고 유통 기한은 언제까지인지 정확히 적혀 있지 않습니다. 불량 식품을 먹으면 해로운 물질이 몸에 들어가 병에 걸리기 쉽습니다. 불량 식품은 아무리 맛있어서 먹으면 안 됩니다.

1 글쓴이가 이 글에서 말하려고 하는 것은 무엇인지 빈칸에 알맞은 말을 쓰시오.

• (   )을/를 먹지 말자.

2 이 글에 어떤 문제가 있는지 살펴보았습니다. 알맞게 찾은 것이 <u>아닌</u> 것은 무엇입니까? (   )

① 주제와 관련 없는 내용이 있다.
② 제목에 주제가 잘 드러나지 않는다.
③ 문장 호응이 맞지 않는 부분이 있다.
④ 읽는 사람이 잘 이해하기 어려운 부분이 있다.
⑤ 글 전체가 한 문장으로 되어 있어서 너무 길다.

[3~5] 글을 읽고, 물음에 답하시오.

다른 사람을 존중하자

요즘 많은 어린이가 이야기할 때 은어나 비속어를 사용한다. 국립국어원 조사에 따르면 조사 대상 초등학생의 93퍼센트가 비속어를 사용한 적이 있다고 한다. 만약 학생 열 명이 ㉠있기 때문에 적어도 아홉 명은 비속어를 사용한 적이 있는 것이다. 비속어가 아닌 고운 말을 사용해야 하는 까닭은 무엇일까?

고운 말을 사용하면 서로 존중하는 마음을 전할 수 있다. 흔히 말이 눈에 보이지 않는 마음임을 표현할 때 "말은 마음의 거울"이라는 격언을 사용한다.

3 글쓴이가 이 글을 쓴 목적으로 알맞은 것은 무엇입니까? (   )

① 은어와 비속어의 종류를 알려주려고
② 국립국어원 이용 방법을 알려 주려고
③ 고운 말을 사용해야 한다고 주장하려고
④ 친구와 친하게 지내야 한다고 주장하려고
⑤ 고운 말을 사용해야 하는 까닭이 궁금해서 물어보려고

서술형

4 이 글의 제목을 알맞게 바꾸어 쓰시오.

_____

_____

5 ㉠'있기 때문에'를 바르게 고친 것은 어느 것입니까? (   )

① 있고   ② 있다면
③ 있어서   ④ 있지만
⑤ 있으므로

6 붙여 쓸 때 사용하는 교정 부호는 어느 것입니까?
( )

① ∨   ② Y   ③ ⌒

④ ♂   ⑤ ⤵

[7~8] 글을 읽고, 물음에 답하시오.

> 피부에 사용하는 약품을 개발할 때 토끼의 눈에 화학 물질을 넣어 부작용이 생기는지 확인한다. 토끼는 눈 깜빡임과 눈물이 적어 실험 결과를 오래 관찰할 수 있기 때문이다. 눈에 화학 물질이 들어간 토끼는 눈에서 피가 나기도 하고 심한 경우 눈이 멀기도 한다.
> 　동물 실험을 반대하는 사람들이 늘어나고 있다. 사람과 동물의 몸은 차이가 크기 때문에 이러한 동물 실험은 소용이 없다고 주장한다. 실제로 동물 실험을 통과한 신약 후보 열 개 가운데 아홉 개는 사람에게 효과가 없거나 부작용을 일으킨다고 한다.
>
> 동물 실험도 하지 않고 개발한 약을 사람들에게 사용하면 부작용이 발생할 수 있다. 1937년에 한 제약 회사에서 술파닐아미드라는 약을 새롭게 개발했다. 그런데 동물 실험을 거치지 않고 사람들에게 이 약을 판매했다. 그 결과, 이 약을 복용한 많은 사람이 부작용으로 사망하는 불행한 일이 일어났다.
> 　일부 사람들은 동물 실험을 당장 다른 방법으로 대체해야 한다고 주장한다. 그러나 대체 방법을 개발하는 데 6년 이상의 시간과 약 400억 원이상의 비용이 필요하다. 이처럼 오랜 개발 기간과 막대한 비용 때문에 빠른 시일 안에 동물 실험을 대체하기는 어렵다.

7 글 ㉮와 글 ㉯의 글쓴이의 주장은 무엇인지 알맞게 선으로 이으시오.

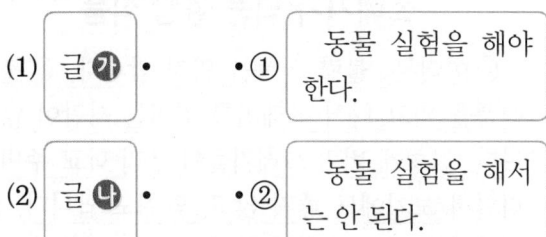

(1) 글 ㉮ •   • ① 동물 실험을 해야 한다.

(2) 글 ㉯ •   • ② 동물 실험을 해서는 안 된다.

8 이 글을 읽고 동물 실험에 찬성하는 입장의 근거로 정리할 수 있는 내용을 <u>모두</u> 찾아 기호를 쓰시오.

> ㉠ 대체 실험에 비용이 많이 든다.
> ㉡ 동물의 생명도 똑같이 소중하다.
> ㉢ 동물의 생명보다 인간의 생명이 더 소중하다.
> ㉣ 동물과 사람에게 나타나는 반응이 똑같지 않다.

( )

9 자신이 쓴 글을 고쳐 쓸 때 글 수준에서 점검할 내용으로 알맞은 것은 무엇입니까? ( )

① 알맞은 낱말을 사용했는가?
② 문장 호응이 잘 이루어지는가?
③ 제목이 글 내용과 어울리는가?
④ 한 문단에 하나의 중심 생각만 있는가?
⑤ 중심 문장과 뒷받침 문장이 자연스럽게 연결되는가?

논술형

10 인간과 자연이 조화를 이루며 발전할 수 있는 실천 방안을 글로 쓰려고 합니다. 알맞은 실천 방안을 한 가지만 떠올려 쓰시오.

_____

_____

[1~2] 글을 읽고, 물음에 답하시오.

쓰레기가 되는 불량 식품

㉠여러분, 불량 식품을 먹지 맙시다. ㉡불량 식품을 먹고 나서 쓰레기를 버리는 사람이 많습니다. 그렇게 버린 쓰레기들이 우리 학교 주변을 더럽혀 보기에도 좋지 않고, 악취도 납니다. ㉢불량 식품에는 무엇이 들어갔는지, 그리고 유통 기한은 언제까지인지 정확히 적혀 있지 않습니다. ㉣불량 식품을 먹으면 해로운 물질이 몸에 들어가 병에 걸리기 쉽습니다. ㉤불량 식품은 아무리 맛있어서 먹으면 안 됩니다.

1 이 글의 제목을 다음과 같이 고쳐 썼다면 그 까닭은 무엇이겠습니까? (   )

> 건강을 해치는 불량 식품

① 원래의 제목이 너무 길어서
② 바꾼 제목이 더 재미있어서
③ 제목은 별로 중요하지 않아서
④ 제목에 '쓰레기'라는 낱말은 쓰면 안 되어서
⑤ 원래의 제목이 주제를 잘 드러내는 제목이 아니어서

2 ㉠~㉤ 가운데 글의 주제와 관련 없는 내용이어서 삭제해야 하는 것의 기호를 쓰시오.

(   )

[3~5] 글을 읽고, 물음에 답하시오.

⑦ 고운 말을 사용하면 서로 존중하는 마음을 전할 수 있다. 흔히 말이 눈에 보이지 않는 마음임을 표현할 때 "말은 마음의 거울"이라는 격언을 사용한다. 고운 말을 사용해야 하는 것은 어린이만이 아니다. 존중하는 마음이 없다면 고운 말도 나오지 않는다.

④ 고운 말을 사용하면 다른 사람과 원활하게 대화할 수 있다. 은어나 비속어는 원활한 대화를 어렵게 하고 오해를 불러일으킨다. ㉠단순히 재미있으려고 은어나 비속어를 사용했다가 친구들끼리 투쟁으로 이어지는 경우도 있고, 어른과 어린이의 일상적인 대화가 어려워지는 경우도 있다.

서술형

3 이 글에서 글쓴이가 말하려는 것은 무엇일지 쓰시오.

_____

_____

4 글 ⑦에서 고쳐 써야 할 점은 무엇입니까? (   )

① 문장을 좀 더 길게 쓴다.
② 필요 없는 문장을 삭제한다.
③ 지나치게 긴 문장을 두 문장으로 나눈다.
④ 문장 호응이 이루어지지 않는 문장을 고쳐 쓴다.
⑤ 중심 문장을 마지막에 한번 더 써서 주장을 강조한다.

5 문장 ㉠에서 어색한 낱말을 찾아 바르게 고쳐 쓰시오.

· (   ) ➡ (   )

6 다음은 언제 사용하는 교정 부호입니까? (   )

> $\large\frown$

① 띄어 쓸 때
② 붙여 쓸 때
③ 한 글자를 고칠 때
④ 여러 글자를 고칠 때
⑤ 글의 내용을 추가할 때

[7~8] 글을 읽고, 물음에 답하시오.

> ㉮ 의약품 따위를 만드는 실험으로 전 세계에서 해마다 약 6억 마리의 동물이 희생되고 있다. 개발한 약품을 사람에게 바로 사용하지 않고 동물을 대상으로 먼저 실험해 보기 때문이다.
> ㉯ 눈에 화학 물질이 들어간 토끼는 눈에서 피가 나기도 하고 심한 경우 눈이 멀기도 한다.
>   동물 실험을 반대하는 사람들이 늘어나고 있다. 사람과 동물의 몸은 차이가 크기 때문에 이러한 동물 실험은 소용이 없다고 주장한다. 실제로 동물 실험을 통과한 신약 후보 열 개 가운데 아홉 개는 사람에게 효과가 없거나 부작용을 일으킨다고 한다.
>   동물 실험을 다른 방법으로 대체해야 한다는 목소리도 높다. 한 국민 의식 조사에 따르면 동물 실험을 대체할 수 있도록 사회적 지원을 하는 데 응답자 대부분이 찬성했다.

7 이 글에서 알 수 있는 사실이 <u>아닌</u> 것은 무엇입니까? (   )

① 동물 실험에 비용이 너무 많이 든다.
② 실험 때문에 수많은 동물이 고통받고 희생된다.
③ 의약품 따위를 만드는 실험으로 수많은 동물이 사용된다.
④ 동물 실험을 다른 방법으로 대체해야 한다는 목소리도 높다.
⑤ 동물 실험을 통과한 약도 사람에게 효과가 없거나 부작용을 일으킬 수 있다.

8 동물 실험에 대한 자신의 생각을 글로 쓸 때 이 글은 어떤 주장에 대한 근거와 뒷받침 자료로 적절한지 ○표를 하시오.

(1) 동물 실험을 해야 한다.   (   )
(2) 동물 실험을 하지 말아야 한다.   (   )

9 다음 내용은 글을 고쳐 쓸 때 어떤 수준에서 점검할 내용인지 각각 알맞게 선으로 이으시오.

(1) 알맞은 낱말을 사용했는가?   •   • ① 글 수준

(2) 한 문단에 하나의 중심 생각만 있는가?   •   • ② 문단 수준

(3) 문장 호응이 잘 이루어지는가?   •   • ③ 문장 수준

(4) 무엇을 쓴 글인지 알 수 있는가?   •   • ④ 낱말 수준

서술형

10 인간과 자연이 조화를 이루며 발전할 수 있는 실천 방안을 글로 쓰려고 합니다. 글에 활용할 수 있는 자료를 찾아 한 가지 쓰시오.

_____

_____

서술형평가 7. 글 고쳐 쓰기

6학년	반	점수
이름		/ 30점

1 다음과 같이 글을 고쳐 쓰면 좋은 점을 정리해 보시오. [6점]

고쳐 쓸 때 생각할 점	더 필요한 내용이 있으면 알맞은 곳에 써넣는다.
고쳐 쓰면 좋은 점	

[2~3] 글을 읽고, 물음에 답하시오.

> **㉮** ㉠요즘 많은 어린이가 이야기할 때 은어나 비속어를 사용했다. 국립국어원 조사에 따르면 조사 대상 초등학생의 93퍼센트가 비속어를 사용한 적이 있다고 한다.
> **㉯** ㉡고운 말을 사용하면 친구 관계가 좋아진다. 말은 우리 민족의 혼이 담긴 소중한 문화유산이다. 은어나 비속어를 사용한다면 그것이 우리 후손에게 그대로 전해질 것이다. 고운 말을 사용해 아름다운 우리말을 지켜야 한다.

2 ㉠을 고쳐 써야 하는 까닭은 무엇인지 쓰시오. [6점]

_____

_____

3 문단 ㉯를 다시 읽고, 중심 문장 ㉡을 뒷받침 문장들과 어울리게 고쳐 쓰시오. [6점]

_____

4 다음 자료를 읽고 동물 실험에 찬성하는 입장에서 쓸 내용을 정리하시오. [6점]

> 동물 실험은 새로운 약 개발에 중요한 역할을 한다.
> 동물 실험도 하지 않고 개발한 약을 사람들에게 사용하면 부작용이 발생할 수 있다. 1937년에 한 제약 회사에서 술파닐아미드라는 약을 새롭게 개발했다. 그런데 동물 실험을 거치지 않고 사람들에게 이 약을 판매했다. 그 결과, 이 약을 복용한 많은 사람이 부작용으로 사망하는 불행한 일이 일어났다.
> 일부 사람들은 동물 실험을 당장 다른 방법으로 대체해야 한다고 주장한다. 그러나 대체 방법을 개발하는 데 6년 이상의 시간과 약 400억 원 이상의 비용이 필요하다. 이처럼 오랜 개발 기간과 막대한 비용 때문에 빠른 시일 안에 동물 실험을 대체하기는 어렵다.

(1) 근거	
(2) 뒷받침 자료	

5 자신이 쓴 글을 고쳐 쓸 때 문단 수준에서 점검할 내용을 빈칸에 추가해 쓰시오. [6점]

> • 한 문단에 하나의 중심 생각만 있는가?
> • 필요 없는 문장이 있는가?
> • _____
> _____

수행평가   7. 글 고쳐 쓰기

관련 성취 기준	쓰기는 절차에 따라 의미를 구성하고 표현하는 과정임을 이해하고 글을 쓴다.
평가 목표	글을 고쳐 쓰는 방법을 알 수 있다.

7 단원

[1~3] 고쳐 써야 할 부분을 생각하며 글을 읽어 봅시다.

다른 사람을 존중하자

㉮ 요즘 많은 어린이가 이야기할 때 은어나 비속어를 사용했다. 국립국어원 조사에 따르면 조사 대상 초등학생의 93퍼센트가 비속어를 사용한 적이 있다고 한다. 만약 학생 열 명이 있기 때문에 적어도 아홉 명은 비속어를 사용한 적이 있는 것이다. 비속어가 아닌 고운 말을 사용해야 하는 까닭은 무엇일까?

㉯ 고운 말을 사용하면 서로 존중하는 마음을 전할 수 있다. 흔히 말이 눈에 보이지 않는 마음임을 표현할 때 "말은 마음의 거울"이라는 격언을 사용한다. ㉠고운 말을 사용해야 하는 것은 어린이만이 아니다. 존중하는 마음이 없다면 고운 말도 나오지 않는다.

㉰ 고운 말은 다른 사람을 존중하는 마음을 전할 수 있게 하고, 다른 사람과 대화를 원활하게 할 수 있게 한다. 또 ㉡무조건 고운 말을 사용하는 것만이 우리말을 아름답게 가꾸고 지키는 일이다. ㉢이제라도 고운 말을 사용하는 바른 언어 습관을 기르려고 노력하면 좋을 수도 있다.

1 이 글에서 글쓴이가 주장하는 것을 한 문장으로 쓰고, 주제에 맞게 제목을 고쳐 쓰시오. [5점]

(1) 글쓴이의 주장	
(2) 제목	

2 글 ㉮에서 문장 호응이 어색한 부분을 두 군데 찾아 각각 고쳐 쓰시오. [10점]

- _____

- _____

3 ㉠~㉢을 고쳐 써야 하는 까닭을 쓰고, 고쳐 쓰는 방법도 쓰시오. [15점]

(1) ㉠	
(2) ㉡	
(3) ㉢	

[1~2] 영상 내용을 보고, 물음에 답하시오.

다른 문화를 존중하고
배려하는 서로 공정한 여행

지역 경제에 도움이 되기, 현지인의 인권을 존중하기, 동물을 학대하는 쇼와 투어에 참여하지 않기, 지구를 아끼고 돌보며 그 지역의 문화와 종교를 존중하기, 사진을 찍을 땐 허락을 구하기 등 다른 문화를 존중하고 배려하는 서로 공정한 여행을 해야 합니다.

1 이 영상에서 해야 한다고 한 여행이 아닌 것은 무엇입니까? ( )

① 지구를 아끼고 돌보는 여행
② 지역 경제에 도움이 되는 여행
③ 그 지역의 문화를 존중하는 여행
④ 자신의 인권을 가장 우선시하는 여행
⑤ 동물을 학대하는 쇼에 참여하지 않는 여행

논술형

2 다시 여행을 간다면 어떤 여행을 하고 싶은지 쓰시오.

_____

_____

3 영화를 감상하는 방법을 잘못 말한 친구는 누구인지 쓰시오.

소운: 영화 줄거리를 이해하며 봐야 해.
민율: 인물의 성격과 인물들의 관계 따위를 이해해야 해.
지호: 영상의 특징과 화면 구도 같은 내용은 이해에 도움이 되지 않으므로 살펴보지 않아도 돼.

( )

[4~5] 글을 읽고, 물음에 답하시오.

㉮ 「피부 색깔=꿀색」이라는 영화를 보았다. 제목부터가 뭔가 전하고 싶은 이야기가 많은 영화라고 생각했다. 이 영화는 벨기에에 입양된 우리 동포 융이라는 사람이 어린 시절을 회상하며 이야기가 시작된다.
㉯ 융은 다섯 살에 해외로 입양된다. 하지만 융은 벨기에의 가족과 자신의 피부색이 다르다는 사실과 한국에 친부모가 있을지도 모른다는 생각에 잘 적응하지 못하고 힘들어한다.
㉰ 융의 장난만큼은 아니지만 나도 가끔은 친구나 동생에게 심한 장난을 한다. 하지만 융의 행동이 주위의 관심과 사랑을 받고 싶고 자신이 누구인지를 찾으려는 몸부림이라는 것을 알았을 때 마음이 많이 아팠다.

4 「피부 색깔=꿀색」이라는 영화는 어떤 이야기인지 빈칸에 알맞은 말을 쓰시오.

· 벨기에에 (1)( )된 우리 동포 (2)( )(이)라는 사람이 어린 시절을 회상하는 이야기이다.

5 글 ㉯와 ㉰는 영화 감상문을 쓸 때 들어갈 내용 가운데에서 어떤 내용을 쓴 것인지 쓰시오.

(1) 글 ㉯: ( )
(2) 글 ㉰: ( )

[6~8] 글을 읽고, 물음에 답하시오.

비녕자는 여전히 뚱한 얼굴이지만 그래도 고개를 끄덕였다.

반가워서 손이라도 잡아 주고 싶었다. 하지만 대상주답게 굴어야 했다. ㉠홍라는 애써 엄한 표정을 지었다.

"수선 피우지 마. 요란하게 떠날 입장이 아니야. 그러니 출발할 때까지 입조심해. 교역에 성공하면 둘 다 크게 한몫 챙겨 줄게."

그렇게 교역을 떠날 상단이 꾸려졌다. 대상주의 자격으로 상단을 이끄는 홍라, 무사 친샤, 천문생 월보, 일꾼 비녕자. 초라하기 그지없지만, 중요한 임무를 띠고 있었다. 금씨 상단을 지키기 위한 마지막 기회인지도 몰랐다.

이틀 동안 길 떠날 준비를 했다. 준비랄 것도 없었다. 집안 일꾼들 모르게 몇 가지를 챙기는 게 전부였다. 창고 점검을 한다는 핑계로 말린 고기며 곡식 가루를 좀 챙겼다. 노숙을 해야 할지도 모르니 음식을 조리할 도구도 필요했다. 집에 있는 걸 가져가려니 일꾼들이 알아챌까 걱정스러웠다. 결국 친샤가 시장에서 몇 가지를 사 왔다. 그리고 돈피도 몇 장 챙겼다.

6 ㉠에서 홍라가 애써 엄한 표정을 지은 까닭은 무엇이겠습니까?　　　　　　（　　　）

① 교역을 떠나는 게 두려워서
② 대상주로서의 위엄을 갖추고자 해서
③ 월보와 비녕자가 마음에 들지 않아서
④ 길 떠날 준비를 하는 것이 너무 힘들어서
⑤ 집안 일꾼들에게 자신의 속셈을 들킨 것 같아 불안해서

7 이 글에서 홍라는 이틀 동안 무엇을 하기 위한 준비를 하였는지 쓰시오.

（　　　　　　　　　　　　　）

8 교역을 하러 떠나려는 홍라에게 어떤 말을 해 주고 싶은지 쓰시오.

_____

_____

9 작품을 읽고 독서 감상문을 쓰는 방법으로 알맞지 않은 것은 어느 것입니까?　　（　　　）

① 줄거리를 간략하게 적는다.
② 작품을 읽게 된 까닭을 쓴다.
③ 제목은 글의 첫 문장으로 정한다.
④ 비슷한 영화나 책의 내용과 비교해 쓴다.
⑤ 작품 속 내용과 비슷한 경험을 떠올려 쓴다.

10 경험한 내용을 영화로 만들려고 합니다. 보기 는 어떤 과정과 관련이 있는 내용입니까?　（　　　）

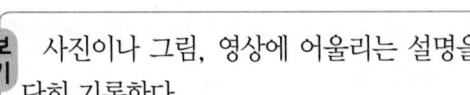

보기　사진이나 그림, 영상에 어울리는 설명을 간단히 기록한다.

① 주제 정하기
② 음악과 자막 넣기
③ 설명할 내용 정하기
④ 사진이나 영상 넣기
⑤ 자료를 수집하고 정리하기

서술형

1 다음 영상에서는 어떤 여행을 해야 한다고 했는지 쓰시오.

다른 문화를 존중하고
배려하는 서로 공정한 여행

지역 경제에 도움이 되기, 현지인의 인권을 존중하기, 동물을 학대하는 쇼와 투어에 참여하지 않기, 지구를 아끼고 돌보며 그 지역의 문화와 종교를 존중하기, 사진을 찍을 땐 허락을 구하기 등 다른 문화를 존중하고 배려하는 서로 공정한 여행을 해야 합니다.

_____

_____

2 여행 계획서를 쓸 때 주의할 점으로 알맞지 <u>않은</u> 것은 무엇입니까? ( )

① 여행을 하면서 느낀 점과 얻은 교훈도 잊지 말고 적어 둔다.

② 여행 일정은 날마다 몇 시쯤, 어디에서 무엇을 할 것인지 쓴다.

③ 여행 가기 전에 누구와 함께 가고, 무엇을 준비해야 할지 알아야 한다.

④ 언제, 어디로 여행 가느냐에 따라 준비물이 달라진다는 것을 생각한다.

⑤ 여행 비용은 날마다 사용할 돈을 입장료, 교통비, 식비 따위로 나누어 생각한다.

[3~4] 글을 읽고, 물음에 답하시오.

㉮ 「피부 색깔=꿀색」이라는 영화를 보았다. 제목부터가 뭔가 전하고 싶은 이야기가 많은 영화라고 생각했다. 이 영화는 벨기에에 입양된 우리 동포 융이라는 사람이 어린 시절을 회상하는 이야기이다.

㉯ 융은 다섯 살에 해외로 입양된다. 하지만 융은 벨기에의 가족과 자신의 피부색이 다르다는 사실과 한국에 친부모가 있을지도 모른다는 생각에 잘 적응하지 못하고 힘들어한다.

㉰ 예전에 「국가 대표」라는 영화를 보았다. 그 영화에서 주인공은 엄마를 찾으려고 국가 대표가 되려고 했다. 해외 입양 문제는 우리나라의 아픈 역사를 보여 주는 한 부분이다.

3 이 글은 어떤 영화를 보고 쓴 영화 감상문인지 쓰시오.

( )

4 글 ㉮~㉰ 가운데에서 영화 줄거리를 쓴 부분은 어느 것인지 기호를 쓰시오.

글 ( )

5 자신이 쓴 영화 감상문을 읽고 고쳐 쓸 부분을 확인할 때 살펴볼 내용으로 알맞지 <u>않은</u> 것은 어느 것입니까? ( )

① 영화 내용이 잘 담겨 있는가?

② 문장 호응이 잘 이루어졌는가?

③ 영화를 본 느낌이나 감상이 잘 드러났는가?

④ 영화의 모든 장면을 하나도 빼놓지 않고 소개했는가?

⑤ 제목은 내용을 드러내거나 읽는 사람의 관심을 끄는가?

[6~9] 글을 읽고, 물음에 답하시오.

대상주 홍라

솔빈으로 가서 은화를 팔고……. 그래! 솔빈의 말을 사자!

솔빈의 말은 당나라까지 널리 알려진 명마다. 솔빈의 말을 장안으로 가져가면 비싼 값에 팔 수 있다. 그리고 장안에서 비단을 싸게 사서 온다면……. 가만히 앉아 있으면 묘원의 은화는 비단 오백 필 값. 그러나 길을 나선다면 천 필, 아니 이천 필 값이 될 수 있다.

가자. 교역을 하러 가자. 어머니가 돌아오기 전에 빚을 갚는 거야. 상단을 지키는 거야. 대상주 금기옥의 딸답게.

홍라는 눈물을 닦았다. 언제부터인가 울고 있었던 것이다. 하지만 이제는 울지 않을 생각이었다. 상단을 이끌고 교역을 떠나야 했다. 상단을 지켜야 했다.

따로 상단의 일을 배운 적은 없지만, 상단의 딸이다. 나면서부터 교역에 대해 보고 들었다. 어떻게 해야 하는지 알 수 있었다.

6 홍라가 교역을 하러 가기로 결심한 까닭은 무엇입니까?   ( )

① 어머니를 만나기 위해서
② 상단의 일을 배우기 위해서
③ 솔빈의 말을 타 보고 싶어서
④ 빚을 갚고 상단을 지키기 위해서
⑤ 장안의 비단으로 옷을 만들어 입고 싶어서

7 홍라의 성격은 어떠한지 쓰시오.

( )

8 제목에서 홍라를 '대상주'라고 부른 까닭은 무엇일지 알맞게 말한 친구를 쓰시오.

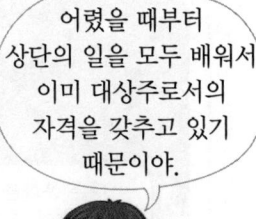

어머니를 대신해서 상단을 살리려고 교역을 떠나기 때문에 대상주라고 한 것 같아.

어렸을 때부터 상단의 일을 모두 배워서 이미 대상주로서의 자격을 갖추고 있기 때문이야.

보민   정환

( )

서술형

9 이 글에서 인상 깊은 장면과 그 까닭을 쓰시오.

_____

_____

_____

10 경험한 내용을 영화로 만들려고 합니다. 가장 먼저 할 일은 무엇입니까?   ( )

① 보완하기
② 주제 정하기
③ 음악과 자막 넣기
④ 사진이나 영상 넣기
⑤ 자료를 수집하고 정리하기

8
단원

서술형평가

8. 작품으로 경험하기

6학년　　　반　　점수
이름　　　　　　/30점

1 자신이 갔던 여행과 다음 영상에 나온 여행을 비교하여 쓰시오.　　　　　　　　　[6점]

> 다른 문화를 존중하고 배려하는 서로 공정한 여행

　　지역 경제에 도움이 되기, 현지인의 인권을 존중하기, 동물을 학대하는 쇼와 투어에 참여하지 않기, 지구를 아끼고 돌보며 그 지역의 문화와 종교를 존중하기, 사진을 찍을 땐 허락을 구하기 등 다른 문화를 존중하고 배려하는 서로 공정한 여행을 해야 합니다.

_____

_____

_____

[2~3] 글을 읽고, 물음에 답하시오.

> 　　이 영화를 보면서 나는 융이라는 사람에게 이런 말을 해 주고 싶었다. "비록 우리나라의 아픈 역사 때문에 벨기에에서 살지만 우리는 똑같은 한국인입니다."라고 말이다. 영화를 보는 내내 나는 입양된 사람들이 우리 역사에서 겪은 아픔을 생각했다. 본인의 의지와 상관없이 다른 나라에서 살아야 하는 사람들, 그리고 우리나라에 온 사람들까지. 나는 우리가 지금 서로를 따뜻하게 감싸 안아야 할 때라고 생각한다.

2 글쓴이는 영화의 주인공을 만난다면 어떤 말을 해 주고 싶다고 했는지 쓰시오.　　　　　[6점]

_____

_____

3 이 글에는 영화 감상문에 들어갈 내용 중 주로 어떤 내용이 나타나 있는지 쓰시오.　　　[6점]

_____

_____

[4~5] 글을 읽고, 물음에 답하시오.

> 　　장안. 당나라 황제의 대명궁이 있는 장안은 인구 백 만이 넘는 대도시로 비단처럼 화려한 빛깔로 눈부셨다. 푸른 하늘로 날아오를 듯 맵시 있는 기와지붕들이 물결치며 이어졌고, 밤이면 색색의 등불이 별빛보다 더 아름답게 반짝였다. 온갖 나라의 사람들이 저마다의 멋을 뽐내며 거리거리를 수놓았다. 동방의 상인들이 장사하는 동부 시장도 그랬지만, 서역 상인들의 서부 시장은 더욱 경이로웠다. 소그드 상인은 물론이고 페르시아나 로마에서 온 상인들도 진귀한 물건을 내놓고 팔았다. 장안은 세계적인 교역 도시였다.
> 　　홍라는 장안을 떠나며 언젠가 자신의 상단을 이끌고 다시 오겠다고 다짐했다. 장안까지, 아니 세상의 끝까지 가 보고 싶었다. 그 누구의 발도 닿지 않은 새로운 길로 떠나고 싶었다.

4 홍라가 본 장안의 모습은 어떠했는지 쓰시오.
　　　　　　　　　　　　　　　　　　　[6점]

_____

_____

5 이 글을 읽고 작품 속 내용과 비슷한 자신의 경험을 떠올려 쓰시오.　　　　　　　　[6점]

_____

_____

수행평가

8. 작품으로 경험하기

8
단
원

관련 성취 기준	체험한 일에 대한 감상이 드러나게 글을 쓴다.
평가 목표	자신의 경험을 떠올리며 작품을 감상할 수 있다.

[1~3] 자신의 경험을 떠올리며 글을 읽어 봅시다.

㉮ "장안으로 교역을 나설 거야. 월보, 비녕자, 같이 갈 수 있지?"

㉯ 드디어 떠난다. 홍라의 가슴이 세차게 고동쳤다. 대상주가 되어 교역을 떠난다. 빚을 갚고 상단을 구할 것이다. 걱정거리가 없지 않지만, 다 이겨 낼 수 있을 것만 같았다. 이겨 내야만 했다. / 홍라가 어머니를 따라 먼 교역길에 나서 본 게 세 번이었다. 신라, 일본, 그리고 당나라의 장안이었다.

㉰ 홍라는 장안을 떠나며 언젠가 자신의 상단을 이끌고 다시 오겠다고 다짐했다. 장안까지, 아니 세상의 끝까지 가 보고 싶었다. 그 누구의 발도 닿지 않은 새로운 길로 떠나고 싶었다.

　그런 날이 생각보다 빨리 왔다. 생각했던 것과는 달리 너무도 초라한 출발이었다. 그러나 반드시 금씨 상단에 걸맞은 모습으로 돌아오리라. 홍라는 목에 건 소동인과 열쇠를 꼭 쥐었다. 쿵쿵쿵쿵. 힘차게 뛰는 심장 박동이 느껴졌다. 아버지와 어머니가 보내는 응원의 소리인지도 몰랐다.

1 홍라가 어디로 떠나는지 쓰고, 떠나는 까닭은 무엇인지도 쓰시오. 　[10점]

(1) 떠나는 곳	
(2) 떠나는 까닭	

2 교역을 하러 떠나려는 홍라를 보고 어떤 생각이나 느낌이 드는지 쓰시오. 　[10점]

---

3 홍라처럼 새로운 일을 앞두고 성공을 위해 굳게 다짐했던 경험을 떠올려 써 보시오.

[10점]

[1~2] 글을 읽고, 물음에 답하시오.

> **가** 윤희순은 그 틈을 안 놓치고 곧장 말을 이었다.
> "여기 계신 분들 가운데 자식을 왜놈의 종으로 살게 내버려 두고 싶은 사람은 한 분도 없을 것입니다. 그러니 우리 여자들도 사내들을 도와 왜놈들을 몰아내는 데 한몫을 해야 하지 않겠습니까?"
> **나** 마침내 윤희순은 마을 아낙네들을 끌어모아 안사람 의병대를 만들었다.
> "의병을 도와 나라를 구합시다!"

1. 작품 속 인물과 나

1 이 글의 시대적 배경으로 알맞은 것을 **두 가지** 고르시오.   (,   )

① 남녀 차별이 있던 시대
② 경제적으로 풍족한 시대
③ 일제의 침략을 받은 시대
④ 여자들의 힘이 셌던 시대
⑤ 나라에 전염병이 돌던 시대

1. 작품 속 인물과 나

2 이 글에서 알 수 있는, 윤희순이 삶에서 추구한 가치는 무엇인지 빈칸에 쓰시오.

> (   )이다. 당시 시대 상황에서 여자가 맞서 싸우고 뜻을 펼치는 것이 쉽지 않았을 텐데 그것을 이겨 냈기 때문이다.

(   )

[3~5] 글을 읽고, 물음에 답하시오.

> "자전거가 바람 쐬러 가자고 졸라 대서. 모두 나한테 어찌나 바라는 게 많은지. 정말 일일이 다 들어주려니까 몸이 열 개라도 모자라겠다. 이래서야 책 읽을 시간이 나겠니?"
> "이모는 책 읽는 게 즐거워요?"
> "그걸 말이라고 하니? 책 읽는 게 재미없다면 왜 읽겠니?"
> "그래도 가끔 보면 재미없는 책도 있잖아요."
> "재미없으면 안 읽으면 되지."

1. 작품 속 인물과 나

3 이모가 좋아하는 일은 무엇입니까?   (   )

① 책 읽는 일
② 책을 쓰는 일
③ 바람을 쐬는 일
④ 자전거를 타는 일
⑤ 다른 사람들의 말을 들어주는 일

1. 작품 속 인물과 나

4 이모가 추구하는 삶으로 알맞은 것에 ○표를 하시오.

(1) 성실하게 노력하는 삶   (   )
(2) 이루지 못할 것에 도전하는 삶   (   )
(3) 자신이 좋아하고 가치 있다고 생각하는 것을 꾸준히 하는 즐거움이 있는 삶   (   )

논술형   1. 작품 속 인물과 나

5 이모가 추구하는 삶과 자신의 삶을 비교해 쓰시오.

_____

_____

2. 관용 표현을 활용해요

6 영철이와 은수의 말 가운데에서 듣는 사람의 관심을 끌 수 있는 표현은 무엇인지 쓰시오.

> 영철: 너희는 네 명이 함께 그리는데도 문제가 전혀 없네.
> 은수: 너희는 역시 손발이 잘 맞아.

(   )

2. 관용 표현을 활용해요

7 관용 표현을 활용하면 좋은 점은 무엇인지 쓰시오.
(   )

6학년   반   점수

이름

[8~9] 글을 읽고, 물음에 답하시오.

저는 얼마 전부터 오늘을 ⓐ ㉠ 아마 여러분은 학교를 졸업하면 ㉡천하를 얻은 듯 신나서 바로 멋진 어른이 될 수 있으리라 생각할 것입니다. 하지만 자신의 꿈을 향해 달려가는 일은 결코 쉬운 일도, 마음대로 되는 일도 아니었습니다.

2. 관용 표현을 활용해요

8 ㉠에 들어갈, '기대에 차 있거나 안타까운 마음으로 날짜를 꼽으며 기다리다.'라는 뜻의 관용 표현으로 알맞은 것에 ○표를 하시오.

(1) 애간장이 타다   (   )
(2) 눈 깜짝할 사이   (   )
(3) 손꼽아 기다리다   (   )

2. 관용 표현을 활용해요

9 ㉡의 뜻은 무엇인지 쓰시오.

(   )

2. 관용 표현을 활용해요

10 다음 ㉠은 어떤 뜻일지 쓰시오.

독립을 달성하려고 ㉠하루에도 열두 번 노력합시다.

(   )

[11~13] 글을 읽고, 물음에 답하시오.

㉮ 공정 무역 제품을 사용해야 하는 까닭은 다음과 같습니다.
㉯ 자연을 보호하고 생산자의 건강을 지키는 방법이 됩니다. 공정 무역에서는 지구 환경을 보호하는 친환경 농사법을 권장합니다.
㉰ 생산지에서는 농약 회사에서 권장하는 장갑과 마스크를 살 여유가 없기 때문에 해마다 가난한 나라의 농민 2만 명 이상이 작물 재배용 농약에 노출되어 여러 가지 질병을 앓고 있습니다.
㉱ 하지만 공정 무역은 농민들이 농약과 화학 비료를 적게 쓰고 유기농으로 농사를 짓게 하여 이러한 문제를 해결하려고 노력하고 있습니다.

3. 타당한 근거로 글을 써요

11 공정 무역 제품을 사용하면 좋은 점은 무엇인지 두 가지 고르시오.   (,   )

① 자연을 보호할 수 있다.
② 생산자의 건강을 지킬 수 있다.
③ 농약과 화학 비료를 많이 사용할 수 있다.
④ 농작물을 재배할 때 많은 양을 싸고 빠르게 수확할 수 있다.
⑤ 가난한 나라의 농민들에게 장갑과 마스크를 보내 줄 수 있다.

3. 타당한 근거로 글을 써요

12 이 글의 내용으로 보아 글쓴이의 주장은 무엇일지 기호를 쓰시오.

㉠ 공정 무역 제품을 사용하자.
㉡ 농약과 화학 비료의 가격을 올리자.
㉢ 지구 환경을 깨끗하게 가꿀 수 있도록 노력하자.

(   )

3. 타당한 근거로 글을 써요

논술형

13 12번 문제의 답과 관련하여, 이 글에 나타난 근거가 타당한지 판단해 쓰시오.

_____

_____

3. 타당한 근거로 글을 써요

14 자료가 근거를 잘 뒷받침하는지 판단할 때 살펴볼 점으로 알맞지 않은 것은 어느 것입니까?(   )

① 최신 자료를 사용했는가?
② 믿을 수 있는 자료를 활용했는가?
③ 자료가 근거의 내용과 관련 있는가?
④ 인터넷에서 인기 있는 자료를 사용했는가?
⑤ 수를 제시할 때에는 정확한 숫자를 사용했는가?

중간
기말
평가

3. 타당한 근거로 글을 써요

15 논설문을 쓰는 차례에 맞게 번호를 쓰시오.

① 고쳐쓰기
② 논설문 쓰기
③ 근거 생각하기
④ 계획을 세워 자료 수집하기
⑤ 문제 상황을 생각하며 주장 정하기

(   ) ➡ (   ) ➡ (   ) ➡ (   ) ➡ (   )

[16~18] 다음을 보고, 물음에 답하시오.

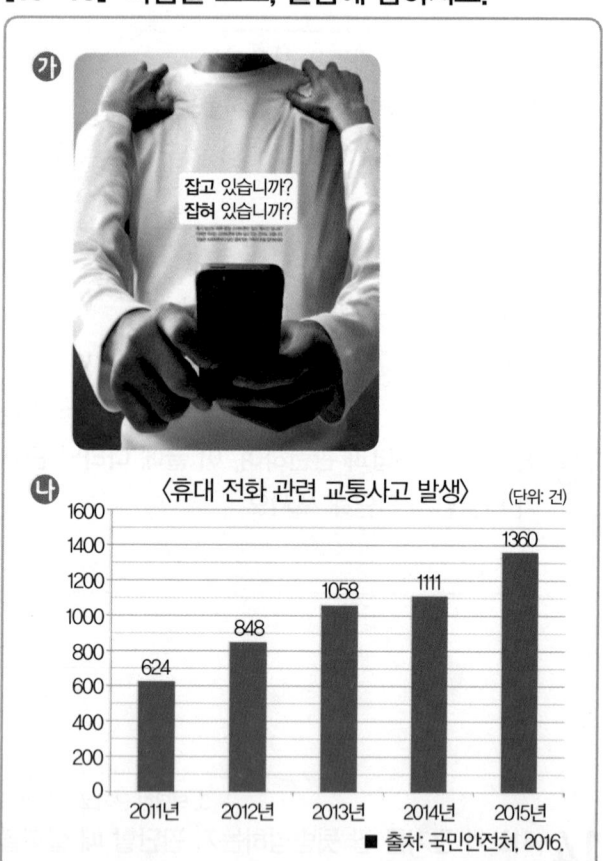

16 매체 자료 ㉮와 ㉯의 종류는 각각 무엇인지 선으로 이으시오.

(1) ㉮ •
(2) ㉯ •
• ① 도표
• ② 공익 광고 사진

4. 효과적으로 발표해요

17 매체 자료 ㉮와 ㉯ 가운데에서 다음 주제를 전하고 있는 것을 찾아 기호를 쓰시오.

걸을 때나 운전할 때 휴대 전화를 사용하면 위험하다.

(   )

4. 효과적으로 발표해요

18 매체 자료 ㉮와 ㉯가 주제를 효과적으로 표현하려고 사용한 방법을 보기 에서 찾아 각각 알맞은 기호를 쓰시오.

보기
㉠ 글이 질문 형식이라 더 생각하게 한다.
㉡ 교통사고 수치를 넣어 더 정확한 통계를 알 수 있다.
㉢ 휴대 전화가 사람을 꽉 붙잡고 있는 모습을 사진으로 잘 표현했다.
㉣ 연도별로 휴대 전화 관련 교통사고 발생량이 크게 늘어난 것을 알 수 있다.

(1) ㉮: (   )
(2) ㉯: (   )

4. 효과적으로 발표해요

19 영상 자료를 제작하고 발표하는 과정에서 가장 먼저 할 일은 무엇인지 쓰시오.

(   )

4. 효과적으로 발표해요

20 영상 자료를 제작할 때 '편집하기' 과정에서 할 일이 아닌 것은 어느 것입니까? (   )

① 촬영 일시와 장소 정하기
② 제목, 자막, 배경 음악 넣기
③ 장면을 차례에 맞게 편집하기
④ 알맞은 영상 편집 프로그램 정하기
⑤ 촬영한 영상에서 발표에 사용할 장면 고르기

기말 평가

5. 글에 담긴 생각과 비교해요
~ 8. 작품으로 경험하기

6학년   반   점수

이름

5. 글에 담긴 생각과 비교해요

1 다음에서 설명하는 것은 무엇입니까? (   )

> 사물이나 현상을 관찰할 때 그 사람이 바라보는 태도나 방향 또는 처지를 뜻한다.

① 글감   ② 주제
③ 관점   ④ 근거
⑤ 자료

[2~3] 글을 읽고, 물음에 답하시오.

> 로봇 산업이 본격적으로 발전하면 로봇은 인간을 대신하여 일을 하게 된다. 이럴 경우에 인간은 위험하거나 단순한 일, 반복적인 일에서 해방될 수 있다. 인간을 대신하여 일을 할 로봇에게 성급하게 세금을 부과한다면 로봇 산업 발전을 더디게 할 것이다. 특히 로봇 개발자는 개발 비용에 세금까지 더하여 마음의 부담을 느낄 수 있다. 로봇 개발자가 느끼는 마음의 부담은 로봇을 개발하는 과정에서 혁신적인 생각을 발전시키거나 과감한 투자를 하는 데에 걸림돌이 될 수 있다. 로봇세는 이제 발전하려는 로봇 산업에 방해가 된다.

5. 글에 담긴 생각과 비교해요

2 로봇세 도입이 로봇 산업 발전에 도움이 되지 않는다고 한 까닭은 무엇입니까? (   )

① 인간이 할 일이 없어져서
② 인간이 로봇을 대신해 일을 해야 해서
③ 로봇 개발이 누구나 할 수 있는 일이 되어서
④ 인간이 위험하거나 단순한 일, 반복적인 일만 하게 되어서
⑤ 로봇 개발자가 마음의 부담을 느껴 혁신적인 생각을 발전시키거나 과감한 투자를 하는 데에 걸림돌이 되어서

5. 글에 담긴 생각과 비교해요

3 글쓴이의 생각을 파악하여 이 글의 제목으로 어울리는 것에 ○표를 하시오.

(1) 로봇세 도입을 늦추어야 한다 (   )
(2) 로봇세 도입, 더 이상 미룰 수 없다 (   )

5. 글에 담긴 생각과 비교해요

4 글쓴이의 생각을 파악하는 방법으로 알맞지 <u>않은</u> 것은 무엇입니까? (   )

① 제목을 살펴본다.
② 글쓴이가 예상하는 독자를 짐작한다.
③ 글쓴이가 사용한 표현을 살펴본다.
④ 글쓴이의 의도와 목적을 파악한다.
⑤ 그림이나 사진은 굳이 볼 필요가 없다.

[5~6] 글을 읽고, 물음에 답하시오.

> ㉠"깨진 기와 조각은 천하에 쓸모없는 물건이다. 그러나 백성들의 집에 담을 쌓을 때 깨진 기와 조각을 둘씩 짝을 지어 물결무늬를 만들기도 하고, 혹은 네 조각을 모아 쇠사슬 모양이나 엽전 모양을 만들지 않느냐? ㉡깨진 기와 조각도 알뜰하게 사용했기에 천하의 고운 빛깔을 다 낼 수 있었던 것이다."

5. 글에 담긴 생각과 비교해요

5 글쓴이는 깨진 기와 조각을 어떻게 생각합니까? (   )

① 천하에 쓸모없다.
② 아무런 가치가 없다.
③ 일반 백성은 쓸 수 없다.
④ 버리는 게 나은 물건이다.
⑤ 알뜰하게 사용하면 고운 빛깔을 낸다.

5. 글에 담긴 생각과 비교해요

6 ㉠과 ㉡ 가운데 글쓴이의 생각이 드러난 문장을 찾아 기호를 쓰시오.

(   )

6. 정보와 표현 판단하기

7 뉴스가 우리 생활에 미치는 영향을 한 가지 쓰시오.

(   )

[8~9] 광고를 보고, 물음에 답하시오.

신바람 자전거

기분 최고, 건강 최고, 기술력 최고!
신바람 자전거가 선사합니다.

6. 정보와 표현 판단하기

8 이 광고에 대한 설명으로 알맞지 <u>않은</u> 것은 무엇입니까? ( )

① '최고'라는 표현이 과장되었다.
② 과장하거나 감추는 내용이 있다.
③ '신바람 자전거'를 광고하고 있다.
④ 건강의 중요성을 강조하고 있다.
⑤ 신바람 자전거의 이미지를 긍정적으로 전달하기 위해 밝은 화면을 사용했다.

서술형   6. 정보와 표현 판단하기

9 이와 같은 광고를 그대로 믿을 경우 어떤 문제점이 생기는지 쓰시오.

_____

_____

6. 정보와 표현 판단하기

10 뉴스의 짜임을 생각하며 빈칸에 알맞은 말을 쓰시오.

• 진행자의 도입 → ( ) → 기자의 마무리

6. 정보와 표현 판단하기

11 뉴스의 '진행자의 도입'에 대한 설명으로 알맞은 것은 무엇입니까? ( )

① 면담 자료를 소개한다.
② 진행자에 대해 소개한다.
③ 뉴스에 사용한 자료를 알려 준다.
④ 마지막에 전체 핵심 내용을 강조한다.
⑤ 보도할 내용을 유도하거나 전체를 요약해 안내한다.

6. 정보와 표현 판단하기

12 뉴스에서 다음과 같은 역할을 하는 사람은 누구인지 쓰시오.

> 뉴스에서 전문가를 면담하거나 뉴스 내용을 취재해 보도하는 역할을 한다.

( )

[13~14] 글을 읽고, 물음에 답하시오.

> ## 쓰레기가 되는 불량 식품
>
> 여러분, 불량 식품을 먹지 맙시다. 불량 식품에는 무엇이 들어갔는지, 그리고 유통 기한은 언제까지인지 정확히 적혀 있지 않습니다. 불량 식품을 먹으면 해로운 물질이 몸에 들어가 병에 걸리기 쉽습니다. 불량 식품은 ⓐ아무리 맛있어서 먹으면 안 됩니다.

7. 글 고쳐 쓰기

13 이 글의 제목을 주제가 잘 드러나도록 고쳐 쓰시오.

( )

7. 글 고쳐 쓰기

14 ⓐ을 고쳐 써야 하는 까닭으로 알맞은 것은 무엇입니까? ( )

① 너무 긴 문장이기 때문이다.
② 문장 호응이 맞지 않기 때문이다.
③ 주제와 관련 없는 내용이기 때문이다.
④ 너무 어려운 낱말을 사용했기 때문이다.
⑤ 현실적으로 불가능한 내용이기 때문이다.

[15~17] 글을 읽고, 물음에 답하시오.

> 고운 말은 다른 사람을 존중하는 마음을 전할 수 있게 하고, 다른 사람과 대화를 원활하게 할 수 있게 한다. 또 ㉠무조건 고운 말을 사용하는 것만이 우리말을 아름답게 가꾸고 지키는 일이다. 이제라도 고운 말을 사용하는 바른 언어 습관을 기르려고 ㉡노력하면 좋을 수도 있다.

15 고운 말을 사용하면 좋은 점은 무엇이라고 하였는지 두 가지 고르시오. (,)

① 우리 역사에 대해 바르게 알 수 있다.
② 약속을 잘 지키는 습관을 기를 수 있다.
③ 다른 사람과 대화를 원활하게 할 수 있다.
④ 다른 사람을 존중하는 마음을 전할 수 있다.
⑤ 다른 나라의 말을 아름답게 가꾸고 지킬 수 있다.

16 ㉠을 고쳐 써야 하는 까닭을 바르게 말한 친구는 누구인지 쓰시오.

> 명호: 문장의 길이가 너무 짧기 때문이야.
> 진선: 주제와 관련이 없는 문장이기 때문이야.
> 홍구: 주장하는 글을 쓸 때에는 지나치게 단정적인 표현을 사용하지 않는 것이 좋기 때문이야.

( )

17 ㉡을 바르게 고쳐 쓰시오.
( )

18 자신이 쓴 글을 고쳐 쓸 때 점검할 내용으로 알맞지 **않은** 것은 무엇입니까? ( )

① 읽는 사람을 고려했는가?
② 알맞은 낱말을 사용했는가?
③ 제목이 글 내용과 어울리는가?
④ 문장 호응이 잘 이루어지는가?
⑤ 한 문단에 여러 개의 중심 생각을 넣었는가?

[19~20] 글을 읽고, 물음에 답하시오.

> 「피부 색깔=꿀색」이라는 영화를 보았다. 제목부터가 뭔가 전하고 싶은 이야기가 많은 영화라고 생각했다. 이 영화는 벨기에에 입양된 우리 동포 융이라는 사람이 어린 시절을 회상하며 이야기가 시작된다.
> 융은 다섯 살에 해외로 입양된다. 하지만 융은 벨기에의 가족과 자신의 피부색이 다르다는 사실과 한국에 친부모가 있을지도 모른다는 생각에 잘 적응하지 못하고 힘들어한다. 게다가 융의 가족은 한국에서 여자아이를 한 명 더 입양한다. 융은 한국에서 새로 입양된 여동생과 자신이 닮았다는 말을 듣기 싫어하며 동생과 가족을 멀리한다.

19 이 영화 감상문에 나타나 있는 내용을 두 가지 고르시오. (,)

① 영화 줄거리
② 영화를 보게 된 까닭
③ 영화를 보며 떠오른 다른 영화
④ 영화 속 내용과 비슷한 자신의 경험
⑤ 영화를 본 뒤의 전체적인 느낌과 주제

서술형

20 이와 같은 영화 감상문을 쓰는 방법을 한 가지 쓰시오.

_____

_____

[1~2] 글을 읽고, 물음에 답하시오.

> ㉮ 어제도 네 아버지는 건물에 갇혀 울부짖는 두 사람을 업어 내왔단다. 온몸이 땀으로 범벅이 된 몸으로 또 한 번 들어가려는 순간, 시뻘건 불길이 혀를 날름거리며 건물의 입구를 막아 버린 거야.
>
> ㉯ 네 아버지가 빠져나오고 뒤를 돌아보았을 때, 불길에 무너지는 커다란 기둥이 그 구조 대원의 몸을 휩싸 안고 바닥으로 꺼져 버렸단다.
>
> 자기 목숨보다 남의 목숨을 먼저 생각한 용감한 소방관 아저씨의 최후……
>
> 그 이야기를 하시면서 아버지는 정말 뜨거운 눈물을 쏟으셨단다.

1. 작품 속 인물과 나

1 어제 아버지가 한 일은 무엇입니까? ( )

① 일을 그만두었다.
② 불이 난 건물에 물을 뿌렸다.
③ 불이 난 건물의 입구를 막았다.
④ 건물에 갇힌 구조 대원을 구했다.
⑤ 불이 난 건물에 갇힌 사람들을 업고 나왔다.

1. 작품 속 인물과 나

2 아버지의 삶과 관련 있는 가치를 생각하여 쓰시오.

( )

[3~4] 대화를 읽고, 물음에 답하시오.

> 동생: 오빠, 나도 이제 휴대 전화를 사 달라고 할 거야. ㉠쇠뿔도 단김에 빼라고 당장 구경해 보자.
> 오빠: 안 돼. 아직 부모님과 의논도 안 했잖아. 다음에 보자.
> 동생: 에이, 당장 어떤 걸로 할지 결정하고 싶었는데, 오빠 때문에 ㉡ 버렸잖아.

2. 관용 표현을 활용해요

3 ㉠'쇠뿔도 단김에 빼라'의 뜻은 무엇인지 쓰시오.

( )

2. 관용 표현을 활용해요

4 ㉡에 들어갈, '재미나 의욕이 없어진다.'의 뜻을 가진 관용 표현은 무엇입니까? ( )

① 김이 식다
② 발이 넓다
③ 손이 크다
④ 귀가 얇다
⑤ 간 떨어지다

2. 관용 표현을 활용해요

5 다음 상황에 어울리는 관용 표현을 떠올려 쓰시오.

> 사회 수업 시간에 힘들게 준비한 모둠 과제를 발표하는 상황

( )

[6~7] 단체 대화방을 보고, 물음에 답하시오.

> 엄마: 이웃집 아주머니가 △△식당의 짜장면이 맛있다고 추천하던데 거기 갈래?
> 오빠: 에이, 거기 식당 사장님은 불친절하고 음식 맛도 이상하대요.
> 나: 그래? 어떻게 알았어?
> 오빠: 누리 소통망에서 그 가게를 이용한 손님이 쓴 글을 읽었지.

3. 타당한 근거로 글을 써요

6 이 단체 대화방에서 알 수 있는 누리 소통망의 장점으로 알맞은 것은 무엇입니까? ( )

① 친구 사귀기가 쉽다.
② 올바른 정보만 얻을 수 있다.
③ 모두 같은 의견을 가질 수 있다.
④ 다른 사람이 쓴 정보를 쉽게 접할 수 있다.
⑤ 글을 쓰지 않고도 내 생각을 전할 수 있다.

서술형
3. 타당한 근거로 글을 써요

7 '누리 소통망을 올바르게 사용하자'는 주장으로 논설문을 쓰려고 합니다. 주장을 뒷받침할 수 있는 근거를 한 가지 쓰시오.

_____

_____

4. 효과적으로 발표해요

8 친구들에게 폴란드의 민속춤을 소개하려고 합니다. 민속춤의 움직임을 생생하게 보여 주려면 어떤 매체 자료를 활용하는 것이 좋겠습니까? (　　　)

① 표　　　　　　② 영상
③ 도표　　　　　④ 사진
⑤ 그림지도

4. 효과적으로 발표해요

9 다음은 영상 자료를 제작하고 발표하는 과정입니다. 빈칸에 들어갈 과정을 쓰시오.

> 발표 상황 파악하기 → 주제 정하기 → 내용 및 장면 정하기 → 촬영 계획 세우기 → (　　　　　) → 편집하기 → 발표하기

(　　　　　　　　　)

[10~11] 글을 읽고, 물음에 답하시오.

> ㉠인공 지능 기술이 발전하면서 로봇이 사람을 대신해 일하는 영역이 늘어나고, 그 규모도 커지고 있다. 이에 따라 외국에서는 로봇을 소유한 기업이나 로봇에게 세금을 부과하자는 주장이 나오고 있다. 우리도 로봇세를 ㉡도입하여 ㉢인간과 로봇이 함께 살아가는 방법을 찾아야 한다.

5. 글에 담긴 생각과 비교해요

10 ㉠~㉢ 가운데 글쓴이가 자신의 생각을 드러내기 위해 의도적으로 사용한 표현을 <u>모두</u> 찾아 기호를 쓰시오.

(　　　　　　　　　)

5. 글에 담긴 생각과 비교해요

11 글쓴이의 생각은 무엇이겠는지 알맞은 말에 ○표를 하시오.

· 로봇세를 (도입해야 , 도입하지 말아야) 한다.

[12~14] 광고를 읽고, 물음에 답하시오.

> ㉠이보다 가벼울 수는 없다! **초경량** 책가방
> ㉡교과서를 모두 넣어도 찢어질 염려 없는 **튼튼한** 재질
> 거품 없는 가격과 **최고의 품질**
> **한국**에서 직접 디자인하고 직접 만든 책가방
> 멘 듯 안 멘 듯 깃털처럼 가벼운 깃털 책가방

6. 정보와 표현 판단하기

12 무엇을 광고하고 있는지 쓰시오.

(　　　　　　　　　)

6. 정보와 표현 판단하기

13 ㉠과 ㉡의 광고 문구에 대해 알맞게 말한 사람을 <u>두 사람</u> 쓰시오.

> 혜진: ㉠의 문구는 더 가벼운 책가방이 있을 수 있기 때문에 과장된 표현이야.
> 민수: ㉠의 문구로 보아 책가방이 정말 가볍다는 것을 알 수 있어.
> 현준: ㉡의 문구는 교과서를 모두 넣을 때 무거우면 찢어질 수도 있지 않을까?
> 수미: ㉡의 문구를 보니 이 책가방을 사면 교과서를 많이 넣어도 찢어질 걱정을 하지 않아도 될 것 같아.

(　　　　　　　　　)

6. 정보와 표현 판단하기

서술형

14 광고에 나타난 표현의 적절성을 판단하면 어떤 점이 좋을지 쓰시오.

_____
_____

중간
기말
평가

6. 정보와 표현 판단하기

15 뉴스의 타당성을 판단하는 방법으로 알맞지 <u>않은</u> 것은 어느 것입니까? ( )

① 자료의 출처가 명확한지 살피기
② 가치 있고 중요한 뉴스인지 살피기
③ 재미있고 긴 내용을 다루었는지 살피기
④ 뉴스 관점과 보도 내용이 서로 관련 있는지 살피기
⑤ 활용한 자료들이 뉴스의 관점을 뒷받침하는지 살피기

[16~17] 글을 읽고, 물음에 답하시오.

> ㉠고운 말을 사용하면 친구 관계가 좋아진다. 말은 우리 민족의 혼이 담긴 소중한 문화유산이다. 은어나 비속어를 사용한다면 그것이 우리 후손에게 그대로 전해질 것이다. 고운 말을 사용해 아름다운 우리말을 지켜야 한다.

7. 글 고쳐 쓰기

16 ㉠을 고쳐 써야 하는 까닭은 무엇입니까? ( )

① 과장된 내용이기 때문이다.
② 문장 호응이 맞지 않기 때문이다.
③ 글이 한 문장으로 되어 있어 너무 길기 때문이다.
④ 주장하는 글에 어울리지 않는 불확실한 표현이기 때문이다.
⑤ 뒷받침 문장들과 어울리지 않는 중심 문장이기 때문이다.

7. 글 고쳐 쓰기

17 ㉠을 바르게 고쳐 쓰시오.

( )

7. 글 고쳐 쓰기

18 다음은 어느 경우에 사용하는 교정 부호입니까? ( )

① 띄어 쓸 때
② 붙여 쓸 때
③ 글자를 뺄 때
④ 여러 글자를 고칠 때
⑤ 글의 내용을 추가할 때

[19~20] 글을 읽고, 물음에 답하시오.

> ㉮ 대상주가 되어 교역을 떠난다. 빚을 갚고 상단을 구할 것이다. 걱정거리가 없지 않지만, 다 이겨 낼 수 있을 것만 같았다.
> ㉯ 장안은 인구 백 만이 넘는 대도시로 비단처럼 화려한 빛깔로 눈부셨다. 푸른 하늘로 날아오를 듯 맵시 있는 기와지붕들이 물결치며 이어졌고, 밤이면 색색의 등불이 별빛보다 더 아름답게 반짝였다. 온갖 나라의 사람들이 저마다의 멋을 뽐내며 거리거리를 수놓았다. 동방의 상인들이 장사하는 동부 시장도 그랬지만, 서역 상인들의 서부 시장은 더욱 경이로웠다. 소그드 상인은 물론이고 페르시아나 로마에서 온 상인들도 진귀한 물건을 내놓고 팔았다. 장안은 세계적인 교역 도시였다. / 홍라는 장안을 떠나며 언젠가 자신의 상단을 이끌고 다시 오겠다고 다짐했다.
> ㉰ 그런 날이 생각보다 빨리 왔다.

8. 작품으로 경험하기

19 장안은 어떤 도시입니까? ( )

① 세계적인 교역 도시이다.
② 건물들이 낡고 초라한 곳이다.
③ 진귀한 물건은 별로 없는 곳이다.
④ 밤에는 사람이 보이지 않는 곳이다.
⑤ 동방의 상인들만 장사를 하는 곳이다.

8. 작품으로 경험하기

20 자신이 홍라라면 장안으로 길을 떠날 때 어떤 마음일지 떠올려 쓰시오.

( )

MEMO